16	3	2	13
5	10	11	8
9	6	7	12
4	15	14	1

Lúcio Kowarick
Eduardo Marques

organizadores

SÃO PAULO:
NOVOS PERCURSOS
E ATORES

Sociedade, cultura e política

centro de estudos da metrópole

editora 34

EDITORA 34

Editora 34 Ltda.
Rua Hungria, 592 Jardim Europa CEP 01455-000
São Paulo - SP Brasil Tel/Fax (11) 3816-6777 www.editora34.com.br

CENTRO DE ESTUDOS DA METRÓPOLE

CEM/Cebrap
Rua Morgado de Mateus, 615 Vila Mariana CEP 04015-902
São Paulo - SP Brasil Tel. (11) 5574-0399 contato@centrodametropole.org.br

Capa, projeto gráfico e editoração eletrônica:
Bracher & Malta Produção Gráfica

Revisão:
Isabel Junqueira
Sérgio Molina

1ª Edição - 2011

CIP - Brasil. Catalogação-na-Fonte
(Sindicato Nacional dos Editores de Livros, RJ, Brasil)

Kowarick, Lúcio
K88s   São Paulo: novos percursos e atores
(sociedade, cultura e política) / organização de Lúcio
Kowarick e Eduardo Marques. — São Paulo: Ed. 34;
Centro de Estudos da Metrópole, 2011.
400 p.

ISBN 978-85-7326-484-5

1. Sociologia urbana. 2. Cidade de São Paulo -
História e crítica. 3. Região Metropolitana de
São Paulo - História e crítica. 4. Cultura e política.
I. Marques, Eduardo. II. Título.

CDD - 307.76

SÃO PAULO:
NOVOS PERCURSOS E ATORES
Sociedade, cultura e política

Apresentação

O livro *São Paulo: novos percursos e atores (sociedade, cultura e política)* é mais uma importante publicação em que o Centro de Estudos da Metrópole tem a honra de participar, dada a relevância de sua contribuição para a agenda de estudos sobre a questão metropolitana. Embora cada capítulo possa ser lido separadamente, a coletânea coordenada por Lúcio Kowarick e Eduardo Marques tem uma unidade analítica. A metrópole paulistana e suas transformações recentes são densamente examinadas sob diferentes perspectivas.

A obra dá continuidade à solidamente estabelecida tradição de estudos da sociologia urbana, que conferiu grande centralidade aos temas da pobreza e dos movimentos sociais. Ao mesmo tempo, introduz novos conceitos e ferramentas analíticas, que permitem explorar diferentes manifestações da desigual apropriação do espaço urbano, bem como os mecanismos pelos quais novas modalidades de desigualdade e segregação são criadas em um contexto de crescente expansão da intervenção do Estado na área social. Paralelamente, o livro incorpora temas centrais da agenda de estudos da sociologia, ciência política, demografia e antropologia urbana. A análise dos deslocamentos populacionais, das transformações no mundo do trabalho, do comportamento eleitoral, da emergência de formas de participação extraparlamentar, bem como das condições habitacionais, toma como objeto a metrópole paulistana para extrair interpretações cuja aplicação pode ser generalizada para contextos similares.

São Paulo: novos percursos e atores é um bem-sucedido exemplo da produtiva colaboração entre diferentes técnicas de pesquisa. Revela que a escolha por técnicas qualitativas, quantitativas e etnográficas não passa de uma decisão acerca da estratégia metodológica mais adequada para responder a uma pergunta substantivamente relevante, tomando como unidade de observação um dado objeto. Nenhuma é superior à outra, independentemente do problema e o objeto a que estão referidas.

Esta publicação só foi possível graças ao apoio da Fundação de Amparo à Pesquisa do Estado de São Paulo (Fapesp), no âmbito do Programa de Centros de Pesquisa, Inovação e Difusão (CEPID), e do Conselho Nacional de Desenvolvimento Científico e Tecnológico (CNPq), no âmbito do Programa dos Institutos Nacionais de Ciência e Tecnologia (INCT).

Marta Arretche
Diretora do Centro de Estudos da Metrópole

Introdução

Lúcio Kowarick e Eduardo Marques

Cidade multifacetada, plena de contrastes, conjugando dinamismo e exclusão, coração econômico do país marcado por vastas extensões de pobreza, São Paulo tem sido objeto de muitos olhares. Este livro realiza um balanço das principais contribuições recentes sobre a metrópole, discutindo os processos sociais, culturais, políticos e econômicos que a marcaram de forma mais eloquente na primeira década do século XXI, tendo em vista as análises existentes sobre os legados de períodos anteriores. As últimas décadas têm sido marcadas por intensos processos de mudança, que transformaram características sociais e espaciais amplamente conhecidas da metrópole, ao mesmo tempo deslocando e recolocando desigualdades sociais em um ambiente de crescente heterogeneidade. Traçar um panorama dessas transformações é o objetivo desse livro.

Ao longo do século XX, a metrópole multiplicou diversas vezes a sua população, alcançando atualmente cerca de 20 milhões de habitantes, sendo aproximadamente 11 milhões na capital.[1] Parte significativa desses moradores chegou a partir de 1880 através da imigração internacional para as lavouras de café e, depois de 1930, via migração interna para as atividades fabris que cada vez mais se concentravam na Grande São Paulo. Ao longo das décadas, muitos dentre esses não se assalariavam, ou alternavam a condição de emprego registrado com atividades informais, por conta própria, no mais das vezes vendendo nas ruas toda sorte de objetos. Nasceram em sua maioria na região Nordeste ou em Minas Gerais, na zona rural ou em cidades menores sem acesso a serviços públicos. A maioria tinha pouca ou nenhuma escolaridade, tendo trabalhado anteriormente apenas em pequenas

---

[1] Ao longo desta coletânea, o Município de São Paulo também será designado de capital, cidade ou simplesmente São Paulo, enquanto a Região Metropolitana de São Paulo (RMSP), composta por 39 municípios, será chamada de metrópole, região metropolitana ou Grande São Paulo.

propriedades rurais. Na metrópole, com a ajuda de parentes, conterrâneos ou vizinhos, construíram suas próprias casas em lotes desprovidos de infraestrutura urbana, longe dos locais de trabalho. No momento de mais intenso crescimento da metrópole, tiveram a ocasião de trabalhar de forma contínua, com muitas horas extras, pois, até pelo menos 1980, empregos não faltavam nas indústrias ou nos vários ramos do setor terciário: edificaram os prédios e casas que se espraiavam em várias áreas da região metropolitana, mas poucos conseguiam se qualificar para tarefas mais sofisticadas. A indústria automobilística, instaurada no decênio de 1950 nas áreas circundantes à capital, tornou-se o núcleo dinâmico da industrialização após a Segunda Grande Guerra: "50 anos em 5", *slogan* da Era Juscelino, aí se concentrava, traduzindo-se em metáfora da cidade que "mais cresce no mundo".

Essa realidade social e urbana foi objeto de inúmeros estudos. Deixando de lado estudos de cunho histórico e restringindo-nos aos livros acadêmicos confeccionados a partir dos anos 1970, sem a pretensão de sermos exaustivos, algumas referências parecem necessárias. Inicialmente, destaca-se *São Paulo, 1975: crescimento e pobreza*, coletânea elaborada por pesquisadores do Centro Brasileiro de Análise e Planejamento — Cebrap (Camargo e outros, 1976), tendo como pano de fundo os processos econômicos e políticos que ressaltavam os estertores do chamado "milagre econômico" (1967-1974), no âmbito da ditadura militar brasileira implantada em 1964, e a importância de uma oposição político-partidária que ganhava presença eleitoral — o Movimento Democrático Brasileiro, MDB. No centro das preocupações estruturava-se a questão urbana, em especial a investigação do que se denominava "lógica da desordem" — uma modalidade de crescimento econômico que reproduzia "vulnerabilidade social na cidade" de forma ampliada, gerando processos predatórios com feições nitidamente políticas. A urbanização aparentemente desordenada da metrópole tinha uma lógica adotada pelo Estado repressivo que se constituiu em alicerce importante para a acumulação de capital. Não se tratava apenas da exploração do trabalho advinda do congelamento dos salários, mas também de uma espécie de "mais valia absoluta urbana", caracterizada por reduzidos investimentos públicos em políticas e serviços básicos para a vida nas cidades, tais como saúde, saneamento, moradia e transporte coletivo, entre outros. Em suas sucessivas edições, o livro também se tornou um fator dinamizador das organizações de bairro nas periferias metropolitanas da época.

Subjacente a esse argumento, se colocava a ideia de "espoliação urbana", que se explicitaria mais tarde, em Kowarick (1979): tratava-se de uma somatória de extorsões com a intenção de negar a um grupo algo que este considerava como um direito seu, e que se não obtido passava a ser coletivamente percebido como uma indignidade, injustiça ou imoralidade na acepção que Weil (1979), Barrington Moore Jr. (1987) e Thompson (1977), respectivamente, dão aos termos. Nesse sentido, a cidade foi retomada como espaço de debates e embates sociais e políticos — movimentos sociais urbanos, em especial de moradia —, elementos que estiveram nos alicerces a partir dos quais se edificam as lutas relacionadas à apropriação dos benefícios injetados no tecido urbano. Ou, para utilizarmos uma caracterização clássica, tratava-se dos conflitos localizados na base do processo de extensão e consolidação dos direitos sociais de cidadania, no caso, o direito à cidade (Lefebvre, 1969).

A metrópole e seus espaços, em especial periféricos, passaram a ser objeto de intensa investigação pelo campo de estudos urbanos brasileiros no início dos anos 1980. Uma ampla gama de trabalhos abordou a produção do espaço e de nossas periferias, como Maricato (1982) e Rolnik e Bonduki (1982), focando a produção de loteamentos e a autoconstrução, formas dominantes de habitação popular, conjugando esta forma de moradia com a expansão industrial que se processou durante a década de 1970. Por outro lado e de forma combinada, a dimensão do cotidiano se tornou então central nas interpretações sobre a metrópole paulistana (Caldeira, 1984), reduzindo a influência do estruturalismo ainda presente nas análises e influenciando de forma definitiva a maneira como os movimentos sociais eram interpretados (Cardoso, 1984).

O campo da política foi trazido em seguida para o centro do debate com o livro *São Paulo: o povo em movimento*, escrito logo em seguida às greves metalúrgicas que despontaram na metrópole após 1977, e quando os movimentos de bairro passaram a reunir centenas e por vezes alguns milhares de pessoas em torno de reivindicações de bens e serviços. O repúdio ao assassinato do jornalista Vladimir Herzog, os protestos estudantis, a reunião da Sociedade Brasileira para o Progresso da Ciência (SBPC), proibida pelo Governo Federal e realizada na Pontifícia Universidade Católica de São Paulo (PUC-SP), transformaram-se nas primeiras manifestações de massa de contestação ao regime militar (Singer e Brant, 1980). As análises mostraram que no mundo operário popular passou-se do período de resistência, da "operação tartaruga" e das "paralisações relâmpago" nas fábricas, para dezenas de manifestações por melhorias urbanas nas ruas, como as de reivindicação de regularização de loteamentos clandestinos e favelas, e a luta por creches. Com grande participação das Comunidades Eclesiais de Base (CEBs), constituíam-se organizações populares, como associações comunitárias, comissões de fábrica, clubes de mães e jovens e grupos estudantis, baseadas em solidariedade e identidades coletivas forjadas tanto na vizinhança quanto no mundo do trabalho. Preservando sua relativa autonomia em relação aos partidos políticos, esses movimentos passaram do momento da resistência para a aberta oposição social e política à ditadura militar, verdadeira desobediência civil que ganhava apoio de significativas e diversas categorias sociais. Nesse contexto, o livro não só tratava das lutas provenientes do mundo operário sindical e dos bairros carentes da região metropolitana, mas também introduzia novas temáticas ao debate, como o feminismo, os movimentos negros, indígenas e de outras minorias, além dos partidos políticos. Ao fazê-lo, antecipou algo que iria se consolidar no percurso dos anos seguintes: o surgimento de variado espectro de partidos políticos que tornariam a arena eleitoral crescentemente competitiva e que deslocariam a disputa pelo poder, colocando em novos termos a equação entre movimentos sociais, partidos políticos e instâncias governamentais.

A maioria das análises sobre movimentos teve implícita ou explicitamente um caráter apologético e dicotômico (Estado = mal X movimento = bem), imputando aos movimentos sociais urbanos um papel político que jamais tiveram e tomando um horizonte histórico de feições genético-finalistas, desembocando na liberação dos oprimidos e, em última instância, na superação das formas capitalistas de produção. Para uma crítica a estas concepções ao mesmo tempo libertárias e ingênuas, ver Cardoso (1984 e 1994) e Kowarick (1987). Do nosso ponto de vista, as melhores análises estão em Sader (1988), que se debruçou sobre a década de 1970 quando a truculência do regime militar ainda se manifestava de modo contundente, e em Doimo (1994), que têm por referência o decênio seguinte, quando as instâncias decisórias governamentais se abriram para o diálogo com as reivindicações operário-populares.

A década de 1980 foi marcada pelos intensos conflitos que desembocaram na Constituição de 1988, no bojo da consolidação do processo democrático. Em termos econômicos, já estávamos em plena conjuntura de retração econômica, após o fracasso do Plano Cruzado do governo Sarney, eleito indiretamente pelo Congresso Nacional não obstante as massivas manifestações por eleições diretas de 1984. Nesse duplo contexto é escrito *São Paulo, trabalhar e viver*, também produzido no Cebrap e encomendado pela Comissão de Justiça e Paz, com apresentação de D. Paulo Evaristo Arns, arcebispo de São Paulo (Brant, 1989). As instâncias governamentais já se encontravam abertas ao diálogo com os movimentos sociais por meio de espaços institucionais de negociação. Nesse sentido, o capítulo final do livro

Lúcio Kowarick e Eduardo Marques

destacava a importância do jogo partidário eleitoral e os desafios que as administrações progressistas, principalmente do Partido dos Trabalhadores (PT), iriam enfrentar se chegassem ao poder, o que de fato ocorreu com a vitória em cidades importantes, inclusive em São Paulo com a eleição de Luiza Erundina em 1989. O protesto e a luta social em torno das condições de trabalho, moradia, transporte, saúde e saneamento também estão presentes no texto. Contudo, dois novos temas se destacam. De um lado, o tema da solidão e do envelhecimento da população, considerando a quase total inexistência de políticas públicas voltadas para a terceira idade. De outro, é introduzido o tema do medo e da violência, inclusive policial. É nesse contexto de acirramento da violência que emerge a questão dos jovens pobres das periferias, já então os que mais matavam e morriam.

Este tema está no centro de *Cidade de muros: crime, segregação e cidadania em São Paulo*, de Caldeira (2000), análise que reúne contundente material etnográfico com dados quantitativos, dando origem a interpretações que se tornaram referência obrigatória nos estudos sobre a criminalidade, que na época já se apresentava como uma das principais causas de morte da população jovem. Em um cenário onde as taxas de furto e roubo também aumentavam, debates sobre a violência se faziam cada vez mais presentes e o medo se enraizava no cotidiano das pessoas, constituindo-se em forte elemento no ordenamento dos modos de vida. Esse processo de retraimento da sociabilidade e da comunicação estava na origem de novos padrões de segregação social no espaço, que se expressavam nos muros dos enclaves fortificados, superpondo-se aos padrões radiais clássicos de tipo centro-periferia da metrópole. Tratava-se de estigmatizar o que era socialmente diferente — pobres, negros e mulatos, favelados — visto como adverso e potencialmente perigoso. Desse imaginário estereotipado se estruturava amplo processo de "evitação social". Nesse sentido, se houve avanços significativos no âmbito da democracia expressos na competição partidária, no voto secreto e universal, na renovação periódica de governantes do poder executivo e legislativo e no controle das eleições por órgãos do judiciário, o mesmo não ocorreu no âmbito das interações entre pessoas, em que a desconfiança e a insegurança fortaleceram concepções autoritárias, marcadas pelo retraimento e distanciamento entre grupos sociais, quando não pela incivilidade no tratamento daqueles que eram (e são) tidos e havidos como socialmente inferiores.

Esses deslocamentos na literatura expressaram, na verdade, muitas transformações empíricas ocorridas na cidade ao longo dos últimos 40 anos, com importantes impactos sobre os seus moradores. Assim, se realizarmos o exercício de pensar de forma ideal-típica, os filhos dos migrantes nordestinos que chegaram à "metrópole que não para(va) de crescer" nasceram em maternidades públicas, cada vez mais conseguiram terminar o ensino fundamental ou até mesmo atingir o ensino médio e, de forma crescente, foram atendidos em postos de saúde, assim como tiveram acesso, mesmo que de baixa qualidade, a serviços públicos de abastecimento de água, esgotamento sanitário, resíduos sólidos, telecomunicações, pavimentação e iluminação pública. Mas, também de modo mais significativo, moram muitas vezes em favelas, pois os loteamentos, mesmo que clandestinos, são cada vez mais caros e distantes do local de trabalho, o que significa várias horas no transporte coletivo, algo extremamente desgastante e penoso. Há também maiores dificuldades para se obter emprego formal ou trabalho permanente em um mercado de trabalho em transformação e crescentemente opaco. Após 1980, convivem com a crescente violência dos traficantes que moram nas vizinhanças, frequentemente ex-colegas de escola. Nesse particular, os homicídios em São Paulo ocorrem de modo muito mais acentuado nas periferias, onde os pobres matam os pobres, jovens do sexo masculino, no mais das vezes pretos ou mulatos. A polícia, quase sempre truculenta e arbitrária, faz o mesmo, enquanto as classes mais abastadas têm medo de algo que pouco as vitima, e se encastelam em seus enclaves.

Não há dúvida que São Paulo melhorou do ponto de vista socioeconômico e urbano em termos de serviços públicos, expresso na maior proporção de domicílios servidos por rede de água e esgoto, coleta de lixo, pavimentação e iluminação pública. Apesar de exíguos, os rendimentos apresentam maior poder aquisitivo, sendo menor a proporção dos que se encontram abaixo da chamada linha de pobreza. Não é por outra razão que mortalidade infantil, indicador-síntese de vulnerabilidade social, tem diminuído de modo substancial ao longo das décadas.

Mesmo a moradia popular, o loteamento clandestino ou a favela, embora produzidos fora dos padrões técnicos recomendáveis e construídos ao longo dos anos na medida do possível, apresentam melhor qualidade habitacional do que em decênios passados. Essas formas de moradia precária, entretanto, repõem novas condições de vulnerabilidade social e civil, analisadas recentemente por Kowarick (2009), partindo de extensa pesquisa etnográfica em cortiços, loteamentos periféricos e favelas.

Como consequência desses vários processos contraditórios, os espaços periféricos se tornaram crescentemente heterogêneos social e espacialmente, como destacado de forma detalhada por Marques e Torres (2005), que investigaram as transformações do tecido metropolitano no início dos anos

2000 utilizando técnicas diversas em nível desagregado. Nesse sentido, os resultados apontaram para a existência de uma intensa heterogeneidade territorial, inclusive nos espaços periféricos, assim como para a presença de múltiplas formas de segregação e pobreza nas periferias da metrópole. Uma parte importante dessas transformações foi provocada por processos extra-locais e se faz presente igualmente em outras grandes cidades brasileiras.

Em termos urbanos, em especial, a metrópole continua caracterizada por um processo que pode ser designado de urbanização anômica, no sentido de desregrada, na qual a ilegalidade das normas urbanas é a regra. A centralidade do irregular, do informal e do ilegal na metrópole, por sinal, foi analisada recentemente por Silva Telles e Cabanes (2006) com base em amplo trabalho etnográfico das trajetórias dos trabalhadores e suas moradias. O *laissez faire* das áreas da cidade habitadas pelas camadas mais pobres se acelerou com a ocupação predatória das periferias a partir de 1940, onde se avolumaram milhões de pessoas, ao mesmo tempo em que os poderes públicos respondiam aos déficits historicamente acumulados de forma aleatória e pontual. Some-se a isso a manutenção de espaços de péssimas condições, mesmo frente à melhoria substancial nas médias dos indicadores para regiões da cidade, gerando verdadeiras hiperperiferias, como assinalado por Torres e Marques (2001).

Além disso, as políticas governamentais tenderam a responder predominantemente a interesses clientelistas ou do capital financeiro-imobiliário ou construtor, que muito ganhou através da valorização que seguia e se imbricava aos investimentos públicos, como analisado por Marques (2003). Nesse sentido, com raras exceções, os governos locais têm produzido planos, projetos e políticas, mas muito pouco planejamento e quase nenhuma gestão do território, em especial no que tange à grande maioria do tecido metropolitano caracterizado pela precariedade e irregularidade. No que diz respeito às políticas públicas, portanto, embora as desigualdades de acesso a equipamentos e serviços tenham se reduzido, e o desenvolvimento de políticas de infraestrutura de corte republicano tenha se disseminado, a cidade se ressente fortemente de políticas de gestão efetiva do território que possam influenciar os padrões de segregação social no espaço.

A urbanização é anômica também na acepção que as moradias são desprovidas de projeto arquitetônico, e os bairros, de infraestrutura planejada, enquanto as políticas e os serviços prestados pecam pela qualidade. As pesquisas revelam que existem redes de abastecimento, mas é frequente a falta de água, o lixo se acumula, o ensino é de má qualidade, muitas moradias localizam-se em áreas de risco e é comum a longa espera na rede pública de saúde. Vistos do alto, os bairros se sucedem em extensões quilométricas que impressionam pela monotonia de tons cinza e marrom. Cerca de 1,5 milhões de pessoas habitam as áreas de proteção dos mananciais junto às represas Guarapiranga e Billings, ou na Serra da Cantareira, cuja vegetação está sendo destruída pela ocupação que se espraia pelos morros. São reservas hidroambientais de grande importância no fornecimento de água e na preservação do verde, cuja destruição representa sérios prejuízos à vida na metrópole.

Em termos sociais mais gerais, por outro lado, os estudos existentes indicam uma grande estabilidade na estrutura social, sugerindo que as melhoras verificadas não chegaram a impactar substancialmente a estratificação de ampla desigualdade social característica da cidade (Marques, Scalon e Oliveira, 2008; Scalon, Marques e Bichir, 2008), embora possam ter reduzido o tamanho e a intensidade da pobreza, principalmente a absoluta. Sob o ponto de vista da sociabilidade, os padrões de isolamento espacial inscritos na segregação residencial se reproduzem na sociabilidade cotidiana. Também nesse caso a cidade se caracteriza por fortes padrões de isolamento entre indivíduos de diferentes grupos sociais, como nos indicaram os resultados de Marques (2010) sobre as redes sociais dos mais pobres na metrópole. Nesse sentido, o contato com os socialmente iguais é amplamente predominante, embora os mais pobres que conseguem construir padrões de relações menos homofílicos tendem a ter melhores condições de vida.

Essa realidade metropolitana atravessada por transformações e continuidades, onde espoliações (Kowarick, 1979 e 2000) e hiperperiferias (Torres e Marques, 2001) coexistem com uma maior presença do Estado, tem sido tematizada por uma dinâmica produção recente. O presente livro tem por objetivo apresentar algumas dessas contribuições, atentando para o caráter complexo, conflituoso e por vezes contraditório dos processos em curso, cuja atualização teórica e empírica constitui tarefa de maior relevância, não só para detectar os problemas da região, mas também para fornecer cenários que permitam melhor priorização das políticas públicas.

Uma última observação se faz necessária antes de apresentarmos o conteúdo do livro. A maioria dos textos que se segue realça recortes de vários aspectos da pobreza urbana e, portanto, não analisa centralmente um outro lado da cidade, que envolve parcela significativa da riqueza nacional. Nesse sentido, São Paulo também aloja uma classe média de alto poder aquisitivo, que conjuntamente com os muitos ricos, sejam herdeiros ou assalariados e autônomos dos sofisticados serviços produtivos, formam o círculo dos que consomem produtos de luxo. Essa parcela da cidade explica o fato de São

Lúcio Kowarick e Eduardo Marques

Paulo ter a maior frota de jatos particulares do mundo e uma frota de helicópteros que só perde para as de Nova York e Tóquio, e alojar um extenso circuito de lojas de luxo. Incluem-se quatro lojas Tiffany, três Bulgari e as filiais da Louis Vuitton e da Montblanc que mais geram mais lucro para suas matrizes. Cidade onde mais se consome o vinho Romanée-Conti e o champanhe Cristal (McDovald, s.d.). O "quadrilátero de luxo" foi denominado pelo *New York Times*, "um oásis de indulgência em meio a pobreza brasileira" (*Exame*, 2008: 66). Mencione-se que este magnífico centro de consumo enfrenta sérios problemas com a Receita e a Polícia Federal brasileiras, por contrabando e descaminho de parte ponderável de seus produtos.

O livro

A coletânea se inicia com o capítulo de Maria Encarnación Moya sobre os principais estudos desenvolvidos nas últimas décadas sobre a cidade. A trajetória dessas análises se inicia com a literatura que tematizou pobreza, periferia e problemas sociais nos anos 1960 e 70, passando posteriormente pelos estudos que problematizaram a produção do quadro construído urbano e os padrões de segregação socioespacial na cidade, assim como as formas de moradia dos mais pobres. O ponto de chegada do artigo é a produção recente que tem trabalhado com as transformações vivenciadas nas últimas décadas, tanto em termos dos deslocamentos provocados por novos problemas, como a violência urbana, quanto pelo aumento da heterogeneidade das condições sociais e das formas de vida na urbe paulistana.

Em seguida se inicia a primeira parte do livro, dedicada a discutir a vida e a habitação na cidade. Esse quadro geral do viver na metrópole se abre com o capítulo de autoria de Rosana Baeninger, que apresenta a dinâmica demográfica recente desconstruindo ideias preconcebidas e amplamente disseminadas. O quadro esboçado pela autora se inicia com a descrição de uma região que cresce pouco e se esvazia em suas áreas centrais, enquanto os municípios de sua periferia mais externa continuam crescendo. Esse novo padrão de crescimento se liga a um deslocamento da dinâmica migratória, em que a Região Metropolitana de São Paulo deixa de ser um polo de atração e se consolida como origem e destino de fluxos de chegada e saída, incluindo substancial migração de retorno. Em seguida, o capítulo analisa a diversificação dos arranjos familiares que tem ocorrido em São Paulo, distribuídos de forma heterogênea pelo território metropolitano. A este se associa um substancial envelhecimento da população, que ocorre em um cenário de rapidíssimo declínio da fecundidade, deixando como legado a presença de grupos sociais jovens de grandes proporções.

O morar na metrópole é discutido por Lúcio Kowarick no capítulo 4, que analisa a habitação em cortiços. O artigo faz uma caracterização dos distritos centrais de São Paulo e seu dinamismo recente, para abordar em seguida a moradia na área central. Tido por vezes como esvaziado, o centro da capital se mostra verdadeira e dinamicamente ocupado por atividades e grupos populares diversos. Em seguida, com base em material etnográfico recolhido junto a moradores de cortiço na região central, o autor caracteriza os moradores, explicita suas motivações e relata suas angústias cotidianas, lutas políticas e estratégias pessoais e familiares. Os cortiços constituem uma das soluções habitacionais de maior precariedade, mas com elevada acessibilidade a equipamentos e oportunidades por sua centralidade geográfica.

O quarto capítulo, de Camila Saraiva e Eduardo Marques, complementa o quadro da moradia na metrópole, discutindo o processo de favelização em São Paulo em período recente. Utilizando ferramentas de sistemas de informações geográficas, são geradas estimativas para a população moradora de favelas, assim como indicadores sociais médios que permitem a sua caracterização. Os autores mostram um crescimento demográfico inferior ao considerado por estudos anteriores, embora superior ao do restante da cidade. Em termos comparativos, os indicadores sociais sugerem melhora na situação social das favelas, assim como elevada heterogeneidade nos núcleos favelados, indicando que também aqui é talvez mais prudente falarmos de favelas no plural, de forma a dar conta da grande variabilidade do fenômeno. Ao analisar esta modalidade de assentamento precário, os autores também consideram aspectos sociais e econômicos dos entornos das favelas.

A questão da imigração estrangeira é o objeto do quinto capítulo, de Maria Cristina da Silva Leme e Sarah Feldman. As autoras analisam o fenômeno a partir das diferentes relações dos imigrantes estrangeiros com a cidade até a metade do século XX. O tema é abordado através de dois eixos que se entrecruzam. O primeiro se refere à presença de grandes intervenções públicas, construídas em parte por empresas estrangeiras, e o segundo diz respeito à construção dos bairros que cercam imediatamente a área central, que se convertem de uso rural em urbano a partir do final do século XIX, com intensa presença de estrangeiros imigrantes. O capítulo analisa em especial a construção do Bom Retiro, habitado por judeus, árabes, portugueses e italianos, entre outros, ao longo das décadas, onde fica claro o papel dos imigrantes, mesmo constituídos por grupos minoritários na produção sociourbana de São Paulo.

O sexto capítulo inicia a segunda parte do livro, dedicada ao trabalho e à produção. Nele, Alvaro Comin analisa as características econômicas da Grande São Paulo, vis-à-vis as dinâmicas econômicas nacionais, e investiga as transformações recentes de sua economia, considerando as suas interconexões. Tendo em vista a importância da região na economia brasileira, assim como a pujança desta no período recente, o tema é discutido levando em conta suas dimensões regional e internacional. Nesse sentido, o capítulo traça um panorama econômico recente tendo como pano de fundo as discussões sobre as megacidades. Analisa também as relações entre as transformações vivenciadas por estas e o território metropolitano, tanto no que diz respeito aos grupos sociais que ali habitam, quanto à distribuição e concentração espacial das atividades, em especial das que envolvem a produção de conhecimento e inovação. O capítulo busca dialogar também com a produção de políticas que permitam promover o desenvolvimento econômico regional, mas também reduzir as amplas desigualdades que marcam esse contexto no país. Sob esse ponto de vista, se a concentração de atividades representa uso mais intensivo das infraestruturas relativamente escassas em nível nacional, tende a perpetuar desigualdades regionais com efeitos sociais danosos e duradouros.

O olhar sobre o trabalho é complementado pelo capítulo 7, de Nadya Guimarães, Murillo de Brito e Paulo Henrique da Silva. Os autores exploram de forma detalhada os impactos diferenciados da circulação das informações ocupacionais no acesso aos postos de trabalho na cidade. Seguindo estudos recentes que têm explorado o acesso ao trabalho e a saída do desemprego, os autores exploram as formas de intermediação das oportunidades ocupacionais. Informações de pesquisas comparativas internacionais sugerem a intensa variação das formas de intermediação, desde aquelas concentradas em formas institucionalizadas, como empresas de intermediação e agências estatais, até as realizadas pelas redes de relacionamento cotidiano dos indivíduos. O artigo explora intensamente o funcionamento dessas últimas, especificando sua presença na busca de emprego em São Paulo, assim como os tipos de trabalho delas provenientes.

A terceira parte do livro é dedicada à discussão da participação social e política, tanto de maneira institucionalizada, através das eleições, quanto pelas associações formais e pelo ativismo político dos movimentos sociais. O oitavo capítulo, de Fernando Limongi e Lara Mesquita, aborda a dinâmica eleitoral na cidade. Pesquisando as eleições locais em São Paulo desde 1985, e mais detidamente após 1992, os autores sustentam a existência de estabilidade no tempo e previsibilidade no comportamento dos eleitores, análise que refuta boa parte da literatura sobre o tema. Lançando mão de modelos estatísticos, os autores demonstram que os grandes blocos políticos da esquerda, do centro e da direita consolidaram ao longo do tempo eleitorados com especificidades sociais e localização espacial característica. A dinâmica eleitoral analisada é fortemente influenciada pelas estratégias partidárias e pela capacidade dos partidos mobilizarem o eleitorado através da oferta de candidaturas. A existência de padrões claros para eleições específicas e estáveis no tempo permite refutar a hipótese da inconstância e da volatilidade no comportamento político-eleitoral local.

Em seguida, Luciana Tatagiba discute a dinâmica recente dos movimentos de moradia em São Paulo, ator coletivo na cidade, à luz das transformações que o campo dos movimentos sociais tem sofrido no Brasil. Tais mudanças se associam tanto à expansão de formas institucionalizadas e organizacionais de participação pela sociedade civil, quanto à instauração de diversos governos progressistas próximos aos movimentos, ampliando seus espaços de participação e oportunidades de negociação. A autora mostra como, frente a esse novo ambiente político, as organizações populares em São Paulo alteraram suas formas de ação e lançam mão de modalidades participativas distintas frente a posicionamentos diversos do Estado. No centro dessas dinâmicas jazem as tensões entre a autonomia em relação às instâncias governamentais e a eficácia política, gerando graus diversos de conflituosidade e de institucionalização da participação.

O décimo capítulo, de autoria de Adrian Gurza Lavalle, Graziela Castello e Renata Bichir, faz uma investigação da dinâmica recente do associativismo na metrópole. No centro de suas preocupações se situam os deslocamentos ocorridos nas formas associativas a partir da redemocratização, tratados tanto teórica quanto empiricamente. O capítulo parte de ampla pesquisa por amostragem com associações civis em São Paulo realizada em 2002, a partir da qual os autores constroem as redes de relações entre associações utilizando análise de redes sociais. O mapeamento resultante sugere uma intensa diversificação da chamada sociedade civil, em que os movimentos sociais continuam centrais, embora de forma diferente do que anteriormente, e onde novos atores, como as organizações não governamentais, ocupam lugares importantes nas redes e nas dinâmicas do setor.

A quarta e última parte do livro inclui dimensões da sociabilidade e do cotidiano nas periferias com temas interconectados — expressões culturais da e sobre a cidade, violência urbana e informalidade.

A seção se abre com a análise de Esther Hamburger, Ananda Stücker, Laura Carvalho e Miguel Ramos a respeito da imagem das periferias metropolitanas no cinema. Os autores analisam dois filmes recentes que trazem interpretações distintas da cidade — *O invasor* e *Antônia*. Com recepções até certo ponto invertidas do público e da crítica, os dois filmes diferem na sua caracterização das desigualdades sociais e dos espaços segregados da cidade. Enquanto o primeiro adota uma postura antiespetacular, mas contando com inúmeros artistas de destaque da cena teatral e musical da cidade, o segundo aposta em um elenco desconhecido e preparado especialmente para o filme. As representações de ambos sobre as periferias e a violência também não podiam ser mais diversas, com o primeiro sustentando um quadro totalizante, opressivo e pessimista da cidade e de sua violência, enquanto o segundo narra a trajetória e o engajamento de um conjunto de mulheres da periferia na busca de seus sonhos e projetos, sugerindo esperança, apesar das condições difíceis que marcam suas vidas.

Em seguida, Teresa Caldeira analisa o movimento hip-hop, focando em sua crítica profunda das desigualdades sociais, do racismo e da violência presente nas periferias da cidade. Para a autora, o rap nasceu de uma confluência entre a crescente violência, o neoliberalismo e um novo padrão de segregação espacial que marcam o período da redemocratização brasileira, defendendo uma nova atitude — um padrão de comportamento que permitiria aos jovens, predominantemente negros e pobres, sobreviver nessas áreas frente à escalada da violência. Paradoxalmente, ao sustentar o status de radical isolamento das periferias, o rap paulistano recria as condições de sua própria apartação, espelhando as práticas de autossegregação das classes altas e reforçando o preconceito contra os espaços periféricos.

O capítulo 13, de Paula Miraglia, inicia a discussão de um tema onipresente nos dois capítulos anteriores e que se constituiu em uma das dimensões de maior projeção social e política no período recente — a violência, analisada a partir de uma reflexão sobre a dinâmica dos homicídios na cidade. A autora analisa a grande elevação dos números de homicídios, sobretudo de jovens, até a década de 1990, assim como a sua queda nos últimos anos. O capítulo destaca o papel da violência na reprodução das desigualdades no país e discute a participação de diversos fatores na explicação da dinâmica recente dos homicídios, tanto institucionais, quanto associados à disseminação das armas de fogo e às dinâmicas do próprio mundo do crime.

Gabriel Feltran dá continuidade à analise da temática no capítulo seguinte, com a discussão dos deslocamentos políticos provocados pela ascensão da violência no tecido social periférico nas últimas quatro décadas, ligados a importantes mudanças nas esferas do trabalho, da família e do associativismo popular. Partindo de resultados qualitativos de pesquisas etnográficas realizadas em áreas periféricas, retrata os deslocamentos produzidos pela redução da centralidade da categoria trabalhador e das estratégias de mobilidade a ela associadas, assim como pelo aumento dos espaços de negociação cotidiana entre Estado, polícia e mundo do crime, com consequências amplas sobre as formas pelas quais os moradores das periferias vivenciam cotidianamente as relações entre política e direitos de cidadania.

Vera Telles e Daniel Hirata fecham o livro, investigando as tensas relações entre legal e ilegal, formal e informal, no cotidiano da metrópole. Com base em material etnográfico coletado em várias áreas periféricas, o capítulo explora temporalidades e conflitos de trajetórias marcadas por passagens entre o trabalho precário, o emprego temporário, os expedientes de sobrevivência e as atividades ilegais, clandestinas ou delituosas. A partir das tramas sociais da cidade, analisam de que forma os indivíduos e as famílias são afetados por certos códigos e práticas, e como atravessam cotidianamente as fronteiras tensas da experiência urbana contemporânea frente à crescente presença do informal e do ilegal nas diversas dinâmicas da metrópole.

BIBLIOGRAFIA

AVRITZER, Leonardo (org.) (2004). *A participação em São Paulo*. São Paulo: Editora Unesp.

BRANT, Vinícius Caldeira (org.) (1989). *São Paulo, trabalhar e viver*. São Paulo: Comissão de Justiça e Paz/Brasiliense.

CALDEIRA, Teresa Pires do Rio (1984). *A política dos outros: o cotidiano dos moradores da periferia e o que pensam do poder e dos poderosos*. São Paulo: Brasiliense.

_____ (2000). *Cidade de muros: crime, segregação e cidadania em São Paulo*. São Paulo: Editora 34/Edusp.

CAMARGO, Candido Procópio *et al.* (1976). *São Paulo, 1975: crescimento e pobreza*. São Paulo: Loyola.

CARDOSO, Ruth (1994). "Trajetória dos movimentos sociais". In: DAGNINO, Evelina (org.), *Anos 90, política e sociedade no Brasil*. São Paulo: Paz e Terra.

_____ (1984). "Movimentos sociais, um balanço crítico". In: SORJ, Bernardo; ALMEIDA, Maria Hermínia (orgs.). *Sociedade e política no Brasil pós-64*. São Paulo: Brasiliense.

DOIMO, Ana (1994). *A voz e a vez do movimento popular*. São Paulo: Anpocs/Relume Dumará.

KOWARICK, Lúcio (1979). *A espoliação urbana*. São Paulo: Paz e Terra.

_____ (1987). "Movimentos sociais no Brasil contemporâneo: uma análise da literatura". *Revista Brasileira de Ciências Sociais*, nº 3, vol. 1, São Paulo, Anpocs.

_____ (2000). *Escritos urbanos*. São Paulo: Editora 34.

LEFEBVRE, Henri (1969). *O direito à cidade*. São Paulo: Documenta.

MARQUES, Eduardo (2003). *Redes sociais, instituições e atores políticos no governo da cidade de São Paulo*. São Paulo: Annablume.

_____ (2010). *Redes sociais, segregação e pobreza*. São Paulo: Unesp.

MARQUES, Eduardo; TORRES, Haroldo (orgs.) (2005). *São Paulo: segregação, pobreza e desigualdades sociais*. São Paulo: Senac SP.

MARQUES, Eduardo; TORRES, Haroldo (2001). "Reflexões sobre a hiperperiferia: novas e velhas faces da pobreza no entorno municipal". *Revista Brasileira de Estudos Urbanos e Regionais*, n° 4.

MARQUES, Eduardo; SCALON, Celi; OLIVEIRA, Cida (2008). "Comparando estruturas sociais no Rio de Janeiro e em São Paulo". *Dados: Revista de Ciências Sociais*, vol. 51, n° 1, pp. 57-72.

MARICATO, Ermínia (org.) (1982). *A produção capitalista da casa (e da cidade) no Brasil industrial*. São Paulo: Alfa-Omega.

MOORE JR., Barrington (1987). *A injustiça: as bases sociais da obediência e da revolta*. São Paulo: Brasiliense.

SADER, Eder (1988). *Quando novos personagens entram em cena, experiências e lutas dos trabalhadores da Grande São Paulo*. São Paulo: Paz e Terra.

SCALON, Celi; MARQUES, Eduardo; BICHIR, Renata (2008). "A dinâmica dos grupos sociais em São Paulo na década de 1990". XXXII Encontro da Anpocs, Caxambu.

SINGER, Paul; BRANT, Vinícius Caldeira (1980). *São Paulo, povo em movimento*. São Paulo: Brasiliense.

TELLES, Vera da Silva; CABANES, Robert (2006). *Nas tramas da cidade: trajetórias urbanas e seus territórios*. São Paulo: Humanitas.

THOMPSON, Edward (1977). *Tradición, revuelta y conciencia de clase: estudios sobre la crisis de la sociedad preindustrial*. Barcelona: LASA.

WEIL, Simone (1979). *A condição operária e outros estudos sobre a repressão*. Rio de Janeiro: Paz e Terra.

1

Os estudos sobre a cidade: quarenta anos de mudança nos olhares sobre a cidade e o social

Maria Encarnación Moya

Pobreza, desigualdade, segregação. Não são temas novos no interior do debate acadêmico brasileiro, e a cidade de São Paulo vem há muito constituindo-se em objeto privilegiado de análises. Principal centro econômico do país, a capital e sua região metropolitana expressam de forma exemplar toda a complexidade dos processos de mudança social que constituíram a sociedade urbano-industrial brasileira, e que resultaram em crescente diferenciação e uma estrutura social, ocupacional e espacial bastante heterogênea, marcada pela pobreza e por profundas desigualdades. Mas, desde as análises clássicas dos anos 1970 sobre a cidade e as condições e modo de vida de seus habitantes, quarenta anos se passaram, décadas de intensas mudanças econômicas, sociais e políticas.

O presente capítulo fala do percurso de pesquisas e trabalhos intelectuais sobre a metrópole. Não se debruça sobre a totalidade, mas acompanha por meio de um conjunto de estudos e investigações as mudanças sociais e urbanas que desde quatro décadas afetam a Região Metropolitana de São Paulo e seus moradores; elas são relatadas ao longo dessas obras como transições, e nos últimos tempos, verdadeiras inflexões que trouxeram temas como a violência ao primeiro plano, junto com as transformações no mundo do trabalho, moradia, família, e da emergência de instituições públicas e privadas, ou de organizações presentes nestes espaços antes ocupados por outros atores e organizações.

Frente ao recente debate sobre "nova pobreza", "exclusão social", "novas desigualdades" e outras categorias produzidas na tentativa de apreender as "mutações" da realidade social, este texto apresenta-se como uma "retrospectiva" e um "estado atual" de questões delineadas no passado.

Parte-se de um legado intelectual que abre o artigo na sua primeira seção, à qual se segue uma segunda seção em que se apresentam os estudos que problematizam o território urbano e as mudanças no padrão de segregação socioespacial da metrópole. A terceira e última seção reúne trabalhos que lidam com as mudanças sociais centrando-se nos atuais modos de vida e sociabilidade na cidade e a heterogeneidade que os caracteriza.

Transições

Nos anos 1960 e 70, no âmbito do debate latino-americano acerca dos processos de industrialização e urbanização, análises inspiradas no marxismo estruturalista e centradas na problemática das classes sociais e das relações sociais de produção ofereceram uma interpretação alternativa a um conjunto variado de interpretações que a partir da noção de "marginalidade" tiveram por objeto a integração dos migrantes rurais ao meio urbano, sua pobreza, formas de trabalho e de moradia. Estas análises histórico-estruturais, como ficaram conhecidas, reformularam essas questões no marco da discussão sobre as possibilidades de desenvolvimento capitalista dos países latino-americanos, ao apontar os constrangimentos estruturais à formação da sociedade de classes em países de capitalismo tardio.

Não obstante a diversidade que caracterizou essas análises, elas se opuseram às visões mais otimistas da "teoria da modernização" e das teses desenvolvimentistas cepalinas, que viam no avanço do processo de industrialização a possibilidade de superação dos obstáculos ao desenvolvimento e à inserção econômica das populações da região. As análises histórico-estruturais equacionaram a "marginalidade" como um modo específico de inserção econômica resultante do modo de reprodução da acumulação capitalista nos países dependentes (Kowarick, 1975; Pereira, 1969).

Em obra até hoje considerada clássica, *Dependência e desenvolvimento na América Latina*, de Fernando Henrique Cardoso e Enzo Faletto (1975), apontava-se para a especificidade da participação dos países "periféricos" no processo de acumulação global do capital. Na que seria a fase de internacionalização do mercado interno, as relações entre países "centrais" e "periféricos", e a dinâmica das alianças de classe que aí se estabeleciam, resultavam em um processo contraditório e gerador de desigualdades ainda mais profundas no interior dos países dependentes. Nestes, o Estado cumpria um papel vital no processo de acumulação, através de sua forte presença no processo de desenvolvimento e exclusão econômica e política.

De fato, as visões críticas da noção de "marginalidade" elaborada naquelas análises dividiram-se quanto ao diagnóstico acerca da capacidade desses países de absorverem economicamente boa parte da população que chegava às cidades. A oposição entre a existência de uma "massa marginal", supérflua e desnecessária, e um "exército industrial de reserva" que operaria em prol da acumulação, inserindo-se em um terciário precário e "inchado", monopolizou em grande parte esse debate.

No Brasil, um grupo de pesquisadores reunidos no Centro Brasileiro de Análise e Planejamento — o Cebrap — produziu diagnósticos que viriam contestar a ideia de uma dualidade estrutural, ou ainda teses como a "hiperurbanização" ou o "inchaço" das cidades, em alguns casos conferindo grande importância às formas de inserção não identificadas com os circuitos modernos da economia. Trabalhos que, sobretudo, forneceriam os elementos estruturadores de um campo de estudos sobre a pobreza e as desigualdades no mundo urbano (Oliveira, 1972; Singer, 1973; Kowarick, 1975). O "inchaço" do setor de serviços na cidade, do qual faziam parte inúmeras atividades de subsistência e de baixa produtividade, longe de ser um "peso morto", representava o modo de inserção da ampla oferta de força de trabalho existente; um verdadeiro "exército de reserva" que promovia o rebaixamento do custo de reprodução da força de trabalho, funcional à dinâmica de acumulação capitalista. A autoconstrução da moradia através de mutirão foi identificada como sobretrabalho, outro expediente de exploração que, ao rebaixar o custo da reprodução da força de trabalho, contribuía ainda mais para a acumulação capitalista (Oliveira, 1972).

Num clima político de resistência à ditadura e numa conjuntura de grande precariedade salarial, esses referenciais de análise estiveram na base da construção de um importante diagnóstico sobre as condições de vida em São Paulo, elaborado por pesquisadores do Cebrap para a Pontifícia Comissão de Justiça e Paz da Arquidiocese de São Paulo, e patrocinado por Dom Paulo Evaristo Arns, publicado sob o título *São Paulo, 1975: crescimento e pobreza* (1976). O conjunto de estudos reunidos no livro demonstrava a disparidade entre a enorme pujança econômica da metrópole e as precárias condições salariais e de trabalho da maioria dos trabalhadores. As condições de vida refletiam as desigualdades econômicas existentes: a expansão dos bairros periféricos, carentes em infraestrutura e serviços, seguiria a lógica da acumulação, com a transferência dos custos da moradia e do transporte para o trabalhador; no caso da provisão dos serviços básicos e da regulamentação do solo, a ação do Estado seria sempre tardia e a serviço da dinâmica de valorização e especulação do setor imobiliário — no qual os "vazios urbanos" cumpririam papel estratégico. Ao propor uma visão integrada das condições de vida na metrópole, *Crescimento e pobreza* revelou-se obra norteadora de investigações subsequentes, delineando temas e hipóteses, com destaque para o processo de segregação socioespacial e a questão da habitação.

Neste caso, alguns trabalhos também se tornariam referenciais ao propor o processo de segregação das classes trabalhadoras nas periferias da Região Metropolitana de São Paulo como fator de estruturação do espaço urbano. Essa forma de expansão urbana foi designada como "padrão periférico de crescimento urbano", a qual teria viabilizado — ao mesmo tempo que se alimentado — da "solução habitacional" baseada no trinômio "loteamento periférico, casa própria e autoconstrução" (Bonduki e Rolnik, 1979; Maricato, 1976, 1979; Kowarick, 1979; Mautner e Taschner, 1982). O conceito de *espoliação urbana*, de Lúcio Kowarick, sintetizou esses processos em um quadro de análise abrangente. Em condições de desenvolvimento dependente e periférico, além da exploração do trabalhador, a espoliação significava uma somatória de extorsões produzida pela ausência ou precariedade de serviços de consumo coletivo que, com o acesso à terra e à moradia, eram necessários à reprodução dos trabalhadores, promovendo uma dilapidação ainda maior destes (Kowarick, 1979).

Ao lado da exploração no espaço da produção, e da pauperização decorrente desta, a noção de espoliação urbana, centrada no espaço da reprodução da força de trabalho no mundo urbano, fornecia uma chave não só para a compreensão do processo de estruturação da cidade, como iluminava a questão dos diferentes graus de inclusão-exclusão no acesso aos benefícios urbanos, o que estaria na base da "politização" do Estado e das lutas urbanas. Em escrito posterior, o autor retoma o conceito introduzindo a questão da subjetividade social a fim de construir um instrumento conceitual que permitisse melhor analisar os movimentos sociais urbanos (Kowarick, 2009).

Nos anos 1980, novas conjunturas econômicas, sociais e políticas traduziram-se em importantes inflexões no plano acadêmico. O impacto causado pela emergência dos movimentos sociais ainda nos anos 1970 e a progressiva abertura institucional que acompanhou o processo de transição à democracia, num contexto econômico de subemprego e desemprego, fez-se acompanhar de um questionamento do marco teórico que até então norteara a pesquisa urbana — o marxismo estruturalista —, no qual a pobreza e as desigualdades eram explicadas nas chaves da exploração.

Esse movimento de revisão, tributário de conceitos e abordagens que introduziram uma dimensão cultural e simbólica nas análises — fortemente apoiadas nos escritos de E. P. Thompson —, não significou o abandono da análise das condições de vida e das formas de reprodução da força de trabalho, mas sim a consideração de mediações: as representações e as práticas das classes populares em diversos espaços de seu cotidiano, e que traduziam seu "modo de vida". Em geral, partiu-se da crítica a abordagens marxistas que reduziam as práticas sociais e a ação coletiva às condições objetivas materiais de existência ou às determinações macroestruturais — em última instância, às determinações da dinâmica de acumulação capitalista (Sader *et al.*, 1984; Durham, 1984; Sader, 1988).

Em "A sociedade vista da periferia" (1986), artigo hoje também clássico, Eunice Durham mostra como a família, unidade de reprodução, de consumo e de renda, constituía-se no lugar de elaboração de um projeto de melhoria das condições de vida através da mobilização de seus membros no mercado de trabalho, estratégia de mobilidade ascendente materializada na casa própria. Projeto familiar que não se encontrava dissociado do próprio processo de urbanização, vivido como uma experiência de progresso pelas famílias e seus membros, na medida em que seus bairros eram paulatinamente alcançados pela infraestrutura, serviços e equipamentos urbanos. Se de um lado o papel da família era estratégico para o projeto de mobilidade, por outro, a ação coletiva dirigida ao governo local para pressionar por melhorias também era estratégica, e possível em virtude da existência de redes de sociabilidade baseadas na proximidade. Nesse processo, o governo local também ganhava legitimidade, na medida em que era percebido como promotor da urbanização. Não obstante o árduo esforço empreendido, e mesmo sentimentos de injustiça, a experiência da inserção urbana não deixou de ser positivamente avaliada. Mas a autora também concluiu que, então, crise econômica e desemprego começavam a desmontar a experiência que havia organizado a prática das classes populares e sua crença no "progresso" e na melhoria das condições de vida.

Transições do pensar a vida na cidade em que as condições materiais objetivas deixam de ser tomadas como causas imediatas da ação dos grupos sociais e das lutas reivindicativas, sendo inseridas num processo de produção de experiências e significados daí decorrentes. É nesse sentido que Lúcio Kowarick (2000: 69-79) deixa de privilegiar o papel de um "exército industrial de reserva" para pensar a questão da reprodução social, pois nessa via a ação social mantém-se atrelada às determinações macroestruturais. Ainda assim, exploração e espoliação continuam sendo os processos básicos de produção e reprodução da pobreza e das periferias na *metrópole do subdesenvolvimento industrializado*.

No final da década de 1990 é publicado outro marco nos estudos sobre a cidade, *São Paulo, trabalhar e viver* (1989), uma atualização de *Crescimento e pobreza* que, como este, aliou pesquisa e comprometimento político. A construção desse novo diagnóstico integrado das condições de vida em São Paulo contemplou as mudanças econômicas, sociais, políticas e culturais ocorridas no intervalo entre as duas obras, incorporando temas que começavam a assumir destaque, como a violência e a questão ambiental ligada ao problema da moradia. Ainda subjazia às análises o paradigma marxista, e o antagonismo entre as classes e seus interesses permeou a obra, embora a visão do Estado tenha se alterado em função do impacto da própria abertura política e do exercício da participação através das eleições, das manifestações reivindicativas e dos movimentos sociais, junto a outros processos de institucionalização política. Em *Trabalhar e viver*, o Estado, em seus diferentes níveis, continua a atuar em prol da dinâmica capitalista, mas também responde por força da mobilização social e do reconhecimento dos problemas sociais, entre eles, a crise urbana. A obra assinalava a persistência de um modelo econômico que reproduzia a pauperização de grande parte da população, excluindo-a dos benefícios gerados por elas mesmas. No mundo do trabalho, destacou-se a tendência à terciarização e a exigência de maiores níveis de escolaridade, além da maior participação da mulher no mercado de trabalho, refletindo-se na redução da renda como um todo e na incorporação de mais membros da família no setor informal e no trabalho doméstico para evitar o empobrecimento. Um tema já em destaque é o da violência. Para além das estatísticas que confirmavam o aumento da criminalidade, o livro aborda a experiência da violência a partir das novas práticas incorporadas pelos moradores no cotidiano para garantir sua segurança — como o uso de muros, grades, sistemas de alarme etc.

A redemocratização do país, a promulgação da Constituição de 1988 e as eleições diretas para a presidência marcam a transição para a década de 1990, mas apesar dos avanços políticos e institucionais decorrentes da dinâmica dos anos 1980, o tom de alguns estudos emblemáticos apontam para a deterioração da situação social. É o caso de "Recessão, pobreza e família: a década pior que perdida" (1990), de Juarez Rubens Brandão Lopes e Andrea Gottschalk, em que os autores analisam o impacto da conjuntura econômica recessiva sobre as famílias pobres e miseráveis.

Passagens

Nos anos 1990, diversos temas são ressignificados à luz de transformações socioeconômicas, intensificadas na segunda metade dessa década sob o signo do neoliberalismo. Nesse período, uma nova terminologia também se torna referencial no debate acadêmico em torno da questão social e urbana. Noções como *"underclass"*, "exclusão social", "vulnerabilidade social", "desafiliação", *"apartheid"*, "nova pobreza", "nova desigualdade", "dualização", "polarização", "fragmentação", passaram a designar os efeitos das transformações econômicas, societárias e políticas, retomando-se a questão da integração social de amplos contingentes, especialmente nas grandes cidades. Essa descontinuidade no plano discursivo e conceitual verificou-se em razão da própria demanda por instrumentais teóricos e analíticos capazes de descrever e explicar as aceleradas transformações econômicas, sociais, culturais e políticas, sobretudo no mundo urbano.

Como já indicava o próprio movimento de transformação do campo de estudos em torno da pobreza e das desigualdades que se sedimentara a partir dos anos 1970, as novas noções poderiam estar revelando cada vez mais a insuficiência da teoria de classes para explicar o processo de diferenciação social em curso (Martins, 2002). Ao mesmo tempo, esses referenciais também derivaram da influência do debate internacional, em especial do diálogo com a produção acadêmica norte-americana e, sobretudo, a francesa, mas também com a produção no âmbito de instituições de pesquisa europeias e de diversas organizações internacionais voltadas para a pesquisa e a formulação de políticas públicas (Faria, 1994; Véras, 1999, 2004; Kowarick, 2003).

Em especial, a noção de "exclusão social", e a abordagem que a acompanha, foi mais sistematicamente formulada no âmbito do debate europeu, sobretudo na última década, ancorada na tradição sociológica francesa que define a integração social através dos conceitos de "solidariedade" e "coesão social", em que a "exclusão social" ganha o sentido de ruptura ou perda dos vínculos sociais de caráter primário, econômico e comunitário. No espaço deste debate europeu, essa abordagem dialogou com outras vertentes de pesquisa sobre a pobreza, envolvendo concepções por vezes diversas entre si, como no caso dos trabalhos de Amartya Sen (pobreza como "privação de capacidades") e Peter Townsend (pobreza como "privação relativa"). No plano das instituições de pesquisa europeias voltadas para a formulação de políticas públicas, a noção de "exclusão social" foi vinculada normativamente a uma concepção de cidadania social-democrata. Tratava-se de uma abordagem abrangente que passou a considerar a pobreza e as desigualdades como fenômenos multidimensionais, dinâmicos e relacionais, com destaque para os "laços sociais" em termos comunitários, societários e institucionais, incluindo-se o território como dimensão e perspectiva de análise sobre a exclusão social. A influência desse debate fez-se sentir em outras organizações voltadas para a pesquisa sobre desenvolvimento e políticas de combate à pobreza e às desigualdades, como a Organização Internacional do Trabalho (OIT), a Comissão Econômica para a América Latina e o Caribe (Cepal) ou o Programa das Nações Unidas para o Desenvolvimento (PNUD).

Especialmente na segunda metade dos anos 1990, a noção mais presente de "exclusão social" permitiu uma conexão do debate com os estudos latino-americanos e brasileiros sobre a "marginalidade" e, por conseguinte, com a tradição de estudos urbanos que também se originou aí. Os "processos excludentes" ou a "exclusão dos benefícios urbanos", como se viu, foram lidos nas chaves da superexploração e da espoliação urbana. Mais recentemente, a chave de leitura é a da cidadania contraposta a uma realidade que, diante das transformações em curso e da situação social de expressiva parte da população, tem sido problematizada como destitutiva dos direitos e mesmo geradora de uma ordem social com feições estamentais (Kowarick, 2009; Oliveira, 1997; Martins, 1997; Sposati, 1999; Telles, 2001).

Na esteira da reflexão em torno das mudanças estruturais e das novas conjunturas econômicas, sociais e políticas, São Paulo volta a ser objeto de trabalhos que buscam construir uma nova visão integrada das condições de vida e das desigualdades, retomando em novos termos temas e questões como a segregação socioespacial. Em alguns casos, incorporam o objetivo de servir como instrumento para a formulação de políticas públicas.

Questão social e urbana em novos termos, mas que a partir de meados da década de 1990 e ao longo dos anos 2000 reaparece em análises que buscam apreender as "mutações", para usar o termo de Vera da Silva Telles, de uma realidade política e socioeconômica em muito distinta daquela analisada pelas abordagens de décadas anteriores (Telles *et al.*, 2006). Retomam-se temas que continuam a ser importantes, como trabalho, moradia, família, segregação e políticas públicas, enquanto outros adquirem relevância e visibilidade inusitada, como a violência e a religião, com a expansão do neopentecostalismo. E são novas e diversas as perspectivas que abrem o foco para o papel das relações de sociabilidade, das redes sociais e das mobilidades espaciais.

O TERRITÓRIO COMO PERSPECTIVA E DIMENSÃO DA QUESTÃO SOCIAL E URBANA

Ao longo dos anos 2000, a literatura sinaliza que os enquadramentos teóricos e mesmo as categorias com que se costumava pensar a metrópole e as condições e modo de vida de seus moradores perderam a capacidade de traduzir a realidade (Telles, 2007). Por um lado, porque as macroteorias e as categorias daí derivadas, ainda que heurísticas no passado, se revelam demasiado gerais, abstratas ou simplificadoras, o que é acompanhado da mobilização de metodologias e novos instrumentos de levantamento e sistematização de informações que permitem olhar a realidade em escalas menores.

Em se tratando de temas como exclusão, vulnerabilidade social, pobreza, desigualdades, condições de vida ou de bem-estar, está-se diante de um campo de debate marcado pela diversidade de definições, o que se repete para os métodos de mensuração utilizados. Definições de pobreza costumam ser eminentemente normativas, assim como os métodos que as acompanham, pois implicam usualmente em distinguir os "pobres" dos "não pobres" a partir da consideração prévia de padrões mínimos de sobrevivência ou de condições de vida adequadas, medidos por linhas de pobreza ou pela construção de outros indicadores (Boltivinik, s.d.).

Em um plano mais descritivo, alguns estudos publicados desde a metade da década de 1990 se concentraram na produção de indicadores e no uso de técnicas para sua espacialização. Os principais estudos publicados nessa linha foram o *Mapa da exclusão/inclusão social da cidade de São Paulo* (PUC-SP/INPES/Pólis), o *Mapa da vulnerabilidade social da população da cidade de São Paulo* (CEM/SESC), e o *Índice paulista de vulnerabilidade social* (IPRS) (Seade).

Estes estudos tiveram também por finalidade servir como instrumentos para a formulação de políticas públicas, a partir da construção de indicadores territoriais intraurbanos que buscam detalhar as situações de vulnerabilidade social, contemplando a heterogeneidade dessas situações. Baseiam-se em metodologias socioespaciais de análise de dados e produção de indicadores, além do uso de um sistema de informações geográficas (SIG) que possibilita a localização e a sobreposição de informações em representações cartográficas das áreas da cidade. Lidam com uma escala menor, isto é, com o nível intramunicipal ou intradistrital, o que aproxima mais suas análises da realidade concreta dos territórios. Conceitualmente, todos se aliam a perspectivas multidimensionais, fugindo de concepções de pobreza vinculadas a uma única medida, como a renda.

Outros trabalhos problematizaram as mudanças nos padrões de segregação da Região Metropolitana de São Paulo, discutindo em alguns casos o impacto das transformações das últimas décadas naquele que foi considerado o modelo de estruturação típico ao longo do século XX: o padrão centro-periferia. Na literatura internacional voltada às grandes cidades dos países desenvolvidos, a dominância do paradigma das "cidades globais" tornou hegemônica a ideia de que a globalização estaria levando a uma dualização e uma polarização da estrutura de classes, com a emergência de espaços de autossegregação dos ricos, como os "enclaves" e as "cidadelas" (Sasken, 1991; Marcuse, 1996).

Aqui, a questão mais saliente diz respeito à continuidade ou não do padrão centro-periferia, dominante na literatura até então. Além do caráter descritivo, algumas análises relacionam a segregação a diversos processos, mecanismos e atores; ou problematizam os efeitos da segregação na sociedade ou nas comunidades segregadas. Explicitamente ou não, todos os estudos utilizam um conceito de segregação que a define como separação espacial entre grupos sociais — ou o grau de concentração de diferentes grupos ou classes sociais em diferentes áreas da cidade —, embora em alguns casos as desigualdades de acesso a serviços e equipamentos locais também sejam considerados; é comum a ênfase na dimensão socioeconômica, pois se fala antes na segregação das classes ou de grupos mais pobres ou mais ricos, ainda que alguns trabalhos também considerem a dimensão demográfica na classificação desses grupos.

Um traço que os diferencia são as diversas escalas utilizadas na observação empírica ou na análise, atreladas em boa parte dos casos à forma como são disponibilizados os dados ou as divisões político-administrativas, ou ao uso na análise de modelos de descrição da estrutura espacial — basicamente o modelo de círculos concêntricos ou o de setores de círculos. Finalmente, ao menos dois trabalhos tratam explicitamente o processo de segregação em São Paulo como um processo de autossegregação das elites (Villaça, 1998; Caldeira, 2000), isto é, como processo voluntário, e não só em sua acepção mais comum, a da segregação como um processo involuntário.

Os estudos de Bógus e Taschner (1999a, 1999b, 2004a, 2004b) buscam justamente avaliar os impactos da globalização, do ajuste estrutural e da reestruturação produtiva sobre a estrutura social e urbana na Região Metropolitana de São Paulo, lidando simultaneamente com as desigualdades sociais e a segregação, em diálogo com a literatura internacional. Segundo as autoras, a diminuição do ritmo de crescimento de São Paulo desde os anos 1980, e em menor medida da região metropolitana, traduziu-se em dinâmicas e alterações diferenciadas do tecido urbano. As áreas centrais cresceram negativamente, enquanto manteve-se o crescimento da população nas áreas periféricas e nos municípios limítrofes. Houve um aprofundamento da segregação, com as classes mais altas concentrando-se no centro da capital e os trabalhadores com baixa qualificação na periferia, embora tenha ocorrido a relativa dispersão de uma numerosa classe média.

A partir desses resultados, as autoras argumentam que apesar da heterogeneidade social ter se acentuado nas últimas décadas — especialmente com a migração das classes médias —, a concentração da pobreza na periferia e a maior homogeneização das áreas mais ricas do anel central indicariam a manutenção do padrão centro-periferia, apesar da maior fragmentação. Assim, estaríamos diante de um espaço que tende mais à fragmentação do que à dualização, e onde a polarização social é forte, com a presença simultânea da macrossegregação — o modelo-centro periferia — e da microssegregação — o modelo "fractal".

O livro de Flávio Villaça, *Espaço intraurbano no Brasil* (1998) é uma tentativa de delinear uma teoria sobre a segregação urbana, fruto da análise comparativa das principais metrópoles brasileiras — São Paulo, Rio de Janeiro, Recife, Belo Horizonte e Porto Alegre. Para o autor, a segregação urbana é fundamentalmente um processo de autossegregação das classes mais altas, sendo esta a principal força determinante da estruturação intraurbana. Mais do que resultado de injunções recentes, trata-se de um processo histórico que vem se delineando há mais de século, e que no caso de São Paulo tem se cristalizado na concentração das classes mais altas no conjunto de bairros que conformam o setor sudoeste da cidade — num movimento de estruturação do espaço intraurbano que caminharia por setores de círculo. As classes altas teriam a capacidade de trazer consigo o centro da cidade, atuando sobre a estrutura urbana pelo fato de controlar sua produção e consumo, ou seja, pelo controle do mercado imobiliário e dos poderes públicos.

A segregação como produto conjunto da ação do Estado e dos interesses do capital imobiliário aparece no estudo de caso de Mariana Fix (2001) sobre o processo de implantação da Operação Urbana Consorciada Água Espraiada, que serviu à consolidação do setor sudoeste como nova centralidade do capital financeiro na cidade. Remoção de favelas com uso de violência e a pressão pela saída de moradores de classe média para a construção do novo viário urbano resultaram na expulsão dos mais pobres para áreas periféricas.

A emergência de um novo padrão de segregação foi defendido por Caldeira (1997, 2000). Inspirando-se na literatura sobre Los Angeles, e em análise comparativa, a autora buscou demonstrar a presença em São Paulo, desde os anos 1980, de "enclaves fortificados": condomínios, privatizados e monitorados por sofisticados sistemas de segurança, que podem servir de moradia, consumo, lugar de trabalho, mas cujo efeito principal é a separação em relação aos espaços públicos tradicionais, deixados aos mais pobres.

Trata-se de um novo padrão de segregação, sobreposto ao modelo centro--periferia, em que os diferentes grupos sociais encontram-se muitas vezes próximos, mas separados por muros e tecnologias de segurança, que impedem a circulação e interação em áreas comuns.

Em *Cidade de muros* (2000), Caldeira relaciona a emergência desse padrão à combinação de diferentes processos: a reversão do crescimento demográfico; a crise econômica dos anos 1980 e a reestruturação nos 1990; as melhorias na infraestrutura urbana pela pressão dos movimentos sociais, que por sua vez teriam provocado a valorização de terrenos e a expulsão dos mais pobres; a reestruturação das atividades econômicas e, finalmente o medo e a "fala do crime", ao mesmo tempo justificativa para as estratégias de proteção — grades, muros e toda tecnologia de segurança — e para a evitação e controle daqueles considerados socialmente inferiores.

Ao analisar o caso da Zona Leste, Rolnik e Frúgoli (2001) também constatam um padrão mais fragmentado, e mostram que desconcentração e reconversão industrial estariam contribuindo para transformar o espaço com a dispersão de pequenas indústrias por vários bairros. Com isso, os bairros conheceram novos usos comerciais, residenciais e de lazer. Megainvestimentos, como os *shopping centers*, tem causado a fragmentação do tecido urbano das áreas mais antigas, formando enclaves urbanos que se justapõem aos estabelecimentos de comércio e serviços em assentamentos residenciais populares. Nas áreas mais consolidadas, houve a verticalização através dos enclaves residenciais de alto padrão. Já nas periferias mais extremas, com alto crescimento populacional e sobreposição de precariedades, persiste a pouca participação do mercado formal, e o acesso à moradia depende dos conjuntos habitacionais públicos ou do mercado informal. Nessa análise, se o modelo centro-periferia continua como principal tendência, assiste-se a crescentes diferenciações internas que o relativizam. Na periferia haveria pelo menos dois tipos de territórios: as periferias consolidadas — com dualização e fragmentação — e as áreas das fronteiras periféricas.

Mas o modelo centro-periferia foi mais enfaticamente questionado em estudos que desenvolveram hipóteses enfatizando a heterogeneidade do tecido metropolitano, sobretudo das áreas pobres (Torres e Marques, 2001; Marques e Bittar, 2002; Torres *et al.*, 2003; Marques e Torres, 2005). Observa-se mesmo em áreas periféricas a presença de diversos grupos sociais, assim como a superposição entre heterogeneidade e cumulatividade de diversos aspectos, vinculados ora à sua localização, como o acesso ao mercado de trabalho e às políticas públicas, ora a aspectos negativos, como a exposição à violência, gravidez precoce e riscos ambientais — cumulatividade que constitui em alguns casos verdadeiros "pontos críticos" (Torres *et al.*, 2003). A análise detalhada do espaço revela descontinuidades no território, pela existência de "inversões", "enclaves" e "subcentros" (Marques e Bittar, 2002). Distinguem-se espaços da periferia mais consolidados, inclusive com a presença de classes médias e diversas centralidades de classes mais altas e enclaves ricos espalhados na metrópole, além da disseminação das favelas, a existência da "fronteira urbana" e da "hiperperiferia" (Marques, 2005: caps. 2 e 4; Marques e Torres, 2001). A hiperperiferia implicaria o acúmulo de riscos sociais, residenciais e ambientais diversos, num espaço menor, geralmente relacionado às periferias, mas também franjas e interstícios em outras áreas (Torres e Marques, 2001). Mas se do ponto de vista da análise, a utilização do modelo centro-periferia tende a ocultar a diversidade, em relação aos processos de segregação associados às ocupações das áreas mais externas da cidade ainda considera-se que esse padrão de crescimento continua a ser um fator de estruturação da metrópole (Marques e Torres, 2005: cap. 4). Essas áreas configuram a "fronteira urbana", locais que crescem a taxas muito elevadas e continuam a receber migrantes que acabam ocupando favelas e loteamentos clandestinos em áreas com estrutura urbana precária, ou mesmo mananciais. Nesse sentido, por ainda se reconhecer a velha dinâmica de crescimento da cidade, o padrão centro-periferia não parece ter se esgotado, mas a capacidade do modelo enquanto instrumento analítico e heurístico tornou-se limitada por ocultar outras configurações e dinâmicas urbanas.

Ainda no interior dessa seara de trabalhos, os autores destacaram o papel do Estado — através de suas políticas públicas urbanas — e dos agentes produtores do espaço construído nos processos de estruturação do espaço urbano, de segregação e de produção de desigualdades (Marques e Bichir, 2001; Marques, 2003; Marques e Torres, 2005: 9-11). No primeiro caso, ao beneficiar em maior ou menor medida diferentes grupos sociais localizados no espaço, os investimentos viários de grande e pequeno porte encontrar-se-iam entre os elementos responsáveis pelas diferenciações socioespaciais. No segundo, nas últimas décadas, as dinâmicas da produção imobiliária formal na cidade se diversificaram e desencadearam um processo de desconcentração espacial da produção e uma diversificação das localizações dos empreendimentos, tanto para a classe média quanto para a alta.

Associada ao tema da segregação, a evolução das modalidades de habitação dos mais pobres traz maior complexidade e diversidade territorial à cidade. Historicamente, a cidade de São Paulo teve nos cortiços de suas áreas centrais a primeira forma de habitação dos mais pobres, ao que se seguiu a partir dos anos 1940 e 50 a casa própria autoconstruída na periferia, e o aparecimento e crescimento das favelas nos anos 1970. Na atualidade, parecem ter se multiplicado as formas e lugares de morar na cidade: o cortiço está no centro, na favela e na autoconstrução das periferias; as favelas, nas periferias e nas áreas de mananciais.

Os estudos acadêmicos sobre os cortiços na cidade de São Paulo não são numerosos, e o apanhado histórico realizado por Kowarick e Ant (1988) continua como uma referência, assim como os trabalhos de Véras (1987, 1991, 1992). Uma definição mínima comum da moradia em cortiço aparece na literatura como a de "habitação coletiva de aluguel para população de baixa renda". Cortiços constituem formas de moradia consideradas como uma "alternativa" ou "solução habitacional" especialmente atraente quando localizada nas áreas centrais, em função de um entorno provido de serviços e equipamentos urbanos, de oportunidades de trabalho, cultura e lazer, e sobretudo do acesso ao transporte (Taschner, 1997, 2002; Piccini, 1999; Véras, 1999; Kohara, 2000; Sampaio e Pereira, 2003; Kowarick, 2009).

Não obstante essa dificuldade, os diversos estudos continuam a apontar os traços negativos que caracterizam esse tipo de moradia, como a persistente ilegalidade que impede que se estabeleçam obrigações e deveres entre proprietários, sublocatários e inquilinos, com prejuízos sempre para os últimos (Piccini, 1999). Isso, como mostra o trabalho de Kohara (2000), gera um mercado imobiliário informal bastante especulativo: os valores dos aluguéis pagos são maiores do que aqueles praticados pelo mercado formal. As políticas públicas de intervenção em cortiços foram abordadas especialmente por Piccini (1999), que realizou o levantamento das propostas de instrumentos urbanísticos e seu uso pelas diferentes administrações municipais, constatando que formas diferenciadas de gestão dependeram de distintas visões políticas de como atuar em relação aos cortiços.

Os limites ao processo de autoconstrução da casa própria têm dado lugar a novas problemáticas, como a cada vez mais frequente "alternativa habitacional" para os mais pobres nessas áreas, a "favela na periferia", com a ocupação cada vez mais predatória do solo, que se traduz em extrema precariedade (Sampaio e Pereira, 2003; Taschner, 2001, 2002; Maricato, 2003; Torres *et al.*, 2003; Torres e Marques, 2001; Torres e Oliveira, 2001). Se houve diminuição do crescimento populacional no município, isso não ocorreu nas áreas mais periféricas ou do entorno metropolitano, que se adensaram. Segundo Sampaio e Pereira (2003), casas precárias autoconstruídas dominam esses espaços, mas ocupam lotes menores em virtude da valorização da terra e das práticas especulativas dos loteadores que levam a maior subdivisão do terreno. Assim, o padrão de expansão horizontal da metrópole ainda é significativo, com a reprodução da precariedade habitacional e urbanística em locais mais distantes dos grandes centros. São identificadas diversas situações de risco que ameaçam as vidas dos moradores dessas áreas, além de atentar-se para o enorme comprometimento das áreas de mananciais que abastecem a cidade e que coloca em risco a saúde pública. Processos socioeconômicos, dinâmicas sociais, ação e omissão do Estado, e o caráter da legislação são fatores de explicação evocados.

A favela é hoje considerada o fenômeno mais surpreendente. A moradia na favela já foi objeto de alguns estudos ainda nos anos 1970 (Berlinck, 1975; Brant *et al.*, 1976; Kowarick, 1979). Trabalhos como os de Taschner e Bógus (1982), Taschner (1984, 1986, 1990) e Sampaio (1991) acompanharam a evolução do fenômeno e são referenciais. A literatura mais recente tem lidado tanto com a questão do incremento das favelas, as dinâmicas sociais vinculadas a sua localização, as características físicas e socioeconômicas. Atualmente, em função dessas transformações, a definição de favela tem sido reavaliada, assim como a própria dimensão e heterogeneidade do fenômeno é objeto de debate (Marques, Torres e Saraiva, 2003; Taschner, 2001, 2002).

Segundo Taschner (2001), a evolução e as mudanças nas características físicas e ambientais a partir da ação dos próprios moradores, assim como pela implementação de políticas públicas, tem produzido situações muito diversas que desafiam as definições existentes. A autora tem questionado a validade dos critérios oficiais de mensuração por não considerarem as distintas formas de invasão (organizadas e espontâneas), nem situações em que já houve processo de urbanização ou mesmo em que a posse foi regularizada. O critério do IBGE de só considerar como favela o assentamento com mais de cinquenta unidades subestimaria o tamanho do problema.

Porém, o crescimento das favelas na cidade não pode ser explicado pelo aumento da pobreza nem pela dinâmica migratória, já que a cidade perdeu habitantes ou concentrou população nas periferias (Taschner, 2001, 2002). Haveria uma mobilidade espacial interna da não favela para a favela, explicada pela fuga do aluguel, redução da oferta de imóveis e lotes populares, falta de política habitacional e fundiária, ou mesmo pelas políticas implementadas nas favelas que reduziram a incerteza da permanência. De forma complementar, Sampaio e Pereira (2003) interpretam o crescimento das favelas como falta de oferta e de interesse por parte do mercado imobiliário em relação às faixas de menor renda; busca-se então a favela, onde também se desenvolveu um mercado imobiliário estruturado em torno de processos de apropriação, uso e locação do solo — sobretudo nas maiores, onde vem ocorrendo um constante processo de verticalização.

O dimensionamento do fenômeno favela no Município de São Paulo também foi reavaliado por Marques, Torres e Saraiva (2003). Por meio do uso de técnicas de SIG, os pesquisadores relativizaram a ideia de uma explosão da população favelada, tal como apontado pelo Censo de Favelas de 1987 (1,9 milhões de habitantes ou quase 20% da população da cidade). Os autores também corroboraram a ideia de que o critério de identificação de favelas do IBGE — o setor censitário subnormal — tende a subestimar a realidade. Os autores chegaram a uma estimativa de 11% da população do município.

Marques e Saraiva (Marques e Torres, 2005: cap. 6) mostram que as favelas continuam concentrando as situações mais vulneráveis, mas num processo de melhoria dos indicadores socioeconômicos e do acesso a infraestrutura e, assim, de convergência do morador "médio" da favela com o do município. A análise é inovadora ao considerar a heterogeneidade desse tipo de moradia através de tipologias que diferenciam as favelas da cidade segundo seus entornos e condições socioeconômicas e de acesso à infraestrutura. Isso permitiu identificar, entre as 2.979 favelas de São Paulo, um número significativo com boas condições (131 favelas), mas também um grande número com condições sociais e de infraestrutura precárias (1.393 favelas).

Terceira modalidade de moradia dos mais pobres na cidade de São Paulo, hoje mais permanente do que transitória, o crescimento das favelas aparece para Kowarick (2009) como um sinal de mobilidade sociohabitacional descendente, não só pela pobreza e vulnerabilidade decorrente do desemprego, do trabalho irregular e precário, e de perdas na remuneração, mas por romper com a possibilidade da autoconstrução da casa própria, elemento outrora central do projeto de vida e de ascensão na cidade, e porque a favela e seus moradores continuam a sofrer forte estigma associado à desordem e criminalidade.

SOCIABILIDADES E MODOS DE VIDA

Ao longo da última década, as transformações nas condições e modos de vida na cidade de São Paulo foram retomadas em pesquisas que buscaram resgatar uma abordagem abrangente e multidimensional sobre a pobreza urbana. São trabalhos baseados em abordagens teóricas e metodológicas diversas, alguns de certa forma próximos dos diagnósticos abrangentes já feitos sobre a cidade. Em qualquer caso, as mudanças sofridas pela cidade, seus territórios e moradores aparecem sob o signo da "disjunção".

O livro *São Paulo: segregação, pobreza e desigualdades sociais* (2005), produzido pela equipe do Centro de Estudos da Metrópole (CEM), reuniu um conjunto sistemático e integrado de estudos sobre os temas da segregação residencial, da pobreza urbana e das desigualdades, que dialoga com a vasta literatura que recobre aqueles temas. Além da preocupação em informar as políticas públicas, a obra traz a proposta de uma ampla agenda de pesquisa urbana. A afirmação presente ao longo dos diversos estudos é a da heterogeneidade social do tecido urbano metropolitano, em contraposição à ideia da periferia como espaço homogeneamente pobre. Defende-se aí a multiplicidade de processos que teriam levado à heterogeneidade dos territórios da pobreza, com particular atenção à dinâmica das ações estatais, sejam as políticas sobre o "ambiente construído" — legislação urbanística, planejamento territorial, infraestrutura, transporte e habitação — ou as políticas "organizadas espacialmente" — educação, saúde, assistência social, transferência de renda.

A incorporação do território à análise dá-se sob duplo registro: o entendimento de que se trata de dimensão constitutiva da situação social dos diferentes grupos, dimensão, por sua vez, também constituída pela ação estatal. Daí decorre a centralidade de se pensar o Estado e suas ações tanto no nível da causalidade quanto das ações estratégicas de combate à pobreza, à desigualdade e à segregação, particularmente em relação aos espaços onde moram os pobres, sobretudo os mais pobres dentre eles. Outra hipótese que atravessa o livro é a de que quanto maior a homogeneidade das diversas áreas, maiores os diferenciais de acesso. Quanto mais segregados, menor a capacidade dos grupos mais pobres de adquirir ou utilizar seus recursos, e menores os contatos para fora da comunidade, o que afeta sua integração e mobilidade social. Nesse sentido, as redes sociais dentro da comunidade ou com a sociedade mais geral são consideradas fundamentais para a construção de pontes para fora da comunidade local.

Alguns estudos dialogaram diretamente com a hipótese de Caldeira (2000), que vê nos "enclaves fortificados" a emergência de um novo padrão de segregação que altera mesmo as relações entre as diferentes classes sociais: a privatização dos espaços públicos mediante instrumentos arquitetônicos e de segurança propiciariam a seleção e controle dos mais pobres, desenvolvendo uma sociabilidade da *evitação* e da valorização da desigualdade.

Embora considerados, a princípio, como uma das modalidades de "enclaves fortificados", associados à autossegregação das classes mais altas,

Rolnik e Frúgoli (2001) argumentam que a tendência à massificação dos *shopping centers* e sua inserção em territórios das periferias consolidadas — em locais que contam com uma posição privilegiada em relação aos eixos viários — tem possibilitado o acesso às classes médias e às classes populares que aí se misturam, mesmo que não exista a mesma diversidade dos espaços públicos.

Em estudo de caso sobre a favela de Paraisópolis, situada em área rica da cidade, o Morumbi, Almeida e D'Andrea (2004) concluíram, por meio da observação etnográfica, que as relações travadas entre moradores da favela e do entorno rico transcendem a pura evitação nos termos colocados por Teresa Caldeira (2000). Apesar da existência de uma "arquitetura segregacionista", as interações entre moradores das favelas e os vizinhos ricos são marcadas por relações de reciprocidade, derivadas não só das relações empregatícias, mas da existência de redes de relações de caráter cívico, que incluem a atuação de diversas instituições locais e organizações não governamentais, entidades financiadas com recursos públicos, e iniciativas dos próprios moradores dos condomínios e mansões — ora realizando coletas de alimentos e roupas para os vizinhos da favela, ora atuando individualmente em atividades assistencialistas. O imaginário da vizinhança abastada é o do medo, mas a sinergia entre redes de caráter cívico (Estado, terceiro setor) e comunitário (parentesco, conterraneidade, vizinhança, credo religioso) propiciou aos moradores desta favela, atípica pelo contexto em se encontra, mecanismos de controle da fonte desse medo — a criminalidade — incentivando uma interação cotidiana maior do que se poderia esperar num primeiro momento.

Tendo também por objeto a favela de Paraisópolis, e com base em um *survey*, Lavalle e Castello (2004) verificaram que num contexto favorável às práticas associativas, como é o caso dessa favela, o associativismo religioso é a modalidade mais representativa, constituindo-se como importante suporte às estratégias de sobrevivência e mobilidade de indivíduos e famílias, e, portanto, como mecanismo de integração social. Mas dentre as igrejas, é a evangélica a que mais se destaca no favorecimento das possibilidades de inserção. Além dos benefícios afetivos, os autores comprovaram o efeito da participação nas atividades sociais das igrejas em contornar a instabilidade do mercado de trabalho e na evitação do desemprego, além de constatar a própria percepção positiva da população em relação à efetividade dessas práticas em produzir benefícios materiais, principalmente entre os evangélicos. Iluminando outros aspectos das práticas associativas religiosas nessa favela, Almeida e D'Andrea (2004), observaram que os evangélicos direcionam sua ajuda para os "irmãos de fé", sobretudo apoio afetivo e informações sobre emprego e distribuição de benefícios. Ao congregar seus familiares, os evangélicos reproduzem parcialmente sua rede de parentesco também a partir da igreja, incentivando o casamento entre os "irmãos de fé". No entanto, também mostram que embora cultivem fortes laços de solidariedade, acabam se caracterizando como grupo de tipo exclusivo excludente, conformando uma rede de solidariedade restrita, sem o universalismo característico da Igreja Católica.

Mas as redes sociais de indivíduos em situação de pobreza foram mais sistematicamente analisadas por Eduardo Marques em *Redes sociais, segregação e pobreza* (2010), cuja investigação combinou metodologias diversas (quantitativa, qualitativa, análise de redes sociais). O autor demonstrou a existência de uma grande variabilidade das redes sociais, destacando os tipos de redes e de sociabilidade que se associam à possibilidade das pessoas obterem trabalho com certo grau de proteção ou estarem submetidas a algum tipo de precariedade. Padrões relacionais e sociabilidades mais primárias, baseadas na família, vizinhança e amizade e marcados pela proximidade física ("localismo") tendem a se associar às piores condições; por outro lado, indivíduos em situação de pobreza cujas redes estão mais associadas a ambientes organizacionais apresentam melhor condição socioeconômica; não obstante, entre indivíduos cujas redes caracterizam-se por sociabilidade mais local e primária, os que tem sociabilidade mais centrada na família apresentam menor precariedade. Ao comparar redes de moradores em diversos contextos de concentração de pobreza e segregação (favelas mais centrais ou periféricas, cortiços no centro, loteamentos na periferia), fica evidenciado que estas podem funcionar como "pontes" para os que vivem em áreas mais segregadas. Além disso, entrevistas em profundidade permitiram identificar mecanismos relacionais associados ao acúmulo de desvantagens e a vantagens comparativas, produzindo diferenciações entre os pobres: a título de exemplo, indivíduos que conseguem frequentar cursos superiores, e em menor medida o ensino médio profissionalizante, tenderam a se diferenciar positivamente não só pelo aumento da escolaridade ou da formação profissional, mas pela diversificação de suas redes.

A temática das redes sociais aparece ligada ao funcionamento das instituições do mercado em *À procura de trabalho* (2009), de Nadya Guimarães, que analisa como os indivíduos têm obtido acesso às oportunidades ocupacionais no interior de um mercado de trabalho mais instável, marcado por maior transitoriedade e precariedade das relações trabalhistas. Frente à opacidade com o qual esse mercado se apresenta aos demandantes de trabalho, as agências de intermediação de emprego, públicas ou privadas, aparecem como atores centrais no agenciamento de trabalhadores. Não obstante, um achado central é o da complexa articulação entre mecanismos mercantis e não mercantis na obtenção dessas oportunidades, onde a dinâmica trama dos chamados "laços fortes" e "laços fracos" acaba por conferir centralidade às redes sociais no acesso ao mercado de trabalho — reatualizando a importância da sociabilidade primária entre os mais pobres e mais jovens.

Relações e mobilidades sociais e espaciais na cidade de São Paulo foram abordadas desde uma perspectiva crítica no livro organizado por Vera da Silva Telles e Robert Cabanes, *Nas tramas da cidade: trajetórias urbanas e seus territórios* (2006), em que o conjunto de estudos explora as novas configurações da relação Estado-economia e sociedade. Os artigos que compõem a obra evidenciam como as transformações promovidas pelo neoliberalismo aprofundaram e tenderam a reproduzir de forma ampliada a precariedade e instabilidade que sempre marcaram as diversas dimensões da vida social, entre elas o trabalho e a família, mas desta vez por meio da ampliação e diversificação de atos ilegais e ilícitos. O resultado tem sido uma cidade (e uma sociedade) na qual se aprofundam e diversificam as desigualdades, embora o universo simbólico seja mais unificado do que nunca: o do consumo. De modo abrangente, pode-se dizer que esse trabalho coletivo identifica um encolhimento ainda maior dos espaços públicos e da dimensão pública da vida social na última década, e uma privatização das relações sociais pautada em especial pelo desmonte da arena do trabalho como edificadora de direitos; e isso junto com a emergência das mais diversas formas de ilegalidade e criminalidade, que passam a estruturar o mundo social e a própria integração dos indivíduos.

A crescente indistinção entre o público e o privado, e a dominância deste a partir das desregulações promovidas pelo neoliberalismo, também é argumento central de *São Paulo: la ville d'en bas* (2009), organizado por Robert Cabanes e Isabel Georges. A obra reúne estudos que abordam diversos temas e aspectos da vida na cidade de São Paulo, e que se relacionam entre si a partir desse argumento central. A ampliação da informalidade, da precariedade e exploração do trabalho e da exploração, processo conectado à expansão do ilegal, do ilícito e da criminalidade como marco de "oportunidades" econômicas e participação no mundo simbólico dominante, o do consumo. Mas, contraditoriamente, processos de reconhecimento também se dão em alguns desses espaços, especialmente naquele que é o espaço mais privado, o doméstico, onde relações de maior igualdade de gênero sugerem

Maria Encarnación Moya

uma possibilidade de emergência do político pela sua capacidade de influenciar o espaço público. Trata-se de hipótese desenvolvida por Cabanes anteriormente em *Travail, famille, mondialisation* (2002), extenso e intenso trabalho sobre as trajetórias de trabalhadores e suas famílias ao longo dos anos 1980 e 1990, onde problematiza as diversas representações e ações sociais desenvolvidas por estes, a partir da centralidade que o autor confere à família como grupo doméstico.

Por outro lado, como analisado por Maria Inês Ferreiro (2002), as estratégias no sentido de contornar a vulnerabilidade, sobretudo no âmbito da família e da vizinhança, acabam sendo comprometidas exatamente pela forma como a precariedade e instabilidade da existência se imiscuem nas próprias relações e nos arranjos sociais, desagregando-os. A autora ressalta as conexões entre os arranjos locais e a organização da sociedade mais ampla — as formas de integração precária existentes no trabalho, na moradia etc. — para mostrar como podem comprometer a capacidade dos indivíduos em exercerem seus papéis sociais e obrigações morais, desencadeando situações que levam no limite à morte violenta no âmbito das relações próximas e primárias.

Como tema no interior dos estudos urbanos, a violência foi abordada pelos seus efeitos no plano dos discursos — a "fala do crime" — e das práticas e técnicas de proteção e evitação que reconfiguram as relações entre espaços públicos e privados, e entre diferentes grupos sociais (Caldeira, 2000). Outra faceta da questão violência, relativa a suas dinâmicas internas, vem sendo objeto mais recente de análise. Como sugerido por Feltran (2009), no âmbito do "mundo do crime" também se constroem normatividades: regras que orientam a ação daqueles que participam desse "mundo" e que representam um mecanismo de controle da própria violência que aí impera. E a partir da observação de diferentes trajetórias de membros de famílias que vivem em uma periferia urbana, conclui que a convivência de "bandidos" e "trabalhadores" no mesmo domicílio acaba por embaralhar distinções antes postuladas como mutuamente excludentes.

Por fim, é no campo das "disjunções" que Kowarick (2009) retoma a história da cidade através das diversas modalidades de "viver em risco", analisando a vulnerabilidade civil e socioeconômica em bairros populares de São Paulo. No livro, enfatizam-se os obstáculos históricos à expansão dos direitos e a reprodução da violência e de diversas formas de "humilhação social", e a luta pessoal para conquistar e manter uma condição de "dignidade" humana. Na atualidade, segundo o autor, a violência aparece como elemento que estrutura o cotidiano dos moradores da cidade, sinal da incapacidade do Estado em atuar como garantidor da segurança física e da proteção social.

À TÍTULO DE CONCLUSÃO

O percurso seguido neste capítulo foi o de um traçado histórico de obras que tiveram por objeto a cidade de São Paulo. Ou, mais especificamente, as diversas configurações sociais e espaciais da cidade, assim como as dinâmicas de vida naquele que é o centro econômico mais pujante do país, para onde indivíduos de todas as regiões vieram na busca de melhoria de vida e mobilidade social. A literatura é eloquente acerca das profundas transformações do espaço urbano da cidade, assim como das mudanças sociais, econômicas e políticas que afetam todos os moradores, e traduzem a sobreposição de velhas e novas questões sociais, em especial desigualdades em um universo socialmente mais heterogêneo.

Em relação ao passado e a uma "matriz" de pensamento e pesquisa que analisou de forma abrangente a questão social e urbana, assim como por força de mudanças históricas, é possível perceber um processo de fragmentação teórica e de diversificação nas abordagens metodológicas que, apesar dos diferentes olhares e posicionamentos, não produz necessariamente retratos mutuamente excludentes da realidade. Abrem, de fato, o escopo de análise para questões produzidas em diferentes "escalas" ou em diversificados espaços de interações entre atores e instituições.

Em qualquer caso deixam entrever inflexões e novas injunções em que as mudanças no âmbito das condições de existência na cidade e das formas de sociabilidade, se não inteiramente novas, alteraram-se a tal ponto que a diversidade, e crescente instabilidade, dos arranjos de trabalho, moradia e família, entre outras instâncias, e as múltiplas configurações daí derivadas, sugerem a emergência de segmentações sociais difíceis de definir e descrever.

De qualquer modo, é ao o velho tema da mudança social, e da integração e participação social, que se retorna.

Bibliografia

ALMEIDA, Ronaldo de; D'Andrea, Tiaraju (2004). "Pobreza e redes sociais em uma favela paulista". *Novos Estudos*, n° 68, São Paulo, Cebrap, pp. 95-106.

BERLINCK, Manoel T. (1975). *Marginalidade social e relações de classes em São Paulo*. São Paulo: Vozes.

BÓGUS, Lucia M. M.; TASCHNER, Suzana P. (2004b). "Como anda São Paulo". *Cadernos Metrópole*, São Paulo, Educ, pp. 1-87.

_____ (2004a). "Região Metropolitana de São Paulo: redistribuição espacial, desigualdade, heterogeneidade". In: RIBEIRO, Luiz Cesar de Q. (org.). *Metrópoles: entre a coesão e a fragmentação, a cooperação e o conflito.* São Paulo: Fundação Perseu Abramo.

_____ (1999b). "São Paulo, velhas desigualdades, novas configurações espaciais". *Revista Brasileira de Estudos Urbanos e Regionais*, n° 1, São Paulo, pp. 153-74.

_____ (1999a). "São Paulo como *patchwork*: unindo fragmentos de uma cidade segregada". *Cadernos Metrópole*, São Paulo, pp. 1-87.

BOLTIVINIK, Julio. *Poverty Measurement Methods: An Overview.* http://www.undp.org/poverty/publications/pov_red/Poverty_Measurement_Methods.pdf.

BONDUKI, Nabil; ROLNIK, Raquel (1979). "Periferia da Grande São Paulo: reprodução do espaço como expediente de reprodução da força de trabalho". In: MARICATO, E. (org.). *A produção capitalista da casa (e da cidade) no Brasil industrial*. São Paulo: Alfa-Ômega.

BRANT, Vinícius Caldeira *et al.* (1989). *São Paulo, trabalhar e viver*. São Paulo: Brasiliense.

CABANES, Robert; GEORGES, Isabel (2009). *São Paulo: la ville d'en bas*. Paris: L'Harmattan.

CABANES, Robert (2002). *Travail, famille, mondialisation: récits de la vie ouvriére. São Paulo, Brésil*. Paris: Karthala.

CALDEIRA, Teresa Pires do Rio (2000). *Cidade de muros: crime, segregação e cidadania em São Paulo*. São Paulo: Editora 34/Edusp.

_____ (1997). "Enclaves fortificados: a nova segregação urbana". *Novos Estudos*, n° 47, São Paulo, Cebrap, pp. 155-76.

CAMARGO, Candido Procópio *et al.* (1976). *São Paulo, 1975: crescimento e pobreza*. São Paulo: Loyola.

CARDOSO, Fernando H.; FALETTO, E. *Dependência e desenvolvimento na América Latina: ensaio de interpretação sociológica*. São Paulo: LTC, 1998.

CEM/CEBRAP/SESC/SAS-PMSP (2004). *Mapa da vulnerabilidade social da população da cidade de São Paulo*. São Paulo.

DURHAM, Eunice R. (2000). "Viewing Society from the Periphery". *Brazilian Review of Social Sciences*, special issue, São Paulo.

_____ (1986). "A sociedade vista da periferia". *Revista Brasileira de Ciências Sociais*, vol. 1, São Paulo, Anpocs, pp. 84-99.

_____ (1984). "Movimentos sociais: a construção da cidadania". *Novos Estudos*, nº 10, São Paulo, Cebrap.

FARIA, Vilmar (1994). "Social Exclusion in Latin America: An Annotated Bibliography". *Discussion Paper*, nº 70, Genebra, IIET/OIT.

_____ (1991). "Cinquenta anos de urbanização no Brasil: tendências e perspectivas". *Novos Estudos*, nº 29, São Paulo, Cebrap.

FERREIRA, Inês C. (2002). "A ronda da pobreza: violência e morte na solidariedade". *Novos Estudos*, nº 63, São Paulo, Cebrap.

FIX, Mariana (2001). *Parceiros da exclusão — duas histórias da construção de uma "nova cidade" em São Paulo: Faria Lima e Água Espraiada*. São Paulo: Boitempo.

GUIMARÃES, Nadya (2009). *À procura de trabalho: instituições do mercado e redes*. São Paulo: Argumentum.

KOHARA, Luiz (2000). *Cortiços e aluguel*. São Paulo: Epusp.

KOWARICK, Lúcio (2009). *Viver em risco: sobre a vulnerabilidade socioeconômica e civil*. São Paulo: Editora 34.

_____ (2003). "Sobre a vulnerabilidade socioeconômica e civil: Estados Unidos, França e Brasil". *Revista Brasileira de Ciências Sociais*, vol. 18, nº 51, São Paulo, Anpocs.

_____ (2002). "Viver em risco: sobre a vulnerabilidade no Brasil urbano". *Novos Estudos*, nº 68, São Paulo, Cebrap, pp. 9-30.

_____ (2000). *Escritos urbanos*. São Paulo: Editora 34.

_____ (1979). *A espoliação urbana*. Rio de Janeiro: Paz e Terra.

_____ (1975). *Capitalismo e marginalidade na América Latina*. Rio de Janeiro: Paz e Terra.

KOWARICK, Lúcio; ANT, Clara (1998). "Cem anos de promiscuidade: o cortiço da cidade de São Paulo". In: KOWARICK, Lúcio. *As lutas sociais e a cidade*. Rio de Janeiro: Paz e Terra, pp. 49-74.

LAVALLE, Adrian Gurza; CASTELLO, Graziela (2004). "Associativismo religioso e inclusão socioeconômica". *Novos Estudos*, nº 68, São Paulo, Cebrap, pp. 63-93.

LOPES, Juarez Rubens Brandão; GOTTSCHALK, Andrea (1990). "Recessão, pobreza e família: a década pior do que perdida". *São Paulo em Perspectiva*, São Paulo, Fundação Seade, vol. 4, nº 1.

MARICATO, Ermínia (2003). "Metrópole, legislação e desigualdade". *Estudos Avançados*, vol. 17, nº 48, São Paulo, IEA-USP, pp. 151-66.

_____ (org.) (1979). *A produção capitalista da casa (e da cidade) no Brasil industrial*. São Paulo: Alfa-Ômega.

MARQUES, Eduardo (2010). *Redes sociais, segregação e pobreza*. São Paulo: Editora Unesp.

_____ (2003). *Redes sociais, instituições e atores políticos no governo da cidade de São Paulo*. São Paulo: Annablume/Fapesp.

48   Maria Encarnación Moya

MARQUES, Eduardo; BICHIR, Renata M. (2001). "Investimentos públicos, infraestrutura urbana e produção da periferia em São Paulo". *Espaço e Debates*, n° 42, São Paulo.

MARQUES, Eduardo; BITAR, Sandra (2002). "Espaço e grupos sociais na metrópole paulistana". *Novos Estudos*, n° 64, São Paulo, Cebrap, pp. 123-31.

MARQUES, Eduardo; SARAIVA, Camila (2005). "A dinâmica social das favelas da Região Metropolitana de São Paulo". In: MARQUES, Eduardo; TORRES, Haroldo (orgs.). *São Paulo: segregação, pobreza e desigualdades sociais*. São Paulo: Senac SP.

MARQUES, Eduardo; TORRES, Haroldo; SARAIVA, Camila (2003). "Favelas no Município de São Paulo: estimativas de população para os anos de 1991, 1996 e 2000". *Revista Brasileira de Estudos Urbanos*, vol. 5, ano 1, São Paulo.

MARQUES, Eduardo; TORRES, Haroldo (2002). "São Paulo no contexto do sistema mundial de cidades". *Novos Estudos*, n° 56, São Paulo, Cebrap.

MARQUES, Eduardo; TORRES, Haroldo (orgs.) (2005). *São Paulo: segregação, pobreza e desigualdades sociais*. São Paulo: Senac SP.

MARTINS, José de Souza (2002). *A sociedade vista do abismo: novos estudos sobre exclusão, pobreza e classes*. Petrópolis: Vozes.

MAUTNER, Yvonne; TASCHNER, Suzana P. (1982). "Habitação da pobreza: alternativas de moradia popular em São Paulo". *Cadernos de Estudo e Pesquisa*, n° 5, São Paulo.

MINGIONE, Enzo (org.) (1996). *Urban Poverty and the Underclass*. Londres/Nova York: Blackwell.

OLIVEIRA, Francisco de (1972). "A economia brasileira: crítica à razão dualista". *Novos Estudos*, n° 2, São Paulo, Cebrap.

PICCINI, Andréa (1999). *Cortiços na cidade: conceito e preconceito na reestruturação do centro urbano de São Paulo*. São Paulo: Annablume.

ROLNIK, Raquel; FRÚGOLI, Heitor (2001). "Reestruturação urbana da metrópole paulistana: a Zona Leste como território de rupturas e permanências". *Cadernos Metrópole*, n° 6, São Paulo, pp. 55-83.

SADER, Eder (1988). *Quando novos personagens entram em cena*. Rio de Janeiro: Paz e Terra.

SADER, Eder; PAOLI, Maria Célia; TELLES, Vera (1984). "Pensando a classe operária: os trabalhadores sujeitos ao imaginário acadêmico". *Revista Brasileira de História*, n° 6, São Paulo.

SAMPAIO, Ruth A. de; PEREIRA, Paulo C. X. (2003). "Habitação em São Paulo". *Estudos Avançados*, vol. 17, n° 48, São Paulo, IEA-USP, pp. 167-83.

SANTIS, Gabriel de (2009). "Note sur les 'débats' du 'monde du crime'". In: CABANES, Robert; GEORGES, Isabel. *São Paulo: la ville d'en bas*. Paris: L'Harmattan.

_____ (2009). "'Travailleurs' et 'bandits' dans la même famille: manières de dire et signification politique". In: CABANES, Robert; GEORGES, Isabel. *São Paulo: la ville d'en bas*. Paris: L'Harmattan.

SEADE. *Índice paulista de vulnerabilidade social*. http://www.seade.gov.br/produtos/ipvs

SINGER, Paul (1973). *Economia política da urbanização*. São Paulo: Brasiliense/Cebrap.

SPOSATI, Aldaíza (1999). "Exclusão abaixo da linha do Equador". In: VÉRAS, Maura Pardini Bicudo. *Por uma sociologia da exclusão social*. São Paulo: EDUC.

SPOSATI, Aldaíza (org.) (1996). *Mapa da exclusão/inclusão da cidade de São Paulo*. São Paulo: EDUC.

_____ (2000). *Mapa da exclusão/inclusão social da cidade de São Paulo*. http://www.dpi.inpe.br/geopro/exclusao/oficinas/mapa2000.pdf.

SPOSATI, Aldaíza *et al* (2004). "A pesquisa sobre segregação: conceitos, métodos e medições". *Espaço e Debates: Revista de Estudos Regionais e Urbanos*, vol. 24, nº 45, São Paulo.

TASCHNER, Suzana P. (2001). *Desenhando os espaços da pobreza*. Tese de Livre-Docência, Faculdade de Arquitetura e Urbanismo da USP, São Paulo.

_____ (2002). "Alternativas habitacionais para população de baixa renda: conceito, mensuração e evolução na cidade de São Paulo". *Sinopses*, nº 37, São Paulo, pp. 12-36.

_____ (2001). "Favelas em São Paulo: censos, consensos e contra-sensos". *Cadernos Metrópole*, nº 5, São Paulo.

TASCHNER, Suzana P. (1997). "Política habitacional no Brasil: retrospectivas e perspectivas". *Cadernos de Pesquisa do LAP*, nº 21, São Paulo, FAU-USP.

TELLES, Vera da Silva (2001). *Pobreza e cidadania*. São Paulo: Editora 34.

TELLES, Vera da Silva; CABANES, Robert (2006). *Nas tramas da cidade: trajetórias urbanas e seus territórios*. São Paulo: Humanitas.

TORRES, Haroldo; MARQUES, Eduardo; FERREIRA, Maria Paula; BITTAR, Sandra (2003). "Pobreza e espaço: padrões de segregação em São Paulo". *Estudos Avançados*, vol. 17, nº 47, São Paulo, IEA-USP, pp. 97-128.

TORRES, Haroldo; MARQUES, Eduardo (2001). "Reflexões sobre a hiperperiferia: novas e velhas faces da pobreza no entorno metropolitano". *Revista Brasileira de Estudos Urbanos e Regionais*, nº 4, São Paulo.

VÉRAS, Maura P. B. (2004). *Hexápolis: desigualdades e rupturas sociais em metrópoles contemporâneas. São Paulo, Paris, Nova York, Varsóvia, Abidjan, Antananarivo*. São Paulo: EDUC.

_____ (1999). *Por uma sociologia da exclusão social*. São Paulo: EDUC.

_____ (1992). "Cortiços em São Paulo: velhas e novas formas da pobreza urbana e da segregação social". In: BÓGUS, L. M. M.; WANDERLEY, L. E. W. (orgs.). *A luta pela cidade em São Paulo*. São Paulo: Cortez.

_____ (1987). "Os impasses da crise habitacional em São Paulo ou os nômades urbanos no limiar do século XXI". *São Paulo em Perspectiva*, nº 1, São Paulo, Fundação Seade.

VILLAÇA, Flávio (1998). *Espaço intraurbano no Brasil*. São Paulo: Nobel/Fapesp.

Parte I
VIVER E HABITAR NA CIDADE

2

Crescimento da população
na Região Metropolitana de São Paulo:
desconstruindo mitos do século XX

Rosana Baeninger

Estando às portas dos anos 10 do século XXI, a Região Metropolitana de São Paulo torna-se local cada vez mais privilegiado para análises e estudos específicos acerca de sua dinâmica demográfica. Sua formação territorial, ocupação e alocação de expressivos contingentes populacionais sempre estiveram associados ao seu papel como polo dinamizador das atividades econômicas do país e do estado, desde o início do século XIX (Singer, 1973; Cano, 1977; Faria, 1978).

Da cidade aberta aos imigrantes, da cidade dos italianos, da cidade do café, da cidade-berço da crescente indústria brasileira — características que marcaram a própria formação metropolitana de São Paulo até os anos 1960 — esta área passou, a partir dos anos 1970, à imagem da metrópole do crescimento populacional incontrolável e explosivo, da concentração metropolitana, dos volumosos fluxos migratórios da pobreza.

Em meados dos anos 1980, emergiu o debate sobre a megametrópole e a macrometrópole do final do século XX, quando as estimativas mais conservadoras indicavam que a Região Metropolitana de São Paulo alcançaria 35 milhões de habitantes em 1990; nesse período, as projeções das Nações Unidas apontavam cerca de 25 milhões de habitantes em 1990, projetando a cidade de São Paulo como uma das megalópoles do Terceiro Mundo.

Passados quase quarenta anos, as tendências baseadas no intenso ritmo de crescimento da população ditado pelos anos 1970 não se confirmaram: em 2000, a população da Região Metropolitana de São Paulo era de 17,9 milhões de habitantes, e em 2009, de 19,9 milhões; para 2010 prevê-se 20,1 milhões, e para 2015 espera-se 21,0 milhões (Fundação Seade, 2009).

Ao novo perfil demográfico da população brasileira (Merrick e Berquó, 1983; Carvalho e Martine, 1987), caracterizado em boa parte pelo menor número de filhos por mulher — e tendo como consequência o processo de envelhecimento populacional —, somou-se, no caso da metrópole paulistana, as novas direções e sentidos dos fluxos migratórios interestaduais e intraestaduais, elementos fundamentais para a desconstrução de mitos demográficos que sempre estiveram presentes ao se projetar o futuro da metrópole.

Nesse sentido, este texto acompanha a trajetória da dinâmica da população em São Paulo percorrendo brevemente o período que vai dos anos 1940 aos 2000, com ênfase em quatro mitos demográficos: a explosão do crescimento populacional metropolitano; a concentração urbano-metropolitana paulista marcada pelas migrações internas do país; a relação família, migração e pobreza; e a predominância de jovens no perfil etário da população.

Evolução da população

A passagem para uma sociedade urbano-industrial a partir dos anos 40 e 50 do século XX (Faria, 1978) conduziu a Região Metropolitana de São Paulo a conviver com elevadas taxas de crescimento de sua população. Já na década de 1940, a taxa de crescimento populacional era de 5,5% ao ano, elevando-se para 5,9% ao ano entre 1950 e 1960, e ficando em 5,4% ao ano nos anos 1960 (Tabela 1). Esse elevado ritmo de crescimento populacional contribuiu para que a região passasse de uma população de 1,6 milhão de habitantes em 1940, para 2,7 milhões em 1950, alcançando 4,8 milhões em 1960; o que correspondia a 22% da população do Estado de São Paulo em 1940, 29% em 1950, e 37% em 1960.

Dos anos 1940 aos anos 1960, a dinâmica demográfica da Região Metropolitana de São Paulo refletia a etapa inicial de seu processo de transição demográfica, quando se assistia à queda nos níveis de mortalidade e a manutenção de padrões reprodutivos marcados por alta fecundidade (Sawyer, 1983; Patarra e Baeninger, 1988). Ademais, esses vinte anos já marcavam intensos fluxos migratórios em direção a esta área, tanto originário de outros estados, como do interior do próprio Estado de São Paulo. Entre 1940 e 1950, 73% do crescimento absoluto da população da região metropolitana se deveu à migração, apresentando um saldo migratório de 801.304 pessoas; no período de 1950 a 1960, um saldo migratório de 1.236.037 pessoas, a migração respondeu com 60% do crescimento absoluto da população metropolitana (Tabela 2).

A partir da segunda metade dos anos 1960, no cenário nacional, iniciou-se o processo de industrialização do campo, com a subordinação da agricultura à indústria e sua tecnificação e modernização (Müller, 1985), contribuindo para o incremento da saída de população do meio rural; além disso, já deslanchava nesse período "o processo de esgotamento das antigas

Rosana Baeninger

áreas de fronteiras agrícolas, resultando num êxodo rural em torno de 12,8 milhões de pessoas, entre 1960-1970" (Martine, 1990: 22). De outro lado, as mudanças ocorridas na estrutura produtiva nacional pós-1960 implicaram desenvolvimento mais acentuado do setor secundário, com a industrialização pesada constituindo um parque produtor diversificado (Cano, 1977). Nesse contexto, com as migrações em direção às cidades, principalmente, assistiu-se à intensificação do processo de urbanização no país; a metrópole de São Paulo ultrapassou os 4,7 milhões de habitantes em 1960, com um saldo migratório de 2.030.374 pessoas, que correspondeu a 60% do crescimento absoluto da população entre 1960-1970. Nesse período, a cidade de São Paulo, apesar de apresentar taxa de crescimento da população superior a do estado (4,45% a.a. e 3,22% a.a., respectivamente), registrava ritmo de crescimento menor que a região metropolitana em seu conjunto (5,56% a.a.), anunciando o processo de metropolização e periferização a partir dos anos 1970 (Taschner e Bógus, 1996).

Tabela 1
EVOLUÇÃO DA POPULAÇÃO TOTAL
Região Metropolitana, Município e Estado de São Paulo, 1940-2007

Ano	RMSP	Capital	Estado	RMSP/ Estado (%)	Taxa de crescimento (% a.a.)		
					RMSP	Capital	Estado
1940	1.568.045	1.326.261	7.180.316	21,83	5,44	5,23	2,44
1950	2.688.901	2.208.543	9.134.423	29,44	5,93	5,73	3,41
1960	4.791.245	3.856.913	12.979.049	36,92	5,56	4,45	3,22
1970	8.178.241	5.962.856	17.771.948	46,02	4,38	3,58	3,49
1980	12.549.856	8.475.380	25.040.712	50,12	1,86	1,15	2,12
1991	15.369.305	9.610.659	31.436.273	48,89	1,68	0,91	1,82
2000	17.852.637	10.426.384	36.974.378	48,28	1,33	0,55	1,50
2007	19.586.265	10.834.244	41.029.414	47,74	0,44	0,41	0,48
2010[*]	20.141.759	11.057.629	42.136.271	47,80			

Fonte: Fundação Seade (1992); Fundação IBGE. Censos Demográficos de 1980 a 2000; (*) Projeções Fundação Seade (2009).

Assim, a expansão populacional, as migrações rural-urbana e a urbanização acompanhavam o crescente processo de industrialização da Região Metropolitana de São Paulo, chegando a população desta área a dobrar entre 1960 e 1970, totalizando 8.178.241 habitantes no último ano, refletindo a elevada taxa de crescimento da população de 5,6% ao ano no período, da qual 3,6% ao ano correspondia às migrações.

Os anos 1970 intensificaram as tendências de êxodo rural no cenário nacional, com as migrações predominantemente em direção ao meio urbano e "as cidades cada vez maiores" (Martine, 1987: 29); esse período marca a consolidação de grandes metrópoles nacionais, como São Paulo e Rio de Janeiro, bem como são oficialmente criadas as regiões metropolitanas de Fortaleza, Salvador, Recife, Belo Horizonte, Curitiba, Porto Alegre e Belém. Entre 1970 e 1980, estima-se a migração rural-urbana em torno de 15,6 milhões de brasileiros (Martine, 1990). Entre 1970-1980, o saldo migratório da RMSP totalizou 2.295.757 pessoas, correspondendo a 50% do crescimento absoluto da década e chegando a 12.588.745 habitantes.

As tendências gerais dos deslocamentos populacionais no Brasil, ocorridos desde os anos 1930 até a década de 1970, que se refletiu fortemente na Região Metropolitana de São Paulo, esteve ancorada basicamente nos seguintes eixos: na enorme transferência de população do meio rural para o urbano que, refletindo as distintas etapas do processo de desenvolvimento, contribuiu para o esvaziamento do campo; nas migrações com destino às fronteiras agrícolas; no intenso fenômeno da metropolização e na acentuada concentração urbana. Algumas dessas características, no entanto, já haviam se alterado durante o período 1970-1980, destacando-se, particularmente, o esgotamento dos deslocamentos com destino às fronteiras agrícolas — já a partir dos anos 1960, nas fronteiras do Paraná e do Centro-Oeste, e na Amazônia, na primeira metade dos anos 1980 (Martine, 1987) —, bem como dos grandes movimentos migratórios do campo para as cidades que predominaram desde 1930. Ressalte-se que o menor estoque populacional nas áreas rurais, tanto pelo próprio êxodo rural quanto pela queda da fecundidade no campo, contribuiu para a diminuição no volume dos fluxos rurais--urbanos. Conquanto essas transformações na dinâmica demográfica tenham significativo peso na redução, deve-se considerar que a retenção desse fluxo rural no meio urbano do mesmo município, independente de seu porte, também colaborou para a diminuição do contingente migratório em direção às grandes cidades.

O panorama das migrações nos anos 1970 já indicava a intensificação dos deslocamentos populacionais do tipo urbano-urbano,[1] principalmente

---

[1] Nesse período, o fluxo urbano-urbano passou a responder por 46,7% dos movimentos migratórios intermunicipais no país, enquanto ao rural-urbano correspondia 54,2%, e ao rural-rural, 32,1% do total (*apud* Cunha, 1999).

aqueles intrametropolitanos, reforçando as vertentes da metropolização e da concentração da população em aglomerações de maior porte.

A concentração industrial na Região Metropolitana de São Paulo até os anos 1970 correspondia a 43,5% do valor da produção industrial brasileira (Negri, 1996), e isto ainda se refletiu nitidamente no crescimento da população e de suas migrações, que entre 1970-1980 registrou uma taxa de crescimento de 4,4% ao ano. Refletiu-se também na concentração da população, uma vez que metade da população do Estado de São Paulo encontrava-se, em 1980, na Região Metropolitana de São Paulo.

Tabela 2
EVOLUÇÃO DOS SALDOS MIGRATÓRIOS
RMSP, capital e municípios periféricos, 1940-2007

Período	RMSP	Capital	Municípios periféricos
1940-1950	801.304	629.025	172.279
1950-1960	1.236.037	915.891	320.146
1960-1970	2.030.374	1.285.343	745.031
1970-1980	2.295.757	1.143.946	1.151.811
1980-1991	-274.692	-755.965	481.273
1991-2000	240.259	-449.535	689.794
2000-2007	179.766	-430.275	610.041

Fonte: Fundação Seade; FIBGE, Censos Demográficos de 1970 a 2000.

O cenário da distribuição espacial da população brasileira sempre esteve condicionado e condicionou os processos migratórios na metrópole de São Paulo. Nesse sentido, duas fortes vertentes compuseram as migrações internas no Brasil, sendo uma delas a Região Metropolitana de São Paulo. De acordo com Martine e Camargo (1984), a partir dos anos 1960 as migrações resultaram de forças centrífugas, com a expansão populacional (migrações inter-regionais) rumo às áreas de fronteiras, e de forças centrípetas, com a migração rural-urbana em direção às grandes cidades do Sudeste, particularmente para a Região Metropolitana de São Paulo. Já no bojo desta bipolaridade, fazia-se notar as forças de reforço à concentração, com a emigração das áreas de fronteiras agrícolas em direção às cidades maiores e à metrópole paulistana. Nesse contexto, a urbanização nacional operava-se em moldes cada vez mais concentradores, levando ao estabelecimento de um processo de distribuição da população que tendia a privilegiar os grandes centros urbanos do Sudeste. Para o entendimento dessa conformação das migrações, Pacheco e Patarra (1998) apontam a importância das relações entre as migrações internas e a industrialização no Brasil até os anos 1980.

O processo de desconcentração espacial da atividade econômica nos anos 1970 (Cano, 1988; Negri, 1996; Pacheco, 1998) e os efeitos da crise dos anos 1980 e 90 marcaram a trajetória econômico-demográfica da Região Metropolitana de São Paulo. No período 1970-1980, o processo de interiorização da indústria paulista já havia contribuído para o direcionamento de importantes fluxos migratórios que partiram da região metropolitana para o interior do estado (Cunha, 1987; Patarra e Baeninger, 1989). No entanto, a força da migração interestadual era tão intensa, com a chegada de mais de 1,5 milhão de imigrantes vindos do Nordeste, que este movimento de saída da metrópole parecia ser um processo incipiente e circunscrito ao âmbito da dinâmica interna do estado (Baeninger, 1999).

Na década de 1980, contudo, pela primeira vez desde o final do século XIX, o ritmo de crescimento populacional da área metropolitana de São Paulo (1,9% a.a.) foi inferior ao conjunto do estado (2,1% a.a.) e semelhante à média nacional (1,9% a.a.); esta tendência permaneceu nos anos 1990, com a Região Metropolitana de São Paulo apresentando uma taxa semelhante de 1,7% a.a. e chegando a 1,3% a.a. entre 2000-2007. O Município de São Paulo, por sua vez, continuou desacelerando seu ritmo de crescimento populacional, chegando a registrar uma taxa de crescimento de 0,91% a.a. entre 1991-2000, estimando-se em torno de menos de 0,5% a.a. até 2010.

Essa nova característica e inflexão no ritmo de crescimento da população metropolitana e da cidade de São Paulo resultam, principalmente, das alterações nas tendências das migrações internas no Brasil que, até os anos 1970, tinham na Região Metropolitana de São Paulo seu principal destino. De fato, na década de 1980, a metrópole presenciou uma saída líquida de migrantes, correspondendo a um saldo migratório negativo de 275 mil pessoas, como resultado, sobretudo, do menor crescimento da cidade de São Paulo, que registrou um saldo migratório negativo de mais de 750 mil pessoas e uma taxa de crescimento de 1,2% a.a., entre 1980-1991. A impossibilidade de reter elevados fluxos migratórios incentivaram uma expressiva migração de retorno, bem como a distribuição dos fluxos migratórios em direção ao interior paulista e a outras áreas do país.

No período 1991-2000, a Região Metropolitana de São Paulo continuou exibindo perdas populacionais decorrentes do saldo negativo verificado para o Município de São Paulo: 450 mil pessoas, o que se refletiu na baixíssima taxa de crescimento populacional registrada para a maior cidade da América Latina: 0,4% a.a., no período entre 1991 e 2000 (Pasternak e Bógus, 2006).

A absorção migratória da metrópole paulistana vem sendo garantida nos anos 1980, 1990 e 2000 pelo expressivo crescimento populacional de sua área periférica. As taxas de crescimento dos municípios situados no entorno da cidade de São Paulo vêm, desde os anos 1970, superando a média nacional, estadual e metropolitana, além de muito mais alta que a do núcleo. Em 1970, a taxa de crescimento do Brasil era de 2,5% a.a., a do Estado de São Paulo de 3,5% a.a., e a da cidade de São Paulo de 3,7% a.a., sendo a dos municípios periféricos da Região Metropolitana de São Paulo de 6,3% a.a. Mesmo com a acentuada inflexão no crescimento metropolitano ocorrido nos anos 1980, a periferia apresentou uma taxa de 3,2% a.a., permanecendo nesse ritmo de crescimento no período 1991-2000, quando ainda registrou a elevada taxa de crescimento populacional de 2,8 a.a.

O dinamismo populacional desse entorno periférico se contrapõe ao ritmo de crescimento da população que o centro metropolitano (capital) vem experimentando. Apesar da diminuição nos saldos migratórios, de 1,1 milhão de pessoas nos anos 1970 para cerca de 480 mil nos anos 1980 e retomando sua elevação entre 1991-2000 para alcançar 600 mil pessoas, essa capacidade de absorção migratória, neste caso interestadual e intrametropolitana, tem contribuído para aumentar o peso relativo desse conjunto de municípios no total da Região Metropolitana de São Paulo.

No contexto estadual, portanto, é o entorno metropolitano a região de maior crescimento populacional; de acordo com Andrade e Serra (1998) esse fenômeno é evidenciado para todas as periferias metropolitanas, com absorção migratória. Embora a cidade de São Paulo continue sendo a porta de entrada dos migrantes vindos de outros estados, o movimento rumo à periferia acaba tornando os outros municípios da região metropolitana os "ganhadores" do processo migratório.

Assim, no âmbito nacional, se as forças centrífugas, resultantes da força de atração exercida pelas fronteiras agrícolas, já haviam acentuado sua perda de importância nos anos 1970 (Martine, 1987) — muito embora seus desdobramentos tenham ainda se refletido, nos anos 1980 e início dos 1990, nos movimentos migratórios —, as forças centrípetas, em especial a exercida pela metrópole de São Paulo, arrefeceram a partir dos anos 1980, porém não desapareceram. Compondo um movimento mais amplo de distribuição populacional, a região metropolitana, ao mesmo tempo que ainda se mantém no século XXI como o maior centro de recepção migratória, passou também a se destacar pela importância de seu volume emigratório em nível nacional, emprestando recentes características ao processo de distribuição espacial da população e redefinindo alguns aspectos da migração interna.

Esse cenário migratório da Região Metropolitana de São Paulo nos últimos quarenta anos, aliado à contínua queda na taxa de fecundidade, expressou-se no arrefecimento das taxas de crescimento da população da maior metrópole da América Latina; estima-se menos de 0,5% ao ano para a próxima década, estando afastado, portanto, o fantasma da explosão demográfica no século XXI.

CONCENTRAÇÃO E DESCONCENTRAÇÃO DA MIGRAÇÃO METROPOLITANA

Os processos migratórios e de redistribuição da população, ao longo dos últimos cem anos, marcaram também a conformação da rede urbana brasileira, encabeçada pela Região Metropolitana de São Paulo, mas também propiciando o adensamento no sistema de cidades no país (Faria, 1980).

A vertente da concentração predominava para o entendimento da dinâmica econômica, da urbanização e das migrações nos anos 1970, 80 e parte dos 90; ou seja, o padrão concentrador nas metrópoles — expressão espacial desenhada pelo fordismo (Harvey, 1993) — confluía para o olhar apenas do destino migratório, em especial na Região Metropolitana de São Paulo, conduzindo ao mito da concentração e explosão urbano-metropolitana associado a um crescente processo de chegada de volumosos contingentes migratórios, em particular oriundos do Nordeste.

Contudo, processos de distribuição da população e de desconcentração populacional a partir da e na Região Metropolitana de São Paulo já estavam em curso nas últimas duas décadas do século XX.

No contexto da formação da própria metrópole, os processos de periferização da população transferiram desde os anos 1970 enormes contingentes populacionais para a periferia metropolitana, chegando o Município de São Paulo, nos anos 1990, a apresentar-se como área de forte evasão populacional no contexto metropolitano. De fato, os espaços da migração intrametropolitana marcam as áreas periféricas como espaços de forte absorção migratória metropolitana em contraposição ao núcleo — Município de São Paulo, Diadema, Osasco e Santo André — que se caracterizam como áreas expulsoras de população em direção à periferia.

A outra vertente da desconcentração populacional teve sua origem na política de distribuição das atividades econômicas em direção ao interior de

Rosana Baeninger

São Paulo, a partir dos anos 1970, e com menor intensidade a outros estados, nos anos 1980 e 90 (Pacheco, 1998). A interiorização das atividades industriais conduziu à emigração de cerca de 500 mil pessoas em direção ao interior do Estado de São Paulo nos anos 1970, e mais de 1 milhão de emigrantes em direção às demais regiões do estado nos anos 1990.

O terceiro movimento emigratório foi marcado pelos enormes volumes de migração de retorno a partir dos anos 1980 em direção aos estados do Nordeste, do Paraná e de Minas Gerais. Mesmo que a Região Metropolitana de São Paulo tenha continuado como o principal destino das migrações oriundas de outros estados, é dela também que partem os maiores volumes de emigração, tanto que a partir da Pesquisa Nacional por Amostra de Domicílios (PNAD) de 2004 já se evidenciava um saldo migratório interestadual negativo (Hakkert e Martine, 2005), confirmado também na PNAD 2008: saíram do Estado de São Paulo, no período 2003-2005, cerca de 640.710 pessoas, e entraram 621.058. No movimento emigratório em direção a outros estados, mais da metade dessa saída de população tem como destino as regiões de maior imigração para a área, compondo fundamentalmente um movimento de retorno aos estados de nascimento. Tal refluxo ocorre, em sua maior parte, em direção ao interior do Nordeste.

No que se refere ao destino da imigração interestadual para o Estado de São Paulo, no período 2003-2008, chama atenção volumes maiores para o interior do estado do que para a metrópole: 316.041 e 305.017, respectivamente, denotando a desconcentração do destino migratório no estado.

Desse modo, a desconcentração relativa da população da Região Metropolitana de São Paulo, caracterizada pela emigração, é indicada pelo processo de reestruturação espacial urbana, cuja especificidade é dada pelo processo de desconcentração do centro metropolitano (e não de sua periferia) para fora de suas fronteiras metropolitanas. O núcleo metropolitano que, num primeiro momento, transferiu população para o entorno imediato, anunciando o maciço crescimento regional (com expressivos movimentos migratórios intrametropolitanos), num segundo momento passou a perder população para o interior de São Paulo e suas regiões cada vez mais distantes; e, atualmente, é a sede dos maiores volumes de emigração do país em direção aos estados nordestinos.

A concomitância desse processo de desconcentração populacional na direção desses eixos espaciais tem contribuído para "expandir as fronteiras da dispersão populacional" (Gottdiener, 1993: 14). Nesse contexto, vai se redefinindo a organização social do espaço, com mudanças na diferenciação interna da metrópole — a começar pelas transformações nas funções da sede metropolitana, voltada para os interesses e funcionamento de uma "cidade mundial" (Sassen, 1998; Cordeiro, 1993; Veras, 1996) — e na sua posição no contexto econômico-demográfico estadual. A atual forma de crescimento socioespacial assiste à rápida expansão de outras áreas que não o município-sede da metrópole, embora neste continue a se alojar a maior parte da população estadual.

Essa relativa desconcentração metropolitana, contudo, não se traduz em uma megalópole ou macrometrópole, no sentido de uma expansão metropolitana que "engole" cada vez mais espaços longínquos, onde o *urban sprawl* define territórios periféricos (Ojima e Hogan, 2009). No caso do Estado de São Paulo, as dinâmicas econômica, regional e populacional de suas regiões tiveram em seus processos históricos, baseados na consolidação do complexo cafeeiro, forças endógenas que (re)definem, consolidam e fortalecem suas regiões (Cano, 1988), desenhando novas metrópoles e polos regionais no interior do estado, onde a migração é um dos elementos constituintes desses novos espaços urbanos (Baeninger, 2008).

Assim, a relação migração-industrialização, migração-emprego, áreas de origem e destino, que anteriormente tinham a imigração como expressão das áreas de maior dinamismo econômico, revestem-se de novos conceitos e significados, pois é o maior centro financeiro e concentrador de riqueza do país que expulsa os maiores volumes de emigrantes no âmbito das migrações internas.

O entendimento das migrações internas nos anos 2000, a partir desse novo olhar para os processos migratórios, onde estão também presentes menores volumes, conduz à substituição de conceitos historicamente datados, tais como áreas de evasão por áreas de perdas migratórias; áreas de atração ou absorção por áreas de retenção migratória; áreas de origem e destino por áreas e etapas constituintes dos processos de rotatividade migratória (Baeninger, 2008). Duas dimensões estão particularmente presentes na redefinição desses processos: em primeiro lugar, a própria reversibilidade dos diferentes fluxos migratórios (Domenach e Picouet, 1990), em especial as oscilações nos volumes de emigração e imigração e suas novas modalidades; em segundo lugar, a menor permanência das condições da migração para a caracterização das áreas.

O caso de Estado de São Paulo e de sua região metropolitana é indicativo de tais alterações; nas principais trocas migratórias ocorridas entre 2001-2008, dentre os estados brasileiros, São Paulo apresentou-se como área de forte perda migratória para os estados da região Sul, Centro-Oeste e Norte, com destaque para Santa Catarina, Rio Grande do Sul, Mato Grosso do Sul,

Rosana Baeninger

Mato Grosso e Amazonas; caracterizou-se como área de retenção da migração nas trocas com os estados do Pará e do Rio de Janeiro; e área de rotatividade migratória com os restantes estados brasileiros.

Como se poderia visualizar essa configuração migratória para São Paulo dez ou vinte anos atrás? Como mantermos a hipótese de que esta tendência atual de rotatividade migratória permanecerá?

A passagem de uma "condição migratória" de retenção, perda ou rotatividade migratória para qualquer área é bastante tênue e por isso a dificuldade, cada vez maior, de explicações do fenômeno migratório. Isto se torna particularmente complexo no caso da cidade de São Paulo, que se "encolhe" diante das migrações nacionais como expressão de seu processo de reestruturação urbana, manifestando os impactos do atual processo de reestruturação produtiva (Sassen, 1998; Harvey, 1992) com a menor capacidade de absorção de contingentes migratórios. Esse novo perfil da metrópole paulista redesenha, por sua vez, os fluxos migratórios, com intensas e volumosas entradas e saídas de população. A metrópole que busca se inserir na nova hierarquia urbana internacional fragmenta cada vez mais seus espaços (Souza, 1999), tendendo a absorver seus migrantes em setores da economia cuja categoria é classificada como "Outras ocupações, mal definidas ou não declaradas" no âmbito do processo de reestruturação da economia (Baeninger, 1999).

O papel da Região Metropolitana de São Paulo no cenário das migrações internas no Brasil imprimiu novos contornos ao entendimento dos processos vigentes na primeira década de 2000. A complementaridade em termos de transferências de população do Nordeste para o Sudeste-RMSP, que parecia ter diminuído nos anos 1980, volta a ser retomada nos 1990, porém se redesenhando no início dos anos 2000. O fluxo migratório inter-regional do Nordeste para o Sudeste era de 969 mil pessoas entre 1995-2000, passando para 539 mil entre 2001-2006. Nas trocas migratórias entre os estados do Nordeste e São Paulo, os estados do Maranhão e da Paraíba registraram saldos negativos com São Paulo. Essas oscilações nos volumes da imigração e emigração entre o Nordeste e o Sudeste parecem confirmar as enormes idas e vindas e o caráter da reversibilidade dos movimentos migratórios internos de longa distância no Brasil.

A novidade da PNAD 2004 foi confirmada nas PNADs 2006, 2007 e 2008, qual seja: saldo migratório negativo para o Estado de São Paulo, refletindo a atual configuração da Região Metropolitana de São Paulo no cenário migratório nacional, quando tornou-se uma área de rotatividade migratória (Baeninger, 2008). Entretanto, os volumes de imigração e emigração entre o Nordeste e São Paulo não serão muito menores; isto porque em um contexto de enormes transformações na dinâmica produtiva, onde o setor terciário tem importante papel — quer seja nas metrópoles do Sudeste ou no Nordeste — e o emprego na indústria oscila conforme o mercado nacional e internacional, a rotatividade migratória tenderá a se consolidar, marcando uma nova fase do processo de redistribuição espacial da população brasileira.

Assim, as migrações no início dos anos 2000 redefinem seus polos, configurando-se muito mais como áreas de rotatividade da migração do que como uma tendência polarizadora e concentradora de longa permanência; este é o caso da Região Metropolitana de São Paulo. O corredor da migração nacional, historicamente conformado pelos fluxos Nordeste-Sudeste, agora se amplia com seus refluxos Sudeste-Nordeste, onde transitam os volumes mais elevados da migração do país. Ao invés de um cenário de inchaço e concentração metropolitana, assiste-se à menor capacidade de retenção da população migrante, num intenso movimento de entradas e saídas, fluxos e refluxos, retornos e destinos migratórios.

Configuração das famílias no espaço metropolitano

Como decorrência dos processos de transição demográfica, das novas formas de arranjos familiares, do menor número de filhos por mulher e das migrações, a configuração das famílias e seus arranjos na Região Metropolitana de São Paulo retratam situações diversificadas, em particular os arranjos familiares com chefes migrantes.

Um aspecto importante com relação às famílias, que expressa o imaginário que se formou acerca dos fluxos migratórios, é a presença de mais de uma família em um mesmo domicílio como estratégia migratória. Assim, com relação aos domicílios com mais de uma família na Região Metropolitana de São Paulo em 2000, apenas 4% de seus domicílios apresentavam essa característica, proporção menor que para o Brasil, com 6,5% dos domicílios com mais de uma família coabitando no mesmo domicílio, e do total do estado, com cerca de 5% (Tabela 3). Além disso, essa especificidade também não está concentrada no núcleo metropolitano, porta de entrada das migrações, mas sim em concentrações periféricas bastante localizadas à leste da Região Metropolitana de São Paulo — Salesópolis, Biritiba-Mirim, Guararema e Mogi das Cruzes — indicando se tratar de configurações familiares com maior tempo de permanência na metrópole, ou mesmo de filhos casados que formam outra família mas se mantém residindo na casa de origem. Ou seja, a coabitação não é uma característica do espaço urbano-metropolitano central, nem é uma característica que marca o conjunto da periferia e das famílias migrantes da metrópole.

Tabela 3
DOMICÍLIOS SEGUNDO NÚMERO DE FAMÍLIAS COABITANDO
Região Metropolitana, Município e Estado de São Paulo, 2000

Domicílios	RMSP	(%)	Município	(%)	Estado	(%)
Com uma família	4.782.534	95,8	2.862.373	95,9	9.844.067	95,0
Com duas famílias	192.459	3,9	111.323	3,7	472.269	4,6
Com três famílias	15.662	0,3	9.467	0,3	37.951	0,4
Com quatro famílias	1.713	0,0	1.098	0,0	3.903	0,0
Com cinco famílias	174	0,0	128	0,0	379	0,0
Com seis famílias	30	0,0	25	0,0	30	0,0
Com mais de uma família	210.038	4,2	122.041	4,1	514.532	5,0
Total	4.992.570	100,0	2.984.414	100,0	10.358.598	100,0

Fonte: FIBGE, Censo Demográfico 2000. Tabulações especiais NEPO/Unicamp.

Outro elemento importante na RMSP refere-se à distribuição das famílias segundo rendimentos domiciliares per capita.[2] Com ênfase na distribuição das famílias por níveis de rendimentos domiciliares per capita em salários mínimos, no nível médio de rendimentos domiciliares per capita segundo tipos de família e na distribuição espacial das famílias por níveis de rendimentos[3] nota-se, de um lado, a força de concentração da riqueza na sede metropolitana e capital do estado; de outro lado, demonstra uma periferia que às vezes não se distancia tanto dos indicadores do núcleo e que apresenta melhores indicadores sociais que a média estadual.

De fato, no ano 2000, 56% das famílias da Região Metropolitana de São Paulo apresentavam rendimentos domiciliares per capita de até dois

---

[2] Este item contou com a colaboração de Stella Barberá da Silva Telles.

[3] Foram considerados os rendimentos das diversas fontes percebidas por todas as pessoas residentes no domicílio. Depois de terem sido computados todos os rendimentos, dividiu-se este total pelo número de pessoas residentes no domicílio. Foram excluídos, na soma dos rendimentos, a renda das pessoas residentes no domicílio na condição de pensionistas, empregados e parentes de empregados. Estas pessoas também foram excluídas do denominador.

salários mínimos; para o Estado de São Paulo esta proporção era de 60%, e para o Município de São Paulo, de 47%. Ou seja, a contrapartida é a concentração de famílias, sobretudo no Município de São Paulo com maior proporção de famílias nas faixas de maiores rendimentos (53%) comparativamente a RMSP (44%) e ao Estado (40%) (Tabela 4).

Tabela 4
FAMÍLIAS POR RENDIMENTOS DOMICILIARES PER CAPITA
EM SALÁRIOS MÍNIMOS
Região Metropolitana, Município e Estado de São Paulo, 2000

Renda domiciliar	RMSP			Município			Estado		
	n°	(%)	acum.	n°	(%)	acum.	n°	(%)	acum.
Não recebe	219.749	4,7	4,7	116.031	3,9	3,9	366.338	3,7	3,7
Até 0,25 SM	77.364	1,7	6,4	36.743	1,2	5,1	185.718	1,9	5,6
0,25 a 0,5 SM	258.687	5,5	11,9	128.317	4,3	9,4	599.965	6,1	11,7
0,5 a 1 SM	843.364	18,0	29,9	441.540	14,8	24,2	2.024.773	20,5	32,2
1 a 2 SM	1.229.048	26,3	56,2	680.538	22,8	47,0	2.741.984	27,8	60,0
2 a 3 SM	683.990	14,6	70,8	402.327	13,5	60,5	1.406.351	14,2	74,2
3 a 5 SM	685.256	14,6	85,4	434.220	14,5	75,1	1.325.122	13,4	87,6
Mais de 5 SM	681.228	14,6	100,0	744.702	25,0	100,0	1.225.872	12,4	100,0
Total	4.678.686	100,0		2.984.418	100,0		9.876.123	100,0	
Sem declaração	313.885						482.475		

Fonte: FIBGE, Censo Demográfico 2000. Tabulações especiais.

O núcleo metropolitano concentrava, em 2000, as famílias com maiores rendimentos da metrópole, reflexo, em parte, da emigração de famílias de baixos rendimentos para a periferia. As famílias residentes no Município de São Paulo percebiam uma renda média domiciliar per capita de 4,5 salários mínimos, sendo de 3,6 salários mínimos na Região Metropolitana de São Paulo; no Estado de São Paulo este patamar atingia 3,0 salários mínimos.

Os domicílios habitados por apenas uma pessoa na RMSP, sobretudo as do sexo masculino, detinham em 2000 os maiores rendimentos per capita: 8,6 salários mínimos em média no caso dos homens e 6,2 no caso das mulheres. Em contrapartida, as famílias monoparentais de chefia feminina auferiam os menores rendimentos per capita, atingindo 2,3 salários mínimos per capita, seguido das famílias constituídas por casal e filhos com 2,8 salários mínimos per capita (Tabela 5).

Rosana Baeninger

Tabela 5
RENDIMENTOS MÉDIO DOMICILIAR PER CAPITA
EM SALÁRIOS MÍNIMOS POR ARRANJO FAMILIAR
Região Metropolitana, Município e Estado de São Paulo, 2000

Arranjos familiares e ciclo de vida	RMSP	Município	Estado
Casal com filhos	2,8	3,4	2,4
até 34 anos	1,7	2,0	1,5
35 a 49 anos	3,3	3,9	2,8
50 anos ou mais	4,4	5,2	3,6
Casal sem filhos	5,9	7,1	4,7
até 34 anos	5,5	6,7	4,7
35 a 49 anos	7,6	9,1	5,9
50 anos ou mais	5,7	6,8	4,3
Monoparental feminina	2,3	2,8	2,0
até 34 anos	0,9	1,1	0,9
35 a 49 anos	2,0	2,4	1,8
50 anos ou mais	3,1	3,6	2,6
Monoparental masculina	3,8	4,7	3,0
até 34 anos	2,0	2,1	1,7
35 a 49 anos	3,2	4,2	2,7
50 anos ou mais	4,3	5,2	3,3
Unipessoal feminina	6,2	7,3	5,2
até 34 anos	7,1	8,4	6,3
35 a 49 anos	9,1	10,7	7,7
50 anos ou mais	5,2	6,1	4,4
Unipessoal masculina	8,6	11,0	6,7
até 34 anos	7,1	9,2	6,1
35 a 49 anos	10,0	12,6	8,2
50 anos ou mais	8,7	11,4	6,0
Chefe feminino sem filhos e/ou parentes	4,8	5,7	3,9
até 34 anos	4,0	4,6	3,5
35 a 49 anos	5,0	5,6	4,3
50 anos ou mais	5,3	6,4	4,0
Chefe masculino sem filhos e/ou parentes	4,6	5,6	3,8
até 34 anos	3,7	4,4	3,3
35 a 49 anos	5,3	6,4	4,1
50 anos ou mais	6,7	8,4	4,7
Total	3,6	4,5	3,0

Fonte: FIBGE, Censo Demográfico 2000. Tabulações especiais NEPO/Unicamp.

De modo geral, independente do tipo de família que se considere, os rendimentos médios per capita eram, em 2000, mais elevados no Município de São Paulo, seguido pela Região Metropolitana de São Paulo e pelo Estado de São Paulo.

Com exceção dos arranjos familiares unipessoais e dos casais sem filhos cujos maiores rendimentos (considerando-se o ciclo de vida familiar) correspondem aos arranjos na fase adulta (com chefes entre 35 a 49 anos), os demais arranjos familiares apresentam maiores rendimentos per capita na fase madura, ou seja, aquelas famílias cujo chefe e/ou cônjuge já ultrapassaram os 50 anos de idade.

A distribuição espacial das famílias residentes nos municípios da Região Metropolitana de São Paulo, segundo rendimentos expressos em salários mínimos per capita, revela que as famílias com os mais baixos rendimentos residiam nos municípios situados ao redor da cidade de São Paulo — sobretudo os que se localizam no lado oeste — e, também aqueles situados ao redor da região do ABC.[4] Os municípios de Guararema, Biritiba-Mirim e Salesópolis, localizados na parte leste da periferia da região metropolitana, destacavam-se também pelas elevadas proporções de famílias com baixos rendimentos per capita.

Considerando os arranjos familiares com chefes migrantes, em 2000, num total de 451.630 famílias, destacam-se dois aspectos relevantes para o entendimento dos processos migratórios (Tabela 6).

O primeiro refere-se às maiores proporções de famílias do tipo unipessoal feminina e masculina e chefe com parentes no total dos arranjos familiares na metrópole para as famílias jovens (com chefes até 34 anos), para aquelas na fase adulta (chefe com idade entre 35-49 anos) e na fase madura (chefe com mais de 50 anos). Trata-se de arranjos familiares que expressam estratégias da migração, quer seja com a vinda do chefe ou de alguns membros (famílias unipessoais), quer seja pela formação de família estendida (chefe com parentes ou agregados).

---

[4] Os municípios de Francisco Morato, Itaquaquecetuba, Juquitiba, Rio Grande da Serra, Itapevi, São Lourenço da Serra, Pirapora do Bom Jesus, Salesópolis, Ferraz de Vasconcelos, entre outros, chegam a ter quase 3/4 das famílias residentes contando com até 2 salários mínimos per capita.

Rosana Baeninger

Tabela 6
ARRANJOS FAMILIARES POR CICLO DE VIDA
E CONDIÇÃO DE MIGRAÇÃO DO CHEFE
Região Metropolitana de São Paulo, 2000

Tipo de arranjo	Jovens	Adultas	Maduras
	Total de arranjos familiares		
Casal com filhos	1.088.668	1.116.506	463.025
Casal sem filhos	270.318	88.121	233.695
Monoparental feminina	120.147	296.115	308.859
Monoparental masculina	6.343	25.375	49.875
Unipessoal feminina	41.379	49.654	167.689
Unipessoal masculina	71.190	67.289	63.831
Chefe feminino sem filhos e/ou parentes	41.289	30.679	63.780
Chefe masculino sem filhos e/ou parentes	68.239	31.061	17.529
Total	1.707.573	1.704.800	1.368.283
	Total de arranjos familiares com chefe migrante		
Casal com filhos	158.704	70.035	13.774
Casal sem filhos	53.422	8.602	8.248
Monoparental feminina	14.558	20.946	12.089
Monoparental masculina	869	2.402	2.054
Unipessoal feminina	9.665	4.258	6.434
Unipessoal masculina	17.366	8.371	4.092
Chefe feminino sem filhos e/ou parentes	10.281	1.981	2.152
Chefe masculino sem filhos e/ou parentes	18.067	2.554	706
Total	282.932	119.149	49.549
	Total de arranjos familiares com chefe migrante (%)		
Casal com filhos	14,6	6,3	3,0
Casal sem filhos	19,8	9,8	3,5
Monoparental feminina	12,1	7,1	3,9
Monoparental masculina	13,7	9,5	4,1
Unipessoal feminina	23,4	8,6	3,8
Unipessoal masculina	24,4	12,4	6,4
Chefe feminino sem filhos e/ou parentes	24,9	6,5	3,4
Chefe masculino sem filhos e/ou parentes	26,5	8,2	4,0
Total	16,6	7,0	3,6

Fonte: FIBGE, Censo Demográfico 2000. Tabulações especiais NEPO/Unicamp.

Tabela 7
ARRANJOS FAMILIARES POR CICLO DE VIDA
E CONDIÇÃO DE MIGRANTE DO CHEFE
Região Metropolitana de São Paulo, 2000

Arranjos familiares e ciclo de vida	Proporção de famílias pobres (até 1/4 SM)		
	Chefe não migrante	Chefe migrante	Total
Casal com filhos	5,3	8,1	5,6
até 34 anos	7,7	8,8	7,9
35 a 49 anos	4,5	7,2	4,7
50 anos ou mais	2,0	4,9	2,1
Residual	6,3	8,3	6,5
Casal sem filhos	3,5	3,9	3,6
até 34 anos	3,9	3,6	3,8
35 a 49 anos	4,8	5,3	4,9
50 anos ou mais	2,5	4,7	2,6
Residual	5,0	4,1	4,9
Monoparental feminina	7,9	12,9	8,2
até 34 anos	18,8	18,7	18,8
35 a 49 anos	8,0	11,7	8,3
50 anos ou mais	4,0	7,8	4,1
Monoparental masculina	5,9	8,9	6,1
até 34 anos	13,6	6,2	12,5
35 a 49 anos	9,0	10,1	9,1
50 anos ou mais	3,5	8,7	3,7
Unipessoal feminina	6,6	10,3	6,9
até 34 anos	10,6	10,0	10,4
35 a 49 anos	8,9	11,0	9,1
50 anos ou mais	5,2	10,2	5,4
Unipessoal masculina	11,9	11,2	11,8
até 34 anos	12,1	10,1	11,6
35 a 49 anos	14,7	10,8	14,2
50 anos ou mais	9,1	16,3	9,5
Chefe feminino sem filhos e/ou parentes	3,5	4,1	3,6
até 34 anos	4,5	4,0	4,4
35 a 49 anos	3,0	3,2	3,0
50 anos ou mais	3,3	5,4	3,4
Chefe masculino sem filhos e/ou parentes	3,7	3,5	3,7
até 34 anos	3,6	3,4	3,6
35 a 49 anos	4,1	5,0	4,1
50 anos ou mais	3,3	0,0	3,1
Total	5,7	7,9	6,0
Famílias jovens	8,0	7,9	8,0
Famílias adultas	5,6	8,2	5,8
Famílias maduras	3,4	7,3	3,5
Total	5,7	7,9	5,9

Fonte: FIBGE, Censo Demográfico 2000. Tabulações especiais NEPO/Unicamp.

Rosana Baeninger

O outro aspecto importante refere-se à relação família, migração e pobreza. Na Tabela 7 é possível observar que a proporção de famílias com renda familiar per capita de até 1/4 de salário mínimo, segundo a condição de migrante e não migrante e por tipo de família revela mais famílias pobres migrantes (7,9%) que não migrantes (5,7%). Contudo, quando se atém aos arranjos familiares mais precários, como monoparental feminina com chefe até 34 anos, nota-se que a condição migratória não define a pobreza deste arranjo familiar (com 18% de famílias monoparentais pobres entre migrantes e entre não migrantes). O mesmo ocorre para as famílias unipessoais femininas, com 10% de pobres para famílias com chefes jovens migrantes ou não migrantes. No caso das famílias com chefes de até 34 anos de idade nos tipos monoparentais masculinas e unipessoais masculinas ocorrem maiores proporções de famílias pobres entre os não migrantes que entre os migrantes. Ou seja, nas situações de maior precariedade social e econômica, a condição migratória já não é elemento definidor ou que caracteriza a pobreza nos arranjos familiares, desfazendo o mito de que é o migrante que traz e reproduz a pobreza.

Mudanças na estrutura etária da população metropolitana

A acentuada queda da fecundidade vivenciada no país nas últimas décadas vem imprimindo uma nova distribuição relativa da população, com menor participação do grupo jovem e proporções crescentes de população com mais de 60 anos de idade, conduzindo o país a um processo de envelhecimento populacional (Berquó, 1992). Na verdade, este fato também desfaz um mito: o mito de um país de jovens. O crescimento diferenciado dos contingentes populacionais de acordo com os grupos de idade desenha uma pirâmide etária, onde o efeito da queda da fecundidade e o contínuo descenso da mortalidade, definem uma base piramidal mais estreita, uma população adulta bem mais numerosa e que, como em ondas sucessivas, alcançará as idades mais avançadas em maiores proporções que em décadas anteriores.

No caso da Região Metropolitana e do Município de São Paulo, a estes efeitos da atual tendência de fecundidade e de mortalidade acrescenta-se a importância das migrações. Isto pode ser visualizado, de um lado, na base da pirâmide, com a faixa etária de 0 a 4 anos de idade um pouco mais alargada que o grupo imediatamente subsequente (5 a 9 anos), podendo indicar uma migração familiar em seu início do ciclo vital ou o efeito indireto das migrações com o nascimento de filhos no destino migratório (Goldani, 1983); de outro lado, nas faixas etárias em idade ativa, chegando ao grupo idoso um expressivo contingente populacional (Gráfico 1).

Gráfico 1
ESTRUTURA ETÁRIA DA POPULAÇÃO
Região Metropolitana e Município de São Paulo, 2000

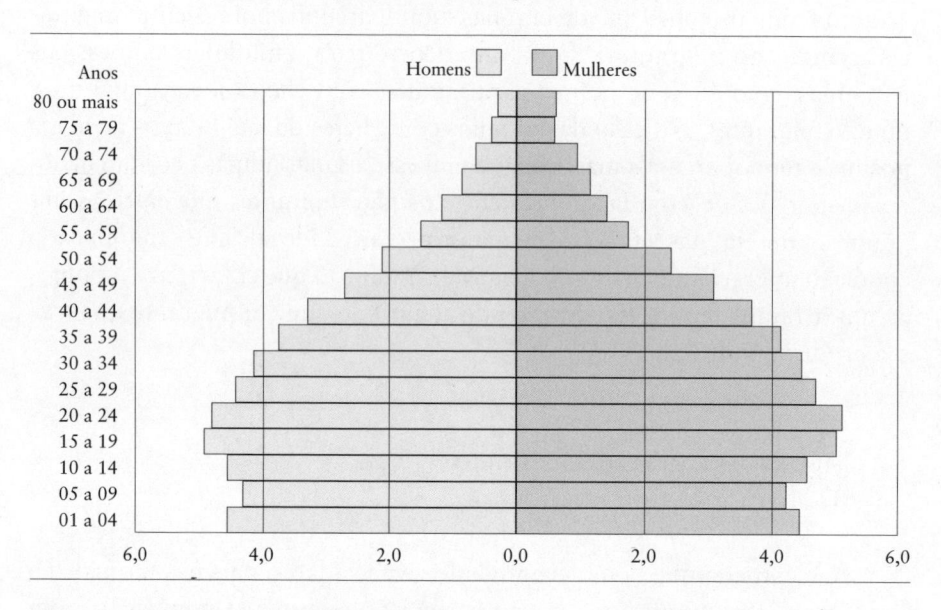

Fonte: Fundação IBGE, Censo Demográfico 2000.

Considerando os grandes grupos de idade, é possível visualizar para 2015 a tendência de maior incremento do grupo idoso (Tabela 8). A Região Metropolitana de São Paulo chegará nesse ano com cerca de 12,5% de sua população com mais de 60 anos de idade, e a cidade de São Paulo com cerca de 14%; essa diferença se deve ao rejuvenescimento da estrutura etária da população da RMSP em função da maior absorção migratória, bem como de níveis de fecundidade um pouco mais elevados.

O que chama mais atenção, contudo, é o ritmo diferenciado de crescimento da população de cada um desses grupos de idade. Enquanto na RMSP o grupo etário jovem (0-14 anos) vem apresentando uma taxa de crescimento da população de 0,06% a.a. entre 2000-2015, o grupo adulto (15-59 anos) registra uma taxa de crescimento de 1% a.a., e o grupo com mais de 60 anos de idade vem crescendo a 4,13% a.a.

Rosana Baeninger

Tabela 8
POPULAÇÃO POR GRANDES GRUPOS DE IDADE
Região Metropolitana e Município de São Paulo, 2000-2015

Grupos de idade	Distribuição relativa (%)		Taxa de crescimento (% a.a.)	
	RMSP	Município	RMSP	Município
0 a 4 anos			0,06	-0,16
2000	26,19	24,73		
2010	24,33	24,01		
2015	22,70	22,56		
15 a 59 anos			1,01	0,22
2000	65,57	65,77		
2010	65,28	64,12		
2015	64,82	63,25		
60 anos e mais			4,13	3,42
2000	8,24	9,50		
2010	10,38	11,87		
2015	12,48	14,18		
Total	100,00	100,00	1,09	0,49

Fonte: Fundação Seade (2009).

Para o município, o grupo etário de 0-14 anos já vem manifestando crescimento negativo (-0,16% a.a.), tanto em função da baixa fecundidade como de menor impacto da migração na população total. Entre 2000-2015, para o grupo de 15-59 anos na cidade de São Paulo, a taxa de crescimento também será inferior ao da RMSP (0,22% a.a.), estimando-se 3,42% a.a. o crescimento da população com mais de 60 anos de idade.

Estas tendências se refletirão em pirâmides etárias com descontinuidades demográficas, onde o tamanho das coortes desenhará os contornos da estrutura etária das áreas, em 2015, por exemplo. Isso fica evidente no grupo de 5-10 anos, tanto no caso da RMSP quanto da capital, com maiores proporções de população que os grupos subsequentes e anteriores. Já a partir dos 35 anos, pode-se observar o efeito combinado dos contingentes migratórios chegados em décadas anteriores e as maiores proporções nos grupos adulto e idoso, em função da acentuada queda da fecundidade; o topo da pirâmide alarga-se consideravelmente, se comparado às pirâmides de 2000.

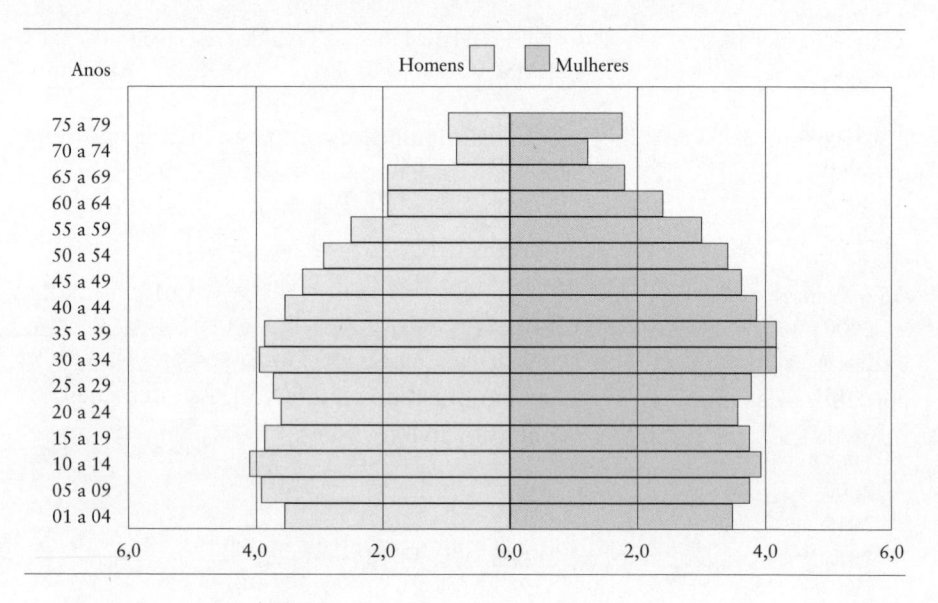

Gráfico 2
ESTRUTURA ETÁRIA DA POPULAÇÃO
Região Metropolitana e Município de São Paulo, 2015

Fonte: Fundação Seade (2009).

Esses ritmos diferenciados e com maior intensidade no grupo idoso configurará uma metrópole que, em 2015, contará com 2,7 milhões de habitantes com mais de 60 anos de idade, sendo 1,6 milhão na cidade de São Paulo. A este desafio, se somam também os 14 milhões de habitantes em idade ativa (15-59 anos) que em 2015 estarão na RMSP, dos quais cerca de 7 milhões no Município de São Paulo. Portanto, esse novo perfil demográfico que se consolida no século XXI convive com problemas sociais ainda não solucionados referentes ao grupo jovem (0-15 anos) — em particular quanto ao acesso e qualidade da educação —, ao mesmo tempo que vivencia uma nova etapa da transição demográfica, onde se espera elevado crescimento da proporção dos grupos etários adultos e idosos, com perfis muito diferenciados em termos de demandas sociais: desde a (im)possibilidade de inserção no mercado de trabalho até a mudança no perfil epidemiológico e suas causas de morte.

Rosana Baeninger

CONSIDERAÇÕES FINAIS

A Região Metropolitana de São Paulo constitui a área com o maior volume populacional do país, de maior dinamismo migratório e de maior destaque em termos das alterações em sua dinâmica demográfica recente. Nesse sentido, o fato marcante para a próxima década do século XXI na RMSP é também o envelhecimento da população; como essa área já não vem mais contando com o "rejuvenescimento" de sua população advindo das migrações, com contingentes populacionais mais jovens, tenderá a caracterizar novos espaços e novas pobrezas urbanas para grupos etários específicos, em particular para aquele com mais de 60 anos de idade.

No que se refere à migração, no cenário nacional a metrópole de São Paulo (re)define os espaços migratórios, caracterizando-se como "espaço perdedor" das migrações internas no Brasil no século XXI. As alterações no ritmo de crescimento de sua população, ao longo dos últimos cinquenta anos, esteve estreitamente vinculada aos novos destinos e sentidos migratórios, hoje num constante ir e vir de contingentes migrantes nordestinos; por outro lado, a atração que exerceu sobre o interior paulista na primeira metade do século XX já não se vislumbra, com perdas líquidas de população para todos os municípios do interior do estado.

Em termos da dinâmica de sua população, (re)desenha-se no século XXI, portanto, uma nova conformação metropolitana, onde os processos migratórios resultantes das migrações internas são bem delimitados e espacializados (Torres, 2006; Marques e Torres, 2004), contribuindo de maneira pouco expressiva para o crescimento dessa população.

Nesses espaços revelados pelas migrações, contudo, é onde a Região Metropolitana de São Paulo também mostra sua nova face: as migrações internacionais de latino-americanos e asiáticos, que se somam aos diferentes sotaques da metrópole, compondo o mosaico colorido e diversificado de contingentes populacionais que ainda depositam em São Paulo seus sonhos e esperanças de melhores condições de vida neste país.

BIBLIOGRAFIA

ANDRADE, T. A.; SERRA, Rodrigo (1998). "O recente desempenho das cidades médias no crescimento populacional urbano brasileiro". *Texto para Discussão*, nº 554, Brasília, IPEA, março.

BAENINGER, Rosana (2005). "São Paulo e suas migrações no final do século XX". *São Paulo em Perspectiva*, São Paulo, Fundação Seade.

_____ (2008). "Rotatividade migratória: um novo olhar para as migrações no século XXI". XVI Encontro Nacional de Estudos Populacionais, 2008, Caxambu. *Anais...*, Caxambu, ABEP.

_____ (1999). "Região, metrópole e interior: espaços ganhadores e espaços perdedores nas migrações recentes. Brasil, 1980-1996". Tese de Doutorado, IFCH/Unicamp.

BERQUÓ, Elza (1992). "Algumas questões sobre a demografia dos anos noventa". *Revista Brasileira de Estudos da População*, vol. 8, nº 1-2, Campinas, ABEP, pp. 55-9.

CANO, Wilson (1997). *Raízes da concentração industrial em São Paulo*. São Paulo: T. A. Queiróz.

_____ (org.) (1988). *O processo de interiorização da indústria em São Paulo*. São Paulo: Fundação Seade.

CORDEIRO, Helena. K. (1993). "A 'cidade mundial' de São Paulo e o complexo corporativo do seu centro metropolitano". In: SANTOS, M., *et al. O novo mapa do mundo: fim de século e globalização*. São Paulo: Hucitec/Anpur.

CUNHA, José Marcos P. (1998). "(Des)continuidades no padrão demográfico do fluxo São Paulo/Bahia no período 1990/1991: qual o efeito da crise". XI Encontro Nacional de Estudos Populacionais, 1998, Caxambu. *Anais...*, Caxambu, ABEP.

_____ (coord.) (1999). Projeto "Mobilidade e redistribuição espacial da população no Estado de São Paulo: características recentes, padrões e impactos no processo de urbanização". Campinas, NEPO/Unicamp. 273 p. (Relatório Final)

CUNHA, José Marcos P. (1987). "A migração nas Regiões Administrativas do Estado de São Paulo segundo o Censo de 1980". *Revista Brasileira de Estudos de População*, São Paulo, ABEP, vol. 4, nº 2, pp. 89-111, jul.-dez.

DOMENACH, Hervé; PICOUET, Michel (1990). "El carácter de reversibilidad en el estudio de la migración". *Notas de Población*, nº 49, Santiago de Chile, CELADE.

FARIA, Vilmar (1978). "O processo de urbanização no Brasil: algumas notas para seu estudo e interpretação". I Encontro Nacional de Estudos Populacionais, 1978, Campos do Jordão. *Anais...*, Campos do Jordão, ABEP.

FARIA, Vilmar (1983). "Desenvolvimento, urbanização e mudanças na estrutura do emprego: a experiência brasileira dos últimos 30 anos". In: SORJ, Bernardo; ALMEIDA, Maria Hermínia Tavares. *Sociedade e política no Brasil pós-64*. São Paulo: Editora Brasiliense.

GOLDANI, Ana Maria (1983). *Análise demográfica regional: Grande São Paulo*. São Paulo: Fundação Seade.

GOTTDIENER, Mark (1993). *A produção social do espaço urbano*. São Paulo: Edusp. 76p.

HARVEY, David (1992). *A condição pós-moderna*. São Paulo: Loyola.

JANNUZZI, Paulo M. (1998). *Redistribuição regional da população no interior paulista nos anos 80: em busca dos determinantes estruturais do fenômeno. Textos NEPO*, nº 34, Campinas, NEPO/Unicamp.

LATTES, Alfredo E. (1998). "Population Distribution in Latin America: Is There a Trend Towards Population Deconcentration?" In: *Population, Distribution and Migration*. Nova York: United Nations.

MARQUES, Eduardo C.; TORRES, Haroldo G. (2004). "Pobreza e distribuição espacial de grupos sociais na metrópole de São Paulo". *Cadernos Adenauer*, vol. 1, São Paulo, pp. 35-50.

MARTINE, George; CAMARGO, Lício (1984). "Crescimento e distribuição da população brasileira: tendências recentes". *Revista Brasileira de Estudos de População*, vol. 1, nº 2, Campinas, ABEP, pp. 99-143, jan.-dez.

MARTINE, George (1987). "Migração e metropolização". *São Paulo em Perspectiva*, vol. 1, nº 2, São Paulo, Fundação Seade, p. 23-31, jul.-set.

MARTINE, George; CARVALHO, José Alberto M. (1989). "Cenários demográficos para o século XXI e algumas implicações sociais". Seminário Brasil Século XXI, Campinas, Unicamp.

MERRICK, Thomaz; BERQUÓ, Elza (1983). *The Determinants of Brazil's Recent Rapid Decline in Fertility*. Washington, D.C.: National Academy Press.

MÜLLER, Geraldo (1985). *A dinâmica da agricultura paulista*. Série São Paulo 80. São Paulo: Fundação Seade.

NEGRI, Barjas (1996). *Concentração e desconcentração industrial em São Paulo (1880-1990)*. Campinas: Unicamp.

OJIMA, Ricardo; HOGAN, Daniel J. (2009). "The Demographic Composition of Urban Sprawl: Local and Regional Challenges Concerning Global Environmental Change in Brazilian Metropolitan Areas". XXVI IUSSP International Population Conference, 2009, Marrakech. Procedings of XXVI IUSSP International Population Conference. França, IUSSP, 2009. vol. 1. p. 0-0.

PACHECO, Carlos Américo (1998). *Fragmentação da nação*. Campinas: Instituto de Economia/Unicamp.

PACHECO, Carlos Américo; PATARRA, Neide Lopes (1998). "Movimentos migratórios anos 80: novos padrões?". Encontro Nacional Sobre Migração, 1998. *Anais...* Curitiba, ABEP/IPARDES.

PASTERNAK, Suzana; BÓGUS, Lúcia M. (2006). "Migração na metrópole". *São Paulo em Perspectiva*, vol. 19, São Paulo, Fundação Seade, pp. 21-47.

_____ (1996). "São Paulo, velhas desigualdades, novas configurações espaciais". *Revista Brasileira de Estudos Urbanos e Regionais*, nº 1, pp. 153-76.

PATARRA, Neide; BAENINGER, Rosana (1988). *Povigente, povovigente, povo e gente*. *Textos NEPO*, nº 15, Campinas, NEPO/Unicamp.

_____ (1988). "Movimentos migratórios: novas características, novas implicações". Anais do Encontro da ANPUR, Águas de São Pedro, SP.

PERILLO, Sonia (1992). "O que muda na dinâmica migratória do Estado de São Paulo nos anos oitenta?". VIII Encontro Nacional de Estudos Populacionais, 1992, Brasília. *Anais...*, vol. 3, Brasília, ABEP, pp. 255-70.

SASSEN, Saskia (1998). *As cidades na economia mundial*. São Paulo: Studio Nobel.

SAWYER, Diana (1983). "Relações entre a mortalidade e fecundidade: o caso de São Paulo". *Reproducción de la Población y Desarrollo*, nº 4, CLACSO.

SINGER, Paul (1973). "Migrações internas: considerações teóricas sobre seu estudo". In: *Economia política da urbanização*. São Paulo: Brasiliense.

TORRES, Haroldo G. (2006). "Demografia urbana e políticas sociais". *Revista Brasileira de Estudos da População*, vol. 23, pp. 27-42.

VÉRAS, Maura P. (1996). "Entre o local e o global: políticas urbanas, espaços e sujeitos da cidade mundial". XX Encontro da Anpocs, Caxambu.

VILLA, Miguel; RODRIGUEZ, Jorge (1994). "Dinámica sociodemográfica de las metrópolis latinoamericanas". In: *Grandes ciudades de América Latina: dos capítulos*. Documentos Docentes, Santiago de Chile, Centro Latinoamericano de Demografía-CELADE, Naciones Unidas-FNUAP.

3

O centro e seus cortiços:
dinâmicas socioeconômicas, pobreza e política

Lúcio Kowarick

> "O inquestionável deslocamento da centralidade dominante [...] para o setor sudoeste da cidade não determinou o esvaziamento do centro histórico, mas sim uma mudança no perfil de seus usos e usuários, configurando novos focos de dinamismo e novas vocações para a área [...]. Todavia, a popularização do centro e seu atual elenco de atividades, formais e informais, são também manifestações de uma nova vitalidade econômica, que mantém em muitas instâncias o papel central da região no âmbito do universo terciário da cidade."
>
> (Nakano, Malta Campos e Rolnik, 2004: 154 e 156)

A perda da primazia social dos distritos das áreas centrais é fenômeno conhecido. Lugar de prestígio desde o século XIX, paulatinamente, após 1950, decresce sua importância econômica e demográfica. Até certo ponto, também suas atividades artístico-culturais, não obstante os esforços dos poderes públicos municipal e estadual em termos de reformas e reabilitação de prédios como o da Light, do Banco do Brasil, a Estação Júlio Prestes com a Sala São Paulo, a estação e a área da Luz com a Pinacoteca, o antigo DOPS, a Biblioteca Municipal, o Solar da Marquesa e o Pátio do Colégio, o Museu de Arte Sacra, o Teatro São Pedro, as praças do Patriarca, Sé e República, o Largo de São Bento, do Arouche, bem como a reurbanização do Parque Dom Pedro II, que dará origem a 135 mil m² de áreas verdes, e a remoção da Favela do Gato, onde está prevista a construção de cerca de quinhentas unidades habitacionais, áreas e centros de lazer. Local de intensos conflitos operários no Brás e na Mooca de 1917, das sucessivas paralisações da conjuntura 1945-47, sem esquecer o explosivo quebra-quebra de 1944, isto para não falar de conflitos mais recentes referentes à derrocada do populismo dos anos 1960: nas grandes praças da época, das Bandeiras ou Roosevelt, ocorriam grandes comícios que, em boa medida, decidiam os destinos políticos do país. Sem esquecer a Praça da Sé, no ato ecumênico em protesto pelo assassinato de Vladimir Herzog em 1975, e o milhão de pessoas no comício das Diretas Já, em 1984.

O percurso da primazia urbana foi do centro para a Paulista nos anos 1960-70, e para a Faria Lima e a Berrini-Marginal do Pinheiros em tempos mais recentes (Frúgoli, 2000). Não cabe detalhar os processos que estiveram na raiz dos deslocamentos socioeconômicos e urbanos para essas regiões. Basta mencionar a saída das camadas de renda média e alta fundamentalmente para o vetor sudoeste da cidade, que recebeu vultuosos investimentos públicos como alargamento de avenidas, construção de pontes e viadutos, linhas de metrô, além de novas formas de consumo, em especial shopping centers. Na década de 1990, o poder público desenvolveu somente ações pontuais na área central, com exceção da administração petista de 1989-92, que remodelou o Vale do Anhangabaú e transferiu para o centro a sede da Prefeitura, ação que teve forte impacto simbólico. A ocorrência destas dinâmicas ocorreu na medida em que houve crescente dificuldade de acesso às zonas centrais, que se traduz em restrições de trânsito, falta de estacionamento, pedestrianização de ruas, aumento da poluição atmosférica, visual e sonora, além da deterioração de vastas áreas, das quais se destacam aquelas contíguas ao Elevado Costa e Silva. A população diminui, muitos edifícios residenciais e de serviços ficam parcial ou totalmente desocupados, e a atividade econômica muda de perfil com a saída dos grupos abastados e a maior presença das camadas pobres.

DINAMISMOS SOCIOECONÔMICOS

Esses deslocamentos revelam decadência sociourbana em certas áreas, mas significam também novos dinamismos e potencialidades. Nesse sentido, basta mencionar a existência de 530 mil habitantes nas áreas centrais, 723 mil empregos formais, 3,8 milhões de pedestres diários ou os 2 milhões de passageiros que diariamente são canalizados para os distritos da Sé e República através de 294 das 1.200 linhas de ônibus existentes no Município, das dezessete estações de metrô e outras três de grande circulação ferroviária espalhadas nos seus distritos de ocupação mais antiga.

Decorrente de um sistema obsoleto e desordenado de transportes, cujo nascedouro foi uma rede viária que por grandes artérias desemboca nas áreas centrais, tornando-as destinatárias da quarta parte das viagens em veículos coletivos, o centro constitui um "território de transbordo" (Meyer, 1999). Mas é mais do que isso, pois em uma pequena área de 4,4 km², correspondente à Sé e à República, "o poder público investiu 25 bilhões de dólares para instalação de [...] redes de água, luz e esgoto em todos os

Lúcio Kowarick

2.744.000 m² para fins residenciais e 6.857.000 m² de área construída para [outros] fins..." (Piccini, 1999: 66). Nos distritos do centro estão também concentrados boa parte dos 600 mil habitantes em cortiços, 10 mil ambulantes, 2 mil catadores de lixo, muitos com suas carroças realizando coleta seletiva e, ao mesmo tempo, engarrafando ainda mais o trânsito, cerca de 5 mil moradores de rua, número que deve ter diminuído após os doze assassinados que foram vítimas por espancamento em 2004, não obstante a existência de oitocentos guardas civis e 4.250 policiais militares alocados nas zonas centrais. Há vasta hotelaria e restaurantes de padrão popular, o comércio atacadista nas cercanias do Mercado Municipal, a indústria de confecções no Bom Retiro, com 2 mil unidades produtivas, 50 mil empregos diretos, antes com forte presença de judeus e, mais recentemente, de coreanos, recebe 70 mil compradores por dia, as zonas bolivianas do Pari, os japoneses na Liberdade, o comércio de máquinas e ferramentas na Florêncio de Abreu, de eletroeletrônicos na Santa Ifigênia, de tecidos na 25 de Março e adjacências, onde existem cerca de trezentas lojas que atraem 400 mil pessoas por dia, 1 milhão nos dias festivos, gerando 40 mil empregos e atraindo compradores de todo o país e do exterior (*Folha de S. Paulo*, 2003: C4). Há ainda o sistema financeiro da rua XV de Novembro, o intenso comércio da rua Direita e muitas ruas tomadas pelos 10 mil ambulantes. Vale mencionar que a Estação da Luz, principal entroncamento metroferroviário do Município, por onde transitam 400 mil pessoas por dia através da interligação de duas linhas de metrô e outras seis de trens metropolitanos. Digno de nota também é que no conjunto dos treze distritos que compõem a região central se efetuam 10,6 milhões de viagens/dia, das quais 6,2 milhões a pé e o restante por transporte motorizado individual ou coletivo, muito superior ao existente nas demais partes da cidade. No centro está também cerca da terça parte das bibliotecas, museus e cinemas do Município e a metade dos teatros, bem como a presença de 97 mil alunos matriculados em 29 instituições de ensino superior e 102 mil em 177 escolas públicas e privadas do ensino infantil ao nível médio (Botelho e Freire, 2004: 180, 192-3).

Muitos empreendimentos, cujas matrizes estavam sediadas em sua área central, deslocaram-se para as avenidas Paulista e Faria Lima e, mais recentemente, para a Berrini-Marginal do Pinheiros. Destaca-se neste sentido o setor bancário e a recente saída das sedes do Boston, Santander e Itaú. Mas as atividades financeiras, incluindo as Bolsas de Valores e de Mercadorias, continuam ainda fortemente concentradas no centro, de modo especial nas áreas da Sé, da Bela Vista e da República: em nove distritos centrais existiam em 1994 pouco mais de 40 mil empregos formais — 31% do existente no

Município, montante que em 2001 correspondia a 34% destes postos de trabalho de São Paulo. Por outro lado, assinalem-se os esforços dos poderes públicos municipal e estadual em valorizar as áreas centrais: além das iniciativas já assinaladas, a Prefeitura aí localizou quinze das 21 secretarias, gerando 8,5 mil empregos, iniciativa seguida pelo Governo Estadual, que deslocou três secretarias e cinco empresas estatais, adquirindo para tanto oito prédios na região da Sé, onde trabalham 3 mil funcionários.

Muitos hotéis também deixaram a região, mas é necessário apontar algum retorno, cujo exemplo pode ser ilustrado por dois novos empreendimentos de alto padrão, além da reabertura de outro hotel tradicional. Ela continua sediando grandes empresas da área de telefonia, bem como as atividades jurídicas em torno do Fórum da Sé, mas, seguindo a tendência geral do Município, as áreas centrais da cidade perderam na década de 1990 quase 109 mil empregos formais (Amitrano, 2004: 114).

Contudo, continua a haver grande oferta de empregos, milhões de pessoas diariamente para aí se dirigem, o que origina enorme soma de negócios, o estoque de prédios de bom padrão tem um valor locacional e de venda sensivelmente inferior às outras áreas comerciais e de serviços e, não obstante ter havido empobrecimento, a população da área central continua com uma renda média razoável: dos treze distritos considerados, seis estão acima da média dos 67 que compõem a sub-região central-intermediária e todos os treze bastante acima dos 33 distritos componentes das áreas periféricas de São Paulo (Prefeitura do Município de São Paulo, 2003: 36-8).

Contrastes entre riqueza e pobreza são constantes em cidades de grande dinamismo como São Paulo que, na sua história republicana, demoliu e construiu, por três vezes, boa parte dos prédios de suas áreas centrais. Além de ser de "transbordo", os territórios centrais revelam vidas em contrastes, constantes lutas pela apropriação de espaços valorizados, não só do ponto de vista econômico, mas também de significados sociourbanísticos, com seus patrimônios materiais e culturais, construídos de lembranças, identidades locais nas memórias díspares de quando o centro era centro dos acontecimentos. Assim, considero ser redutor dizer que,

> "[...] segundo a Adviser Consultores Ltda., em estudo encomendado pela Associação Viva o Centro em 1992, o centro encontrava-se num processo praticamente irreversível de esvaziamento econômico desde os anos 80. Um dos empecilhos para uma retomada seria a dificuldade de estacionamento e de acesso por veículos [particulares], a partir da implantação dos 'calçadões'. São apon-

Lúcio Kowarick

tados também a insegurança que caracteriza a região [...] [A Adviser vincula essa insegurança à disponibilidade de áreas para 'desocupados de toda espécie'] e o insuficiente policiamento ostensivo. Na ocasião do estudo [1992] o valor médio do metro quadrado no centro correspondia a 25,4% do valor da avenida Paulista, 34,8% do valor dos Jardins e 35,5% do valor da Marginal do Pinheiros" (Silva, 2000).

Deste parcial ponto de vista, não resta dúvida de que na década de 1980 o centro acelerou sua deterioração. Contudo, para muitos — moradores, trabalhadores, transeuntes, ONGs, movimentos sociais, órgãos públicos, agentes privados — ele é muito mais do que apenas valor de troca que segue a lógica do lucro, não raras vezes de cunho eminentemente especulativo. Ele é também valor de uso, local de trabalho e de moradia, espaço de luta pela apropriação de benefícios urbanos, fulcro reivindicativo para o acesso a bens e serviços — sobretudo habitação digna —, necessários à vida nas cidades.

Tabela 1
POPULAÇÃO E DOMICÍLIOS NOS DISTRITOS CENTRAIS
Município de São Paulo, 1991-2000

| Distritos | População[1] | | | Domicílios[2] | | |
	1991 (A)	2000 (B)	B/A%	Total (A)	Vagos (B)	B/A%
Barra Funda	15.977	12.955	18,9	-	-	-
Bela Vista	71.825	63.190	12,0	33.848	8.846	26,1
Belém	49.697	39.622	20,3	-	-	-
Bom Retiro	36.163	26.598	26,4	10.807	2.488	21,4
Brás	33.536	25.158	25,0	11.622	3.270	28,1
Consolação	66.590	54.301	18,5	-	-	-
Cambuci	37.069	28.717	22,5	-	-	-
Liberdade	76.245	61.875	18,8	29.392	7.177	24,4
Mooca	71.999	63.280	12,1	-	-	-
Pari	21.299	14.824	30,4	5.817	1.414	24,3
República	57.797	47.459	17,9	-	-	-
Santa Cecília	85.829	71.179	17,1	36.171	9.611	26,6
Sé	27.186	20.115	26,0	11.410	3.689	32,3
Total	651.212	529.273	18,7	139.067	36.495	26,2

Fontes: (1) IBGE, Censos Demográficos, 1991 e 2000; (2) *Revista URBS*, 2000.

O centro possui boa oferta de serviços coletivos, é comercialmente dinâmico e atrai diariamente milhões de pessoas. É também local de polarizações e, por conseguinte, de conflitos pela apropriação do espaço. Neste sentido, vale ressaltar que, não obstante o decréscimo populacional, estima-se em torno de 36 mil o número de moradias vazias, nos treze distritos, sem contar os imóveis desocupados, comerciais e de escritórios, alguns nada desprezíveis, pois "no início de 1999, o Fórum dos Cortiços tinha identificado 180 prédios de grandes dimensões" (Bonduki, 1999: 4).[1]

CORTIÇOS: ATUALIDADES

O dicionário Aurélio ressalta que "[...] cortiço quer dizer caixa cilíndrica, de cortiça, na qual as abelhas criam e produzem mel e cera e, por analogia, habitação das classes pobres". Outras designações: "cabeça de porco", "casas de cômodos", "pensões", "fundo de quintal", "moquifo", "mocó", "maloca" (Veras, 1999: 3). Ou ainda: "estância", "zungu", "hotel", "hospedaria", "vila", "estalagem"... (Piccini, 1999: 22).

A reviravolta na condição de moradia em São Paulo ocorreu no percurso dos anos 1940; na década seguinte os domicílios de aluguel representavam ainda 58% das unidades habitacionais da capital, vinte anos depois a proporção cai para 38%, em 1990 corresponde a 29%, e, no final do século, a apenas a quinta parte das moradias da cidade. Os habitantes em cortiços, por sua vez, em momentos mais atuais, englobavam 18% dos moradores do Município em 1961, 8% em 1968, 9% em 1975, decrescendo para 6% em meados da década de 1990, conforme aponta a Tabela 2.

A definição de cortiço é complexa, pois a caracterização de casa de cômodos precária de aluguel envolve situações diversas de habitabilidade. Atenho-me à definição oficial, ou seja, à lei municipal urbana de São Paulo, que o define da seguinte forma:

"[...] unidade usada como moradia coletiva multifamiliar, apresentando, total ou parcialmente, as seguintes características: (a) constituída por uma ou mais edificações; (b) subdividida em vários cômodos, subalugados ou cedidos; (c) várias funções exer-

---

[1] A estimativa de domicílios vagos varia: a Prefeitura aponta 45.464 domicílios particulares vagos, 17,5% do total existente em treze distritos centrais (Prefeitura do Município de São Paulo, 2004: 7).

Lúcio Kowarick

cidas no mesmo cômodo; (d) acesso e uso comum dos espaços não edificados e instalações sanitárias; (e) circulação e infraestrutura, no geral precários; (f) superlotação de pessoas" (Lei Moura, 1991, *apud* Piccini, 1999: 24).

Tabela 2
CRESCIMENTO POPULACIONAL E CONDIÇÃO DE MORADIA
Município de São Paulo, 1900-2000

| Anos | População | | Número de domicílios (%) | | | | |
	Habitantes	TIG**	Casa própria	Aluguel	Cortiço	Outros	Favela
1900	240.000	13,96	-	-	-	-	-
1906	370.000*	9,03*	-	-	33,0 [a]	-	-
1920	580.000	4,51	19,0	80,0	66,0	1,0	-
1940	1.340.000	4,23	25,0	69,0	-	6,0	-
1950	2.100.000	5,18	38,0	58,0	-	4,0	-
1960	3.800.000	5,58	41,0	54,0	18,0 [b]	5,0	0,5
1970	5.900.000	4,59	55,0	38,0	8,0 [c]	8,0	1,1
1980	8.600.000	3,67	51,0	40,0	9,0 [d]	9,0	4,4
1991	9.600.000	1,16	53,0	29,0	-	18,0	9,2
2000	10.300.000	0,78	59,0	20,0	6,0 [e]	21,0	11,2 [f]

* Estimativa do autor; ** Taxa de Incremento Geométrico.
Fontes: (a) *Fanfulla*, 1906; (b) Langenest, 1961; (c) Plano Urbanístico Básico, PUB, 1968; (d) Prefeitura Municipal de São Paulo, 1975; (e) Prefeitura Municipal de São Paulo, 1996; (f) Centro de Estudos da Metrópole, CEM, 2000. Demais números: IBGE, Censos Demográficos. O detalhamento dos processos demográficos é desenvolvido no capítulo 7.

Estimou-se em 600 mil pessoas em 1993, cerca de 6% da população do Município, concentradas na Sé (19%), Mooca e Vila Prudente contando com cerca de 9%, mas também nos anéis exteriores da cidade, Freguesia do Ó com 7%, e nas periferias com, respectivamente, 9% e 7% em Santo Amaro e Campo Limpo (Prefeitura do Município de São Paulo, 1996: 8 ss.).[2] Os dados indicam que 46% das moradias foram construídas com a finalidade

---

[2] Esse número é considerado subestimado pelo poder municipal (Prefeitura do Município de São Paulo, 2003: 27). Algumas lideranças de movimentos sociais avaliam em 1 milhão de pessoas morando em cortiços no MSP.

de serem cortiços, cujas condições falam por si: a média dos domicílios é de 11,9 m², correspondendo a cada pessoa 4,1 m². Acrescente-se: 2,9 indivíduos por domicílio, 2,5 por cômodo, 5,9 por sanitário, 6,3 por chuveiro, 9,3 por pia de banheiro, 6,2 moradores para cada tanque de lavar roupa. Ainda mais: 34% dos cômodos sem janela externa, nos quais são frequentes goteiras e umidade. A quarta parte de seus habitantes com menos de quinze anos, 15% são crianças com até seis anos, mais sujeitos às doenças respiratórias. Mais ainda: 17% vivem só, igual montante está desempregado, 23% vendem sua força de trabalho sem carteira assinada e 18% trabalham por conta própria, principalmente nos serviços, e pouco mais da metade ganha até dois salários mínimos por mês. Em suma: dois quintos vieram da assim chamada casa unifamiliar, quase metade de outros cortiços, 40% moram no local há menos de um ano, para a maioria o contrato é verbal, viabilizando a condição de inquilino, pois as camadas pobres dificilmente têm a alternativa de uma locação com contrato formal. Habitar em cortiços apresenta vantagens. A maior delas é estar "perto de tudo", pois quase metade dos seus habitantes vai a pé e três quartos gastam menos de trinta minutos para chegar ao local de trabalho (Kohara, 1999: 89-91). Por outro lado, as desvantagens apontadas residem nos problemas higiênicos decorrentes dos "banheiros coletivos", da "presença de ratos e baratas", "falta de espaço" e dos "vizinhos", particularmente do fato de o lixo "não [ser] adequadamente embrulhado e no lugar apropriado" (CEDEC, 2000: 23).

Negócio imobiliário que apresenta larga margem de lucro, o cortiço constitui investimento bastante atrativo, fenômeno que vem desde os tempos do Segundo Império, época em que o Conde d'Eu possuía vários deles e, por isso, era chamado de "Conde Cortiço". Trata-se de portentoso negócio, posto que, a preços de 1993, o somatório dos aluguéis atingia o não desprezível montante de 5,5 milhões de dólares mensais (Piccini, 1999: 83). Não é por outra razão que muitos são remodelados ou construídos para essa finalidade, colocando seus moradores em uma situação de promiscuidade que só pode ser danosa à saúde física e mental. Vou insistir neste fenômeno extorsivo: 52% dos rendimentos mensais são gastos com moradia, enquanto o metro quadrado dos cubículos é em média 34% mais alto do que o aluguel residencial em São Paulo.

Sem dúvida, as desvantagens deste tipo de moradia são inúmeras e, por isso, especialistas na área de saúde pública afirmam que o cortiço, muitas vezes caracterizado por cômodos sem janelas externas, situados nos porões, úmidos, sujeitos a infiltrações, constitui a forma mais danosa de habitar. Resta a questão: por que centenas de milhares de pessoas insistem em viver em condições de moradia extremamente adversas? Antes de abordar essa questão é preciso enfatizar que a condição de vida nos cortiços, não obstante o quadro geral de precariedade, é bastante diversa. De fato, é muito diferente habitar em dois cômodos, cozinha e banheiro com mais duas pessoas do que morar com mais familiares em abafado e úmido porão, no qual se enfileiram os cubículos, o barulho dos vizinhos é intenso e a fila para uso do banheiro longa e demorada. Malgrado a situação de pobreza ser também diversa, sobressai uma ponderável fatia que veio de outro cortiço e está na moradia atual há pouco tempo. Os dados das pesquisas quantitativas e as entrevistas realizadas indicam que mais da metade de seus moradores migram de cortiço em cortiço, seja porque possa ter havido alteração do local de trabalho, ou porque, o que é mais provável, algum evento no local de moradia fez com que a pessoa procurasse outra casa de cômodos para habitar, mantendo a decisão de continuar a viver nas zonas centrais da cidade.

Algumas vantagens existem por parte daqueles que fazem as escolhas. Elas são sempre comparadas a outras modalidades de moradia que se resumem às favelas e às casas autoconstruídas nas distantes periferias da capital. Considero que um dos pontos edificadores das alternativas reside exatamente nas distâncias. Distâncias do quê? São várias e a principal é a proximidade da oferta de emprego assalariado, com ou sem registro, e a possibilidade de desempenho de múltiplas tarefas através da venda de inúmeros produtos nas centenas de ruas e esquinas de São Paulo. Há também o trabalho em domicílio nos serviços domésticos e de higiene. As zonas atacadistas que circundam o Mercado Municipal congregam as assim chamadas "camas quentes", nas quais se dorme por turno de oito ou doze horas. Pelas ruas, praças e viadutos, milhares de ambulantes legalizados ou não pelos órgãos da Prefeitura, autônomos ou conectados a lojas de pequeno ou médio porte, em constantes conflitos com os fiscais, a quem precisam frequentemente corromper, vendendo também produtos contrabandeados, disputando pontos e pagamento por eles a verdadeiras máfias. Vendem de tudo um pouco: óculos, relógios, rádios, cassetes e CDs, camisetas, sapatos e tênis, frutas, espetinhos de carne, raízes ou ervas para emagrecer, para insônia, cansaço, contra mau-olhado, para arrancar o capeta, para reumatismo, gota, tosse, alergias e dores de todos os matizes e, obviamente, para o apetite sexual, o infalível pó de cobra em várias doses semanais ou diárias. Antes existiam luxuosos cinemas, agora transformados em várias salas que, desde cedo, exibem filmes pornôs. Na Aurora, a Boca do Lixo; nas imediações da General Jardim, a Boca do Luxo, com seus stripteases; na República, os travestis; na Sé, os trombadinhas; e, ao lado dos concertos da Sala São Paulo na Júlio

Prestes, a desumanidade da Cracolândia, recentemente espalhada, pois os consumidores se encontram em vários locais do centro.

O centro é tudo isto e muito mais: é vaivém alucinado, local com vasto leque de empregos, das pessoas-placares ofertando serviços baratos e tomadores de conta de automóveis até as dezenas de milhares de balconistas, as inúmeras oportunidades do trabalho autônomo permanente ou ocasional. Mas há outras distâncias reais e simbólicas: a da quietude e da solidão das periferias, onde de noite nada acontece. São Paulo não tem mais garoa, nem as matinês de domingo no Cinema Pedro II, no ainda não remodelado Vale do Anhangabaú. Ladeira acima havia o Automóvel Club, onde também se jogava xadrez; atrás do Teatro Municipal, o elegante Hotel Esplanada e a Casa Degoy; na frente, o Mappin Stores, hoje transformado em grande loja popular. Mas sobra muito, já que o centro tem movimentada vida noturna com inúmeros bares, restaurantes e hotéis, campo aberto para infinitos encontros, onde também se localizam dezenas de creches, postos de saúde, escolas de primeiro e segundo grau, várias faculdades privadas, e alguns hospitais como o da Santa Casa de Misericórdia, universidade com suas alas antigas e modernas e alguns dos melhores professores-médicos de São Paulo para atender à população.

As periferias são distantes disso tudo: empregos formais significam horas de ônibus, mais o trajeto a pé, e, quando chove, é aquela lama que não pode ser vista no local de emprego. A escola é longe e, na medida em que as crianças crescem, fica cada vez mais longe. E aí o perigo também aumenta, com a presença de drogas e de um código de honra que mata por motivos aparentemente banais (Paes Manso, 2003). Essa é a grande distância vista pelos moradores dos cortiços: a favela ou a casa de periferia é local de assaltos, onde ninguém pode andar sozinho, lugar de bandidagem e muitos homicídios. Lá falta emprego, serviços e equipamentos públicos de saúde e de educação, e não há o borbulhar prazeroso que o centro oferece para as pessoas que querem se distrair longe do aparelho de televisão.

Etnografia do cortiço Joaquim Murtinho, no Bom Retiro

> "'Cortiço', discriminação pejorativa para os que veem de fora, a partir do bairro, 'habitação coletiva', avaliação do linguajar técnico da Prefeitura, é 'pensão' e 'casa de cômodos', na fala aparentemente neutra dos seus moradores."
>
> (Furtado, 1995)

"A vantagem está sempre no centro; é tudo no centro", é uma fala de todos os entrevistados. Essa positividade diz respeito às disponibilidades das áreas centrais, onde existem vantagens sempre comparadas com o passado ou com outros locais de moradia em São Paulo. O passado varia em função das diferentes trajetórias de vida e dos problemas enfrentados: quanto à moradia, a percepção, via de regra, é que, apesar dos pesares, se "está melhor". A comparação espacial reside nas possibilidades de moradia para as camadas pobres: a favela ou a casa, ambas nas periferias distantes, também chamadas de "vilas". Essas modalidades de habitação são avaliadas como "não lugares" em termos de oportunidades de vida, local de "barro amassado" nos dias de chuva: falta trabalho, o acesso a serviços públicos de transporte, educação, saúde, saneamento e lazer é precário, e a presença da violência continua bastante elevada.

PERSONAGENS DO JOAQUIM MURTINHO

	Helena	Ediulza	Os Severino
Idade	45	34	35
Escolaridade	2° grau completo	Semi-analfabeta	1° grau incompleto
Mora com mais	4 pessoas	5 pessoas	3 pessoas
Renda total	R$ 1.500	R$ 350	R$ 1.960
Renda per capita	R$ 300	R$ 70	R$ 490
Moradia anterior em SP	1 cortiço	1 cortiço 1 apto.	1 cortiço
Tempo de moradia atual	11 anos	8 anos	Poucos meses

Contudo, na medida em que os pesquisadores ganhavam a confiança dos entrevistados, e passavam a ser personagens de uma história, as conotações da vida em cortiço ganharam os conteúdos de um cotidiano no qual é necessário suportar a presença de outros em espaços extremamente próximos e exíguos. Assim é frequente ouvir: "É muito humilhante, aqui ninguém vive, todo mundo convive: é um barraco no meio de um cortiço. Lá no apartamento há sociedade e brincadeira, aqui é o corticeiro, morador de caverna que vira bicho".

Helena é a líder e há onze anos mora no número 250. Impulsiona o processo de usucapião das duas casas, com a assessoria do Centro Gaspar Garcia de Direitos Humanos. É também ela quem, com apoio da Pastoral da Moradia e da OAB (Ordem dos Advogados do Brasil), interpela judicialmente os proprietários contra as ações de despejo. Por outro lado, fundou junto ao Fórum dos Cortiços a Associação Comunitária da Rua Joaquim Murtinho "21 de Novembro do Bom Retiro", data que se refere ao dia em que os proprietários, com suporte jurídico, bloquearam a entrada de uma das casas, o que fez com que muitos dos seus inquilinos tivessem de deixar o local. Para evitar a entrada de estranhos, os que permaneceram demoliram um dos casarões. A "21 de Novembro" negocia com órgãos da Prefeitura e do Governo do Estado a demolição dos casarões e sua substituição por prédios de apartamentos.

A história do imóvel e sua condição atual estão diretamente ligadas à atuação de Helena, que lá está há onze anos: 45 anos, pernambucana de Camutanga, é quem procura ordenar o dia a dia, escolhendo os que ficam ou saem e aqueles que não podem entrar. É a liderança que leva adiante a luta para obter a propriedade das duas casas: "embaixadora de Camutanga e Timbaúba", "Rainha do Cortiço", "mistura de leão com raposa", "mãe de todos" são algumas das denominações que os moradores lhe atribuem. Sua moradia tem 129 m², cozinha, sala, dois quartos, banheiro, quintal com tanque, mas serve de passagem para outros moradores. Possui todos os eletrodomésticos, inclusive TV de 29 polegadas ligada a uma rede a cabo. Com ela estão três filhos, Leonardo, Hélio e Angélica, e mais uma dependente, Patrícia. Todos contribuem para as despesas da casa e a renda familiar atinge R$ 1.500, parte proveniente da aposentadoria por invalidez da "Rainha do Cortiço" e dos bicos de costura e venda de produtos de beleza que nunca deixou de fazer.

Seu sonho? "Construir uma família digna, mesmo morando em cortiço." De fato, não obstante sua satisfatória condição habitacional, Helena identifica sua moradia como cortiço: "Até hoje, onde estou morando, nesse conjunto de moradias que a gente convive, casas coletivas, porque estou vivendo em conjunto. Nunca se sabe: é muita briga e muita gente que não se conhece direito, criançada apanhando, pai alcoólatra. No passado tinha mais problemas. Às vezes os vizinhos chamavam a polícia. A gente está sempre com a porta fechada. Aqui ninguém tem privacidade. Você não pode usar um roupão, que o homem te quer. Então tacava pedra mesmo, até tirar os moradores ruins e só ficar os bons".

Sua luta para conseguir uma "família digna" vem de longe. Professora primária na pequena cidade onde nasceu, aos dezoito anos casou-se com Diniz. E daí? "Daí pra frente só tristeza: tinha mesmo umas amantes e a mulher fica humilhada com isso. Eu perguntei pra ele se tudo era verdade e acabei tomando uma bofetada na cara. Duas vezes humilhada. Sofri muito. Vergão no ombro, hematoma no pescoço, sempre tive reumatismo e tudo se juntava. E depois de um tempo em paz, você desacostuma e um soco dói mais; você perdeu o orgulho que tinha de você. Tudo de novo. Quase me matou. Eu precisava respirar."

Separa-se do marido e vem para São Paulo com a filha Angélica e a irmã Salomé. Por meio de amigos conterrâneos, aluga um quarto: "Achei ali muito humilhante. Viver em lugar apertado, sem janela, junto com todo tipo de cabra. Eu nem queria pisar no chão. Tomava muito cuidado pra Angélica não pegar doença. Como o banheiro era muito sujo, nós fazíamos tudo no quartinho mesmo. Juntávamos nossas necessidades num saco pra jogar no banheiro. Os vizinhos reclamavam do cheiro, mas era melhor do que ir ao banheiro coletivo. Lá tinha fezes na parede, muito papel higiênico jogado no chão e uma espécie de catarro na parede. A casa era mesmo tão suja que ninguém era gente, era tudo bicho. Minha filha não ia virar bicho não. Então foi por isso que mandei a menina pra Pernambuco: é melhor ficar perto do pai, aquele safado, do que virar bicho nesse lugar que não é de bem".

Com um aumento de salário, muda-se: "era úmido, mas não era fedido e eu poderia ir no meu banheiro. Sem um espaço privado não dá". Na época, trabalhava com carteira assinada na confecção: "Não foi difícil não. Entrei na primeira fábrica que tive indicação e na mesma hora comecei a trabalhar". Com a ajuda dos patrões consegue "comprar as chaves" no 250 da Joaquim Murtinho. Tinha havido um incêndio que não causou muitos danos. Amigos e parentes trabalharam em mutirão durante três meses limpando as paredes e reformando os quartos: "Falei pra todo mundo que aqui seria o lar de todos, uma embaixada. Em cortiço a gente aprende a não se gostar porque não tem privacidade. Mas eu usei a casa e minha história pra unir o povo. Todo mundo trabalhava pra arrumar isso aqui".

Em 1990, realiza seu primeiro grande sonho: busca os filhos para virem morar com ela. "Construir uma família digna, mesmo morando em cortiço." Começa a sua segunda luta, que é a obtenção da propriedade do imóvel pelos seus moradores: "Pela paróquia construí uma relação com o Centro Gaspar Garcia de Direitos Humanos. Mandamos ver um processo de usucapião contra os proprietários das casas aqui. Nesse aí estamos faz uns dez anos. Depois vi que não dava jogo. Os proprietários têm mais direitos que nós. Mandei ver uma contra-ação contra as ações de despejo. Estamos junto com a Pastoral da Moradia e a OAB. Com essa história, já ficamos com cinco anos de luta. Aí, por último, tem a Associação Comunitária da Rua Joaquim Murtinho '21 de Novembro do Bom Retiro'. O dia mais marcante da minha vida. Nesse dia me separei, fiquei internada num hospital de louco e fui despejada. Pelo despejo, chamo '21 de Novembro'". Através da Associação, liderada por Helena, os moradores negociam com os proprietários a compra do terreno através da CDHU (Companhia de Desenvolvimento Urbano e Habitacional do Governo do Estado): "Não sei se vai funcionar. Eu moro aqui, luto aqui. Eles querem trazer gente de fora para cá. E o povo daqui como fica? Eu não quero sair do centro. Quando cheguei e fui morar naquele lixo, eu me rebaixei. O que não quero é voltar pra lá. Então pode tirar o cavalo da chuva. Não dá pra priorizar o movimento contra os habitantes da Joaquim Murtinho. Primeiro nós, depois o resto. Não dá pra dar a nossa luta pra quem mora na Bela Vista, no Brás".

E depois do despejo, como ficou? "É muito sofrido. Despejo é fogo, vem polícia, eles passam concreto nas casas. Todo mundo tira tudo com muita dor, nem pode tirar tudo, porque nem dá tempo. Mas eu sou de luta. Por isso só eu fui autorizada pelos proprietários a voltar aqui pro 250. Aí eu deixei as pessoas que confio mais também voltarem aqui. Se não viesse logo, outros safados entravam aqui. Então entrei. Mas precisei derrubar as casas lá de trás. Foi a condição do dono. Mas, no fundo, todo mundo que mora aqui agora é boa gente."

Helena já tem os filhos por perto. Quer realizar o segundo sonho. Mas não é em qualquer lugar: o bairro da Luz é local "perigoso", "despudorado", "de vagabundo", "de prostituta". Ao contrário, o Bom Retiro é o "céu", "calmo", "seguro", "de família": "Eu não penso em sair do centro. Na favela só tem maloqueiro e ladrão. E morar em bairro afastado é burrice. Não tem nada de bom lá. Só pobreza e falta de emprego, falta de tudo".

Decidida, corajosa, obstinada, com ideia fixa, internada para tratamento psiquiátrico mais de uma vez, as ideias "martelam" na sua cabeça: Helena lutou pelos filhos e batalha pela casa que almeja. "Sem casa, ninguém é homem, é bicho que fica dali pra cá."

Ediulza também é de Camutanga: 34 anos, semialfabetizada, cinco filhos: Ana Paula, com dezesseis anos, Jaqueline, quinze, Pedro, treze, Emanuela, cinco e Lucas com quatro. Os mais velhos estudam em colégio próximo, e Ana Paula começou a trabalhar como vendedora em uma loja nas cercanias. Ediulza veio para São Paulo em 1987: "Lá eu tinha moradia, mas não tinha emprego. Aí não adianta. Falavam em pensão, só que a gente não tem noção do que é pensão. Só quando chega é que a gente tem noção: como é que pode dormir e cozinhar no mesmo quarto. As casas de lá têm sala de jantar, que é separada, sala da frente, tem a cozinha. Faz a comida na cozinha, vai pra sala de jantar. Todas as casas lá têm, até as casas pequeninas do sítio são assim. E aqui?!".

Casada desde os dezoito anos com um conterrâneo, separou-se dele porque "começou a envolver-se com a mulherada e, dessa época pra cá, até hoje, é sempre a mesma coisa". Só uma vez pronunciou o seu nome, Vicente. Ele fez carreira rápida: faxineiro, porteiro, zelador com carteira assinada em um prédio. Toda a família vivia lá: "Viver dentro da sociedade é outra coisa. Tem muita diferença a gente conviver com uma pessoa de sociedade e de repente ir pra baixo".

O momento da separação foi o mais difícil. Uma amiga ajudou. Moraram três meses em uma invasão no centro, na época com três filhos: "Ela era quem trabalhava pra dar tudo, porque nessa época eu estava sem trabalho. Ele não dava nada. Ela e meu irmão é que deram a maior força". Ameaçou entregar os filhos ao SOS Criança. Diante disso, o marido e um irmão deram o dinheiro, e então "a gente comprou a casa". Na realidade, comprou as chaves, ou seja, a posse de dois cômodos na Joaquim Murtinho, onde passou a morar em 1983: "Era horrível! Parecia uma caverna. Os meninos morriam de medo. Não queriam entrar no banheiro pra tomar banho, ficavam sempre em cima da cama. O telhado, a metade era umas madeiras que, quando chovia, a chuva caía no chão da cozinha". Aos poucos foi reformando, construiu outro cômodo e um banheiro com a ajuda de parentes e conterrâneos. Tem os eletrodomésticos necessários, inclusive três televisores, não raras vezes todos ligados. Paga R$ 80 por mês pela conta de luz e R$ 40 pela água. Quantia elevada para quem, com cinco filhos, recebe raramente ajuda do marido e ganha R$ 400 quando consegue fazer hora extra na fábrica de biquínis da proximidade, onde está registrada como embaladeira: "Trabalhar com carteira também é muito bom, quando você tem carteira é gente".

Antes de morar no apartamento enquanto o marido era zelador, Ediulza habitava outro cortiço, quando a família chegou a São Paulo, onde alguns irmãos e primos já viviam. Ficavam nove adultos e duas crianças num só cômodo dividido por tapumes, formando minúsculos cubículos: seu marido no chão e ela em uma cama com as duas filhas: "O quarto que eu dormia só cabia a cama de solteiro e a geladeira. No outro quarto só cabiam dois beliches e ficava um meiozinho onde a gente passava. Ali ficavam os sete rapazes... eu ficava apavorada. Os meninos não saíam, olhavam o povo passando no corredor, tinham medo, porque as pessoas falavam muito alto, eles choravam muito quando viam as pessoas brigando".

Ediulza tem fala calma e, no seu conformismo, parece saber das coisas. Sabe que dificilmente poderá comprar um apartamento se o governo comprar o imóvel, como pretende a vizinha, a "Rainha do Cortiço" Helena: "Acho que não, porque uns falam que pra ficar no CDHU tem que ganhar R$ 900".

Morar no centro? "O povo do Bom Retiro é mais bem-educado porque aqui tem muita gente de sociedade; na periferia não tem não, porque lá é muito longe, não tem sociedade: só invasão. Ruim mesmo é a favela. Como pode viver assim todo mundo junto? Lá é só tiroteio, morte. Ser de sociedade é não usar droga, não ser violento, e também ter uma moradia digna. É ser gente, trabalhar com a carteira assinada". Na sua quietude, Ediulza diz: "Meu sonho é que meus filhos virem gente mesmo. Sem ser corticeiro, sem ser pouco estudado. Porque é preciso ser de sociedade, né?".

A família Severino é formada por três irmãos, José, 35 anos, Paulo, 25, João, 23, e o primo Anésio, com a mesma idade de João, todos de Assaré, pequena cidade vizinha a Crato, no Ceará. Lá completaram o curso primário. O mais velho ganha R$ 700 e os três outros R$ 1.000 no total, ao que se deve acrescentar uma comissão de R$ 450 a cada dois meses. Profissão: "Seguranças privados licenciados", a serviço do Barbicha, dono de vários estabelecimentos na área central de São Paulo, envolvido em contrabando e roubo de carga nas Rodovias Dutra e Régis Bittencourt.[3]

"Nós já moramos em oito cômodos, eu acho: aqui é um barraco no meio do cortiço, mas é o melhor." Trata-se de uma construção de madeira no primeiro andar, que mede cerca de 20 m², com uma janela externa, sem cozinha, banheiro, tanque ou pia. No cômodo há quatro colchões no chão, caixas que servem de guarda-roupa, várias fotos de mulheres nuas e os símbolos do Corinthians e do São Paulo.

---

[3] O mais velho, José, chefe da família, não participou das entrevistas. Ao contrário, desencorajou os outros a falarem. "O Zé falou pra gente não comentar muito essas histórias de trabalho. Então só te digo que mudar de um lugar pro outro é só pra desbaratinar as perseguições." Várias entrevistas foram desmarcadas e a última que deveria ser gravada não foi realizada, pois os Severino deixaram o cortiço antes do dia combinado. Portanto, as falas advêm de anotações feitas logo após as entrevistas. Como estas sempre foram feitas em conjunto e as opiniões se acrescentam em torno dos temas propostos, consideramos oportuno não diferenciar as falas.

Lúcio Kowarick

Sempre moraram juntos em um pequeno sítio, "um monte de terra seca: nós só passamos fome lá. Lá você sofre demais. É uma dor muito forte. Não dava nada de colheita do 'téquinho' de chão. Aí viramos segurança". José saiu na frente. Foi para Crato buscar trabalho, onde tinha começado a haver muitos assaltos: "Ele é um cara tinhoso e viu que tinha pouca gente de segurança. Fizemos um curso de tiro e compramos uma licença de guarda na polícia. Nós somos fortes, ninguém mexe não". E como era o serviço lá? "Tem jeito não: começa a prestar serviço pra um cara e ele começa a ficar seu amigo. E quando o cara passa um outro ou manda passar, você sabe quem matou, quem morreu. Você vira bode do cara, e se querem o cara, te querem também. Com nós não tem problema, mas com a mãe, o pai, como fica? Eles nem trabalham de carrega ganha-pão".[4]

O serviço exige a troca constante de residência e assim perambularam durante três anos em cerca de dez cortiços, sempre na área central, onde o patrão tem seus negócios.

"Nós já moramos em tudo que é lugar. O Barbicha nos bota aqui porque é barato, é perto dos depósitos. Mas é muito humilhante. Outro dia tinha um cara batendo numa mulher. Eu tive que pegar o ganha-pão. Sempre tem criança apanhando também. E o banheiro único? Quando um cara vai lá... você sabe! Aí ele deixa sujo e você tem que ir pro trampo. Aí você coloca a camisa no penduricalho e ela cai no chão: sua roupa está toda mijada. Depois de três dias que isto ocorreu, peguei o cara e porrei ele todo. Aí tivemos que mudar".

E aqui no Joaquim Murtinho? "Aqui também é muito ruim. Acho que pouca gente imagina o que é ter que usar um lugar de intimidade com todo mundo. Eu faço assim: quando estou na rua, vou lá no McDonald's. É duro você trazer uma mina pra este barraco. E se ela quiser tomar um banho? Mulher é toda vaidosa. Nunca tive em São Paulo um banheiro próprio."

E a vida por aqui? "Aqui em São Paulo, ninguém é gente ou é gente demais. A vantagem é que não tem nem mãe nem pai pra correr risco de vida. A única coisa boa do cortiço é que é aqui no centro. Eu vejo no Datena que na periferia todo mundo é ladrão. Na favela é bem pior. Pior que cortiço é só favela e bairro longe." "Favela é lugar de bicho da sujeira" e a periferia é "cara pela distância, lugar sem nenhuma infraestrutura. Também é muito complicado: é tiro pra tudo que é lado".

---

[4] "Bode" é cúmplice; revólver, conforme sua utilização, significa ganha-pão, ferramenta, máquina, berro, trabuco ou desgostoso, nestes dois últimos casos quando causa sofrimento de morte.

Na penúltima entrevista, escapou a pergunta: "Vocês têm porte de arma?". "Não! Mas você tem porte de caderno?" A réplica: "Mas ninguém machuca ninguém com caneta e caderno". E os Severino respondem: "Epa, mas aí é trairagem... Você está dizendo que nós somos matador? Deixa eu deixar claro. Aqui todo mundo trabalha assim, fazendo cobrança, dando respeito ao Barbicha, fazendo um ou outro trampo. Mas nós somos da alta. Quem faz esse serviço aí que você falou é a baixa, a ralé. Não rola isso. Ninguém pode ver a gente sujando a mão. Aí o Barbicha perde o respeito. Aqui ninguém é matador: é só pra dar respeito, introduzir um blá. Mas também o Barbicha é meio ralé. É tudo peixe pequeno. Agora vamos parar por aqui, porque aí...".

Última entrevista: "Eu, se podia, saía dessa vida. Porque ter que segurar o berro é um perigo. Porque o revólver traz esse desgosto pra quem carrega e pra quem atira. Aqui ninguém pode reclamar do ganha-pão, porque é essa máquina que traz o sustento. Ninguém aqui tem estudo... é tudo bruto. O berro é que nem uma máquina; tem gente que vê o berro como berro, aí atira que nem chuta bola. Pra nós não: é a introdução, pra uma de resolver um papo com o devedor. Não é trabuco! É ferramenta mesmo".

Os Severino gostariam de uma vida melhor: "Preferia outra vida, ter uma casa, ser mais honesto aí na profissão. Não que nós sejamos desonestos, mas também não é certo. Aqui todo mundo tem vergonha, mas é o que põe o cascalho em casa. Eu queria trabalhar em escritório, ter estudo, família. Mas aqui é tudo matuto mesmo".

Quartos apertados, sem banheiro, pia, cozinha, sem paisagem: "Nós saímos do Ceará com dificuldade e viemos pra cá e aqui só moramos em lugar lixo mesmo. Eu chorei mesmo, porque é muito triste você não ter um lugar seu, sem gente na sua orelha, sem ouvir bater em criança, sem sofrer com as brigas o tempo todo. Aqui ninguém tem seu espaço: aqui ninguém tem vida, todo mundo convive".

ÁREAS CENTRAIS: ESPAÇOS DE DEBATES E EMBATES

Foi ressaltado que as áreas centrais foram relativamente relegadas pelo poder público, que canalizou investimentos para outras regiões da cidade. Houve a saída de grupos mais abastados, a migração das sedes das empresas e a popularização do comércio e dos serviços, ao mesmo tempo em que a mendicância e os moradores de rua apareceram de maneira expressiva, os assaltos tornaram-se frequentes, alguns locais transformaram-se em pontos permanentes de venda e consumo de droga, e a imagem de sujeira e periculosidade passou a ser fortemente associada ao cotidiano imperante no centro. O aumento do número de ambulantes, muitos não cadastrados, na medida em que dificulta a circulação de pessoas, leva ao acúmulo de lixo, compete com o comércio estabelecido, representa uma evasão fiscal e também a venda de produtos contrabandeados. Isso potencializou imagens que se alimentam da ideia de desordem: para alguns discursos e práticas, o ordenamento da região passa pelo empenho em controlar seus espaços:

> "[...] especialmente na escala em que se verifica na área central de São Paulo, o comércio informal de rua acarreta a degradação do espaço público e o aumento dos problemas ligados à segurança, uma vez que a ocupação desordenada dos logradouros públicos dificulta o policiamento" (Favero, 2003: 19).

Em contraposição à abordagem que equaciona a recuperação do centro pela priorização da questão da limpeza, da segregação e da higiene, os movimentos sociais reivindicam a ocupação destes espaços apoiados na existência de imóveis vazios, e, assim, centenas de milhares de pessoas que moram em cortiços, hotéis, pensões e apartamentos precários, para não falar naqueles que habitam nas ruas ou em abrigos públicos, pleiteam sua ocupação. Diante da enorme oferta de empregos e da facilidade de acesso a eles, desenvolvem falas e atuações baseadas em uma concepção de reforma urbana ligada aos direitos de cidadania. A cidade deveria ser franqueada também para as camadas pobres da população:

> "A reforma urbana é a luta por um centro como lugar do povo, do direito à moradia, à cidade, à cidadania, um centro aberto e democrático e não um centro de repressão, de expulsão, de exclusão e de limpeza social" (Fórum Centro Vivo, 2004: 2).

Vale ressaltar que em pesquisa preliminar realizada entre 2005 e 2006, com lideranças de sete organizações que atuam no centro, todas elas se posicionaram a favor da afirmação antes citada, e quando se perguntou a quem ela se opunha, as respostas foram: "grandes empresários", "Prefeitura", "Governo Estadual" e a Associação Viva o Centro, tida como "caos", "burguesia total", "elitista", "ligada aos bancos", "que visa tirar os pobres do centro" (Kowarick, 2007). Ou seja, de um lado, ênfase em limpeza, controle e policiamento; de outro, a priorização da função social da propriedade e a ocupação de edifícios que se encontram vazios por parte daqueles que querem exercer o direito de viver nas áreas centrais. Nesse sentido, a maneira de ocupar os espaços da cidade é essencialmente política, e em dois sentidos: na acepção de que deve ser objeto primordial das políticas públicas (*policies*) e, sobretudo, de que nela se estruturam interesses diversos e, por vezes, antagônicos, que procuram mobilizar forças para levar adiante suas reivindicações (*politics*).

Um conjunto interligado de fatores tornou a área central fulcro de embates e debates. Inicialmente, cabe mencionar a atuação da Associação Viva o Centro, entidade civil criada em 1991 e capitaneada pelo Bank Boston, que conta com o apoio de várias entidades, entre as quais a Bolsa de Valores e a de Mercadorias, além de outros bancos, grandes escritórios de advocacia e lojas comerciais. Define-se como uma "usina de ideias" e, enquanto tal, vem promovendo eventos a fim de diagnosticar e propor soluções: tráfego, acessibilidade, segurança de pedestres, camelôs e população de rua foram alguns dos temas debatidos (Barreto, 1997). Esse empenho foi em boa medida responsável pela criação do Pró-Centro em 1993, órgão da Prefeitura voltado para os problemas da região; o Programa Centro Seguro, do Governo do Estado, no ano seguinte; e, em 1996, o Programa Ação Local, entidade que dividiu a área central em cinquenta microrregiões da qual participam, de modo particular, entidades do comércio local, reunindo cerca de 3,3 mil conselheiros que, sob o apoio logístico da Associação, devem "zelar por sua rua ou praça" (Almeida, s.d.: 7). Mencione-se que a entidade possui forte apoio de planejadores e urbanistas, tornando-se importante referência na retomada e nos rumos que pautam a discussão sobre a região central, dinamizados, após 1997, pela *Revista URBS*. Nela são expostas várias propostas de intervenção, mas creio não ser arriscado afirmar que na sua linha editorial prevalece uma concepção de saneamento dos espaços urbanos e dos grupos sociais pobres que os ocupam:

> "[...] visava-se [...] à requalificação e zeladoria permanente dos espaços públicos [...] e a uma ação social efetiva para equacionar a questão dos sem-teto e crianças de rua, além do urgente disciplinamento do comércio informal [...]. Para atrair moradores de qualquer estrato de renda, é necessário melhorar cada vez mais a qualidade do espaço público — limpeza, segurança, disciplinamento de seu uso, iluminação e acessibilidade" (Almeida, s.d.: 5 e 10).

Por outro lado, a ocupação de prédios nas áreas centrais constitui iniciativa organizada por vários movimentos, entre os quais se destacam a União das Lutas de Cortiço, União de Movimentos de Moradia, Movimento dos Sem-Teto do Centro, Unificação das Lutas dos Cortiços, Fórum dos Cortiços, Novo Centro, Movimento dos Trabalhadores Sem-Teto da Região Central, Movimento de Moradia do Centro. São aglutinações que contam com assessorias técnicas — ONGs como Ambiente, Fábrica Urbana, Instituto Pólis, Integra Cooperativa, Assessoria em Habitação aos Movimentos Populares — e que reúnem lideranças com larga experiência na condução de lutas urbanas, com coloridos diversos nas orientações políticas de curto e longo prazo. De suas ações isoladas e conjuntas resultaram inúmeras passeatas e protestos, além de ocupações de prédios públicos e privados que entre 1997 e 2007 totalizaram 83 ações organizadas, congregando alguns milhares de famílias nessa nova modalidade de luta urbana. Mas, por outro lado, também dialogam e negociam com poderes públicos, e apresentam propostas de políticas sociais. De vez em quando se tornam assessores remunerados de vereadores da Câmara Municipal ou de secretarias da Prefeitura, algo que ocorreu na gestão de Marta Suplicy, do Partido dos Trabalhadores. Isso pode por em risco a autonomia e iniciativa política da organização que opta por tal tipo de associação, e, certamente, pode levá-la a ter um caráter dependente em relação às instâncias decisórias governamentais (Cavalcanti, 2006). Sua repercussão na mídia é considerável, não só quando efetuam o que a imprensa costuma qualificar de "invasão", mas também quando são impedidos de realizá-la e, sobretudo, retirados dos edifícios pelas forças da segurança. De modo geral, essas ações visam canalizar as políticas públicas em benefício das camadas pobres, bem como participar dos processos de decisão governamental acerca dos investimentos a serem realizados, tidos como necessários a uma política urbana de inclusão aos benefícios da cidade:

"Os movimentos de moradia têm trabalhado e elaborado a proposta de morar perto do centro [...] Essa proposta foi uma construção coletiva com os movimentos, as assessorias técnicas, com entidades que atuam na área central. Ela não pensa a política habitacional pontualmente ou isoladamente, mas sim conjuntamente à política urbana. Essa proposta pressupõe que não haja mais exclusão [...] que atenda família de baixa renda, família que vive na rua, que não tem renda fixa, que não tem trabalho formal [...] essa população que nunca abandonou o centro, que trabalha e o mantém funcionando, quer participar desse processo, necessita possuir o direito de morar no centro com dignidade" (Câmara Municipal de São Paulo, 2001: 13).

Não resta dúvida de que esses embates e debates influíram na orientação do poder público no sentido de direcionar suas políticas públicas. No caso da gestão municipal do PT (2000-2004), o centro foi definido como uma área prioritária de intervenção. Assim, além das várias iniciativas de intervenção urbana já assinaladas, convém destacar o Programa Ação Centro, coordenado pela Emurb (Empresa Municipal de Urbanização), do qual participam 16 secretarias e cinco empresas públicas: dirigido para os distritos da Sé e da República, centro histórico da cidade, prevê a realização de 130 iniciativas. Tratava-se de programa iniciado no final da gestão petista, que visava fundamentalmente à reforma de edifícios vagos e cortiços, produção de habitação, reabilitação do patrimônio histórico, programas socioculturais e projetos de locação social a partir de uma metodologia de reabilitação integrada do *habitat* que privilegia a participação dos grupos locais na definição das políticas urbanas (Prefeitura Municipal de São Paulo: 2004).

Vale insistir: a concepção da gestão petista também se expressava nas 61 entidades, empresas, faculdades, centros de pesquisa e movimentos sociais que participaram das reuniões referentes aos programas a serem desenvolvidos, seguindo uma tradição de orientação participativa das gestões municipais do PT. A seu turno, voltados para outros distritos da área central, a CDHU, órgão do governo estadual, também efetuou um conjunto de programas destinado à reformas, reciclagem ou erradicação de cortiços (CDHU/SEADE, 2003). Dessa forma, os governos municipal e estadual são atores básicos na dinamização das áreas centrais, pois definem para onde e para quem os recursos serão prioritariamente canalizados e, em consequência, indutores dos agentes econômicos, de modo especial o capital imobiliário.

Repita-se mais uma vez: são vastas — como será detalhado no capítulo 9 acerca dos movimentos sociais — as potencialidades sociais e econômicas do centro, e os recursos públicos nele alocados para os próximos anos não são em nada desprezíveis. O PT mostrou-se aberto às demandas de vários grupos de interesse, sobretudo os populares, para negociar e priorizar os programas para as áreas centrais de São Paulo, incentivando a criação de instâncias de deliberação como o Conselho Municipal de Habitação. Criado em 2002, é composto de 48 membros, dezesseis representando o poder público, outro terço vindo de entidades da sociedade, e igual fatia eleita pela população, em um processo do qual participaram mais de 33 mil votantes (SEHAB, 2004: 10). Originou-se da Conferência Municipal de Habitação,

Lúcio Kowarick

que reuniu 1.600 delegados escolhidos entre 22.230 participantes que estiveram nos 16 encontros regionais do Município realizados periodicamente. Mencione-se ainda que ocorreu em 2003 a Conferência Municipal da Cidade, na qual estiveram presentes 3.500 delegados. Assim, a administração petista desenvolveu um estilo de gestão que pode ser denominado *republicanismo de participação*, pois a ação governamental procurou não só ser transparente como, sobretudo, abriu-se para a negociação de interesses diversos e conflitantes. A tradição de governo do PSDB e do DEM está muito mais apoiada em uma concepção de mandato popular, na qual as instâncias governamentais devem ser transparentes, mas a definição de prioridades é prerrogativa do poder executivo, que tem não só o direito mas o dever de decidir: trata-se de um *republicanismo delegativo*. O risco do modo petista de governar reside em retardar as decisões, acabando por tornar a participação ineficaz ao gerar um conselhismo ratificador das iniciativas do poder executivo. O risco da concepção baseada na representação, em uma sociedade extremamente hierárquica e excludente como a brasileira, reside em exacerbar posicionamentos tecnocráticos que acabam por reproduzir o elitismo que está na raiz da segregação de nossas cidades.

Os destinos que tomarão os recursos que serão injetados nas regiões centrais estão relacionados à força dos diversos grupos em pressionar as instâncias decisórias. Insista-se: as intervenções urbanas são eminentemente políticas na dupla acepção antes referida, pois necessariamente valorizam ou desvalorizam determinadas áreas e, assim, criam novas hierarquias socioespaciais. Em face da desigualdade imperante na sociedade brasileira, o papel do poder público é essencial na gestação de modalidades de vida mais equitativas. Isto significa dizer que deixar a dinâmica urbana sob império do mercado imobiliário e financeiro só pode conduzir os habitantes pobres das áreas centrais para os locais mais deteriorados, o que, no caso da moradia, resulta no cotidiano da vida nos cortiços ou dos moradores de rua, que na melhor hipótese contam com a existência de abrigos patrocinados pelos órgãos governamentais.

Os processos assinalados nas páginas anteriores atestam para as potencialidades da região central da cidade, mas também sublinham a enorme vulnerabilidade socioeconômica e civil que desaba sobre os moradores das habitações coletivas. Assim, torna-se necessário terminar este capítulo registrando a fala de um dos seus moradores:

> "Porque uns falam que pra ficar no CDHU tem que ganhar
> R$ 900; e você acha que corticeiro ganha R$ 900? Porque se eu

ganhar tudo isso, jamais estaria dentro de um cortiço còm meus filhos. Jamais eu moraria num cortiço: um montão de gente, de bicho. Aqui tem muito trabalhador, mas quando sai do serviço e chega aqui, então vira bicho: grita, bate, fala palavrão."

BIBLIOGRAFIA

ALMEIDA, Marco. "Associação Viva o Centro: a coletividade pela requalificação do centro de São Paulo", *Exacta*, mimeo, s.d.

AMITRANO, Cláudio R. (2004). "A Região Metropolitana e a área central de São Paulo nos anos 90: estagnação ou adaptação?". In: COMIN, A.; SOMEKH, N. (orgs.). *Caminhos para o centro: estratégias de desenvolvimento para a região central de São Paulo*. São Paulo: Prefeitura do Município de São Paulo/Cebrap/CEM.

BARRETO, Jule (1997). "Uma ONG para o centro". *Revista URBS*, nº 2, São Paulo.

BONDUKI, Nabil (1999). *Revista URBS*, nº 11, São Paulo, fev.-mar.

BOTELHO, Isaura; FREIRE, Carlos (2004). "Equipamentos e serviços culturais na região central da cidade de São Paulo". In: COMIN, A.; SOMEKH, N. (orgs.). *Caminhos para o centro: estratégias de desenvolvimento para a região central de São Paulo*. São Paulo: Prefeitura do Município de São Paulo/Cebrap/CEM.

CÂMARA MUNICIPAL DE SÃO PAULO (2001). *Comissão de Estudos sobre Habitação na Área Central*. São Paulo, Câmara Municipal de São Paulo, setembro.

CAVALCANTI, Gustavo (2006). "Uma concessão ao passado: a trajetória da União dos Movimentos de Moradia de São Paulo". Dissertação de Mestrado, FFLCH-USP, São Paulo, mimeo.

CDHU/SEADE (2003). *Programa de Atuação em Cortiços (PAC)*. São Paulo: Governo do Estado de São Paulo, maio.

CEDEC (2000). São Paulo, junho, mimeo.

FAVERO, Monica (2003). "Adeus à rua". *Revista URBS*, ano VII, nº 30, São Paulo, abril.

FRÚGOLI, Heitor (2000). *Centralidade em São Paulo: trajetórias, conflitos e negociações na metrópole*. São Paulo: Cortez/Edusp.

FURTADO, Maria da Graça (1995). "O casarão da Cleveland: representações depreciativas e práticas sociais em espaço deteriorado de moradia". Dissertação de Mestrado, Departamento de Antropologia, FFLCH-USP, São Paulo.

IBGE (s.d.). *Censos Demográficos*.

KOHARA, Luiz (1999). "Rendimentos obtidos na locação e sublocação de cortiços: estudo de caso na área central da cidade de São Paulo". Dissertação de Mestrado, Escola Politécnica da USP, São Paulo.

KOWARICK, Lúcio (2007). "Movimentos sociais e sociedade civil", relatório preliminar elaborado por Janaina Block, Robert N. Neuhold e Daniel Lage, mimeo.

LANGENEST, L. (1991). "Os cortiços em São Paulo". *Anhembi*, n° 139, São Paulo.

MEYER, Regina (1999). *Revista URBS*, n° 14, São Paulo, set.-out.

NAKANO, Kazuo; MALTA CAMPOS, Candido; ROLNIK, Raquel (2004). "Dinâmica dos subespaços da área central de São Paulo". In: COMIN, A.; SOMEKH, N. (orgs.). *Caminhos para o centro: estratégias de desenvolvimento para a região central de São Paulo*. São Paulo: Prefeitura do Município de São Paulo/Cebrap/CEM.

PAES MANSO, Bruno (2003). "Homicidas e homicídios: reflexos sobre a atualidade urbana em São Paulo". Dissertação de Mestrado, FFLCH-USP, São Paulo.

PICCINI, Andrea (1999). *Cortiços na cidade: conceito e preconceito na reestruturação urbana de São Paulo*. São Paulo: Annablume.

PLANO URBANÍSTICO BÁSICO (PUB) (1968). São Paulo, ASPLAN, vários volumes.

SEHAB (2003). *Plano Municipal de Habitação*. São Paulo, Secretaria da Habitação e Desenvolvimento Urbano do Município de São Paulo, agosto.

SEHAB (2004). *Programa Morar no Centro*. São Paulo, Secretaria da Habitação e Desenvolvimento Urbano do Município de São Paulo, março.

SILVA, Helena (2000). "Habitação no centro de São Paulo: como viabilizar essa ideia". São Paulo, LAB-HAB/FAU-USP/Caixa Econômica Federal/FUPAM/METRÔ/SP, agosto.

VERAS, Maura (1999). "Territórios de exclusão em São Paulo: cortiços como espaços de alternativa e de segregação". São Paulo, Concurso para Titular do Departamento de Sociologia, PUC-SP.

Jornais e revistas:

FANFULLA, São Paulo, 1906.
FOLHA DO POVO, São Paulo, 1908.
REVISTA URBS, São Paulo, 2000.

4

Favelas e periferias nos anos 2000[1]

Camila Saraiva e Eduardo Marques

As favelas constituem solução habitacional antiga nas cidades brasileiras, cujo início da ocupação remonta, em algumas cidades, ao final do século XIX (Abreu, 1994). Na cidade de São Paulo, embora exista o registro de quatro favelas cuja ocupação se iniciou antes de 1940 (HABI, 1987), as favelas não se faziam muito presentes até o início da década de 1970, alojando apenas cerca de 1% da população do Município de São Paulo no ano de 1973 (Taschner, 2000).

Ao longo das décadas de 1970 e 1980, entretanto, a população residente nesse tipo de assentamento apresentou significativo aumento em São Paulo. Atualmente, as favelas são um retrato da alta prevalência de situações de pobreza e de uma política habitacional pouco efetiva por parte do Estado. Em sua maioria estão localizadas em áreas *non aedificandi*, protegidas ambientalmente ou que oferecem risco, como as encostas dos morros e os leitos dos cursos-d'água. Por se tratarem de áreas caracterizadas pela ilegalidade da terra e por uma ocupação desordenada, as favelas são normalmente locais com deficiência de serviços de infraestrutura urbana e com oferta insuficiente de equipamentos públicos. O crescimento da população sujeita a tais condições de moradia introduziu as favelas de forma definitiva nos estudos sobre a dinâmica social na cidade.

O conhecimento do tamanho e das características dessa população é imprescindível para que ações públicas de melhoramento dessas áreas obtenham êxito. Em trabalhos anteriores, tentamos contribuir através da mensuração e análise do crescimento da população moradora de tais assentamentos (Marques, Torres e Saraiva, 2003). Esse artigo dá continuidade a essa tarefa, acrescentando a caracterização social detalhada da população mora-

---

[1] Este texto é uma versão revisada, atualizada e reescrita do artigo "A dinâmica social das favelas da Região Metropolitana de São Paulo", publicado em Eduardo Marques e Haroldo Torres (orgs.), *São Paulo: segregação, pobreza e desigualdades sociais*, São Paulo, Senac São Paulo, 2005.

dora de favelas no Município de São Paulo em período recente, assim como sua dinâmica ao longo da última década. Os resultados indicaram relativa estabilidade social nessas áreas em termos médios, ou de lenta melhora relativa, assim como uma maior heterogeneidade nesse tipo de assentamento do que considerado em outros estudos, os quais sustentam uma degradação da situação social na cidade, e em particular nos locais habitados pela população de renda e escolaridade baixas.

Iniciamos o artigo por apresentar a dinâmica da população favelada na última década. A segunda seção discute os conteúdos sociais das favelas em 1991 e 2000, a sua dinâmica com relação às transformações sociais vivenciadas pelo restante do Município de São Paulo e as principais diferenças entre as favelas localizadas no interior deste município e aquelas localizadas nos demais municípios da região metropolitana. Em um terceiro momento, apresentamos as características do entorno das favelas, assim como a sua relação com as próprias favelas e os distritos em que estão localizadas. Por fim, produzimos uma tipologia das favelas localizadas na Região Metropolitana de São Paulo, considerando as características sociais de suas populações e buscando dialogar com a dinâmica da segregação e com a distribuição da estrutura social no espaço metropolitano paulista.

A dinâmica da população favelada

Antes de iniciarmos a caracterização social das favelas paulistanas, é necessário que tenhamos em mente sua dimensão. Até a década de 1980, a dimensão da questão era pouco relevante. O levantamento da Prefeitura de São Paulo realizado em 1973 indicou cerca de 70 mil habitantes ou 1% da população do município. Já nova pesquisa realizada, também pela Prefeitura, em 1987, indicou que a população favelada havia alcançado algo como 812 mil habitantes ou 9% da população do município. Os dados do Censo Demográfico de 1991 confirmaram esse crescimento, indicando cerca de 650 mil habitantes em setores subnormais, contra cerca de 375 mil habitantes em 1980. A diferença entre as estimativas baseadas nos Censos e os números do poder público é em grande parte previsível e está relacionada com a diferença entre as definições sociológicas de favela e a metodologia do IBGE para os setores denominados subnormais. Para o IBGE, são Setores Especiais de Aglomerado Subnormal os conjuntos constituídos por um mínimo de 51 domicílios, ocupando ou tendo ocupado até período recente terreno de propriedade alheia (pública ou particular), dispostos, em geral, de forma desor-

Camila Saraiva e Eduardo Marques

denada e densa, e carentes, em sua maioria, de serviços públicos essenciais. Na prática, trata-se de uma definição administrativa do campo do Censo. Para o Município de São Paulo, utilizamos a definição de trabalho da prefeitura local, mas para os demais municípios tivemos que utilizar os subnormais, pela inexistência de bases cartográficas de favelas. Em Marques, Torres e Saraiva (2003) discutimos mais detidamente as diferenças das definições e suas consequências.

Em 1993, a Prefeitura de São Paulo contratou a FIPE-USP para atualizar a estimativa da população favelada. A pesquisa resultou em uma estimativa extremamente elevada — haveria 1,9 milhões de favelados, o que resultaria em um aumento de 133% em apenas seis anos ou 15,2% ao ano (*Diário Oficial do Município de São Paulo*, 31/3/1995). Para muitos, os resultados dessa pesquisa expressariam uma síntese das condições de vida dos grupos mais pobres na cidade, que no período teriam assistido a uma significativa piora de sua condição.

Os anos seguintes assistiram a intensa polêmica com relação ao suposto crescimento sugerido pela pesquisa, o que nos motivou a revisar as estimativas de população e domicílios para 1991 e calcular estimativas para os anos de 1996 e 2000 (Marques e Torres, 2002; Marques, Torres e Saraiva, 2003). Para tanto, digitalizamos a base de favelas da PMSP (com 2.018 favelas) e a superpusemos com a malha dos setores censitários dos Censos do IBGE. Em um sistema de informações geográficas, imputamos informações do Censo Demográfico aos polígonos das favelas por meio de técnicas específicas, estimando sua população. A combinação das técnicas de *overlay* entre os setores censitários e as favelas, e *tag* das densidades dos setores censitários subnormais mais próximos para as favelas, nos permitiu estimar indicadores sociais para a população favelada. Para o ano de 1991, foi obtida uma população de 900 mil habitantes em favelas, ou 9% da população total, enquanto para 2000, 1,2 milhões de habitantes estariam nas favelas, ou seja, 11% da população total do município.

Em 2007, a Prefeitura de São Paulo desenvolveu pesquisa amostral a partir de metodologia desenvolvida pela Fundação Seade para atualizar as estimativas anteriores. Essa metodologia baseou-se na contagem de edificações, obtida em uma amostra de favelas, que foi cotejada, em análises de regressão, com números obtidos da observação de ortofotos, resultando em estimativas de domicílios para o conjunto do município. Os domicílios foram então multiplicados por densidades domiciliares médias, obtidas em campo, resultando em estimativas da população em favelas. A pesquisa também estimou domicílios e população para loteamentos e para núcleos urbanizados. A pesquisa considerou uma base cartográfica atualizada com um total de 1.573 favelas e 222 núcleos urbanizados, e indicou uma população de 1.539.271 pessoas em favelas, ou 14% da população total do município. A diminuição do número de favelas em relação a 2000 ocorreu devido a: (i) aglutinações de ocupações que atualmente compõem uma única comunidade; (ii) eliminação de áreas já removidas; (iii) eliminação de sobreposição de demanda entre loteamentos irregulares e favelas; (iv) eliminação de erros no cadastramento, mediante vistoria em assentamentos que possuíam outro uso (PMSP, 2008).

Segundo essa pesquisa, a taxa de crescimento anual das favelas teria passado de 2,97 entre 1991 e 2000, para 4,12 entre 2000 e 2007. A taxa de crescimento, que já teria sido de quatro vezes a da cidade entre 1991 e 2000, teria passado a ser de seis vezes a da cidade entre 2000 e 2007, evidenciando uma situação bastante preocupante. Entretanto, como as metodologias das duas pesquisas são completamente distintas, a comparação torna-se muito discutível, sendo portanto prudente a espera de análises baseadas no Censo do IBGE de 2010 para uma nova comparação.

A Tabela 1, a seguir, sumariza as informações das várias fontes.

Tabela 1
EVOLUÇÃO DA POPULAÇÃO TOTAL E EM FAVELAS
Município de São Paulo, 1973-2007

Ano	Total	Em favelas	(%)	Período	Taxa de crescimento anual	
					Total	Em favelas
1973	6.560.547[1]	71.840[3]	1,1	-	-	-
1987	9.210.668[1]	812.764[4]	8,8	1973-1987	2,45	18,92
1991	9.644.122[2]	891.673[5]	9,2	1987-1991	1,16	2,34
2000	10.338.196[2]	1.160.597[5]	11,2	1991-2000	0,78	2,97
2007	10.834.244[6]	1.539.271[6]	14,2	2000-2007	0,67	4,12

Fontes: (1) Fundação Seade; (2) IBGE, Censo Demográfico 1991, 2000; (3) PMSP/CO-BES, Equipe de Estudos e Pesquisas, Favelas no Município de São Paulo, 1973; (4) PMSP/SEHAB/HABI, Divisão Técnica de Planejamento, Coordenação de Informações Técnicas e Pesquisas, Censo das Favelas do Município de São Paulo, 1987; (5) Estimativa CEM; (6) Estimativa Fundação Seade.

Por qualquer estimativa, entretanto, a taxa de crescimento da população em favelas é maior que a taxa de crescimento do município em todos os

　　　　　　　　　　　　　Camila Saraiva e Eduardo Marques

períodos. Entre 1973 e 1987, a população favelada cresceu à taxa de 18,92% ao ano, contra 2,45% no município, mas entre 1991 e 2000, as taxas foram respectivamente de 2,97% e 0,78%. As informações da Fundação Seade, por fim, indicam que o crescimento populacional nas favelas teria voltado a subir entre 2000 e 2007, para 4,12%, enquanto o do conjunto da cidade teria continuado a cair para 0,67% anuais. Não obstante a baixa comparabilidade das informações, podemos afirmar que, embora não tenha ocorrido a explosão populacional sugerida pela pesquisa de favelas de 1993, o Município de São Paulo apresentou considerável processo de favelização, com a população em favelas crescendo a taxas substancialmente mais altas do que as do conjunto da cidade, produto da manutenção de pobreza elevada e de políticas habitacionais insuficientes.

A população em favelas: Município de São Paulo e Região Metropolitana

O objetivo dessa seção é apresentar as principais características sociais e econômicas da população habitante em favelas. Embora estudos anteriores tenham discutido o que poderíamos chamar de conjuntura social das favelas de São Paulo, estes se basearam nos Censos de Favelas da PMSP de 1973 e 1987, já bastante distantes no tempo, ou usaram as informações dos setores subnormais do IBGE (Taschner, 2003). Por outro lado, a pesquisa mais recente (PMSP, 2008) não permite desagregação nem comparações temporais. Por esta razão, nessa e na próxima seção utilizamos as informações dos Censos processadas pelo CEM, utilizando ferramentas de Sistemas de Informação Geográfica (SIG).

A dinâmica social nas favelas é importante não apenas para a discussão das políticas de habitação, mas para o debate sobre a dinâmica social na cidade como um todo. Isso porque, se as favelas representam uma das mais precárias soluções habitacionais, a dinâmica da sua população poderia nos indicar tendências e processos sociais em um sentido mais geral. A opinião prevalecente na literatura é de que teria ocorrido uma piora das condições nas favelas, senão em termos absolutos, ao menos em termos relativos. Os indicadores médios sugerem outra análise. Observemos os dados.

Como vimos, entre 1991 e 2000 o Município de São Paulo assistiu a uma elevação, tanto do número de domicílios em favelas, que passou de 194 mil para 291 mil, quanto da população habitante nesse tipo de assentamento, que passou de 892 mil para 1.161 mil habitantes. Optamos por realizar a caracterização da dinâmica social apenas para o Município de São Paulo, já que para os demais só contamos com os dados dos setores subnormais, que não são inteiramente comparáveis entre os Censos de 1991 e 2000. Mais à frente trabalharemos com os setores subnormais para os demais municípios da região metropolitana e, na última seção, estudaremos os tipos de favelas na região. Em consequência, a densidade domiciliar média nas favelas caiu de 4,59 moradores por domicílio em 1991 para 3,97 moradores em 2000, seguindo a tendência de queda do conjunto do município, no qual as densidades foram de 3,80 e 3,46 habitantes por domicílio para as duas datas censitárias, respectivamente. Em termos territoriais, pudemos observar aumento de densidade, que passou de 360 para 380 habitantes por hectare.

Através da utilização de técnicas de geoprocessamento similares às já utilizadas nas estimativas populacionais, pudemos criar indicadores para a população favelada para os anos de 1991 e 2000. A Tabela 2, a seguir, apresenta essas informações.

Tabela 2
INDICADORES E QUOCIENTES LOCACIONAIS
Favelas e Município de São Paulo, 1991 e 2000

Indicadores	1991 (%)		2000 (%)		Quocientes locacionais	
	Favelas	MSP	Favelas	MSP	1991	2000
Infraestrutura						
Domicílios com água	89,7	98,3	96,0	97,6	0,91	0,98
Domicílios com esgoto	25,1	81,2	49,2	87,2	0,31	0,56
Domicílios com coleta de lixo	63,3	95,2	82,0	96,5	0,66	0,85
Escolaridade						
Pessoas analfabetas	38,1	19,3	15,2	7,3	1,97	2,08
Chefes de 0 a 3 anos de estudo	55,1	22,5	38,4	17,8	2,45	2,16
Rendimento						
Chefes de 0 a 3 SM	77,9	42,7	73,2	40,1	1,82	1,83
Chefes de 3 a 5 SM	15,7	17,9	18,0	17,9	0,88	1,01
Chefes de 5 a 10 SM	5,6	20,2	7,6	20,9	0,28	0,36
Chefes de 10 a 20 SM	0,6	11,4	0,9	11,6	0,05	0,08
Estrutura etária						
Pessoas de 0 a 14 anos	41,2	28,6	35,5	24,8	1,44	1,43
Pessoas de 65 anos ou mais	1,2	5,2	1,7	6,4	0,23	0,27

Fonte: Censos Demográficos IBGE 1991 e 2000. Elaboração CEM.

Camila Saraiva e Eduardo Marques

Organizamos a informação de duas formas, com os indicadores médios para as favelas em cada momento e com o chamado quociente locacional. Esse índice permite a comparação de duas estruturas setoriais espaciais através do cálculo da razão entre indicadores gerados para cada uma dessas estruturas. No nosso caso, temos no numerador o indicador referente às favelas e no denominador o associado ao Município de São Paulo. Dessa forma, podemos analisar a situação das favelas dentro da dinâmica do município em 1991 e 2000, separando o efeito de melhora, para um dado indicador, da favela do efeito de melhora no município. Por exemplo: o quociente locacional da densidade domiciliar cai de 1,21 para 1,15, o que indica que embora a densidade domiciliar tenha caído no município, caiu nas favelas em um ritmo ainda mais acelerado. Discutiremos concomitantemente os dois conjuntos de informações.

Como podemos observar, embora o abastecimento de água nas favelas em 1991 fosse bem pior do que no conjunto do município, em 2000 as coberturas se aproximam, provavelmente resultado do impacto de programas orientados para favelas desenvolvidos pela prefeitura de São Paulo e pela empresa pública concessionária dos serviços — a Sabesp (Watson, 1992; Bueno, 1993). É claro que esta variável, assim como as seguintes que se referem a serviços urbanos, mede a cobertura do serviço e não a qualidade de seu funcionamento, e é possível que subsistam diferenças importantes no atendimento no que diz respeito à regularidade do abastecimento e à qualidade da água.

Os dados de esgotamento sanitário, por outro lado, mostram que ainda em 2000 este tipo de serviço é bastante precário nas favelas, alcançando apenas 49,18% dos domicílios nesses núcleos, contra 87,23% no conjunto do município. Embora tenha ocorrido uma relativa melhora nas favelas e o quociente tenha aumentado de 0,31 para 0,56, ainda persiste um diferencial muito grande no atendimento. No caso do serviço de coleta de lixo, o quociente locacional passou de 0,66 em 1991 para 0,85 em 2000, o que revela um esforço de volume da Prefeitura de São Paulo para integrar as favelas ao sistema, elevando a cobertura nas favelas a 82%. Mesmo assim a diferença entre as coberturas das favelas e do município ainda é muito grande.

O analfabetismo é um indicador emblemático dos diferenciais de acesso entre grupos sociais. Em 1991, as pessoas analfabetas chegavam a 38,1% da população nas favelas e a 19,3% no município. Esses indicadores dramáticos caem em 2000 para 15,2% e 7,3%, respectivamente, o que indica que a presença de analfabetos se reduz consideravelmente nas favelas e no município. Entretanto, seu ritmo de queda é menor nas favelas que no conjunto do município, razão pela qual o quociente locacional do analfabetismo aumenta entre 1991 e 2000. Esse é o único caso, dentre os analisados, em que a situação das favelas piora em termos relativos, ou melhora a um ritmo menor que no restante do município. Acreditamos que esse grave elemento é possivelmente explicado pela diferença entre as estruturas etárias. Como a estrutura etária das favelas é substantivamente mais jovem que no restante da cidade, e o analfabetismo é um fenômeno associado usualmente a grupos etários mais velhos, as favelas podem estar menos sujeitas à redução do analfabetismo pelo caminho demográfico (o óbito dos grupos mais velhos). Se essa hipótese está correta, duas graves consequências decorrem. Em primeiro lugar, somos levados a concluir que a maior parte da redução do problema do analfabetismo na cidade, em período recente, relaciona-se apenas com o óbito de grupos etários mais velhos, nos quais o problema está mais presente, confirmando o que sustentam autores como Haddad e Di Pierro (2000) com relação à queda do analfabetismo no Brasil em período recente. Em segundo lugar, o analfabetismo nas favelas pode estar associado a grupos etários mais jovens do que se considera usualmente, o que pode revelar importantes limites do acesso à escolarização nesses assentamentos.

Os quocientes locacionais relativos à escolaridade do chefe confirmam a dramaticidade do acesso à educação nesses espaços. Se é verdade que podemos observar uma redução da presença de chefes com até três anos de estudo, os quocientes indicam uma enorme diferença entre a presença de chefes com essa escolaridade em favelas e no restante da cidade. Na verdade, mesmo em 2000 a escolaridade apresenta os quocientes mais elevados, sugerindo a persistência de grandes diferenciais, embora tenha ocorrido uma pequena melhora relativa nas favelas.

Outra dimensão muito importante da dinâmica social na cidade é capturada pela informação de rendimento. Infelizmente, como trabalhamos com o questionário do universo do Censo, não temos informações relativas à renda familiar, mas apenas à renda do chefe de domicílio. Se o comportamento dessa variável para as favelas for comparado com o do restante do município em 1991, percebemos que a população com renda acima de dez salários mínimos é muitíssimo menos presente nas favelas, o que também ocorre com a presença de chefes com rendimento entre cinco a dez salários mínimos. De uma forma geral, essa tendência se repete em 2000, embora seja possível observar uma pequena melhora da situação relativa das favelas, mesmo nas faixas de renda mais baixa. Não é possível precisar se essa pequena mudança se deve à troca de população ou migração para as favelas, ou se a população antiga na favela aumentou de renda. A estrutura dos

Camila Saraiva e Eduardo Marques

quocientes, entretanto, mantém-se muito similar, sugerindo muito mais estabilidade do que dinâmica, e permitindo afirmar que as favelas não experimentaram empobrecimento na década, mas uma pequena melhora.

Por fim, a análise dos quocientes locacionais dos indicadores de estrutura etária da população nos permite perceber que a relação entre as favelas e o resto da cidade pouco mudou. Em geral, a população mais jovem, com 14 anos ou menos, diminuiu relativamente, enquanto a população mais idosa aumentou levemente. Como já era de se esperar, o porcentual de jovens continua sendo maior nas favelas do que no conjunto do município, sendo que o inverso ocorre com o porcentual de idosos. A título de comparação, geramos as estimativas também para os loteamentos irregulares de baixa renda (zero a cinco salários mínimos), com base em cartografia eletrônica da PMSP e no Censo Demográfico 2000. A população dos loteamentos apresenta características sociais intermediárias entre as das favelas e as do município. Isso ocorre com os indicadores de infraestrutura (95,3% em abastecimento de água, 74,3% em esgotamento e 95% em coleta de lixo), como seria de se esperar. Entretanto, o mesmo se verifica com a escolaridade, bem mais precária que no conjunto do município (10,6% de pessoas são analfabetas e 27,2% dos chefes possuem de zero a três anos de estudo), mas muito melhor do que nas favelas, assim como com os rendimentos médios do chefe (57,6% dos chefes com renda entre zero e três salários mínimos). A estrutura etária nos loteamentos também se apresenta em posição intermediária, sendo sua população substancialmente mais nova que a do conjunto do município (30,4 % da população entre zero e catorze anos), mas não tanto quanto a população das favelas. Apenas para registro, estimamos a existência de cerca de 284 mil domicílios em loteamentos com renda do chefe igual ou menor a cinco salários mínimos, 124 mil domicílios em loteamentos com renda entre cinco e dez salários e 40 mil domicílios em loteamentos com renda superior a dez salários. Para maiores detalhes, consultar CEM (2003).

De modo geral, é possível afirmar, portanto, que a década foi de melhora relativa das favelas ou, em alguns casos, de estabilidade. Na maior parte dos indicadores houve uma aproximação entre o morador médio da favela e o morador médio do município, o que indica um lento movimento de convergência entre os conteúdos sociais desses dois espaços na década. Esses resultados são muito interessantes, não apenas para o debate sobre as favelas em São Paulo, mas para a discussão da dinâmica social na cidade. O início dos anos 1990 assistiu a uma intensa polêmica sobre a conjuntura social brasileira ao longo da década de 1980, que acabou por ser denominada de "debate da década perdida" (Faria, 1992; Tavares e Ribeiro, 1994). No que diz respeito às cidades, inúmeros trabalhos destacaram a melhora dos indicadores médios, em um aparente paradoxo com a dinâmica econômica, a qual havia sido bastante desfavorável. Nos anos 1990, outros estudos deram continuidade a essa linha de investigação e concluíram que a dinâmica de melhora tinha continuado, mesmo que acompanhada do declínio da ação dos movimentos sociais, tidos por autores como Faria (1992) como um dos principais elementos explicativos do aparente paradoxo da década anterior. A dinâmica dos anos 1990 parece ser mais contraditória, visto que a década foi ainda mais desfavorável que a anterior sob o ponto de vista econômico, seja para o Estado, cuja crise fiscal se acentuou, seja para as famílias, fragilizadas pela precarização do trabalho, pela queda dos rendimentos e pelo aumento do desemprego. Como veremos na última seção, entretanto, essa melhora em termos médios deve ser matizada e pode conviver com a manutenção de situações muito precárias em determinados locais específicos. Embora esteja longe do escopo desse trabalho estudar tal fenômeno, reafirmamos a hipótese de Marques (2000 e 2003) e Marques e Bichir (2002) de que o principal elemento explicativo para esse paradoxo é a inércia das políticas de Estado.

Ainda nos restaria verificar se a dinâmica das favelas do Município de São Paulo é similar à dos demais municípios da Região Metropolitana de São Paulo. Isto porque, caso não seja, a melhora encontrada anteriormente pode ser concentrada espacialmente, e a população das favelas mais pobres poderia estar sendo expulsa para fora do Município de São Paulo. A única informação comparável e com confiabilidade razoável para testar tal hipótese é a relativa aos setores censitários classificados como subnormais fora da capital, uma vez que, como dito, inexistem bases cartográficas digitais comparáveis para as favelas dos demais municípios. Para não introduzir nenhum viés na análise, desconsideramos as informações de municípios com menos de dez setores subnormais. A Tabela 3, a seguir, apresenta indicadores médios escolhidos dos setores subnormais dos demais municípios da região para o ano de 2000. Para facilitar a comparação, incluímos as informações referentes às favelas de São Paulo.

Como podemos ver, os setores censitários subnormais nos municípios têm características médias bastante parecidas com as favelas do Município de São Paulo. A informação da renda média dos chefes, por exemplo, é eloquente em indicar condições sociais bem próximas, e varia apenas entre R$ 320 e R$ 386 nos casos mais extremos.

Camila Saraiva e Eduardo Marques

Tabela 3
INDICADORES ESCOLHIDOS DAS FAVELAS DE SÃO PAULO
E DOS SETORES SUBNORMAIS DE OUTROS MUNICÍPIOS
DA REGIÃO METROPOLITANA DE SÃO PAULO
2000

Municípios[1] e indicadores (%)

	BA	CA	DI	EM	FV	GU	MA	OS	SA	SB	TS	SP
Infraestrutura												
Domicílios com água:												
	85,7	91,1	96,6	93,8	91,9	87,4	92,4	93,5	95,9	97,2	98,9	96,0
Domicílios com esgoto:												
	67,6	39,4	92,0	32,7	6,2	31,3	39,8	40,5	75,4	75,7	60,9	49,2
Domicílios com coleta de lixo:												
	75,9	62,6	83,3	89,0	65,5	80,4	86,2	92,4	78,6	71,0	92,6	82,0
Escolaridade												
Pessoas analfabetas:												
	15,1	15,5	13,1	14,7	14,2	15,0	14,9	14,0	12,8	13,3	14,4	15,2
Chefes de 0 a 3 anos de estudo:												
	37,0	39,2	32,4	40,4	32,3	37,1	36,0	35,3	33,0	33,2	37,4	38,4
Rendimento												
Chefes de 0 a 3 SM:												
	75,5	74,3	68,9	75,1	75,6	76,4	75,9	71,6	70,6	67,5	73,8	73,2
Chefes de 3 a 5 SM:												
	17,2	17,6	20,9	17,3	16,3	16,8	17,3	18,6	18,3	20,5	18,4	18,0
Chefes de 5 a 10 SM:												
	6,9	7,2	9,2	6,8	7,6	6,1	6,3	8,7	9,9	10,7	7,0	7, 6
Chefes de 10 a 20 SM:												
	0,3	0,7	0,8	0,6	0,5	0,6	0,5	1,0	1,2	1,1	0,7	0,9
Estrutura etária												
Pessoas de 0 a 14 anos:												
	36,9	36,8	33,9	36,9	41,9	38,1	37,6	35,6	33,7	34,9	35,2	35,5
Pessoas de 65 anos ou mais:												
	1,4	1,5	1,6	1,2	0,8	1,2	1,6	1,7	1,8	1,7	1,4	1,7

(1) BA = Barueri; CA = Carapicuíba; DI = Diadema; EM = Embu; FV = Ferraz de Vasconcelos; GU = Guarulhos; MA = Mauá; OS = Osasco; SA = Santo André; SB = São Bernardo do Campo; TS = Taboão da Serra; SP = São Paulo.
Fonte: Censo Demográfico IBGE 2000. Elaboração CEM.

Destacamos os setores subnormais da região do ABCD paulista, especificamente dos localizados em Santo André, São Bernardo do Campo e Diadema, que apresentam condições, ainda que precárias, melhores que dos outros municípios da RMSP. As características urbanas são melhores, principalmente com relação ao esgotamento sanitário, à presença de chefes nas faixas salariais mais altas e à existência de pessoas analfabetas. Vale destacar a importância dos governos locais na promoção de melhores condições de vida nos municípios. Nesse particular é notável o caso das favelas de municípios como Diadema, Santo André e São Bernardo do Campo, que contam com autarquias municipais de águas e esgotos, assim como com programas municipais de urbanização de favelas de forma continuada já há algumas administrações. Nesses municípios, as favelas apresentam indicadores de cobertura da infraestrutura urbana muito superiores a outros, como São Paulo, em que a ação pública em núcleos de favela apresentou caráter descontínuo e pouco sistemático (Marques e Saraiva, 2005). O maior destaque vai para o Município de Diadema, com coberturas de 92% em esgotamento sanitário e 97% em abastecimento de água, contra 49% e 96% em São Paulo para os dois serviços, respectivamente (Bueno, 2000). Vale registrar que apesar dos serviços de saneamento estarem a cargo de concessionárias, e na maior parte das cidades da região metropolitana estarem concedidos à empresa estadual de saneamento — a Sabesp —, as ações em favelas dependem basicamente da postura do poder público municipal. Assim, na prática, apenas onde as prefeituras desenvolvem programas de urbanização de favelas os núcleos são dotados sistematicamente de infraestrutura, inclusive pela companhia estadual. No outro extremo temos os setores subnormais dos municípios de Embu, Carapicuíba, Taboão da Serra, Ferraz de Vasconcelos e Barueri, com as piores condições em todos os indicadores.

Portanto, as favelas dos demais municípios tendem a ser em geral parecidas com as do Município de São Paulo, não sendo razoável considerar que a nossa descoberta anterior de pequena melhora social diga respeito à concentração de grupos sociais de condição mais elevada na capital. Entretanto, os números médios podem esconder situações muito ruins em favelas específicas, como já destacado por Torres e Marques (2001) para o caso do Município de Mauá, na região do ABCD paulista. Voltaremos a esse ponto na última seção do texto, quando analisarmos os tipos de favelas existentes na região metropolitana.

Tratamos até agora dos conteúdos sociais dos moradores de favelas. Entretanto, consideramos também muito importante conhecer a população que se encontra em seus arredores, o que pode nos indicar em que situações o entorno imediato das favelas tem necessidade de intervenções do poder público tão prementes quanto os próprios núcleos. As informações disponíveis indicam que esse caso é frequente, especialmente nas regiões periféricas da cidade.

Além disso, esse esforço de caracterização do entorno das favelas é importante para complementar o entendimento das dinâmicas socioeconômicas diferenciadas em curso nos próprios núcleos. A presença de pobreza não é suficiente para definir a estrutura de oportunidades de uma favela, visto que essa também é função do seu entorno. A proximidade das áreas mais ricas da cidade aumenta a possibilidade de se encontrar emprego e de se acessarem benefícios ligados ao entorno mais rico, demonstrando que os padrões de segregação apresentam direto impacto sobre as condições de vida.

Para delimitar a população a considerar, determinamos como sendo entorno imediato das favelas do Município de São Paulo a área compreendida em uma faixa de 100 metros, ou seja, uma área com essa largura especificada que cerca cada favela ao longo de todo o seu perímetro. Os dados comparativos são apresentados na Tabela 4, a seguir.

Para o conjunto do município, as diferenças tendem a ser pequenas no que diz respeito às densidades domiciliares, sendo de 4,0 habitantes por domicílio nas favelas, de 3,7 no seu entorno imediato, e de 3,5 no município. A pesquisa realizada recentemente (PMSP, 2008) pela Fundação Seade confirmou essa densidade em 4,0 habitantes por domicílio para a amostra de favelas analisada.

Com relação à infraestrutura urbana, a Tabela 4 reforça a precariedade do esgotamento sanitário pela rede geral nas favelas, assim como no seu entorno imediato (embora este seja melhor), especialmente se considerarmos que nessa informação estão incluídas ligações realizadas diretamente em sistema unitário (que inclui esgotos e drenagem em uma única rede). Quanto aos serviços de abastecimento de água, não há diferenças muito grandes, e quanto à cobertura de serviços de limpeza urbana, as favelas são substancialmente piores que o entorno, e este é praticamente igual ao município.

Vale destacar ainda a escolaridade dos chefes de domicílio. Os indicadores sugerem uma situação nas favelas um pouco pior do que a do seu entorno, que por sua vez tende a ser pior do que o conjunto do município.

De forma similar, a presença de analfabetos é quase duas vezes maior no entorno de favelas do que no conjunto da cidade, e quase dobra novamente entre o entorno e as favelas.

Tabela 4
CARACTERIZAÇÃO DA POPULAÇÃO
NO ENTORNO IMEDIATO ÀS FAVELAS
Município de São Paulo, 2000

Indicadores (%)	Favelas	Entorno	MSP
Infraestrutura			
Domicílios com água	96,0	97,5	97,6
Domicílios com esgoto	49,2	78,7	87,2
Domicílios com coleta de lixo	82,0	95,0	96,5
Escolaridade			
Pessoas analfabetas	15,2	10,2	7,3
Chefes de 0 a 3 anos de estudo	38,4	26,1	17,8
Rendimento			
Chefes de 0 a 3 SM	73,2	55,4	40,1
Chefes de 3 a 5 SM	18,0	20,9	17,9
Chefes de 5 a 10 SM	7,6	17,0	20,9
Chefes de 10 a 20 SM	0,9	5,0	11,6
Estrutura etária			
Pessoas de 0 a 14 anos	35,5	29,6	24,8
Pessoas de 65 anos ou mais	1,7	3,4	6,4

Fonte: Censo Demográfico IBGE 2000. Elaboração CEM.

Nos rendimentos médios do chefe, a tendência gradual se repete, e o entorno apresenta indicadores intermediários entre os das favelas e os do entorno. A tendência é decrescente até os três salários mínimos e se inverte a partir de então, com as favelas apresentando proporções mais baixas que as do entorno, e este com proporções mais baixas que o conjunto do Município. As diferenças se alargam à medida que avançamos nas faixas, especialmente entre o conjunto do município e o entorno das favelas. O mesmo se pode dizer com relação à estrutura etária.

De uma forma geral e em termos médios, portanto, podemos dizer que o entorno das favelas paulistanas tende a representar uma zona de transição entre as características das favelas e as do conjunto da cidade.

Camila Saraiva e Eduardo Marques

Contudo, a análise da informação agregada pode novamente levar a algum engano. Para afastar essa possibilidade, comparamos a renda média do chefe nas favelas, em seus entornos imediatos e nos distritos nos quais elas estão inseridas. Realizamos também uma análise de *cluster* das favelas considerando as situações da favela, do entorno e do distrito. Os resultados não diferiram significativamente dos indicados no texto, obtidos pela simples análise das situações indicadas diretamente pelos dados. Como seria de se esperar, nos distritos mais periféricos a renda média do chefe nas favelas se aproxima da referente aos distritos. Vale a pena destacar Perus, Brasilândia, Grajaú, Cidade Tiradentes e Lajeado como distritos bastante homogêneos, nos quais a renda do chefe nas favelas, em seu entorno imediato e no distrito é bastante próxima. Se fizermos uma alusão aos agrupamentos de áreas de ponderação apresentados em Marques (2005), perceberemos que nesses distritos há uma concentração maior dos grupos que possuem baixa escolaridade, condições urbanas ruins, migração nordestina recente e alto crescimento demográfico.

Em um segundo conjunto de distritos, há transição crescente entre a renda média do chefe encontrada na favela, seu entorno e o conjunto do distrito, como é o caso do Tremembé, da Freguesia do Ó, do Limão, do Cursino, do Jabaquara, do Ipiranga, do Rio Pequeno e de Santa Cecília. Como discutido em Marques (2005), esses distritos são predominantemente ocupados por população de renda e condições de vida médias.

E, finalmente, há casos de distritos em que as favelas se constituem em verdadeiras ilhas de más condições sociais cercadas de um entorno bem mais rico e muito próximo socialmente dos distritos em que se inserem. É isso que acontece, por exemplo, na Vila Mariana, Saúde, Campo Belo, Itaim Bibi e Morumbi, distritos de classes média alta e alta, com pequena presença de pretos, pardos e migrantes, assim como em esvaziamento demográfico, novamente, em alusão à caracterização apresentada em Marques (2005).

Em direção a uma tipologia das favelas paulistas

A análise comparativa anterior permite sustentar a existência de uma razoável variabilidade entre núcleos favelados da cidade. As situações encontradas, entretanto, ainda podem esconder uma razoável heterogeneidade, visto que no interior de um mesmo distrito favelas diferentes podem ter conteúdos diversos. Por outro lado, embora as favelas dos demais municípios sejam em média relativamente similares às de São Paulo, pode haver diferenças muito grandes quando se observa favela por favela. Por essa razão, seguindo a estratégia de estudos como Taschner (2002) para São Paulo, Valladares e Preteceille (2000) e Preteceille e Valladares (1999) para o Rio de Janeiro, classificamos todas as favelas da região metropolitana em tipos, considerando os seus conteúdos sociais.

Para analisar os tipos de favela, consideramos as favelas do Município de São Paulo e os setores subnormais dos demais municípios. Submetemos os indicadores sociais médios das favelas e setores à análise de *cluster*. Os resultados enriquecem a compreensão da dinâmica das favelas ao evidenciar um certo comportamento espacial, além de possibilitar a comparação entre as favelas de São Paulo e de sua região metropolitana. Para o desenvolvimento da análise utilizamos os seguintes indicadores sociais médios por favela para o ano de 2000, em percentuais: domicílios com água; domicílios com esgoto; domicílios com coleta de lixo; pessoas analfabetas; chefes de zero a três anos de estudo; chefes de zero a três salários mínimos (SM); chefes de três a cinco SM; chefes de cinco a dez SM; % de chefes de dez a vinte SM; renda média do chefe (nesse caso, em reais); pessoas de zero a catorze anos, e pessoas de 65 anos ou mais. Para as favelas do Município de São Paulo, esses indicadores foram obtidos pela utilização das técnicas de *overlay* e *tag*.

O resultado da análise sugere a existência de cinco tipos de favelas, expressos pelos grupos da Tabela 5, a seguir. Os indicadores médios por tipo são apresentados na Tabela 6.

Tabela 5
CARACTERÍSTICAS DOS TIPOS DE FAVELA
Município e Região Metropolitana de São Paulo, 2000

Tipo	Nº de casos	Características das favelas
1	564	Piores condições sociais de infraestrutura; a renda do chefe é a mais baixa de todos os grupos (R$ 230).
2	829	A infraestrutura desse grupo já é um pouco melhor, apesar de ser o grupo com os piores índices de esgotamento; as condições sociais são levemente melhores.
3	728	Ótima infraestrutura, mas condições sociais ainda precárias.
4	727	Infraestrutura e condições sociais boas.
5	131	Melhores condições sociais e de infraestrutura; a renda do chefe é a maior de todos os grupos (R$ 600).

Fonte: CEM, 2000.

Camila Saraiva e Eduardo Marques

Tabela 6
INDICADORES MÉDIOS DOS TIPOS DE FAVELAS
Município e Região Metropolitana de São Paulo, 2000

Tipos de favela	1	2	3	4	5
N° de casos	564	829	728	727	131
Domicílios com água (%)	86,9	94,2	97,8	97,1	97,7
Domicílios com esgoto (%)	28,2	14,0	92,6	72,9	72,6
Domicílios com coleta de lixo (%)	75,4	80,1	89,7	89,6	94,7
Pessoas analfabetas (%)	17,1	14,9	13,8	12,6	10,6
Chefes de 0 a 3 anos de estudo (%)	41,7	38,3	38	32,8	28,1
Chefes de 0 a 3 SM (%)	97,2	86,3	87,9	77,9	66,9
Chefes de 3 a 5 SM (%)	11,8	19,7	19,6	24,2	25,9
Chefes de 5 a 10 SM (%)	3,5	7,6	7,4	13,2	21,4
Chefes de 10 a 20 SM (%)	0,2	0,5	0,6	1,2	3,9
Renda média do chefe (R$)	228,9	330,6	316,5	423,1	601,6
Pessoas de 0 a 14 anos (%)	38,5	36,1	34,9	33,1	30,5
Pessoas de 65 anos ou mais (%)	1,4	1,6	1,7	2,0	2,5

Fonte: Censo Demográfico IBGE 2000. Elaboração CEM.

Como podemos observar, a variedade de situações sociais e urbanas no interior do fenômeno das favelas é significativa. Se mesmo as melhores situações sociais apontam para uma população relativamente humilde, a quantidade de favelas com melhores condições não é nem um pouco desprezível. Do total de 2.979 núcleos para os quais conseguimos gerar dados socioeconômicos, encontramos 858 (quase 29%) com condições de infraestrutura pelo menos boas e condições sociais pouco precárias, embora com características de baixa renda. Vale dizer que, como tivemos que gerar indicadores por núcleo favelado, em muitos casos desprezamos as informações de favelas ou setores subnormais muito pequenos, onde os erros tendiam a crescer muito. A fronteira do que foi desprezado não obedece a uma delimitação populacional específica, uma vez que guarda também relação com a forma dos perímetros da favela.

No outro extremo, temos os núcleos com características sociais muito precárias. Nesse caso, estamos diante de um contingente de 564 favelas com péssimas condições (18,9%) e 829 com condições um pouco melhores, mas infraestrutura mais precária (27,8%). A existência desse contingente significativo confirma a hipótese de Torres e Marques (2001), de que a significativa melhora dos indicadores médios nas últimas décadas conviveu com a manutenção de locais com condições sociais e ambientais extremamente precárias, conformando o que foi denominado naquele trabalho de *hiperperiferia*.

O Mapa 1 a seguir detalha o padrão de distribuição dos tipos de favela para os distritos de Capão Redondo, Jardim Ângela e Jardim São Luís, os quais estão localizados nas proximidades da Bacia do Guarapiranga e com grande concentração de favelas.

Mapa 1
TIPOS DE FAVELA
Capão Redondo, Jardim Ângela e Jardim São Luís, 2000

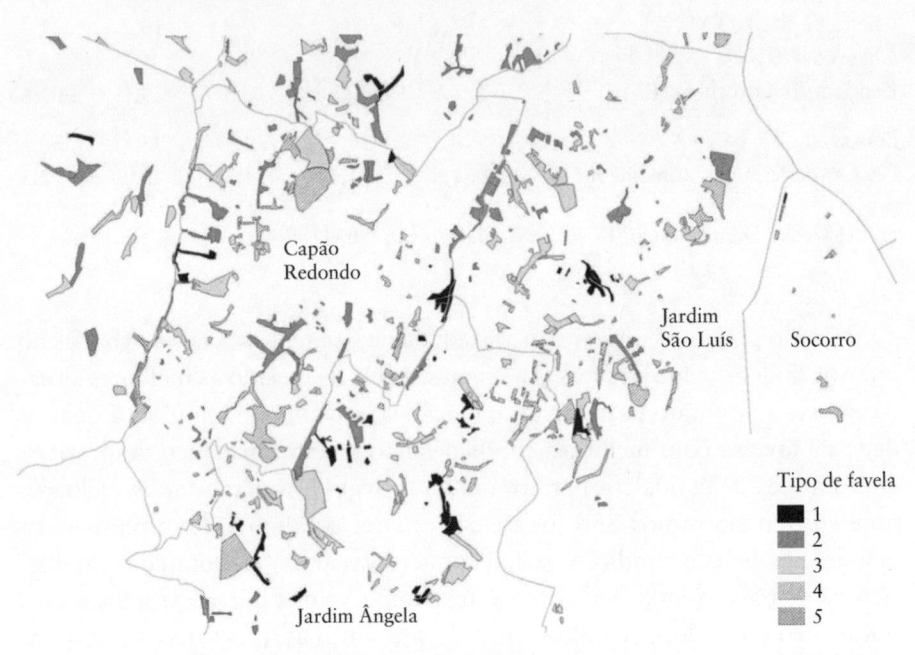

Fonte: Censo Demográfico IBGE 2000. Elaboração CEM.

Na seção anterior, vimos que as favelas dos vários municípios não diferem substancialmente entre si. Esse resultado volta a ocorrer com a distribuição dos tipos de favela nos municípios da região, embora possamos notar um conjunto de favelas levemente mais precário na capital do que nos demais municípios, o que não deixa de ser surpreendente. O porcentual de incidên-

Camila Saraiva e Eduardo Marques

cia dos tipos 1, 2, 3, 4 e 5 é, respectivamente: 14,9; 25,8; 30,8; 21,7; 6,7 na região metropolitana, e 20,8; 28,8; 21,4; 25,7; 3,3 no Município de São Paulo. Esse resultado fortalece o argumento da segunda seção com respeito à melhora dos indicadores sociais. Se as situações piores tendem a se localizar mais fortemente na capital, e nesse município observamos melhora em termos médios (sustentável quando desagregamos a informação regionalmente), pode-se acreditar que teríamos resultados ainda mais positivos se analisássemos os demais municípios em 1991 e 2000.

Se a presença dos tipos de favela 1 e 2 (os de piores condições) tende a ser mais alta no Município de São Paulo, encontramos elevada presença dos grupos de melhores condições em municípios como São Bernardo, Diadema, Osasco e Santo André, como se pode ver nos Mapas 2 e 3, a seguir.

Mapa 2
TIPOS DE FAVELA
Zona Central e Zona Sudoeste de São Paulo, 2000

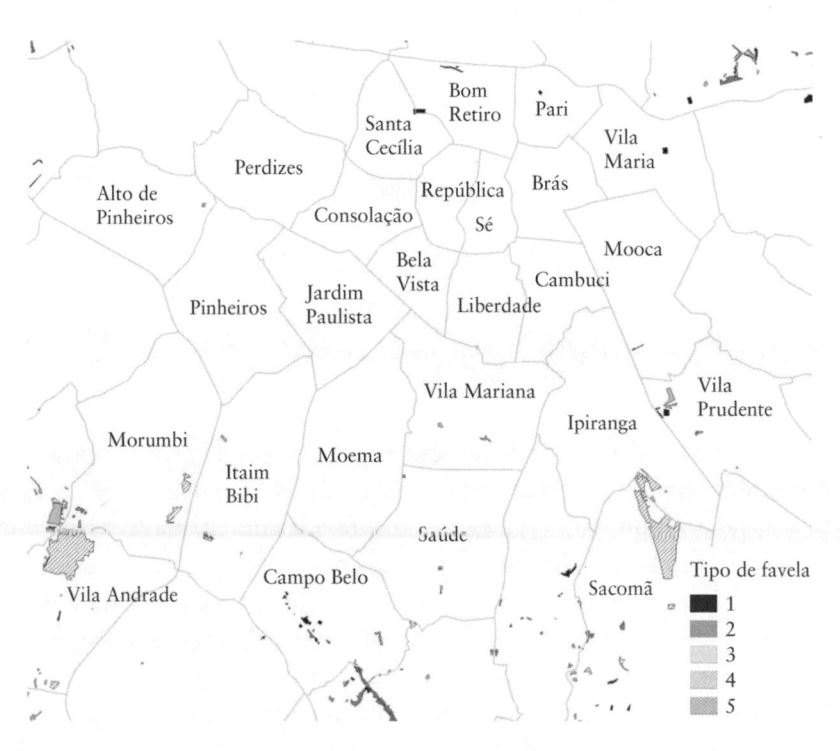

Fonte: Censo Demográfico IBGE 2000. Elaboração CEM.

TIPOS DE FAVELA
Zona Sul, fronteira entre os Municípios de São Paulo e Diadema, 2000

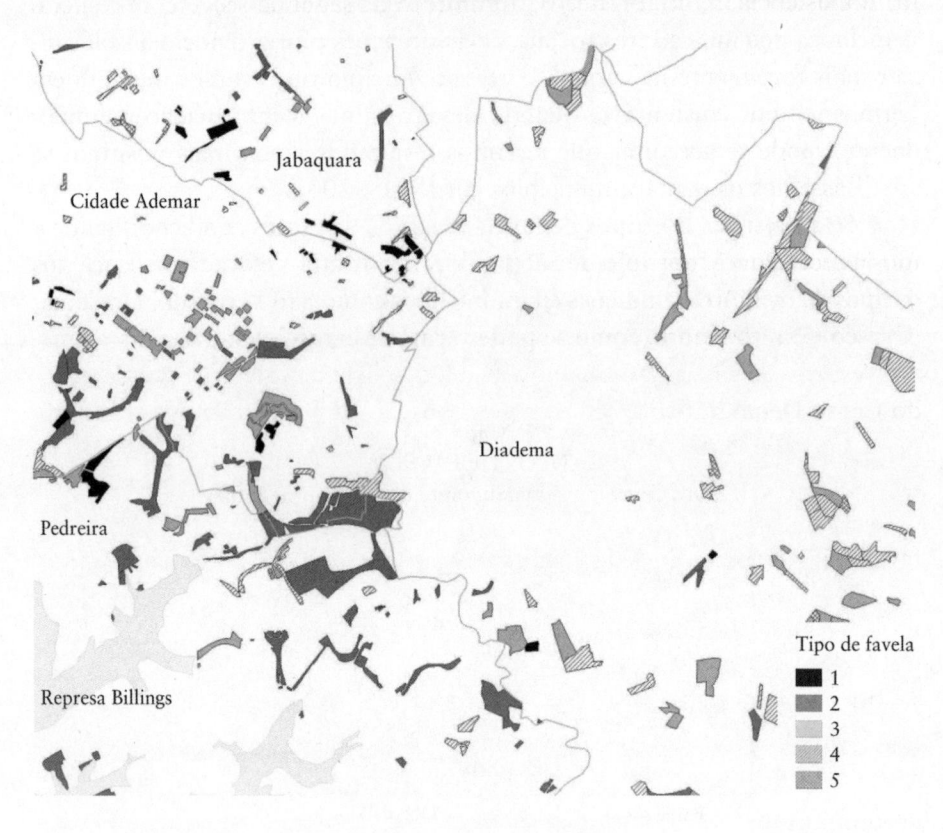

Fonte: Censo Demográfico IBGE 2000. Elaboração CEM.

De uma forma geral, podemos dizer que a distribuição dos tipos aponta novamente para a heterogeneidade. São várias as dinâmicas a destacar. Uma delas é a muito baixa incidência das favelas no chamado "centro expandido" da capital (ver Mapa 2). A mais importante exceção fica por conta da favela Paraisópolis. Trata-se, entretanto, de um caso verdadeiramente discrepante. Embora seja uma das maiores favelas da cidade, situa-se em área de propriedade particular e tem ocupação em grande parte regular, visto tratar-se da ocupação de uma área previamente loteada. Além disso, a inserção da favela em um bairro de classe alta — o Morumbi (no distrito de Vila Andrade) — impacta significativamente os conteúdos sociais presentes na favela. Esse ponto é importante, pois sugere que, quando observadas em uma

Camila Saraiva e Eduardo Marques

escala mais ampla, as favelas aparecem muito mais intensamente como um fenômeno associado à periferia do que usualmente é destacado pela literatura. A existência de um padrão fortemente segregado, no que diz respeito à predominância de grupos ricos no centro expandido, corrobora o argumento de Villaça (2000) com respeito à estrutura espacial da cidade. Essa foi a região mais marcada pela produção imobiliária para alta renda nas últimas décadas, embora não exclusivamente.

O padrão de periferia das favelas, entretanto, não corresponde a um gradiente de condições em direção às áreas externas da região, e encontramos precariedade também mais próxima ao centro da metrópole. Nesse particular, embora haja relação entre a presença de favelas e a renda de uma certa região, ela é muito pouco intensa. Para testar tal efeito de uma forma mais precisa, comparamos a renda média do chefe das áreas de ponderação do Censo Demográfico 2000 com a proporção da população que mora em favelas em cada área, usando um *overlay* entre as favelas e a cartografia das áreas de ponderação do Censo Demográfico 2000.

Há uma associação estatística significativa (e negativa) entre o grau de favelização de certa área e a renda média dessa área, sugerindo que quanto mais pobre a área, maior a proporção de sua população que mora em favelas. Entretanto, a intensidade da relação é muito baixa,[2] não permitindo que consideremos esse elemento como importante. Por outro lado, e esse é um resultado muito interessante, não há correlação significativa entre a renda média de certa área e a renda média das favelas daquela área, afastando a hipótese de que haja uma associação direta entre os conteúdos sociais das favelas e o das áreas em que se inserem. Na verdade, como vimos, há ao menos três tipos de padrões típicos na relação favela-entorno-distrito. Isso confirma a inexistência de um gradiente de rendas organizado em favelas e áreas de ponderação, e permite sustentar que as favelas são mais importantes para a compreensão da microssegregação (favela-entorno-distrito) do que da macrossegregação.

Ainda na tentativa de explicar tal heterogeneidade, experimentamos outros cruzamentos com as informações de que dispúnhamos. Testamos inicialmente se, no caso das favelas do Município de São Paulo, a presença de certos indicadores sociais médios estaria associada à data da ocupação. Esse raciocínio parte da hipótese de que favelas mais antigas tenderiam a ter melhor infraestrutura e renda média mais elevada, por estarem mais consolidadas. As informações existentes indicam que não há relação entre o momento

---

[2] O coeficiente de correlação de Pierson é de apenas 0,166.

da ocupação e os vários indicadores que experimentamos. Uma possível razão para isso refere-se ao fato de as favelas serem ocupações situadas em locais muito específicos, normalmente remanescentes da urbanização. Entretanto, a associação entre data de ocupação e cobertura por serviços de esgoto confirma essa hipótese, em uma primeira abordagem. O que encontramos foi uma distribuição dos casos polarizada, havendo muitas favelas com baixíssima cobertura, independentemente do momento da ocupação, e muitas outras com altíssima cobertura, também de maneira independente do tempo de ocupação. Interpretamos essas evidências como um sinal de que a situação física é chave para decidir o futuro das condições urbanas no assentamento: há favelas com situação física (urbanística, geológica e relativas à hidrologia) passível de receber infraestrutura, e outras cuja situação as impede de recebê-la, independente do tempo de ocupação. Esse tipo de resultado não se repete com a relação entre data da ocupação e rendimento do chefe, embora também não haja uma relação direta entre essas duas dimensões.

O cruzamento das informações disponíveis sobre a propriedade do terreno onde se localiza a favela (pública, particular ou mista) tampouco demonstrou relação significativa com as outras dinâmicas estudadas, inclusive as coberturas por serviços de infraestrutura.

CONCLUSÕES

Ao longo do texto analisamos diversas informações relativas às favelas em São Paulo. Nessa conclusão, sintetizamos os principais achados da pesquisa, articulando-os entre si. Acreditamos que a pesquisa aponta dois resultados principais, o primeiro associado à dinâmica social das favelas na cidade nos anos 1990, e o segundo com relação à heterogeneidade social e espacial das favelas paulistanas.

As favelas cresceram em período recente em São Paulo. Esse crescimento talvez não tenha sido tão elevado como se imaginou em um determinado momento dos anos 1990, mas mesmo assim foi muito expressivo, e as favelas são hoje uma alternativa mais utilizada pelos habitantes da cidade do que há dez anos.

Ao contrário do que se afirma usualmente, entretanto, os dados aqui analisados indicam que a situação nas favelas de São Paulo não piorou ao longo da década. Em termos relativos, as favelas não apenas melhoraram, como se aproximaram da situação dos outros moradores da cidade, sugerindo um processo de convergência, incompleto e talvez excessivamente lento, mas mesmo assim existente entre os indicadores médios de favelados e não favelados. Essa melhora, entretanto, não significa uma diminuição da segregação socioespacial, que pode existir e mesmo aumentar em situações de plena universalização dos serviços públicos e de crescimento da renda. De qualquer forma, as informações analisadas neste artigo indicam que podemos afastar a hipótese de degradação social intensa nas favelas paulistanas em período recente. Essa informação com relação à melhora social resiste à comparação entre regiões no interior do Município de São Paulo e entre esse e os demais municípios da região metropolitana, pois as diferenças são muito pequenas em termos médios.

Constatada a melhora relativa dos conteúdos sociais médios das favelas em São Paulo, partimos para explorar a sua possível heterogeneidade. Analisamos primeiramente o entorno das favelas, descobrindo que eles tendem a apresentar características diferentes segundo o local da cidade em que as favelas se inserem. Se de uma forma geral há certa transição entre as favelas e o conjunto da cidade, quando desagregamos a informação a diversidade se expressa. De uma maneira geral, encontramos três situações. A primeira inclui os distritos em que as favelas, o entorno e o próprio distrito pouco diferem. Esses são predominantemente pobres e de periferia. A segunda situação engloba os casos em que há uma transição social da favela para o entorno e para o distrito, que quase sempre são predominantemente de classe média. A última situação inclui os distritos em que a favela tende a ser um enclave de péssimas condições quando comparada com o entorno e o distrito.

Por fim, exploramos diretamente a heterogeneidade social das favelas, submetendo os indicadores sociais de cada um dos núcleos da região metropolitana a uma análise de agrupamento. Os resultados sugerem a existência de uma razoável heterogeneidade do fenômeno, que aparentemente apresenta pelo menos cinco tipos com características sociais mais ou menos precárias. A quantidade de núcleos com características melhores não é nem um pouco desprezível, embora também nesses casos encontremos situações sociais de pobreza. Ao mesmo tempo, a presença de uma proporção significativa de favelas com condições sociais e de vida muito precárias não apenas confirma os resultados de trabalhos anteriores que ressaltam a heterogeneidade do fenômeno, mas corroboram a hipótese de que o padrão recente pode ser descrito como de intensa melhora em termos médios, embora convivendo com a persistência de condições muito precárias em determinadas favelas. A localização de tais tipos de favelas não segue clivagens simples, embora haja um evidente padrão periférico nas favelas de São Paulo quando analisamos o fenômeno em escala metropolitana. Esse padrão opera por oposição, e quase não se encontra o fenômeno no centro expandido da capital. Entretanto, não é possível afirmar que haja um gradiente em que a presença e a precariedade das favelas tendam a crescer na direção da periferia. Esse padrão, evidenciado visualmente em mapas, é comprovado mais precisamente em análise quantitativa, permitindo concluir que nas favelas a heterogeneidade social se superpõe à heterogeneidade espacial.

BIBLIOGRAFIA

ABREU, M. (1994). "Reconstruindo uma história esquecida: origem e expansão inicial das favelas no Rio de Janeiro". *Espaço e Debates*, nº 37, São Paulo.

BUENO, L. (1993). "O saneamento na urbanização de São Paulo". Dissertação de Mestrado, FAU-USP, São Paulo.

_____ (2000). "Urbanização de favelas". Tese de Doutorado, FAU-USP, São Paulo.

CEM (Centro de Estudos da Metrópole) (2003). "Estimativas de demanda por políticas de habitação social no Município de São Paulo". Relatório de pesquisa desenvolvido para a Prefeitura Municipal de São Paulo. São Paulo, CEM/Cebrap.

D'ANDREA, T. (2003). "Redes sociais em Paraisópolis". Relatório de Iniciação Científica, Fapesp/Cebrap, São Paulo.

FARIA, V. (1992). "A conjuntura social brasileira: dilemas e perspectivas". *Novos Estudos*, nº 33, São Paulo, Cebrap.

HABI (Superintendência de Habitação Popular) (1987). "Censo de Favelas". São Paulo, Meio Digital.

HADDAD, S.; DI PIERRO, M. (2000). "Aprendizagem de jovens e adultos: avaliação da década da educação para todos". *São Paulo em Perspectiva*, vol. 14, nº 1, São Paulo, Fundação Seade.

KOWARICK, L. (2002). "Viver em risco: sobre a vulnerabilidade no Brasil urbano". *Novos Estudos*, nº 63, São Paulo, Cebrap.

_____ (2001). "Vulnerabilidade socioeconômica: Estados Unidos, França e Brasil". XXV Encontro da Anpocs, Caxambu, mimeo.

MARICATO, E. (2003). "Metrópole, legislação e desigualdade". *Estudos Avançados*, nº 48, São Paulo, IEA-USP.

_____ (1996). *Metrópole na periferia do capitalismo: ilegalidade, desigualdade e violência*. São Paulo: Hucitec.

MARQUES, E. (2000). *Estado e redes sociais: permeabilidade e coesão nas políticas urbanas no Rio de Janeiro*. Rio de Janeiro/São Paulo: Revan/Fapesp.

_____ (2003). *Redes sociais, instituições e atores políticos no governo da cidade de São Paulo*. São Paulo: Annablume/Fapesp.

Camila Saraiva e Eduardo Marques

_____ (2005). "Espaço e grupos sociais na virada do século XXI". In: MARQUES, E.; TORRES, H. (orgs.). *São Paulo: segregação, pobreza e desigualdades sociais.* São Paulo: Senac São Paulo.

MARQUES, E.; BICHIR, R. (2002). "Investimentos públicos, infraestrutura urbana e produção da periferia em São Paulo". *Espaço e Debates*, n° 42.

MARQUES, E.; TORRES, H.; SARAIVA, C. (2003). "Favelas no Município de São Paulo: estimativas de população para os anos de 1991, 1996 e 2000". *Revista Brasileira de Estudos Urbanos*, vol. 5, n° 1.

MARQUES, E.; SARAIVA, C. (2005). "As políticas de habitação social, a segregação e as desigualdades na cidade". In: MARQUES, E.; TORRES, H. (orgs.). *São Paulo: segregação, pobreza e desigualdades sociais.* São Paulo: Senac São Paulo.

_____ (2005). "A dinâmica social das favelas da Região Metropolitana de São Paulo". In: MARQUES, E.; TORRES, H. (orgs.). *São Paulo: segregação, pobreza e desigualdades sociais.* São Paulo: Senac São Paulo.

PREFEITURA MUNICIPAL DE SÃO PAULO (1995). "Favelas na Cidade de São Paulo". *Diário Oficial do Município de São Paulo*, São Paulo, 31/3/1995.

_____ (2008). *Habitação de interesse social em São Paulo: desafios e novos instrumentos de gestão.* São Paulo: PMSP/Cities Alliance.

PRETECEILLE, E.; VALLADARES, L. (1999). "Favelas no plural". XXIII Encontro da Anpocs, Caxambu.

SAMPAIO, M.; PEREIRA, P. (2003). "Habitação em São Paulo". *Estudos Avançados*, n° 48, São Paulo, IEA-USP.

SANTOS, C. (1975). *Voltar a pensar em favelas por causa das periferias.* Rio de Janeiro, mimeo.

TASCHNER, S. (2000). "Degradação ambiental em favelas". In: TORRES, H.; COSTA, H. *População e meio ambiente: debates e desafios.* São Paulo: Senac São Paulo.

_____ (2002). "Espaço e população nas favelas de São Paulo". XIII Encontro da Associação Brasileira de Estudos Populacionais, Ouro Preto.

TAVARES, R.; MONTEIRO, M. (1994). "População e condições de vida". In: GUIMARÃES, R.; TAVARES, R. *Saúde e sociedade no Brasil dos anos 80.* Rio de Janeiro: Relume Dumará.

TORRES, H.; MARQUES, E. (2001). "Reflexões sobre a hiperperiferia: novas e velhas faces da pobreza no entorno metropolitano". *Revista Brasileira de Estudos Urbanos e Regionais*, n° 4.

_____ (2002). "Tamanho populacional das favelas paulistanas, ou o debate sobre a cidade e a falência dos grandes números". XIII Encontro da Associação Brasileira de Estudos Populacionais, Ouro Preto.

TORRES, H. (1997). "Desigualdade ambiental na cidade de São Paulo". Tese de Doutorado, IFCH-Unicamp, Campinas.

VALLADARES, L.; PRETECEILLE, E. (2000). "Favela, favelas: unidade ou diversidade da favela carioca". In: RIBEIRO, L. *O futuro das metrópoles: desigualdades e governabilidade.* Rio de Janeiro: Observatório/Revan/Fase.

VERAS, M.; TASCHNER, S. (1990). "Evolução e mudanças das favelas paulistanas". *Espaço e Debates*, nº 31, São Paulo.

WATSON, G. (1992). "Water and Sanitation in São Paulo, Brazil: Successful Strategies for Service Provision in Low-Income Communities". Dissertação de Mestrado, Massachussetts Institute of Technology, Cambridge.

5

A presença estrangeira:
processos urbanos e escalas de atuação[1]

Maria Cristina da Silva Leme e Sarah Feldman

Nas interpretações sobre o território da cidade de São Paulo prevalecem, de modo geral, as análises a partir de pares de oposição — os bairros operários contrapostos aos locais burgueses e o centro contraposto à periferia. Esta perspectiva dual é reforçada em relação aos melhoramentos urbanos, interpretados unicamente como beneficiando o centro e favorecendo a expansão para as periferias. Embora não se possa ignorar as situações extremas na cidade de São Paulo, esta construção de dicotomias e segregação de lugares leva ao esquecimento de territórios que não se enquadram nos marcos da polarização entre espaços do trabalho e espaços da sociabilidade burguesa, que apresentam uma dimensão mais plural e diversa, e obscurece a complexidade de dinâmicas sociais, econômicas, políticas e culturais.

Na perspectiva de entender a cidade para além de dualidades, este texto propõe revelar os processos urbanos definidos por diferentes escalas das relações dos estrangeiros com o espaço urbano, que se apoiam em um denominador comum: a preocupação em evitar abordagens generalizantes, com enfoque de caráter exemplar. Busca-se valorizar o conjunto variado de práticas na dimensão material da construção da cidade de São Paulo na primeira metade do século XX.

Uma primeira escala se refere às relações entre empresas estrangeiras e grandes intervenções públicas. O recorte analítico adotado, ao abordar as obras de infraestrutura viária e de transportes implantadas desde a passagem do século XIX, mostra que elas favoreceram a fluidez e a mobilidade na área central e direcionaram a expansão para a periferia da cidade, mas que também desempenharam um papel fundamental na articulação e integração de bairros, favorecendo seu processo de consolidação.

---

[1] Este texto baseia-se nas pesquisas em desenvolvimento pelas autoras como parte do projeto temático "São Paulo: os estrangeiros e a construção da cidade", com o apoio financeiro da Fapesp (Fundação de Amparo à Pesquisa do Estado de São Paulo).

Na provisão dessa infraestrutura, desde o final do século XIX, tem papel destacado na produção da cidade empresários estrangeiros associados ao empresariado nacional, que se articulam com o capital financeiro internacional, as empresas de serviços urbanos e as atividades econômicas ligadas ao café, à indústria e à promoção imobiliária. As redes de relações políticas são fundamentais para a entrada e o estabelecimento destas empresas. Os contratos de concessão, as formas de atuação definidas em planos e projetos urbanos, e a legislação urbanística sinalizam a crescente regulação e explicitação destas associações de interesse. A atuação da Light, desde sua implantação no início do século até as tentativas de formação de uma empresa de urbanização, são ilustrativas dessas formas diferenciadas de atuação no decorrer da primeira metade do século XX.

Uma segunda escala se refere aos bairros que se constituem no processo de urbanização do "cinturão de chácaras" que, até o final do século XIX, circundava o núcleo mais densamente urbanizado da cidade, que qualificamos como bairros centrais. Estes bairros se moldam e se transformam com a participação significativa de estrangeiros, e se caracterizam pela convivência de grupos por um lado diversos e, por outro, pertencentes a universos semelhantes de representação social. A vitalidade das atividades econômicas, a persistência da presença significativa de moradias de aluguel, dentre as quais os cortiços, a proximidade entre trabalho e moradia, são características estruturadoras dos bairros centrais. Estas características configuram uma materialidade marcada pela reconstrução contínua, não necessariamente pela lógica da demolição, mas, sobretudo, através da constante adequação das estruturas físicas preexistentes — um processo de transformação que não exclui permanências.

O universo de estrangeiros que se estabelecem nestes bairros são os imigrantes que não se inserem na relação com a cafeicultura e com a imigração subsidiada, e que, desde o final do século XIX, fazem da cidade seu destino primeiro e preferencial. Neste caso abordamos os sucessivos grupos de imigrantes que se estabelecem e se fixam no bairro do Bom Retiro atuando em pequenos negócios por conta própria, destacando a importância das instituições e estratégias que possibilitaram sua inserção e as oportunidades que o contexto econômico oferecia.

A opção pela justaposição de diferentes escalas de atuação persegue o que Lepetit (1992) denomina "multiplicação controlada das escalas de observação", capaz, segundo o autor, "de produzir um ganho de conhecimento a partir do momento em que se postula a complexidade do real".

A atuação do empresário estrangeiro na formação de empresas de serviços urbanos

A cidade de São Paulo foi fundada à margem do interesse econômico e político da Coroa portuguesa. Sua localização no planalto, de difícil acesso, isolou-a do contato com Portugal e com as outras capitanias. Nos dois primeiros séculos da colonização, São Paulo era apenas um pequeno conglomerado na colina entre o rio Tamanduateí e seu afluente Anhangabaú. Na vila, enquanto peça do sistema colonial, definiam-se com nitidez apenas as entradas e saídas articulando o entroncamento de caminhos entre o litoral e o sertão, com ruas e becos apenas referenciados a estes caminhos. Registrando as transformações da cidade através da leitura das atas da Câmara, Janice Theodoro da Silva (1986) observa, a partir do século XVII, mudanças na estrutura urbana que se amplia e fortalece. As atas da Câmara registram propostas de construção de fontes e calçadas, a cidade ganha identidade, permanência e durabilidade nas construções.

Mas é a implantação, em 1867, da estrada de ferro da São Paulo Railway Company, transportando o café das fazendas ao porto de Santos, que dá novo impulso à trajetória de crescimento de São Paulo. Entroncamento dos fluxos de transporte para o litoral e para o interior, a ferrovia permitia o rápido deslocamento dos fazendeiros para as fazendas e também sua permanência na cidade.

As principais obras viárias deste período mostram a importância deste meio de transporte. A abertura de uma avenida denominada João Theodoro ligando as estações das estradas de ferro São Paulo Railway e Central do Brasil articulava o bairro da Luz ao Brás.

Ligando a Estação da Luz à área central, um serviço de diligências sobre trilhos de ferro fazia o transporte de cargas e pessoas com um ritmo e frequência que altera o cotidiano dos moradores da cidade. Alargadas, com novo traçado e menor declividade, as ruas com pavimentação de pedras de cantaria portuguesa suportavam os trilhos de ferro e a passagem contínua das elegantes diligências.

Os traçados das linhas de bonde com tração animal evidenciam a expansão da cidade e a configuração dos bairros. "A primeira linha ligava a Sé à Estação da Luz. Outras linhas dirigiam-se para o Brás, a Mooca, os Campos Elíseos, Santa Cecília, Consolação, e uma para a rua da Liberdade, fazendo ponto final na rua São Joaquim, de onde partia um trenzinho a vapor para a Vila Mariana e Santo Amaro: o da Companhia Carris de Ferro de São Paulo, começada em 1883" (Silva Bruno, 1984: 1.074-5).

Para se ter uma ideia dos tempos de deslocamento por estes meios de transporte, a viagem para o Brás demorava uma hora e, aproximadamente, o mesmo tempo para a Liberdade (Eletropaulo, 1986: 6). Os bondinhos, além de vagarosos, descarrilhavam à toa. Para vencer as ladeiras mais íngremes era necessário atrelar outra parelha de burros como reforço.

Em 1884, a Câmara Municipal aprova o prolongamento da rua Nothmann atravessando os trilhos da São Paulo Railway. Apesar dos protestos da companhia inglesa, a construção de passagem em nível inferior e pontilhões de passagens em nível interrompendo os trilhos da ferrovia são o sinal evidente da crescente importância dos moradores e comerciantes. A tração animal, substituída em 1900 pela tração elétrica nos bondes da companhia anglo-canadense The São Paulo Tramway Light and Power Co. Ltd., confere uma nova lógica aos melhoramentos urbanos e articula os bairros em formação de Santa Ifigênia, Campos Elíseos, Bom Retiro, Brás, locais de comércio, da incipiente indústria e de moradia, tanto do fazendeiro como do comerciante e do operário.

A crônica dos acontecimentos para a implantação dos serviços de bonde a tração elétrica em São Paulo é ilustrativa da articulação de interesses políticos e econômicos característicos da organização de empreendimentos na Primeira República. Envolveu, inicialmente, o capital cafeeiro, a um só tempo agrícola e urbano, conforme definição de Flavio Saes (1986), que mantinha vínculos com outras atividades não diretamente ligadas à exportação, mas articuladas à expansão da produção cafeeira, como a ferrovia, instituições financeiras, serviços urbanos e indústria. Para viabilizar o empreendimento associa-se ao capital financeiro internacional e conta com a participação de empresários estrangeiros que atuavam, de forma ousada e aventureira, em diferentes campos.

Em 1899, a São Paulo Tramway Light and Power adquire a concessão outorgada três anos antes pela Câmara Municipal de São Paulo a Antonio Augusto de Souza. Para conseguir o monopólio dos serviços de transporte urbano em São Paulo, a Light trava uma verdadeira campanha para absorver a Companhia Viação Paulista, de propriedade da família Prado, quando demonstra o poder econômico e político que detinha no início do século. Após conseguir a liquidação forçada da Viação Paulista, adquire em leilão, por 1/3 do valor, todo o acervo da companhia, e imediatamente requer à Câmara Municipal autorização para incorporar as ruas até então ocupadas pelas linhas da Viação ao seu contrato de concessão. Um ano depois, também em leilão, adquire o acervo da Estrada de Ferro de Santo Amaro, que operava a linha de bondes a vapor. Contratos de autorização de novas linhas para Santo Amaro (1902) e para Santana (1907) lhe conferem a posição privilegiada de única companhia a deter os serviços de transporte urbano em São Paulo.

No início do século, os bondes a eletricidade representaram o suporte para acumulação no setor de energia elétrica. Porém, com a expansão da cidade e a difusão dos sistemas de iluminação e energia elétrica em atividades residenciais, comerciais e principalmente industriais, esta relação muda de sinal. Também no setor de energia elétrica, a companhia canadense trava uma campanha pelo monopólio, menos rumorosa, mas utilizando os mesmos métodos da que empreendeu no setor de transportes.

A Companhia Água e Luz, de capital nacional, atuava desde 1880 na produção e distribuição de energia gerada por uma pequena usina a vapor. A situação desta empresa era muito mais difícil se comparada às de transporte urbano. O setor de energia exigia investimentos para a aquisição de geradores, cabos e fios importados, terras com recursos hídricos, recursos com retorno mais demorado do que os empresários nacionais estavam acostumados a ter. Cabe lembrar, também, que a demanda por energia elétrica no início do século era limitada e quase essencialmente residencial.

Em 1899, abre-se a primeira brecha para a atuação concorrencial no serviço de distribuição de energia, quando o prefeito Antonio Prado determina que a cidade seja dividida em seções, admitindo desta forma que outras companhias comecem a atuar em novas áreas ainda não servidas. A Light aproveita esta medida para contestar o privilégio da Cia. de Água e Luz de fornecimento ao centro da cidade. A decisão do prefeito, favorável à Light, é o golpe de misericórdia para a Cia. Água e Luz, que vende à empresa canadense o seu acervo e suas concessões (Eletropaulo, 1986: 31).

Nos primeiros anos da década de 1910, aparecem as primeiras ameaças ao monopólio da Light, através do grupo Guinle, proprietário das Docas de Santos, que solicita ao prefeito de São Paulo concessão para fornecer energia à cidade a preços inferiores aos cobrados pela Light. As negociações estabelecidas entre a companhia, os vereadores e o prefeito de São Paulo, Antonio Prado, envolveram novas propostas, como a extensão da "linha de Sant'Anna até o topo da encosta, a abolição do preço de passagem por zonas e a redução de tarifas para trabalhadores em determinados períodos" (Eletropaulo, 1986: 37).

A partir desta data até 1919, prazo em que expirava a concessão, a Light garantiu o seu monopólio de energia elétrica na cidade de São Paulo. Em contrapartida, as tarifas do transporte por bonde são reduzidas e permanecem congeladas até 1946, quando a CMTC assume o controle dos transportes coletivos em São Paulo. Para a Light, empresa concessionária dos dois sistemas, no decorrer da década de 1920 o bonde passa a ser o setor deficitário e o setor de energia se expande cada vez mais.

Com o crescimento das atividades no setor de comércio e indústria, ocorre o aumento da demanda por transporte em São Paulo, e se estabelece uma crise de correspondência entre o tipo de transporte oferecido e a demanda efetiva. As classes mais altas passam a utilizar cada vez mais o automóvel, artigo de luxo importado dos Estados Unidos ou da Europa. A opção pelo transporte individual nas camadas médias difunde-se apenas enquanto aspiração de ascensão social, inspirada nos valores difundidos pelas classes de renda mais alta. Entretanto, enquanto esta aspiração não se torna realidade, existe a necessidade de se movimentar em uma cidade que a cada dia se expande. A resposta a esta demanda por parte do sistema de bondes é lenta e seletiva.

Em 1926, a Light encaminha uma proposta de reformulação do contrato com a Prefeitura, que atualizaria a forma do transporte coletivo em São Paulo. Com a duplicação de vias e com a proposta de um sistema subterrâneo na área central da cidade, a configuração proposta aumentaria de forma significativa a velocidade e a capacidade de atender a demanda reprimida. Após longos debates na Câmara Municipal, com pareceres da Prefeitura e de consultores externos, a proposta de renovação dos termos da concessão não foi acatada (Leme, 1990). A Prefeitura de São Paulo não aprova a reforma no contrato de viação urbana da Light e também não apresenta uma alternativa ao nível de uma política de transportes coletivos. Deixa à esfera da iniciativa privada a disputa em relação ao modo de transporte coletivo dominante em São Paulo.

Os estrangeiros e os negócios por conta própria

Bom Retiro, Pari, Bela Vista, Liberdade, Cambuci, Campos Elíseos, Barra Funda, Santa Cecília e Consolação estão entre os bairros que se constituem no processo de urbanização do "cinturão de chácaras" que, até o final do século XIX, circundava o núcleo mais densamente urbanizado da cidade. O desenvolvimento destes bairros é indissociável das transformações do centro tradicional de São Paulo. Os bairros que circundam a área central se desenvolvem como sua extensão, seja pela dispersão das atividades administrativas, seja pela estruturação de centros de comércio varejista e atacadista intimamente ligados à produção industrial, ou pela estruturação de centros de serviços especializados em seus territórios.

Embora seccionado pela presença de rios, vias férreas e grandes avenidas, o território correspondente ao antigo "cinturão de chácaras" constitui um conjunto com precisa identidade na cidade. Esta identidade se expressa no tecido urbano, no tecido social, em aspectos econômicos e funcionais dos bairros, e na presença significativa de estrangeiros. Na relação dos estrangeiros com os bairros, os negócios por conta própria constituem, em muitos casos, o elemento de permanência.

No Bom Retiro, situado entre o rio Tietê e a estrada de ferro da São Paulo Railway Company, as relações entre ferrovia e processo de urbanização são fundamentais para se entender as dinâmicas econômicas e sociais do bairro. A proximidade à estação ferroviária favorece a presença de estrangeiros. É no Bom Retiro que, em 1882, se instala o primeiro alojamento onde os imigrantes que chegavam no porto de Santos, subiam a serra pelos trens da São Paulo Railway e desembarcavam na Estação da Luz recebiam abrigo temporário. A principal via de acesso ao bairro recebe o nome de rua dos Imigrantes, e seu traçado partindo da Estação em direção ao rio Tietê direciona a estrutura urbana do bairro que, nos primeiros anos do século XX, já está claramente definida.

As obras viárias associadas à implantação de uma linha de bondes elétricos, ligando a rua dos Italianos ao Largo São Bento, permitem que o bairro supere as dificuldades de acesso ao centro e se integre à cidade. A proximidade da estação, somada à superação de sua condição de enclave, favorecem a construção de um universo de trabalho no bairro voltado para os negócios por conta própria, associando produção e comercialização de mercadorias.

Embora os estrangeiros estejam presentes em muitos bairros paulistanos, no Bom Retiro sua permanência e passagem adquirem uma configuração particular. Desde o século XIX, o bairro vem sendo ocupado por sucessivos grupos de imigrantes. Cada grupo estabelece, além de uma relação de trabalho com o bairro, uma relação de moradia, e nesta dupla inserção constrói instituições sociais, culturais, políticas e religiosas. De 1870 a 1890, portugueses se instalam no bairro e, de 1900 a 1940, os italianos predominam entre a população estrangeira. Em torno dos anos 1920, os judeus começam a ter presença destacada. Gregos, armênios e sírios também se instalam ao longo do século XX. Desde os anos 1960, os coreanos começam a ocupar o Bom Retiro e, nas duas últimas décadas, chegam os bolivianos e peruanos.

Apesar do Bom Retiro integrar, como afirmam vários autores, o primeiro conjunto de bairros operários da capital (Langenbuch, 1971; Fernandes, 1986; Truzzi, 2001; entre outros), as indústrias de grande porte não persistiram em sua paisagem. No começo do século XX, um estudo sobre as indústrias no Estado de São Paulo já destaca a presença no bairro de "um grande número de tendas de sapatarias, marcenarias, fábricas de massas, de graxa, de óleos, de tintas de escrever, fundições, tinturarias, fábricas de calçados, manufaturas de roupas e chapéus, que funcionam em estalagens, em fundos de armazéns, em resumo: em lugares que o público não vê" (Bandeira Jr., 1901: 30).

O processo que ocorre no bairro revela as múltiplas formas de inserção dos vários grupos de estrangeiros que chegam a São Paulo. Os portugueses, assim como os italianos, participaram do trabalho fabril como assalariados, mas grande parcela abriu pequenos e médios negócios no bairro, "que ficavam a meio termo entre comércio e indústria" (Truzzi, 2001: 4). As grandes indústrias que nele se instalam entre o final do século XIX e início do XX mesclam-se a uma miríade de atividades econômicas — tecelagem, estamparia e vestuário, fábricas de calçados, fábricas de doces, licores, xaropes e vinagres, chapelarias, entre outras atividades.[2] Em 1920, havia 75 fábricas e oficinas no Bom Retiro, além de 252 casas de negócios (Siqueira, 2002: 34).

Até os anos 1920, o Bom Retiro é um bairro com todos os elementos que caracterizam o primeiro arranque da indústria paulista: indústrias localizadas às margens da linha férrea; operários em moradias de aluguel — vilas ou cortiços em terrenos fundos — habitadas por famílias estrangeiras e brasileiras numerosas; trabalhadores sem qualquer qualificação, que sobrevivem nas franjas da economia urbano-industrial em expansão, construções e condições urbanas precárias — ruas sem asfalto, inadequados serviços de água, esgoto e coleta de lixo, recorrência de enchentes junto ao leito do rio e, consequentemente, recorrência de epidemias.

Mas já no processo inicial de urbanização, a esta configuração se sobrepõem os negócios por conta própria, assim como clubes recreativos e dançantes vinculados a vários grupos de estrangeiros, e uma considerável quantidade de clubes esportivos, como o Sport Club Corinthians Paulista, fundado por operários e organizações sindicais (Siqueira, 2002).

---

[2] A Olaria Manfred (a primeira grande olaria da cidade), a Fábrica Anhaia (que em 1900 empregava 350 operários), a Cervejaria Germânia e as oficinas da Companhia Inglesa e da Ford estão entre as grandes indústrias instaladas no bairro.

Até os anos 1920, os negócios a meio caminho da indústria e do comércio — instalados na frente ou nos fundos das moradias — eram quase invisíveis na paisagem.

Os relatos e as memórias dos habitantes dos bairros populares falam do isolamento e da precariedade em que viviam nestas primeiras décadas do século XX. A ida ao centro para uma compra era muito rara, os bondes bissextos e as baldeações, passando necessariamente pelo centro, faziam com que a comunicação de um bairro a outro se desse de forma precária, com tempos de deslocamento muito grandes.

A partir de 1934, duas administrações municipais, a de Fabio Prado (1934-1938) e a de Francisco Prestes Maia (1938-1945), realizam um conjunto de obras viárias que deflagram três processos simultâneos e articulados: a integração da área central, a articulação dos bairros entre si e com o centro da cidade, e a expansão para a periferia. As propostas do *Estudo de um Plano de Avenidas para a cidade de São Paulo*, elaborado em 1930 por Prestes Maia, conduzem grande parte deste processo de transformação, e evidenciam a crescente importância do transporte sobre pneus em relação ao transporte sobre trilhos dos bondes da Light.

O esquema proposto pelo Plano de Avenidas previa um sistema de vias radiais articuladas por vias perimetrais. O primeiro anel perimetral integrava, através de um sistema de avenidas e viadutos, o centro histórico aos bairros centrais. No setor sul, o perímetro transpunha em menos de um quilômetro três vales por meio dos viadutos Nove de Julho, Jacareí e Dona Paulina. O segundo anel perimetral de avenidas, traçado a uma distância de 2 a 3 quilômetros do centro, realizaria a ligação entre os bairros operários das zonas Norte e Leste e os bairros de classe média das zonas Sul e Oeste.

Para ultrapassar as barreiras que constituíam as várzeas inundáveis dos rios Tietê e Pinheiros, o Plano propunha um circuito de avenidas-parque. Baseado no conceito do urbanismo americano de *parkways* — avenidas de traçado sinuoso projetadas entre parques e áreas arborizadas —, o terceiro anel do sistema viário proposto para São Paulo articulava um sistema de vias marginais aos rios a um sistema de parques, alguns já existentes e outros propostos. Propunha, também, o deslocamento de todo o sistema ferroviário e uma estação central para a margem do rio Tietê.

Para realizar as transformações na área central, quadras inteiras são derrubadas e as áreas arborizadas dos parques reduzidas para a circulação de veículos. Na Zona Leste, a canalização do rio Tamanduateí e a construção de pontes ligaram o centro aos bairros fabris do Brás, Mooca e Tatuapé.

Os bondes desciam ruas estreitas e íngremes para os centros de bairros como Santo Amaro, ao sul, e o bairro de Pinheiros, a oeste. Novas e largas avenidas são abertas entre estes bairros e o centro: a extensão da avenida Rebouças, e a Nove de Julho prolongada através do Jardim América e do Jardim Europa. Sem dúvida, muitas dessas obras tiveram relação com os loteamentos de classe alta que se abriam nesta época em São Paulo.

Ao norte, o transporte para o bairro de Santana se fazia pelo tramway da Cantareira, construído inicialmente para a realização das obras de abastecimento de água da cidade. A abertura da avenida Tiradentes, a construção da Ponte Grande, em concreto, substituindo a antiga e estreita ponte sobre o rio Tietê, ampliavam as comunicações com esta área. O início da canalização do rio Tietê integrava à área urbanizada da cidade terrenos de várzea, periodicamente inundados pelas enchentes do rio, e representava o primeiro passo para a abertura das vias marginais.

A casa alugada, e especialmente o cortiço, foi durante as primeiras décadas a forma de moradia das classes de renda mais baixa. Com o aumento da população urbana em função do crescimento da atividade industrial, surgem novas formas de habitação que concorrem para a transformação na estrutura urbana da cidade de São Paulo: a expansão da área urbanizada e a localização na periferia da cidade das habitações dos trabalhadores. O aluguel ainda é a forma dominante de acesso à habitação, porém tem início neste período a solução que se tornará cada vez mais difundida e dominante a partir dos anos 1960: a autoconstrução da habitação na periferia da cidade. No decorrer da década de 1940, quando São Paulo ultrapassa 2 milhões de habitantes, já existem sinais evidentes da generalização da autoconstrução no que eram então as periferias de São Paulo (Kowarick e Ant, 1988). Cabe assinalar que esta transformação só foi possível com a transformação do sistema de transportes coletivos. A rigidez dos trilhos dos bondes é inicialmente complementada e gradualmente substituída pelo ônibus.

Cadeia produtiva, obras de pequena escala e permanências de um bairro central

As obras realizadas ao longo dos anos 1930 e 40 em São Paulo vêm sendo tratadas, principalmente, em relação às demolições, valorização do solo e expulsão de moradores de baixa renda do centro, e em relação aos benefícios para as áreas residenciais das elites e ao processo de expansão periférica que favoreceram.

A análise das repercussões destas obras nos bairros centrais permite detectar dinâmicas que se diferenciam dos processos do centro, dos processos das áreas de moradia das elites, e também dos processos das áreas periféricas. No Bom Retiro, tanto a articulação com os bairros a leste como o acesso a outras regiões da cidade propiciados pelas obras viárias colaboraram para a consolidação do bairro como importante centro das atividades econômicas que na segunda década do século XX começam a se estruturar. Localizado fora dos setores cobiçados pelas elites, no Bom Retiro as obras viárias e as obras no rio Tietê não geraram uma valorização do solo que alterasse sua configuração de bairro ocupado por diferentes grupos sociais. A Planta Genérica de Valores de 1953 mostra que os valores mais altos do m² no Bom Retiro são mais de dez vezes menores que os mais altos do centro, enquanto os valores mais baixos do bairro são apenas duas vezes e meia maiores que os da periferia (Decreto 2.066, de 27/12/1952).

Entre o final da década de 1920 e meados da década de 1940, organiza-se uma base material e econômica no Bom Retiro, sobre a qual o bairro se especializa e se consolida como um centro de indústria e comércio de roupas feitas. Este processo, que teve os imigrantes judeus como protagonistas, envolveu transformações na materialidade do bairro, e repercutiu na propriedade fundiária. Os negócios por conta própria ganham organicidade e visibilidade.

Em menos de duas décadas, mais de trezentas indústrias se instalam no bairro, e as não pertencentes a judeus não ultrapassam uma dezena. As confecções de roupas constituem cerca de 80% do total. As demais produzem acessórios ou suprem as etapas do processo de produção e comercialização, abrangendo desde máquinas para malharia e tecidos até oficinas gráficas que produzem impressos comerciais e talões de notas fiscais. A maioria absoluta dos estabelecimentos tem, no máximo, quatro operários, caracterizando negócios familiares (Departamento Estadual de Estatística, 1947).

Na segunda metade da década de 1930, 25% das indústrias de roupas feitas, 16% das malharias e 24% das indústrias de chapéus e guarda chuvas da capital estão no Bom Retiro (Egídio, 1940: 241). A cadeia de negócios instalada permite que o bairro adquira autossuficiência quase total para desempenhar a produção e comercialização de roupas e acessórios, dependendo apenas da indústria de fiação e tecidos. Mas o maior centro produtor de tecidos situa-se, neste momento, no Brás, cujo acesso ao Bom Retiro é facilitado pelas ligações implementadas a partir dos anos 1930 entre os bairros fabris a leste com o centro.

O bairro passa por intervenções em sua materialidade, e estas ocorrem num momento em que São Paulo passa por transformações de caráter estrutural, com a realização de obras de larga escala e de emergência de novos circuitos financeiros na produção do espaço construído. Entre as décadas de 1930 e 40, a intensificação da atividade imobiliária que atinge São Paulo e outras capitais brasileiras se constitui, segundo Mello (1992), como o "*boom* do século*". No Bom Retiro, as obras fogem a esse padrão e se caracterizam menos pela lógica apoiada no binômio demolição/reconstrução, dominante no centro da cidade e nos bairros em processo de verticalização, e mais por apropriações e adaptações de uma mesma estrutura física.

Um grande volume de obras de pequena escala ocorre em todo o território do bairro. Por um lado, "reformas" e "aumentos" — termos utilizados pela Prefeitura para pequenas obras — acomodam indústrias de fundo de quintal, pequenos estabelecimentos comerciais e cômodos, banheiros ou quartos que, provavelmente, serviam como cortiços, em edificações existentes. Por outro lado, sem alterar o padrão de parcelamento que dá origem ao bairro, demolições geram a construção de pequenos edifícios para abrigar as atividades econômicas, sempre associados a moradias. Apenas no setor mais próximo do centro são construídos edifícios de apartamentos com comércio no térreo, em lotes remembrados. Nas proximidades da várzea, onde as obras no Tietê viabilizam a expansão do bairro, o loteamento de grandes terrenos se destina a indústrias e vilas habitacionais (Mangili, 2009).

Os registros do Arquivo João Baptista de Campos Aguirra revelam que a transferência de propriedades é parte do processo de apropriação do Bom Retiro pelos imigrantes, e que as propriedades do bairro se dividem entre diferentes grupos étnicos. No processo inicial de urbanização, na venda e revenda de lotes, predominam italianos, portugueses e espanhóis. Nas duas primeiras décadas do século XX, quando as vendas de casas superam as de lotes, a presença de italianos se intensifica. Os judeus começam a adquirir propriedades na década de 1920, mas se restringem às áreas mais próximas do centro onde se concentram as confecções. Entre 1930 e 1947, enquanto nas ruas José Paulino, Prates e Ribeiro de Lima todas as transações envolve-

Maria Cristina da Silva Leme e Sarah Feldman

ram judeus, em outros setores do bairro se mantém a predominância de transações entre italianos.

As transações imobiliárias na rua José Paulino — a de maior concentração de confecções — entre 1930 e 1947 revelam que o universo de proprietários de negócios é muito mais amplo do que o de proprietários de imóveis, e que é reduzida a incidência de concentração de propriedade. Tudo indica que o processo de instalação das indústrias mobilizou a inserção de judeus no circuito dos negócios imobiliários no bairro, mas a maioria dos judeus que se inserem no circuito da indústria e comércio de confecções, entre as décadas de 1920 e 1940, instalam seus pequenos negócios na condição de inquilinos.

A indústria de vestuário se caracteriza pela força de trabalho multiétnica. O estudo de Green (1997) mostra que apesar de judeus constituírem um contingente significativo do ramo de vestuário na França, este ramo foi, depois do comércio, o que mais absorveu imigrantes de diferentes origens. Nesse sentido, a segmentação do mercado de trabalho inclui, além do determinante cultural, as condições dos países de origem — recorrentemente econômicas e políticas — que impulsionam a emigração e as oportunidades oferecidas pelos países para imigração — o componente de oportunidade.

No processo de constituição da venda direta ao consumidor em pequenos negócios no Brasil, a partir dos anos 1920, os estrangeiros têm papel destacado. Italianos, sírios, libaneses e judeus estão entre os maiores proprietários de estabelecimentos de roupas feitas (Knowlton, 1950: 143). No mesmo período em que os judeus instalam seus negócios no Bom Retiro, estabelecimentos de confecção de roupas estão disseminados por toda a cidade, com forte presença de italianos, assim como há estabelecimentos pertencentes a judeus em outros bairros.

As condições para o protagonismo dos judeus neste ciclo de quase duas décadas no Bom Retiro ultrapassam as determinantes étnicas, apesar dos vínculos com o saber de artesãos e com atividades comerciais em seus países de origem. Imigrados de várias regiões da Rússia, Polônia, Romênia, Lituânia, Hungria e Bessarábia, majoritariamente devido às adversas condições econômicas e políticas nos países de origem, têm por suporte o elevado grau de organização da comunidade judaica.

Dentre as inúmeras associações de apoio aos imigrantes criadas em São Paulo pelos judeus, desde o início do século XX, a Sociedade Cooperativa de Crédito Popular do Bom Retiro ("Laispar Casse-Caixa de Empréstimo e Poupança") tem papel fundamental para a instalação de pequenos negócios por conta própria. A sociedade é criada em 1928 como uma caixa de empréstimos de pequenos créditos, nos moldes de instituições existentes na Europa e também no Brasil (no Rio Grande do Sul e Bahia), com apoio de instituições internacionais. A Cooperativa atua como "distribuidora de crédito mobiliário mediante módica taxa de mutualidade" para promover e auxiliar "o desenvolvimento, de modo particular, do associado pequeno trabalhador, em qualquer ramo de atividade".[3] Até o ano de fundação da Cooperativa, estavam instaladas na rua José Paulino apenas cinco indústrias de propriedade de judeus.

A criação da Sociedade Cooperativa de Crédito Popular do Bom Retiro se dá no contexto de disseminação da produção nacional de tecidos, da produção estandardizada de roupas e da venda da fábrica diretamente ao consumidor. Nesse momento, a indústria têxtil já está organizada para atender à demanda interna decorrente do crescimento acentuado da população — em especial à demanda das classes de menor renda. Os tecidos para atender às classes médias e altas — tanto as roupas feitas como as confeccionadas por alfaiates — ainda são importados. Nos anos 1940, a ampliação das facilidades de vendas a crédito e de estratégias de propaganda reforçam este processo. Em São Paulo o avanço da indústria e comércio de roupas se dá tanto através de estabelecimentos de grande porte, como pela proliferação de pequenas empresas. Estas somam mais de 6 mil em 1946, empregando mais de 28 mil operários (Maleronka, 2007: 39-45, 138).

Esse conjunto de condições sustentam a organização de uma base material compreendendo todos os elementos da cadeia de produção e vendas, num território delimitado, fortemente concentrado num grupo de imigrantes, que é o que distingue o processo que ocorre no Bom Retiro.

É a completude dessa organização que permite, mesmo sem nenhuma tradição no campo da confecção, que desde os anos 1960 os coreanos mantenham e potencializem a atividade econômica do bairro, atualizando-a às mudanças estruturais da economia globalizada. É este processo de transferência entre grupos de imigrantes que conforma a singularidade das relações socioespaciais do bairro, e que permite que o Bom Retiro passe a ser identificado como "bairro de judeus" ou "bairro de israelitas" num momento, e como "bairro de coreanos" em outro, independente destes grupos constituírem ou não o maior contingente de sua população.

---

[3] Documento da Cooperativa de Crédito Popular do Bom Retiro, Fundo 448, Caixa 3, AHJB. Vinte e cinco acionistas compraram 53 ações na reunião de sua fundação, e atas da instituição mostram que, até sua extinção, em 1974, semanalmente eram realizadas reuniões da diretoria para "exame dos pedidos de empréstimos da semana".

Entre os anos 1920 e 40, nem os judeus constituem maioria na composição da população do Bom Retiro, nem o conjunto de estrangeiros nele instalados. Em 1934, dos 28.449 moradores do Bom Retiro, 64,4% são brasileiros e 35,6% são estrangeiros. Destes, mais de 11% são italianos, 2,54% portugueses, e 2,30% russos (Egídio, 1940: 235).

A partir dos anos 1940, ao mesmo tempo em que o Bom Retiro se consolida como centro de indústria e comércio de confecções, o parque industrial brasileiro passa por transformações quantitativas e qualitativas. Durante a Segunda Guerra, o Brasil se torna pela primeira vez exportador de bens industriais em escala significativa, e entre 1950 e 60, os ramos que produzem bens de consumo cedem lugar aos que produzem bens de produção. São Paulo se encontra na vanguarda deste processo (Singer, 1974: 59).

O crescimento da cidade entra num novo patamar. No final dos anos 1940, São Paulo conta com mais de 2 milhões de habitantes, e a cidade se compacta através da verticalização nas áreas mais centrais e da ocupação de loteamentos encravados em bairros já formados. Por outro lado, a área urbana se expande, pois a ocupação periférica já se impôs como estratégia de moradia para a população de baixa renda. Direcionada pela indústria atraída para as rodovias, ela ultrapassa as fronteiras do município.

A INDÚSTRIA E A PROMOÇÃO IMOBILIÁRIA: UMA NOVA ESCALA DE EMPREENDIMENTOS NA FORMAÇÃO DA METRÓPOLE

A iniciativa do empresário Henrique Dumont Villares de construir o centro industrial do Jaguaré sinaliza tanto a ampliação do parque industrial paulista como a expansão para novas localizações. A família Villares, proprietária desde 1939 de uma fábrica de elevadores, havia expandido suas atividades para o ramo de metais básicos e máquinas ferramentas, e como outros industriais, também para o ramo imobiliário (Dean, s.d.: 124). Henrique, formado em engenharia agronômica pelo Instituto Agrícola de Gembloux, na Bélgica, era proprietário de uma área de 150 alqueires na várzea do rio Pinheiros, na confluência com o rio Tietê, distante doze quilômetros do centro da cidade. Ele projeta e constrói um bairro industrial com lotes de grandes dimensões e sistema viário completo. Prevê a construção de bairros residenciais para os operários e um horto florestal. O centro industrial do Jaguaré se beneficiaria dos laboratórios de pesquisa tecnológica e de ensaios do vizinho campus da Universidade de São Paulo, e seria servido tanto pelo transporte ferroviário com ramais em bitola dupla para os lotes industriais — que permitia a conexão com as ferrovias em operação naquele período, Central do Brasil, São Paulo Railway, Paulista e Sorocabana —, como para as novas estradas de rodagem para Campinas e para Curitiba. Fotos do centro industrial com a infraestrutura viária e ferroviária implantada e as casas construídas do bairro residencial operário aparecem no livro de Dumont Villares (1946).

O empreendimento industrial na várzea do rio Pinheiros não era uma iniciativa imobiliária isolada. A Light detinha a concessão para desapropriar os terrenos ao longo do rio Pinheiros para a construção do canal, obra ligada à reversão das águas do rio, à formação da represa Billings e à estação de provisão de energia elétrica em Cubatão. A construção do canal proporcionava uma solução de provisão de água para geração de energia elétrica e abria uma nova fronteira de expansão urbana. Havia uma articulação entre as atividades imobiliárias da Light e os serviços de eletricidade e de transporte urbano, seja pela aquisição dos direitos de passagem das linhas de transmissão de energia ou para a implantação dos trilhos dos bondes, seja pelo direito de desapropriar terrenos para a instalação de subestações de transmissão, garagens de bondes e reservatórios.

Sem dúvida, o negócio imobiliário de maior porte envolveu estes terrenos ao longo do rio Pinheiros. Desde que obteve a concessão para desapropriar as terras da várzea inundável do rio, a Light foi negociando com os proprietários de forma muitas vezes conflituosa e com métodos duvidosos. A demarcação de um perímetro de enchente máxima, que definia o limite para a aquisição pela Light, foi objeto de grande controvérsia. Seabra (1986) interpreta que estes limites foram favoráveis à companhia, que utilizou a capacidade de controle do fluxo de água através da abertura de comportas. Ao final da década de 1940, a companhia havia adquirido 2.078 hectares na várzea do Pinheiros, dos quais 1.890 hectares correspondiam a negociações de terras e 188 hectares ao velho leito do rio. Do total adquirido, apenas 402 hectares foram utilizados em obras de infraestrutura do canal, das linhas de transmissão, da ferrovia e das avenidas. O restante, cerca de 1.676 hectares, eram reservas de terra nas mãos da companhia. O contrato da Light com o governo do Estado de São Paulo para a construção do sistema de energia previa que se colocasse a disposição todo o excesso de terra dentro dos limites da várzea do rio Pinheiros, após ter completado o trabalho de aprofundamento e alargamento do canal com a finalidade do controle de enchentes e provimento de energia. A várzea era ainda uma barreira ao processo de urbanização e extensão da cidade.

Em agosto de 1949, a Light contrata o IBEC Technical Services Corporation, escritório técnico de propriedade de Nelson Rockefeller, para planejar o aproveitamento das terras adjacentes ao canal do rio Pinheiros. O escritório técnico era uma extensão do IBEC (International Basic Economy Corporation), uma das empresas que Rockefeller havia estabelecido no Brasil após a Segunda Guerra.

A extensão das atividades intermediadas pelo IBEC revela o interesse que o Brasil representava como mercado potencial para as empresas americanas. No setor de implementos agrícolas, produção de sementes, adubos, máquinas. No setor agroindustrial, café solúvel e leite em pó. No setor financeiro, pela criação de fundos mútuos, e no setor de abastecimento, pela organização do comércio varejista através da implantação de supermercados. Subsidiando estes negócios e realizando estudos de viabilidade técnica e financeira, é formado o escritório IBEC Tech.

O urbanista americano Robert Moses,[4] contratado pelo IBEC para realizar os estudos para a Light, propõe a organização de uma empresa para adquirir os direitos de propriedade e viabilizar o planejamento e desenvolvimento da área ao longo do canal. "Parece possível obter o acordo para o necessário controle de terras ao longo do canal sem precisar pedir ao Estado para exercer o direito de declarar de utilidade pública (*eminent domain*) em favor da empresa para o desenvolvimento do canal."[5] Ações deveriam ser garantidas aos pequenos proprietários e a Light seria responsável pelo empreendimento que incluía a compra de terra, a dragagem e disposição das terras para a abertura do canal, o custo da ferrovia, avenidas expressas, pontes e outros melhoramentos. Ele levanta a possibilidade da Light levantar empréstimos junto ao World Bank e ao Export Import Bank para cobrir as despesas iniciais para aquisição das terras.

---

[4] Robert Moses atuou na administração da região de Nova York do início da década de 1930 ao final dos anos 1960. Figura central na transformação urbana da região, coordenou um número significativo de obras públicas, desde a construção de piscinas e escolas no período do New Deal, conjuntos habitacionais no pós-guerra e as grandes *express ways* — pontes e viadutos que se por um lado articularam os cinco *boroughs* da região de Nova York, também derrubaram quadras inteiras e foram responsáveis pela descaracterização e deterioração de partes importantes de bairros no Bronx, em Queens e no Brooklyn.

[5] A *Letter of Agreement* entre o IBEC e a Light data de 3 de agosto de 1949, conforme memorando dirigido por Robert Moses a Nelson Rockefeller em 20 de janeiro de 1950. Folder IBEC Technical Services, Box 5, AIA IBEC Series, RG 4 (NAR Personal), Rockefeller Family Archives, RAC.

A leitura dos contratos e da correspondência entre as partes interessadas revela o IBEC funcionando como um canal de informação sobre a esfera política e técnica local. A forma de atuação através de projetos, planos e contratos para a intermediação de interesses entre empresas brasileiras, empresas americanas e órgãos públicos revela uma nova lógica de atuação, expondo e explicitando a arena de interesses econômicos.

Em 1950, a Prefeitura contrata através da IBEC Tech o Programa de Melhoramentos Públicos para São Paulo. Henrique Dumont Villares teve um papel importante tanto na aprovação dos recursos pela Câmara (*Anais da Câmara Municipal de São Paulo*, 1950: 384) na contratação de uma empresa estrangeira para elaborar o programa, como na provisão de meios para o funcionamento da equipe de consultores em São Paulo. Era amigo pessoal de Nelson Rockefeller e de Robert Moses, contratado para coordenar o plano. O Programa de Melhoramentos é o primeiro plano elaborado por um urbanista estrangeiro para a cidade. Sob o ponto de vista urbanístico, o Programa pode ser considerado em uma linha de continuidade com o Plano de Avenidas elaborado por Prestes Maia em 1930, ao enfatizar mais uma vez como solução para São Paulo o transporte sobre pneus. Porém, o sistema proposto de vias expressas mais largas e construídas de forma independente do sistema existente, evitando cruzamentos, incidia de forma radical e com enorme capacidade de destruição nos bairros consolidados que elas atravessariam. Articuladas ao sistema de rodovias, permitiam uma nova escala de circulação viária para a cidade. Duas questões abordadas no Plano — a indicação de compra de ônibus para suprir o transporte coletivo da cidade, e a proposta de formação de uma corporação, com a participação da Light Tramway and Power, para urbanizar as terras ao longo do canal do rio Pinheiros — revelam não se tratar apenas de um plano urbanístico, mas de abertura à possibilidade de um campo de negócios entre as empresas estrangeiras, os empresários nacionais e a municipalidade.

Conclusões

O estudo da cidade de São Paulo, tendo como fio condutor a presença múltipla e diferenciada dos estrangeiros, heterogênea tanto na inserção urbana como nas redes de relações que estabelecem, permite desvendar processos e dinâmicas muitas vezes complementares.

Na produção de serviços urbanos a partir do final do século XIX, o empresário nacional, a um tempo agrícola e urbano, conforme definição de

Flavio Saes (1986), é substituído pelo empresário estrangeiro. Para atuar no Brasil, os empresários estrangeiros fazem uso de expedientes novos, e encontram nos meios políticos e técnicos elementos dispostos a se associarem a eles e, possivelmente, a defender seus interesses. Observa-se, entretanto, no decorrer da primeira metade do século XX, mudanças no sentido de uma crescente explicitação e regulação nas formas de funcionamento. A implantação da Light, no início do século, e as investidas que utilizou para garantir o monopólio no fornecimento de transporte e energia, são ilustrativas desse primeiro período. A contratação da IBEC Tech para estudar a viabilidade técnica e financeira de formação de uma empresa de urbanização aponta para novas formas de atuação no decorrer da primeira metade do século XX.

O universo de trabalho que se constrói no Bom Retiro, constituído por pequenos negócios por conta própria, associando produção e comercialização, é o elemento de permanência no contínuo movimento de entrada e saída de imigrantes desde o final do século XIX. A cadeia produtiva que se organiza no bairro entre os anos 1920 e 40 define um processo de transferência de negócios entre os grupos de imigrantes. Esse processo passa a conformar a singularidade das relações socioespaciais do bairro. De modo geral, transferências de negócios se observam através da reprodução de gerações por laços de solidariedade familiares.

A presença dos estrangeiros que conferem identidade ao bairro, em diferentes momentos, não significa a predominância quantitativa deste grupo, mas a capacidade que teve, a partir de suas experiências e características comuns, de conferir ao lugar uma identidade decorrente da predominância de suas atividades e dos controles exercidos sobre elas. Ao mesmo tempo, sinaliza para a compreensão de um bairro marcado pela heterogeneidade interna e não apenas externa, como são habitualmente percebidos os bairros centrais onde a presença estrangeira é destacada.

Nesse sentido, ganha relevância a compreensão do papel de instituições ligadas a estrangeiros como fatores de estruturação de territorialidade. Por outro lado, as trocas entre os vários grupos que convivem e se sucedem no bairro sinalizam a superação da etnicização como explicação para a dinâmica deste território. Também em relação à atividade econômica — a indústria e comércio de confecções — a etnicização não se sustenta como explicação. As condições que impulsionam a emigração e as oportunidades oferecidas para imigração, assim como a conjuntura econômica do Brasil, em geral, e de São Paulo, em particular, têm papel determinante.

A análise das obras de infraestrutura viária e de transportes implantadas desde a passagem do século XIX favoreceram três processos que se deram de forma articulada: a acessibilidade à área central, a integração entre os bairros e a expansão para a periferia. Esta dinâmica marca a estruturação de São Paulo no decorrer do século XX, e pode se afirmar que se mantém como processo no início do século XXI. Como resposta às mudanças econômicas, é produzida a infraestrutura necessária para a localização da indústria e do comércio em expansão, e a integração da cidade com a região. A escala desta infraestrutura acompanha a dinâmica de crescimento da cidade.

No Bom Retiro, as transformações na materialidade do bairro, ao mesmo tempo que estão em sintonia com a dinâmica das transformações de larga escala em curso em São Paulo, adquirem um caráter particular. As transformações no bairro se caracterizam pela não adesão exclusiva à lógica dominante na cidade, apoiada no binômio demolição/reconstrução. Prevalece um processo de sucessivas apropriações de uma mesma estrutura física. O intenso movimento de adequação do bairro à dinâmica econômica dos anos 1920 aos 40 revela que os estrangeiros se instalam no construído, no existente, configurando a permanência do tecido urbano — aqui entendido como a base física e o tecido social. Ou seja, ao mesmo tempo em que a atuação dos judeus no bairro gera um conjunto de transformações na materialidade do bairro e na estrutura da propriedade fundiária, permanecem e se potencializam processos preexistentes desde a formação do bairro.

Cabe assinalar, ainda, que a expansão da área urbanizada e a localização na periferia da cidade das habitações dos trabalhadores é impulsionada pela substituição gradativa do sistema de transporte coletivo. O transporte por ônibus, no início complementar, substitui gradativamente o bonde. Se, por um lado, torna possível o deslocamento mais articulado entre bairros e se estende para a periferia, por outro lado o faz em níveis extremamente precários em tempo de deslocamento, frequência e segurança quando comparados a outros meios de transportes de massa, como por exemplo o metrô e o bonde subterrâneo. A casa alugada e o cortiço, que nas primeiras décadas foram a forma dominante da habitação da população de baixa renda, continuam a predominar nos bairros centrais, enquanto que na periferia se difunde como principal alternativa a autoconstrução.

BIBLIOGRAFIA

ARAÚJO, Oscar Egídio de (1940). "Enquistamentos étnicos". *Revista do Arquivo Municipal*, vol. LXV, São Paulo, março.

AZEVEDO, Aroldo (org.) (1958). *A cidade de São Paulo: estudos de geografia urbana.* São Paulo: Companhia Editora Nacional. 4 vols.

BALLON, Hilary; JACKSON, Kenneth (orgs.) (2007). *Robert Moses and the Modern City: The Transformation of New York.* Nova York: W. W. Norton.

BANDEIRA JR., Antonio Francisco (1901). *A indústria no Estado de São Paulo em 1901.* São Paulo.

BLAY, Eva (1985). *Eu não tenho onde morar: vilas operárias na cidade de São Paulo.* São Paulo: Nobel.

BOSI, Eclea (1979). *Memória e sociedade: lembranças de velhos.* São Paulo: T. A. Queiroz.

BROEHL, Wayne G. (1968). *United States Business Performance Abroad: The Case Study of the International Basic Economy Corporation.* Nova York: National Planning Association.

BRUNO, Ernani da Silva (1984). *História e tradições da cidade de São Paulo*, vol. III. São Paulo: Hucitec, 3ª ed.

CANO, Wilson (1977). *Raízes da concentração industrial em São Paulo.* São Paulo: Difel.

CALABI, Donatella; BOTTIN, J. (1999). *Les étrangers dans la ville.* Paris: Éd. de la Maison des sciences de l'homme.

CARONE, Edgard (2001). *A evolução industrial de São Paulo (1889-1930).* São Paulo: Senac.

CASTRO, Ana Célia (1979). *As empresas estrangeiras no Brasil 1860-1913.* Rio de Janeiro: Zahar.

DEAN, Warren (s.d.). *A industrialização de São Paulo.* São Paulo: Difel, 2ª ed.

DEPARTAMENTO ESTADUAL DE ESTATÍSTICA (1947). "Catálogo das Indústrias do Município da Capital". São Paulo: Tipografia Brasil/Rothschild Loureiro & Cia. Ltda.

DERTONIO, Hilário (1971). *O bairro do Bom Retiro.* São Paulo: Secretaria Municipal de Cultura/PMSP.

ELETROPAULO (1986). "O metrô da Light". In: *História e energia.* São Paulo: Departamento de Patrimônio Histórico da Eletropaulo.

FALBEL, Nachman (1999). "Instituições comunitárias de ajuda e amparo ao imigrante israelita: da sociedade das damas israelitas a Unibes". Parte de monografia/livro.

FAUSTO, Boris (1997). *Negócios e ócios: histórias da imigração em São Paulo.* São Paulo: Companhia das Letras.

_____ (1991). *Historiografia da imigração para São Paulo.* São Paulo: Editora Sumaré/Fapesp.

FELDMAN, Sarah (2004). "São Paulo: qual centro?". In: SCHICCHI, M. C.; BENFAT-TI, D. (orgs.). *Urbanismo: dossiê São Paulo-Rio*. Campinas: Óculum.

_____ (2008). "Permanence of Urban Fabric and Movement of Foreigners". Proceedings of XIII International Planning History Society Conference, Chicago, Illinois.

FERNANDES, Ana (1986). "Bairros centrais industriais de São Paulo: uma primeira aproximação". *Espaço e Debates*, n°17, São Paulo, NERU, pp. 67-78.

FILLARDO, Ângelo (1998). "Territórios da eletricidade: a Light em São Paulo e o projeto da Serra de Cubatão". Dissertação de Mestrado, FAU-USP, São Paulo.

GABACCIA, Donna (1992). "Little Italy's Decline: Immigrant Renters and Investors in a Changing City". In: WARD, D.; ZUNZ, O. *The Landscape of Modernity: Essays on New York City, 1900-1940*. Nova York: Russell Sage Foundation, pp. 235-51.

GATTAI, Zelia (1980). *Anarquistas, graças a Deus*. São Paulo: Record.

GREEN, Nancy (1997). *Ready-to-Wear and Ready-to-Work: A Century of Industry and Immigrants in Paris and New York*. Durham: Duke University Press.

HALL, Michael (2004). "Imigrantes na cidade de São Paulo". In: PORTA, Paula (org.). *História da cidade de São Paulo: a cidade na primeira metade do século XX*. São Paulo: Paz e Terra.

KNOWLTON, Clark (1950). *Sírios e libaneses: mobilidade social e espacial*. São Paulo: Anhembi.

KOWARICK, Lúcio; ANT, Clara (1988). "Cem anos de promiscuidade: o cortiço na cidade de São Paulo". In: KOWARICK, Lúcio (org.). *As lutas sociais e a cidade*. São Paulo: Paz e Terra.

LAGENEST, Barruel H. D. (1962). "Os cortiços de São Paulo". *Anhembi*, vol. XLVIII, n° 139.

LANGENBUCH, Juergen Richard (1971). *A estruturação da Grande São Paulo: estudo de geografia urbana*. Rio de Janeiro: Instituto Brasileiro de Geografia, Departamento de Documentação e Divulgação Geográfica e Cartográfica.

LEBRET, J. L. (1947). "Sondagem preliminar a um estudo sobre a habitação em São Paulo". *Revista do Arquivo Municipal*, n° 139-140.

LEME, Maria Cristina da Silva (1990). "Revisão do *Plano de Avenidas*: um estudo do planejamento urbano em São Paulo, 1930". Tese de Doutorado, FAU-USP, São Paulo.

_____ (2008). "The Role of Foreign Experts — Robert Moses and the International Basic Economic Corporation — in Transforming the Latin American Modern Cities". Proceedings of XIII International Planning History Society Conference, Chicago, Illinois.

LEPETIT, Bernard (1992). "Arquitetura, geografia, história: usos da escala". In: SALGUEIRO, Heliana (1996). *Por uma nova história urbana*. São Paulo: Edusp.

LEVIN, Eliezer (1972). *Bom Retiro*. São Paulo: Perspectiva.

MACEDO, Gilma M. R. de Almeida (2005). "História da cooperativa de crédito popular do Bom Retiro: primeiras incursões". Dissertação de Mestrado, FFLCH-USP, Departamento de Letras Orientais, São Paulo.

MALERONKA, Wanda (2007). *Fazer roupa virou moda: um figurino de ocupação da mulher, 1920-1950*. São Paulo: SENAC.

MANGILI, Liziane Peres (2009). "Transformações e Permanências no Bom Retiro: 1930-1954". Dissertação de Mestrado, EESC-USP, Departamento de Arquitetura e Urbanismo, São Carlos.

MELO, Marcus André (1992). "O Estado, o boom do século e a crise da habitação: Rio de Janeiro e Recife (1937-1946)". In: FERNANDES, Ana; GOMES, Marco Aurélio (orgs.). *Cidade e História*. Salvador: Universidade Federal da Bahia.

MIZRAHI, Raquel (2003). *Imigrantes judeus do Oriente Médio: São Paulo e Rio de Janeiro*. São Paulo: Ateliê.

MOORE, Deborah Dash (1992). "On the Fringe of the City: Jewish Neighborhoods in Three Boroughs". In: WARD, D.; ZUNZ, O. *The Landscape of Modernity: Essays on New York City, 1900-1940*. Nova York: Russell Sage Foundation, pp. 252-72.

MORSE, Richard M. (1954). *De comunidade a metrópole: biografia de São Paulo*. Comissão do IV Centenário.

MOSES, Robert (1950). "Programa de Melhoramentos Públicos para a Cidade de São Paulo (Program of Public Improvements)". Nova York: IBEC.

POVOA, Carlos Alberto (2007). "A territorialização dos judeus na cidade de São Paulo-SP: a migração do Bom Retiro ao Morumbi". Dissertação de Mestrado, FFLCH-USP, Departamento de Geografia, São Paulo.

PRESTES MAIA, Francisco (1930). *O Estudo de um Plano de Avenidas para a cidade de São Paulo*. São Paulo: Melhoramentos.

SAES, Flavio Azevedo Marques (1986). *A grande empresa de serviços públicos na economia cafeeira de São Paulo*. São Paulo: Hucitec.

SAGMACS — Sociedade para Análise Gráfica e Mecanizada dos Complexos Sociais (1958). *Estrutura urbana da aglomeração paulistana: estruturas atuais e estruturas racionais*. São Paulo: SAGMACS.

SALVI, Ana Elena (2005). "Cidadelas da civilização: políticas norte-americanas no processo de urbanização brasileira com ênfase na metropolização paulistana dos anos 1950 a 1969". Tese de Doutorado, FAU-USP, São Paulo.

SAMPAIO, Maria Ruth do Amaral (1994). "O papel da iniciativa privada na formação da periferia paulistana". *Espaço e Debates*, nº 37, São Paulo.

SANTOS, Márcio Pereira (2000). "O Bom Retiro: uma paisagem paulistana". Dissertação de Mestrado, FFLCH-USP, São Paulo.

SEABRA, Odete (1995). "Enchentes em São Paulo: culpa da Light?". In: *Memória*. São Paulo: Departamento de Patrimônio Histórico da Eletropaulo.

SILVA, Janice Theodoro (1984). *São Paulo, 1554-1880: discurso ideológico e organização espacial*. São Paulo: Moderna.

SINGER, Paul (1974). *Desenvolvimento econômico e evolução urbana*. São Paulo: Companhia Editora Nacional.

SIQUEIRA, Uassyr de (2002). "Clubes e sociedades dos trabalhadores do Bom Retiro: organização, lutas e lazer em um bairro paulistano (1915-1924)". Dissertação de Mestrado, IFCH-Unicamp, Departamento de História, Campinas.

SIMMEL, George (1983). "O estrangeiro". In: MORAES FILHO, Evaristo de (org.). *Simmel*. São Paulo: Ática.

SOMEKH, Nadia (1997). *A cidade vertical e o urbanismo modernizador*. São Paulo: Edusp/Nobel/Fapesp.

SOYER, Daniel (2001). *Jewish Immigrant Associations and American Identity in New York, 1880-1939*. Detroit: Wayne State University Press.

TRUZZI, Oswaldo (2001). "Etnias em convívio: o bairro do Bom Retiro em São Paulo". *Estudos Históricos*, n° 28, Rio de Janeiro, pp. 1-24.

TOLEDO, Benedito Lima de (1981). *São Paulo: três cidades em um século*. São Paulo: Duas Cidades.

VELTMAN, Henrique (1996). *A história dos judeus em São Paulo*. São Paulo: Expressão e Cultura.

VILLARES, Henrique Dumont (1946). *Urbanismo e indústria em São Paulo*. São Paulo: Edição do Autor.

WARD, David (1971). *Cities and Immigrants: A Geography of Change in Nineteenth-Century America*. Nova York/Londres: Oxford University Press.

ARQUIVOS E ACERVOS CONSULTADOS

New York Public Library, Manuscripts and Archives Section

Columbia University, Butler Library, City and Regional Planning Recorded Interviews

Rockefeller Archives Center

Anais da Câmara Municipal de São Paulo

Acervo da Fundação Energia e Saneamento — AES Eletropaulo (contratos e correspondência)

Acervo da Cooperativa de Crédito Popular do Bom Retiro

Arquivo da Fundação Telefônica (Museu do Telefone)

Arquivo João Baptista de Campos Aguirra do Museu Paulista da USP

Arquivo SIURB — Secretaria Municipal de Infraestrutura Urbana e Obras da Prefeitura Municipal de São Paulo

Arquivo de Processos da Prefeitura Municipal de São Paulo

Arquivo do Estado de São Paulo (acervo microfilmado)

Arquivo Histórico Judaico do Brasil

Departamento do Patrimônio Histórico da Prefeitura Municipal de São Paulo

Maria Cristina da Silva Leme e Sarah Feldman

Parte II
TRABALHO E PRODUÇÃO

6

Cidades-regiões
ou hiperconcentração do desenvolvimento?
O debate visto do Sul[1]

Alvaro Comin

A literatura sobre as grandes cidades (*city-regions* tem sido o termo mais ecumênico, *global-cities* o mais restrito à "elite" das grandes cidades mundiais) sustenta que elas são o centro do desenvolvimento econômico atual. Apesar da diversidade de perspectivas teóricas e disciplinares, duas ideias-força são recorrentes neste debate. A primeira diz respeito à perda de importância dos Estados Nacionais, por força dos processos de globalização e integração produtiva entre as várias regiões do planeta, que conferiu às principais aglomerações urbanas o lugar central de articulação da economia global, que hoje se organizaria sob a forma de uma constelação de cidades de níveis hierárquicos variados. Mesmo internamente às nações, as desigualdades entre as cidades-regiões deveriam ser buscadas em suas próprias diferenças:

> "Os estudos sobre competitividade e desenvolvimento econômico sempre tenderam a concentrar seu foco nas nações como unidades de análise e nos atributos e políticas nacionais como seus principais vetores. Como os cientistas regionais e os geógrafos econômicos há muito perceberam, entretanto, existem diferenças substanciais de desempenho entre as regiões em virtualmente todas as nações. Isso sugere que muitos dos determinantes essenciais do desempenho econômico devem ser buscados no âmbito regional" (Porter, 2003: 550; tradução do autor).

---

[1] O autor agradece a Alexandre Abdal, Bruno Komatsu, Carlos Eduardo Torres Freire e Maria Carolina Oliveira, colegas do Cebrap, pelo auxílio no processamento de dados e preparação de tabelas e, sobretudo, pela colaboração no desenvolvimento das ideias aqui contidas.

A segunda ideia-força (logicamente articulada à primeira, porém com estatuto teórico e empírico próprio) explora a morfologia interna das economias urbanas procurando demonstrar que, por sua escala e concentração de recursos modernos (mormente aqueles descritos como intensivos em tecnologia e conhecimento), elas são o centro das atividades mais inovadoras e capazes de produzir os movimentos shumpeterianos de destruição criativa responsáveis pela evolução da economia em escala nacional e mundial:

> "As cidades-regiões são as locomotivas das economias nacionais nas quais estão situadas, sendo os lugares onde se concentram massas de atividades econômicas inter-relacionadas, que tipicamente apresentam elevados índices de produtividade por força de suas economias de aglomeração e seu potencial inovador. Em muitos países avançados, as evidências são de que as maiores áreas metropolitanas vêm crescendo mais aceleradamente do que as outras áreas do território nacional, mesmo naqueles países onde, nos anos 1970, parecia prevalecer um padrão de crescimento não metropolitano. Em países menos desenvolvidos, também, como o Brasil, a China, a Índia e a Coreia do Sul, os efeitos da aglomeração sobre a produtividade são evidentes e o crescimento econômico tipicamente caminha a uma taxa maior nas grandes áreas metropolitanas. Essas mesmas regiões metropolitanas são, ao mesmo tempo, os centros do crescimento nacional e os lugares nos quais a industrialização voltada às exportações tem maiores chances de se desenvolver" (Storper e Scott, 2003: 581, tradução do autor).

Como definem Duranton e Puga (2005), estas cidades transitam de um padrão de "especialização setorial" (sedes de aglomerações de cadeias industriais), para um padrão de "especialização funcional", baseado em atividades terciárias de comando e suporte, que "servem" às cadeias de produção já não mais situadas em seu território. A literatura em questão comporta um sem número de controvérsias, mas de modo geral as premissas acima enunciadas são comuns à maioria dos estudos de referência.

Neste artigo pretendemos apontar alguns dos limites destas ideias-força, utilizando como suporte empírico o desenvolvimento da cidade de São Paulo. Nosso argumento central é o de que não se pode entender a dinâmica das grandes cidades (pelo menos em países como o Brasil) senão tendo como referência a dinâmica de seus contextos nacionais. Elevados níveis de concentração regional da riqueza, em outras palavras, elevados níveis de desigualdades regionais (tão comuns nos chamados países em desenvolvimento), não podem ser explicados apenas pela disposição de recursos naturais ou pela localização geográfica; tão pouco por fatores meramente "culturais". Na maioria dos casos estas desigualdades são também o produto de políticas dos estados nacionais guiadas por várias formas de "racionalidade", como as disputas entre elites regionais, a força dos interesses estrangeiros, os imperativos (reais ou fictícios) de segurança nacional e até mesmo pela racionalidade "estritamente econômica".

As teorias econômicas oferecem muitas e convincentes explicações para o fato de que mesmo os processos mais "imateriais" de produção tendem a se aglomerar no espaço: escala e escopo de produtos, disposição sobre infraestrutura e força de trabalho especializada, proximidade cultural e cognitiva, entre outras. Essa racionalidade econômica certamente não escapou aos estados nacionais, especialmente aqueles usualmente chamados de estados desenvolvimentistas, como o Japão, a Coreia do Sul e, claro, a China. Com o Brasil e outros países latino-americanos também não foi diferente.

Desenvolvimento "tardio", atraso e escassez de poupança doméstica são boas razões para concentrar os melhores recursos de uma nação em um número muito limitado de lugares, a fim de obter escala, escopo e todas as vantagens aglomerativas bem descritas pela teoria econômica regional. E esta racionalidade parece "funcionar", na medida em que estes países de fato se desenvolveram, alguns de forma espetacular, a ponto de suas cidades centrais (como Tóquio, Seul, Taipei e Xangai) figurarem hoje na galeria das mais modernas e globalizadas.

Mas em muitos casos, a estratégia de hiperconcentração produziu elevados níveis de desigualdade regional, assim como profundas desigualdades internas nestes espaços centrais. Muitos apostaram que mudanças nos modelos de desenvolvimento dos países mencionados, como a abertura comercial, induziriam naturalmente à reversão do viés concentrador. No Brasil dos anos 1990, provavelmente por força do baixo dinamismo econômico, isto é, das baixas taxas de crescimento do produto, a despeito das reformas liberais, as mudanças neste aspecto foram tímidas ou simplesmente não ocorreram (Comin e Amitrano, 2005). Na presente década, as regiões mais pobres têm crescido mais rapidamente do que as mais ricas, em parte como resultado das políticas sociais que induziram a aceleração do consumo, em parte como efeito da demanda externa por produtos primários, em parte por investimentos estatais em infraestrutura e certamente outros fatores poderiam ser acrescidos. Mas o fato é que as atividades mais modernas, tanto as industriais quanto as de serviços, continuam fortemente concentradas nas mesmas regiões do Sul-Sudeste e, em especial, no Estado de São Paulo, ainda muito próximas de sua área metropolitana e, portanto, de sua capital. Alguns dados são apresentados neste artigo e há muita pesquisa acadêmica a sustentar esta afirmação. E a reversão desta tendência recente em favor das regiões mais pobres não está de forma alguma descartada, caso o ciclo de crescimento econômico nacional se mantenha em aceleração, como se projeta atualmente. Estudo recente da MB Associados, publicado no jornal O *Estado de S. Paulo*, em 20 de junho de 2010 (pp. B1 e B3) sugere que o vetor de crescimento apoiado em transferências de renda, que manteve a Região Nordeste em ritmo bem mais acelerado do que a Sudeste, entre 2003 e 2008, já dá sinais de inversão em favor do maior dinamismo dos investimentos privados nesta última, com destaque para o Estado de São Paulo.

O argumento de que o Estado nacional é ainda o ator chave para explicar (e transformar) o perfil das desigualdades regionais é desenvolvido neste artigo em duas direções. A primeira aponta para o fato de que a enorme concentração demográfica, de ativos produtivos e de riqueza em São Paulo é produto direto do "estilo" concentrador do desenvolvimento brasileiro, devendo-se em boa medida ao acúmulo histórico de políticas direta ou indiretamente patrocinadas pelo Estado nacional brasileiro. A segunda segue o percurso inverso e busca entender os efeitos da centralidade de São Paulo sobre o dinamismo da economia brasileira e sobre as desigualdades regionais. A enorme concentração de ativos na região (capital, força de trabalho, infraestrutura física e de conhecimento) a qualifica, potencialmente, como centro de irradiação de influxos modernizantes sobre o restante da economia nacional (o agente shumpeteriano), mas isto ainda está por ser demonstrado empiricamente, sob pena de assumirmos como conclusão o que é apenas uma premissa proveniente da literatura internacional.

Na segunda seção deste artigo, que se segue a esta introdução, desenvolvemos, por meio de uma sucinta retrospectiva histórica, a trajetória de São Paulo, destacando que a enorme concentração do desenvolvimento nacional nesta região foi uma combinação de elementos "locais", gestados principalmente a partir do final do século XIX (pela propagação da cafeicultura), com o estímulo e o planejamento por parte do Estado nacional, a partir do mesmo período. Frisa-se aqui a importância que a dinâmica nacional teve para o desenvolvimento da cidade.

Na terceira seção, tomamos como eixos de análise das transformações recentes por que passa a economia da cidade três tópicos recorrentes no debate sobre as economias das grandes cidades, a saber, a) a natureza setorial da economia da região; b) a extensão de seu campo aglomerativo; e c) suas funções como espaço de inovação e circulação de conhecimento. Em sentido inverso ao da seção anterior, frisa-se aqui a ampla centralidade que a região tem para o funcionamento e o dinamismo da economia nacional, o que em outros termos significa que ela não é apenas maior, mas qualitativamente distinta e única no cenário brasileiro.

Por fim, nas conclusões, exploramos algumas das ambivalências da hiperconcentração urbana do desenvolvimento em países como o Brasil, sugerindo que ela tanto "resolve" (ou mitiga) o problema da escassez de ativos mais nobres (como força de trabalho de elevada qualificação, redes de empresas de serviços especializados, densidade de instituições financeiras, universidades etc.); quanto prolonga as intensas desigualdades regionais e aprofunda a dinâmica de segregação socioespacial dentro destas grandes áreas metropolitanas.

O PAÍS E A CIDADE

Ao contrário da maior parte das cidades europeias e asiáticas, cujo surgimento precede em muito ao dos estados nacionais a que pertencem, no Brasil as cidades são produto da colonização e de múltiplos processos migratórios. O emprego maciço da força de trabalho escrava africana marcará profundamente (e até os dias de hoje) a distribuição regional do desenvolvimento econômico e, em particular, a formação dos mercados de trabalho urbanos, sem os quais o processo de transformação capitalista não ocorre.

Como bem se sabe, embora tendo sido fundada logo no início da colonização portuguesa, a cidade de São Paulo permanecerá como um pequeno e pouco importante entreposto comercial até quase o fim do século XVIII. Foi só com a expansão da cultura do café pelas terras que hoje compõem o interior do Estado de São Paulo é que a cidade ganhou importância como sede das atividades comerciais e bancárias, impulsionadas, por sua vez, pela nova e extraordinariamente rentável cultura. O desenvolvimento da região se dá já nos quadros da transição do Brasil para a condição de nação independente e sob a clara perspectiva de extinção da escravidão. Por isso, desde muito cedo (pelos menos desde os anos 20 do século XIX), a região se tornou polo de atração de volumosa imigração internacional. A partir do século XIX e ao longo de quase todo o século XX, o Brasil (sendo São Paulo o principal destino) recebeu sucessivas levas de imigrantes de origens as mais variadas: italianos, espanhóis, alemães, poloneses, russos, sírios e libaneses, judeus, japoneses, coreanos, para mencionar os mais importantes em termos numéricos. No presente, a cidade continua sendo um polo de atração de imigração, agora, sobretudo, de sul-americanos, africanos e chineses, muito embora, dadas as dimensões atuais da cidade, o impacto destas novas ondas migratórias seja menor.

Assim, tão importante quanto a acumulação de capitais provenientes da exportação de café — que foi um dos elementos que ajudaram a desenhar o lugar da cidade no posterior processo de industrialização —, políticas imigratórias sustentadas tanto pelo Estado central quanto pelo regional induziram a formação precoce, para o contexto brasileiro, de um mercado de trabalho urbano livre, que foi um fator decisivo para que a cidade e a região se tornassem o centro de desenvolvimento de atividades em moldes capitalistas.

A riqueza gerada pelo café (que chegou a representar dois terços das receitas de exportação do país no início do século XX), e a menor dependência da mão de obra escrava colocaram São Paulo no centro do poder político quando se inicia o período republicano. As oligarquias regionais, cujo poder se fundava na escravidão, foram marginalizadas e sob a hegemonia das oligarquias cafeeiras de São Paulo o Estado brasileiro atuou intensamente para garantir a acumulação deste setor. Como também é bem sabido, no auge da recessão mundial iniciada em 1929, o governo brasileiro comprou e queimou quantidades astronômicas de café para manter a rentabilidade dos negócios, o que poderia perfeitamente ser descrito como uma fabulosa transferência de rendas com foco regional.

A Revolução de 1930, que em larga medida inventou o Brasil contemporâneo, marca o início do ciclo de industrialização por substituições de importações. Muitos dos novos investimentos foram feitos na região de São Paulo (incluindo infraestrutura, como transportes, telecomunicações e energia), onde se estabeleceram setores como siderurgia, refino de petróleo e petroquímica. A partir dos anos 1950, quando se inicia um longo ciclo de crescimento acelerado da economia brasileira, a área metropolitana de São Paulo é escolhida pelo governo central para sediar o complexo automobilístico, que foi um dos maiores motores deste ciclo nacional de crescimento. Outros importantes complexos industriais, como o da metal-mecânica, dos eletroeletrônicos, de linha branca, de plásticos e de bens de capital, por exemplo, também tenderam a se concentrar fortemente na região, dado que ali já se formava um amplo setor de fornecedores especializados, mão de obra qualificada para a indústria, instituições financeiras e a proximidade do mais importante porto brasileiro, em Santos. Assim que, entre os anos 1950 e os 1970, a Região Metropolitana de São Paulo respondia sozinha por mais da metade do produto industrial do país. Como o modelo de industrialização brasileiro (sempre capitaneado pelo Estado central) foi muito apoiado na atração de capital multinacional, o ambiente empresarial da cidade também se transformou, pela presença de grandes conglomerados industriais, principalmente norte-americanos, alemães, italianos, franceses e japoneses. Isso certamente contribui para dotar a cidade de um ambiente de negócios muito mais cosmopolita do que o resto do país.

Isso fez da cidade e de seu entorno o polo de atração por excelência para migrantes de todas as partes do país, gerando um crescimento exponencial da região. Uma vez mais, o Estado brasileiro, lançando mão de políticas fundiárias concentradoras, deu suporte ao adensamento da região Sudeste, em especial da Região Metropolitana de São Paulo. Entre 1950 e 2000, o Brasil viveu sua curva demográfica (a taxa de fecundidade recuou de 5,9 para 1,3 filhos por mulher) e se tornou um país urbano (a população vivendo em cidades passou de 36% para 81%) (Berquó, 2001). Esta transformação gigantesca foi ainda mais acentuada na cidade. Neste meio século, a população do país cresceu três vezes, a do Estado de São Paulo quatro vezes e a da cidade de São Paulo cinco vezes, passando esta de pouco mais de 2 milhões de habitantes em 1950 para mais de 10 milhões em 2000. A literatura brasileira dos anos 1960 e 70 tendeu a acentuar o caráter disfuncional da concentração urbana, mas autores como Francisco de Oliveira (Oliveira, 1972) e Lúcio Kowarick (Kowarick, 1975) já apontavam o quanto o adensamento populacional na cidade e na região metropolitana foram fundamentais para o ciclo de crescimento industrial acelerado vivido pelo país na década de 1970. A ampla disponibilidade de mão de obra e mesmo a existência de um vasto mercado informal de trabalho serviram de suporte à acumulação industrial hiperconcentrada.

A reversão do processo demográfico, no entanto, já se deu e hoje a cidade caminha para a estabilização de sua população. Vários fatores contribuem para isso: redução nos fluxos migratórios e seu redirecionamento para outras regiões de desenvolvimento mais recente; o elevado custo de vida e a explosão dos preços da terra na cidade; e a redução na demanda por mão de obra de baixa qualificação. A cidade hoje cresce pouco e tende a expulsar as populações de mais baixa renda para os municípios em seu entorno, gerando um novo tipo de segregação espacial da pobreza.

O que se pretende mostrar com esta digressão histórica é que se a cidade de São Paulo é hoje um polo urbano razoavelmente cosmopolita e internacionalizado, onde se concentram os setores mais intensivos em capital e conhecimento, isso se deve ao fato de o país como um todo ter canalizado muito de sua energia desenvolvimentista para a região. Num padrão mais ou menos típico de países em desenvolvimento, a hiperconcentração urbana atende ao imperativo de concentrar regionalmente os recursos nacionalmente escassos, como o capital para os investimentos produtivos, os serviços sociais e as instituições mais avançadas de ensino e pesquisa. Pode-se dizer que a estratégia de hiperconcentração "funcionou" na medida em que o país conseguiu dar o salto, tornando-se uma das dez maiores economias industriais do mundo. Mas ao custo de uma desigualdade regional e social que é proverbial há décadas. Historicamente, o processo de concentração tem sido cumulativo e se retroalimenta, como argumentamos a seguir, e assim como a concentração se deveu a políticas do Estado nacional, é difícil acreditar que as forças de mercado sozinhas, sem novos esforços provenientes do governo central, venham a revertê-la.

A CIDADE E O PAÍS

Retomando a citação ao trabalho de Storper e Scott feita no início deste artigo, a ideia de que as cidades-regiões — grandes áreas metropolitanas — são as "locomotivas" das economias nacionais contém três aspectos que merecem detalhamento, por se associarem mais de perto ao caráter das grandes cidades de países em desenvolvimento, São Paulo em particular. São eles: a) a importância da indústria manufatureira; b) a extensão do raio de gravitação destas cidades; e c) seu papel nos processos de inovação e incremento produtivo. O problema das relações entre o regional e o nacional será retomado nas conclusões.

Cidade pós-industrial?

As teses pós-industrialistas são antigas e têm muitas versões diferentes, mas basicamente convergem para a ideia de que o desenvolvimento presente, altamente intensivo em tecnologias informacionais, projeta as sociedades para economias baseadas cada vez mais na criação e circulação de bens imateriais, perdendo importância os processos manufatureiros. Esta tendência encontra nas grandes cidades o seu zênite. É claro que autores como Castells e Sassen sabem perfeitamente que o declínio das manufaturas — especialmente daquelas mais características da segunda revolução industrial — nos países muito ricos — Europa à frente — tem como contrapartida o colossal processo de industrialização vivido nas últimas décadas pelos países em desenvolvimento. Visto do "Sul", o que está em curso ainda parece ser

Alvaro Comin

uma vasta revolução industrial, menos do que o surgimento de uma economia pós-industrial, essencialmente terciária. Não que a chamada "nova economia" não se desenvolva nestes países — há muitos bons exemplos em contrário — mas ela não substitui o papel crucial que a indústria manufatureira desempenha e continuará desempenhando nas nações de desenvolvimento mais recente. Mas isso não impediu que se disseminasse no meio acadêmico, no senso comum e, o que é potencialmente mais grave, entre *policy makers* a associação entre metrópoles "modernas" e atividades terciárias, ou simplesmente a tese da metrópole terciária (Meyer, Grostein e Biderman, 2004). Vejamos, então, como a trajetória recente da cidade de São Paulo ilumina esta controvérsia.

Como já se expôs na seção 2, São Paulo foi o epicentro do processo de industrialização brasileira desde o seu início, nas primeiras décadas do século XX. Em meados dos anos 1950, a Região Metropolitana de São Paulo concentrava mais de 50% da produção industrial brasileira, com menos de 10% da população. A partir dos anos 1970, sob indução do governo federal, tem início um processo de desconcentração relativa da indústria, em paralelo com a expansão de novas fronteiras de desenvolvimento rumo ao centro-oeste e ao norte do país. Mesmo assim, hoje o Estado de São Paulo ainda concentra cerca de 40% da produção industrial brasileira. Isso porque as áreas limítrofes à região metropolitana estão entre as que mais avançaram industrialmente no país. Isso revela que os novos investimentos industriais, que a partir dos anos 1970 começam a evitar a cidade e mesmo seu entorno metropolitano, continuaram atraídos por ela, onde muitas das empresas de maior porte, multinacionais especialmente, mantêm suas sedes corporativas. Por isso, muitos especialistas brasileiros vêm há tempos falando na formação da macrometrópole de São Paulo, uma conurbação de perto de 30 milhões de habitantes, composta por quatro áreas metropolitanas limítrofes à de São Paulo (São José dos Campos, Campinas, Santos e Sorocaba) onde se concentram diversos tipos de indústria, das mais tradicionais às mais inovadoras.[2]

Cumpre adicionar que o Estado de São Paulo tem grande peso também em algumas das mais importantes cadeias de produção de bens primários para o mercado nacional e internacional; três delas merecem destaque pela proeminência que dão ao Brasil: o complexo da cana-de-açúcar (combustível para automóveis, energia elétrica, açúcar, ração animal, entre outros usos); suco de laranja (setor em que o Brasil é líder mundial) e carnes (idem), seto-

---

[2] Balanços recentes deste debate podem ser encontrados em Abdal (2009) e Matteo (2009).

res em que o país conta hoje com multinacionais de grande porte. Não há dúvida que a riqueza gerada por estes setores (que estão entre os que mais cresceram nos últimos anos no país) converge de variadas formas para a cidade de São Paulo. O mesmo se deve esperar das novas fronteiras marítimas de exploração de petróleo (parte delas localizadas no litoral do estado), que deverão reforçar o peso das cadeias química e petroquímica, já há muito um setor de peso na região (a maior refinaria de petróleo do país está localizada no município de Paulínia, na região de Campinas, e em torno dela se aglomeram grandes multinacionais dos setores de química fina).

Apesar do encolhimento relativo da indústria manufatureira na cidade em sua área metropolitana, esta continua sendo extremamente importante tanto para a economia local quanto para a nacional. Sobretudo ao longo dos anos 1980 e 90, esta indústria se reestruturou, adquirindo novas características: a utilização de espaços menores, o crescente recurso à subcontratação de serviços (de baixa ou de alta complexidade) e a manutenção na cidade de sedes e centros de P&D, enquanto suas plantas se mudam para outras regiões, especialmente para o entorno da cidade. A manufatura representa 22% do valor adicionado do município[3] e cerca de 16% do total do emprego da cidade, cifra bastante relevante (ver Tabela 1).

Tabela 1
ESTABELECIMENTO, EMPREGO E MASSA SALARIAL
SEGUNDO GRANDES SETORES ECONÔMICOS
Município de São Paulo, 1997 e 2005*

Setores de atividade	1997					2005				
	Estabelecimento		Emprego		MS	Estabelecimento		Emprego		MS
	n°	%	n°	%	%	n°	%	n°	%	%
Indústria de transformação	74.286	14,0	549.050	22,4	23,7	80.314	11,8	459.761	16,3	18,4
Serviços	219.241	41,2	1.250.324	51,0	57,8	277.766	40,7	1.578.478	55,9	61,1
Comércio	216.020	40,6	470.691	19,2	13,4	302.147	44,3	641.834	22,7	16,7
Construção civil	22.463	4,2	179.471	7,3	5,2	21.689	3,2	143.174	5,1	3,8
Total	532.010	100,0	2.449.536	100,0	100,0	681.916	100,0	2.823.247	100,0	100,0

*Em reais de 12/2006. Inflator: INPC/IBGE. Fonte: Rais/MTE. Elaboração Cebrap.

---

[3] Fundação Seade. PIB Municipal 2007.

Alvaro Comin

Mesmo setores tradicionais, como têxtil e confecções, se requalificaram, valorizando partes de maior valor agregado na cadeia produtiva, como o design e a moda. É interessante perceber como uma indústria tradicional como esta, mesmo com a competição de produtos importados da China e o deslocamento de plantas para o Nordeste brasileiro, continua forte na cidade, a despeito das forças de repulsão previstas pelas teorias aglomerativas (Kontic, 2007).

No que concerne aos serviços, algumas atividades se renovaram e outras surgiram. Por um lado, houve, de fato, um impulso com a terceirização em setores como segurança, alimentação, limpeza, parte da informática e contabilidade. E a exposição à dinâmica concorrencial do mercado forçou uma diversificação da pauta de serviços ofertados e dos clientes. Por outro lado, muitas novas atividades foram criadas, gerando uma complexa teia de subcontratações, como é o caso de certos nichos das telecomunicações, do setor de informática, do financeiro e de consultorias especializadas (em gestão, serviços jurídicos e publicidade). O surgimento de novos serviços a atenderem novas demandas, seja dos setores produtivos já existentes, seja do consumo potenciado pela concentração de famílias com elevada renda, depende igualmente de escala. Como se sabe desde Adam Smith, o aprofundamento da divisão social do trabalho depende diretamente da escala dos mercados e, nesse sentido, a concentração regional em um contexto de elevada desigualdade regional tende a ser cumulativa. Por isso a cidade ganha em participação nos setores de serviços sem deixar de ser industrial, ao contrário do que prescreve o debate sobre as megacidades (muito inspirado em situações empíricas dos países europeus).

Markusen e Schrock (2006), em estudos sobre as áreas metropolitanas norte-americanas, utilizam um sistema de classificação que se organiza em torno de duas definições polares: *especialização* e *diversificação*. Regiões especializadas são aquelas em que se destaca um conjunto limitado de atividades (que podem ser tanto industriais, caso de Detroit nos anos áureos da indústria automobilística; financeiras e comerciais, como Nova York; ou de serviços, como o cinema, a indústria de software e a indústria bélica em regiões da Califórnia). Regiões especializadas tipicamente produzem para mercados que estão além de suas fronteiras e por isso são exportadoras.[4] Regiões diversificadas são aquelas em que os diversos tipos de atividades se combi-

---

[4] O conceito de exportação pode ser apenas figurativo. Cidades turísticas ou especializadas em serviços de educação e medicina, por exemplo, produzem para outros, mas estes têm que consumir o produto localmente.

nam de maneira equilibrada (isto é, reproduzem a estrutura produtiva predominante nas áreas metropolitanas do país como um todo), destinando sua produção principalmente ao consumo local. Cidades especializadas tendem a ter elevada produtividade em setores específicos, por força dos ganhos de escala (as economias aglomerativas *marshalianas*), mas são muito mais vulneráveis aos ciclos de produtos; quando um produto perde importância ou é conquistado por novas regiões mais produtivas, as regiões nele especializadas podem entrar em declínio (foi exatamente o caso de Detroit, quando a indústria automobilística se desenvolveu em países como o Japão). Regiões diversificadas gozam da multiplicidade de competências produtivas (as vantagens de tipo *jacobianas*) e podem ser mais flexíveis para se reestruturar em face de mudanças globais.

Utilizando estes conceitos (ainda que com recursos metodológicos diferentes), Abdal realiza um exercício de caracterização das principais regiões metropolitanas brasileiras e conclui que a Região Metropolitana de São Paulo — e somente ela — se caracteriza por ser ao mesmo tempo especializada e diversificada. Utilizando uma classificação de atividades produtivas baseada em intensidade tecnológica, a região apresenta concentrações acima da média em quase todas as atividades de maior conteúdo tecnológico, sejam elas industriais ou de serviços. Entre as atividades mais intensivas em tecnologia e conhecimento destacam-se: microeletrônica, automação industrial, fabricação de equipamentos ópticos, equipamentos de informática, equipamentos médico-hospitalares, odontológicos e fármacos, desenvolvimento de software e consultoria em sistemas, telecomunicações, engenharia, publicidade, pesquisa, atividades financeiras, atividades de mídia, de educação e de saúde (Abdal, 2010).

Regiões metropolitanas como Curitiba e Campinas se destacam pela elevada concentração de indústrias mais modernas; o Rio de Janeiro em serviços intensivos em conhecimento (como serviços sociais, publicidade e mídia); e as regiões metropolitanas de Recife e Salvador se destacam especialmente pela concentração de atividades típicas do setor público.

No caso de São Paulo, os setores de serviços mais modernos são especialmente importantes e tendem a se destacar da indústria manufatureira, no sentido de que não são meros desdobramentos ou suportes desta. Concentram-se na cidade setores como o financeiro (bancos, corretoras e serviços relacionados), consultorias diversas (direito e gestão), a tecnologia da informação e, ainda, atividades de mídia ou da chamada economia criativa, como cinema, rádio, TV, jornalismo, publicidade, games e cultura (Torres-Freire, 2010).

Tabela 2
EMPREGO E MASSA SALARIAL SEGUNDO
INDÚSTRIAS DE ALTA E MÉDIA-ALTA INTENSIDADE TECNOLÓGICA
E SERVIÇOS INTENSIVOS EM CONHECIMENTO (SICs)
São Paulo, Rio de Janeiro, Belo Horizonte,
Porto Alegre, Recife, Salvador e Curitiba, 2005

| | IAIT | | IMAIT | | SIC-T | | SIC-P | | SIC-F | | SIC-S | | SIC-M | | Total | |
	E	MS	E	MS	E	MS	E	MS	E	MS	E	MS	E	MS	E	MS
São Paulo																
	10,7	12,1	12,2	17,7	18,0	25,6	20,1	32,8	23,5	27,9	13,9	19,9	14,7	23,3	11,7	18,0
Rio de Janeiro																
	2,1	2,1	3,0	3,6	12,0	16,4	8,4	10,5	9,7	10,0	7,9	8,6	13,4	26,1	6,2	7,8
Belo Horizonte																
	0,8	0,6	1,0	0,6	6,3	5,2	3,9	2,9	3,4	3,2	4,1	4,2	2,3	2,4	3,1	3,0
Porto Alegre																
	1,0	1,0	1,1	1,0	2,5	2,7	2,2	2,0	2,8	3,1	3,1	4,6	3,0	3,2	1,7	2,1
Recife																
	0,3	0,2	0,6	0,4	1,6	1,4	2,1	1,4	1,5	1,3	1,9	1,4	1,4	1,6	1,4	1,2
Salvador																
	0,1	0,1	0,2	0,2	1,9	1,6	2,5	2,1	1,7	1,7	3,3	3,5	1,6	1,7	1,8	1,6
Curitiba																
	3,0	3,5	1,9	1,9	3,9	3,5	2,5	2,5	3,1	3,1	2,3	2,1	2,0	1,9	2,0	2,3
Brasil																
	100	100	100	100	100	100	100	100	100	100	100	100	100	100	100	100

E = Emprego formal (%).

MS = Massa salarial em R$ de 12/2006 (%). Inflator: INPC/IBGE.

Obs.: Exclusive administração pública.

IAIT = Indústrias de alta intensidade tecnológica: elétrica, automação, eletrônico, máquinas e equipamentos, veículos automotores.

IMAIT = Indústrias de média-alta intensidade tecnológica: químicos, fármacos e autopeças.

SIC-T = SICs tecnológicos: informática, telecomunicações, P&D das ciências físicas e exatas, engenharia, arquitetura e ensaios de materiais.

SIC-P = SICs profissionais: atividades jurídicas, contábeis, gestão empresarial, publicidade, seleção, agenciamento e locação de mão de obra.

SIC-F = SICs financeiros: intermediação financeira, seguros e previdência complementar.

SIC-S = SICs sociais: educação superior e atendimento hospitalar e laboratorial.

SIC-M = SICs mídia: cinema e vídeo, rádio, televisão e agências de notícias.

Fonte: Rais/MTE. Cebrap. Elaboração Alexandre Abdal.

A Tabela 2, acima, resume o peso da Região Metropolitana de São Paulo no que diz respeito à concentração das atividades mais intensivas em conhecimento (ou capital e tecnologia), no conjunto das principais cidades brasileiras.

Portanto, o que caracteriza o desenvolvimento atual da cidade de São Paulo não é a passagem de uma estrutura industrial para uma pós-industrial ou terciária e sim a acumulação de funções. Cumpre este papel porque concentra enormemente os ativos nacionais muito relevantes tanto para a indústria quanto para os serviços, assim como o mercado consumidor e os estratos sociais de alta renda.

Cidade de comando

Saskia Sassen (2001) define as cidades globais (Nova York, Londres e Tóquio) como centros de comando e articulação dos sistemas produtivos em escala mundial. O fato de as atividades diretamente produtivas terem se espalhado pelo mundo em desenvolvimento, em busca de custos diferenciais e novos mercados consumidores, é uma das justificativas para a tendência de concentração das funções de articulação e comando em grandes cidades detentoras de infraestrutura avançada em finanças, telecomunicações, comércio e serviços empresariais em geral. Reduzida a escala para o âmbito nacional ou regional, muitas grandes cidades cumprem papel análogo. Nos termos já citados de Duranton e Puga (2005) transitam de um padrão de "especialização setorial" para um padrão de "diversificação funcional".

A importância econômica da cidade de São Paulo em termos nacionais é usualmente medida pelo peso de seu PIB: a cidade responde por cerca de 12,5% do PIB nacional (com 5% da população). Como sua participação no produto tem declinado em termos relativos, pelo crescimento mais acelerado de outras regiões, isto induz a uma falsa imagem de perda de importância. Quando se considera a importância "funcional" do município como centro de comando e consumo e articulador das economias regionais brasileiras o que se observa é uma forte ampliação de sua área de gravitação, não apenas em termos estritamente produtivos, mas também como centro de compras e lazer, de serviços médicos especializados e como principal portal de relações com o exterior.

As mudanças na estrutura produtiva da cidade, apontadas no item anterior, parecem coerentes com a ampliação do arco de influência da cidade, especialmente em direção às novas fronteiras de expansão da economia nacional, nas regiões Centro-Oeste e Norte do país, há milhares de quilômetros de distância. Segundo o estudo "Regiões de influência das cidades — 2007", realizado pelo IBGE, a rede de cidades que tem como principal conexão

Alvaro Comin

econômica o Município de São Paulo é composta por 1.028 municípios, que juntos concentram 28% da população do país (51 milhões de habitantes, espalhados por cerca de 2,3 milhões de quilômetros quadrados, mais de um terço do território nacional) e 40,5% do PIB brasileiro, refletindo a concentração mais que proporcional da riqueza nesse agregado regional. Também no interior de sua área de influência a cidade de São Paulo se destaca com um PIB per capta 66% superior: R$ 21,6 mil, contra R$ 14,2 mil para os demais municípios do conjunto. Para efeito de comparação, o segundo município de maior importância como centro econômico, o Rio de Janeiro, exerce influência sobre 264 municípios, com pouco mais de 20 milhões de habitantes (11,3% da população brasileira), que juntos respondem por 14,4% do PIB nacional, em 2005. E, nesse caso, a diferença entre a renda do centro (Rio de Janeiro, com R$ 15 mil) e a dos demais municípios (R$ 14,8 mil) é apenas residual.

Além disso, das 1.124 maiores empresas instaladas no Brasil, 365 têm sede no Município de São Paulo (420 ao todo no estado); dentre as 50 maiores instituições financeiras (por ativo total), segundo o Banco Central do Brasil, 32 têm sede em São Paulo, revelando o importante papel de centro financeiro do município (especialmente no setor privado). Esses dados reforçam a ideia de que as mudanças na estrutura produtiva da cidade incluem o adensamento das funções de comando das atividades empresariais.

Cidade como ambiente de criatividade e conhecimento

As grandes cidades são diferentes não apenas porque são grandes, mas porque são especialmente propícias ao desenvolvimento de atividades produtivas baseadas em conhecimento e criatividade. A literatura aponta algumas razões para a associação entre ambientes urbanos e a criação e circulação de conhecimento, e boa parte delas está relacionada ao principal insumo das cadeias baseadas nesses ativos: o trabalhador. Ainda que se defenda que tais atividades econômicas possam gerar empregos para diferentes perfis de trabalhadores, é consenso que é nesses setores que o trabalhador qualificado é especialmente necessário. As atividades que envolvem inovação de qualquer natureza dependem da proximidade — não apenas espacial, mas também cognitiva, organizacional e cultural (Boschma, 2005) — e da fluidez das interações dentro dessas redes de profissionais. Quanto mais novos os processos envolvidos mais eles dependerão de contatos face a face e de redes sociais específicas para se realizar como atividade econômica (Storper e Venables, 2004).

As grandes concentrações urbanas são, em geral, reservatórios desses trabalhadores, não apenas porque esses tendem a preferir espaços mais densos e diversificados em termos de ofertas de trabalho (onde podem atingir maiores remunerações e manter-se inseridos em redes sociais especializadas), como também por conta de outras facilidades propiciadas pelas grandes cidades (equipamentos de consumo, cultura e lazer mais sofisticados, serviços de saúde, boas escolas para os filhos etc.). É bem verdade que por razões históricas (especialmente a elevada concentração de renda e a falta de planejamento urbano), São Paulo está longe de entrar na lista das melhores cidades do país em termos de qualidade de vida; a cidade sofre cronicamente com os congestionamentos de trânsito, a poluição, as enchentes, e as altas taxas de criminalidade. Mas é sem dúvida o mercado de trabalho que oferece as mais amplas e melhor recompensadas oportunidades de carreira profissional para trabalhadores qualificados.

Com efeito, São Paulo concentra parte substancial da infraestrutura de conhecimento do país. Do total de alunos diplomados em cursos superiores no Brasil, em 2004, 30% estavam no estado e 12% na capital de São Paulo. Entre 1996 e 2003, no estado formaram-se 15.711 doutores, mais de 60% do total nacional, cerca de metade dos quais na capital (Viotti e Baessa, 2008). O município é sede da maior universidade do país, que é também a instituição brasileira líder em indicadores de produção científica internacional. Neste último quesito, medido pela produção de artigos publicados em revistas indexadas internacionalmente, a trajetória brasileira nas últimas décadas é bastante positiva: o país saltou de 0,2% da produção mundial, em 1980, para 1,5% na presente década. Nada menos que a metade da produção brasileira se realiza no estado, 25% só na Universidade de São Paulo (USP), cujo maior campus está na cidade.

São Paulo possui grande número de equipamentos de saúde de alta complexidade, que atraem pacientes não apenas de todo o país como também de países vizinhos. Tem ainda a mais diversificada oferta de serviços culturais e de lazer do país — com 319 salas de cinema, 110 museus e 160 teatros (SP Turis, 2008). É um grande centro de consumo, que reúne desde grifes internacionais até centros de comércio, como a rua 25 de Março, por onde passam mais de 800 mil pessoas por dia, atraindo varejistas de todas as partes do país e um contingente crescente de vizinhos da América do Sul e até mesmo de países africanos. Poucas pessoas utilizariam os adjetivos "bela" ou "aprazível" para descrever São Paulo, mas a despeito disso ela é, de longe, o maior polo turístico do país, sobretudo por força do turismo de negócios.

Conclusões

Por concentrar de maneira muito desproporcional diversos ativos mais modernos, a cidade se aproxima, em muitos aspectos, do perfil prescrito pela literatura para as cidades que exercem comando e nutrem de inovações as grandes economias; é para todos os efeitos o núcleo de uma das maiores cidades-região do mundo. Mas é importante não subestimar os efeitos negativos da hiperconcentração, nem superestimar os efeitos positivos que a densidade destes fatores pode criar. Os limites para o desenvolvimento da cidade ainda são ditados pelo andamento da economia nacional, até porque a economia brasileira segue sendo razoavelmente autárquica (o comércio externo representa cerca de 20% do PIB brasileiro, índice muito menor do que o da maioria dos países asiáticos e mesmo de países latino-americanos como México). É interessante notar que as taxas de crescimento econômico do Estado de São Paulo são fortemente pró-cíclicas em relação à economia nacional, isto é, quando a economia brasileira recua, a do estado recua mais acentuadamente; e quando a economia nacional cresce a de São Paulo cresce mais intensamente. Da mesma forma, as políticas do governo federal, especialmente a política industrial e tecnológica e as ações do BNDES, terminam reforçando a posição do estado, por contemplarem, naturalmente, os setores que ali se encontram mais desenvolvidos. Finalmente, como demonstra o estudo do IBGE sobre as regiões de influência das cidades, a cidade de São Paulo parece se beneficiar muito diretamente do dinamismo das novas fronteiras de crescimento do país. Em outras palavras, o alcance gravitacional da cidade é ainda essencialmente nacional, tendendo a se expandir também pelo continente sul-americano, na medida em que a integração regional avança. Mas essa limitação não se deve às características produtivas ou urbanas da cidade, e sim ao grau ainda restrito de internacionalização da economia brasileira.

As mudanças na estrutura produtiva da cidade e da região metropolitana são ambíguas do ponto de vista de seus efeitos sobre a estrutura social. A substituição maciça de empregos industriais por empregos nos setores de serviços sugere que a cidade acompanha a tendência das grandes cidades mundiais. Como em muitos outros casos, essas mudanças produzem efeitos desagregadores sobre o mercado de trabalho, com o aumento do setor informal, por exemplo, o que leva muitos autores a assumirem que as economias urbanas contemporâneas têm um viés polarizador (Sassen, 2006). Com efeito, o setor industrial tradicionalmente gera empregos de melhor qualidade e reforça os estratos intermediários (de renda e qualificação) da escala ocupacional, em sentido oposto ao da polarização. Estudos sobre as mudanças na estrutura socio-ocupacional da região metropolitana (Comin, 2008), contudo, concluem que, a despeito das profundas mudanças no mercado de trabalho vividas pela região nos anos 1990 e 2000, a estrutura socio-ocupacional pouco se altera, resultados que ainda carecem de explicação mais acurada. Tais resultados podem tão somente refletir o fato de que a estrutura social se transforma mais lentamente do que a estrutura produtiva e que as escalas de mobilidade social talvez não sejam as melhores ferramentas para este propósito; ou que, ao menos em parte, a transição de uma estrutura mais intensiva em empregos industriais para uma mais intensiva em serviços resulte de efeitos estatísticos relacionados a terceirizações (as funções terceirizadas passam a ser contadas como serviços, mas mantêm relação funcional com a indústria).

O caos urbano de metrópoles como São Paulo aponta para os limites do modelo de desenvolvimento hiperconcentrado, que caracteriza a trajetória passada e presente da maior parte dos países em desenvolvimento (Yusuf e Nabeshima, 2006). Em países como o Brasil, em um horizonte previsível, infelizmente, os melhores lugares para estudar, trabalhar e fazer negócios não são os melhores lugares para viver, se por viver bem entende-se dispor de espaço, ar puro, áreas verdes, segurança etc. Mas mais do que isso estas cidades sintetizam muito bem os processos de desenvolvimento geradores de desigualdades extremas e muito difíceis de reverter, que a experiência brasileira, mesmo com os avanços recentes, exemplifica como poucas.

Do ponto de vista da dinâmica interna à Região Metropolitana de São Paulo, é possível supor que o padrão de segregação espacial da pobreza se amplie, colocando novos problemas. As mudanças no mercado de trabalho que reduzem as chances de inserção bem-sucedida para indivíduos de baixa instrução, o encarecimento dos preços da terra e do custo de vida em geral, as políticas de privilegiamento dos interesses do grande capital imobiliário, que caracterizam a maioria das gestões municipais nas últimas décadas, representam forças imensas de repulsão dos estratos de mais baixa renda. Tomando o intervalo entre 1997 e 2007, Cardoso (2009) aponta que os municípios mais desenvolvidos da RMSP, como a capital, Santo André, Osasco e São Bernardo, são os que menos cresceram em termos populacionais (em torno de 10%); enquanto municípios como Santana do Parnaíba, Vargem Grande Paulista, São Lourenço da Serra, Itaquaquecetuba e Suzano cresceram a taxas superiores a 50%. Os municípios que tipicamente recebem estas populações são também os mais pobres e menos desenvolvidos economicamente, com infraestrutura mais precária de serviços públicos. Alguns destes municípios têm boa parte de suas áreas físicas severamente restringidas para usos produtivos, porque contêm mananciais legalmente protegidos, em torno dos quais se aglomeram crescentemente novas favelas e bairros informais, que até pela natureza destes territórios não poderão ser devidamente urbanizados. Estes municípios ficam assim impedidos de atrair investimentos de qualquer ordem, que lhes reforce o orçamento e gere empregos, enquanto lhes toca a responsabilidade de zelar pelas áreas de proteção ambiental e o atendimento dos serviços básicos intensamente demandados pelos mais pobres. A inexistência de esferas governamentais de âmbito metropolitano e a tendência de os municípios da região mais competirem que colaborarem entre si, não é nada promissora para a solução desses problemas.

Quanto às desigualdades regionais, o atual ciclo de crescimento da economia brasileira tem um viés desconcentrador, uma vez que são as regiões mais pobres ou menos desenvolvidas as que mais têm crescido, embora em anos de crescimento mais elevado, como 2007, o Estado de São Paulo também tenha crescido acima da média nacional. Mas dado o acúmulo já sedimentado de desigualdades entre as regiões brasileiras, seriam necessárias décadas para uma convergência nos patamares de desenvolvimento. Entre as regiões mais pobres está o Nordeste, que por razões históricas mantém relações mais estreitas com o Rio de Janeiro. As áreas de desenvolvimento mais recentes, que ocupam o Centro-Oeste e a Região Amazônica, mais ao Norte, cujo crescimento é muito puxado por atividades de exportação (como a soja, o gado e os minérios) mantêm ligações mais fortes com a cidade de São Paulo. O caráter ao mesmo tempo especializado e diversificado da economia paulistana, sua escala e a enorme concentração do mercado consumidor (da renda, no fim das contas) lhe confere enormes "vantagens comparativas" sobre as demais regiões, operando, eventualmente, como um "buraco negro" para os investimentos nacionais e internacionais.

Há algo de sintomático em um país em que indivíduos são obrigados a se deslocar por milhares de quilômetros (por meios de transporte ou muito precários ou muito caros) para ter acesso a um tratamento de saúde especializado, a uma boa universidade ou simplesmente para comprar produtos eletrônicos ou assistir a uma peça de teatro. A contraface do cosmopolitismo que se vê em São Paulo (e em mais algumas poucas cidades, como Rio de Janeiro e Brasília) ainda é a pobreza e a falta de oportunidades que caracterizam o ambiente urbano de boa parte das cidades brasileiras. E esta faceta do debate tem merecido menos atenção do que provavelmente deveria entre especialistas em dinâmicas das economias urbanas, especialmente no efervescente debate que se organiza em torno das "cidades-regiões".

Bibliografia

ABDAL, Alexandre (2009). *São Paulo, desenvolvimento e espaço: a formação da macro-metrópole paulista*. São Paulo: Papagaio.

_____. (2009) "A dinâmica produtiva recente das regiões metropolitanas brasileiras: diversificação e especialização; competição e complementaridade". Relatório de pesquisa. Projeto "Estudos da Produção, Tecnologia e Inovação". OIC (IEA-USP)/ IPEA/FINEP, São Paulo, mimeo.

BERQUÓ, Elza S. (2001). "Evolução demográfica". In: SACHS, I.; WILHEIM, J.; PINHEIRO, P. S. (orgs.). *Brasil: um século de transformações*. São Paulo: Companhia das Letras, pp. 14-35.

BOSCHMA, Ron A. (2005). "Proximity and Innovation: A Critical Assessment". *Regional Studies*, vol. 39, n° 1, pp. 61-74.

CARDOSO, Carlos E. de P. (2009). "Distribuição da população na Região Metropolitana de São Paulo". *Revista de Engenharia*, n° 596.

COMIN, Alvaro A. (2008). "Mudando sem sair do lugar: emprego e estrutura ocupacional em São Paulo". In: GUIMARÃES, Nadya A.; CARDOSO, Adalberto; ELIAS, Peter; PURCELL, Kate. (orgs.). *Mercados de trabalho e oportunidades: reestruturação econômica, mudança ocupacional e desigualdade na Inglaterra e no Brasil*. Rio de Janeiro: FGV, pp. 181-230.

COMIN, Alvaro A.; AMITRANO, Cláudio R. (2005). "The Tertiary Illusion: Economic Policies in São Paulo in the 1990s". In: SEGBERS, Klaus; RAISER, Simon; VOLKMANN, Krister (orgs.). *Public Problems, Private Solutions: Globalizing Cities in the South*, vol. 1. Londres: Ashgate, pp. 51-72.

DURANTON, Gilles; PUGA, Diego (2005). "From Sectoral to Functional Urban Specialization". *Journal of Urban Economics*, vol. 57, n° 2, pp. 343-70.

IBGE (Instituto Brasileiro de Geografia e Estatística) (2007). *Regiões de influência das cidades 2007*.

KONTIC, Branislav (2007). "A indústria da moda: inovação e redes sociais". Tese de Doutorado, FFLCH-USP, São Paulo.

KOWARICK, Lúcio (1975). *Capitalismo e marginalidade na América Latina*. Rio de Janeiro: Paz e Terra.

MARKUSEN, Ann; SCHROCK, Greg (2006). "The Distinctive City: Divergent Patterns in Growth, Hierarchy and Specialization". *Urban Studies*, vol. 43, n° 8, Summer, pp. 1.301-23.

MATTEO, Miguel (2009). "Além da metrópole terciária". Tese de Doutorado, IE-Unicamp, Campinas.

MEYER, Regina; GROSTEIN, Marta; BIDERMAN, Ciro (2004). *São Paulo: metrópole terciária*. São Paulo: Edusp.

OLIVEIRA, Francisco de (1972). "A economia brasileira: crítica à razão dualista". *Novos Estudos*, n° 2, São Paulo, Cebrap.

PORTER, Michael (2003). "The Economic Performance of Regions". *Regional Studies*, vol. 37, n° 6, pp. 545-6.

SASSEN, Saskia (2006). *Cities in a World Economy*. Londres: Sage, 3ª ed.

SEGBERS, Klaus; RAISER, Simon; VOLKMANN, Krister (2007). *The Making of Global City Regions: Johannesburg, Mumbai/Bombay, São Paulo, and Shanghai*. Baltimore: The Johns Hopkins University Press.

SP TURIS (2008). *Indicadores e Pesquisas do Turismo: Cidade de São Paulo*.

STORPER, M.; SCOTT, A. (2003). "Regions, Globalization, Development". *Regional Studies*, vol. 37, nº 6-7, pp. 579-93, ago.-out.

STORPER, M.; VENABLES, A. J. (2004). "Buzz: Face to Face Contact and the Urban Economy". *Journal of Economic Geography*, vol. 4, nº 4, Oxford, Oxford University Press.

TORRES-FREIRE, Carlos (2009). "Por que analisar a estrutura produtiva brasileira sob a ótica da tecnologia e do conhecimento?". *Inovação: Estudos da Produção, Tecnologia e Inovação*. OIC/IPEA/FINEP, mimeo.

VIOTTI, Eduardo; BAESSA, Adriano (2008). *Características do emprego dos doutores brasileiros*. Brasília: Centro de Gestão e Estudos Estratégicos.

YUSUF, S.; NABESHIMA, K. (2006). *Postindustrial East Asian Cities*. Washington D.C.: The World Bank.

7

Os mecanismos de acesso (desigual) ao trabalho em perspectiva comparada[1]

Nadya Guimarães, Murillo de Brito e Paulo Henrique da Silva

O debate sobre as desigualdades sociais tem uma de suas âncoras mais importantes na reflexão sobre o papel do mercado enquanto mecanismo de alocação de recursos e, por isso mesmo, enquanto instância estratégica de reprodução ou superação de iniquidades. Parcela significativa da melhor tradição sociológica tem estado atenta para entender o modo de alocação das oportunidades ocupacionais e, nesse sentido, o papel do mercado de trabalho na inserção estrutural e mobilidade social dos indivíduos.

Assim, por exemplo, ao longo dos anos 1960 e 1970, a fina flor dos estudos da estratificação social teve os seus olhos voltados para o mercado de trabalho. Poder-se-ia mesmo dizer que as pesquisas sobre o processo de aquisição de status (ao modo de Blau e Duncan, 1967, ou Hauser e Featherman, 1977) aplainaram a rota de entrada das análises sobre mercados de trabalho no *mainstream* da sociologia do século XX. Interessados em entender como os indivíduos se distribuíam no conjunto finito das possibilidades de inserção ocupacional, tais estudos lançaram luz sobre os elos que se estabeleciam entre atributos individuais (como características da família de origem, educação, sexo, raça, dentre outras) e os resultados socioeconômicos alcançados por esses indivíduos. Assim fazendo, destacaram-se pelo papel

---

[1] Este texto foi originalmente preparado como comunicação à mesa-redonda "Jobs in Metropolitan Regions", realizada no Seminário Internacional "Metrópoles e Desigualdades", São Paulo, Centro de Estudos da Metrópole, 24 a 26 de março de 2010. Ele é resultado do projeto "Redes e obtenção de trabalho", que conta com o apoio financeiro da Fapesp (Cepid 1998/14.432-9) e do Programa Institutos Nacionais de Ciência e Tecnologia — MCT/CNPq/Fapesp (Processos CNPq 5738642008 e Fapesp 2008/ 57843-1). Beneficiamo-nos do suporte institucional do Departamento de Sociologia da Universidade de São Paulo e do INCT/Centro de Estudos da Metrópole. Agradecemos ainda ao DIEESE, na pessoa do seu diretor Sergio Mendonça, por haver facultado o acesso aos microdados da pesquisa "Informações sobre o sistema público de emprego, trabalho e renda", conduzida em 2008 em algumas regiões metropolitanas brasileiras e que se constitui na base empírica para as análises que aqui desenvolvemos.

que conferiam à dinâmica da demanda por trabalho; e com razão, já que os resultados socioeconômicos alcançados eram prioritariamente investigados a partir das características pessoais daqueles em disputa por posições de prestígio, escassas na arena em que se constituía o mercado de trabalho.

Duas novas perguntas se colocaram com mais vigor na literatura internacional a partir dos anos 1970. A primeira delas inquiriu sobre o efeito da estrutura de oportunidades criada ao interior da firma sobre as chances dos indivíduos. De fato, já desde o trabalho seminal de Harisson White (1970) sobre as "cadeias de oportunidades" sociais, o foco sobre as eventuais desigualdades de chances passou a estar posto também na dinâmica da organização que emprega. Seguiram-se estudos que exploraram mais detidamente os determinantes das desigualdades de resultados, e sobretudo a distribuição das recompensas, aprofundando-se no estudo da firma e avançando a análise dos determinantes oriundos do lado da oferta de trabalho (Baron e Bielby, 1980; Hodson, 1983; Kalleberg e Griffin, 1980). Mas, não tardou para que o argumento sobre a importância das posições vacantes (e sua dinâmica de produção) fosse transposto da empresa para os mercados externos de trabalho; desse modo, o mesmo tipo de fenômeno descrito por White passou a ser também examinado sob o ponto de vista do modo pelo qual se redistribuíam os indivíduos na estrutura social mais ampla, e como isso afetava as recompensas econômicas que obtinham pelos lugares sociais ocupados (Sorensen, 1977).

Mas os anos 1980 trouxeram à luz uma outra maneira de abordar o tema dos elos entre mercado de trabalho e oportunidades. A formulação de Mark Granovetter (1974) sobre o papel das redes de contatos pessoais no acesso à informação sobre alternativas de emprego ressituou o interesse analítico, localizando-o no entrecruzamento entre oferta e demanda de trabalho, antes que em qualquer um desses dois lados isoladamente. Ao arguir que o reparto das oportunidades ocupacionais só poderia ser sociologicamente bem entendido se tomássemos em conta a presença das redes sociais mediando as relações entre empregadores e demandantes de trabalho, Granovetter chamou a atenção para o peso dos aspectos não mercantis na operação do mercado de trabalho, desvendando um importante mecanismo através do qual a ação econômica se enraizava na estrutura social (1985).

Sua formulação ampliou a agenda analítica dos estudos sobre o mercado de trabalho, na medida em que iluminou uma dimensão até então pouco estudada, a saber, a da circulação *da informação* ocupacional. Esta passaria crescentemente a ser vista como um elemento central à produção (ou superação) de desigualdades no acesso a oportunidades de trabalho. Assim, a

Nadya Guimarães, Murillo de Brito e Paulo Henrique da Silva

posição (na estrutura social) dos contatos acionados pelos indivíduos em sua busca de empregos, e não apenas os seus atributos pessoais, poderia definir não somente a possibilidade de vir a encontrar trabalho, tal como documentado por Granovetter, mas a qualidade do emprego a ser obtido e, por essa via, as chances de realização socioeconômica e de mobilidade individual (Lin, 2001; Degenne *et al.*, 1991; Hsung, Lin e Breiger, 2009); refazia-se, assim, o elo analítico entre posição no mercado de trabalho e mobilidade, que tanto havia estimulado a reflexão dos sociólogos nos anos 1960.

O programa de investigações aberto pelo estudo seminal de Granovetter ajudou, assim, a desvendar uma espécie de antessala, ainda pouco devassada, do mercado de trabalho, a *intermediação das oportunidades* de emprego. Sabemos hoje que os mecanismos de acesso à informação sobre as vagas disponíveis, precondição para a obtenção de trabalho, envolvem tanto as redes tecidas nos espaços da sociabilidade individual, quanto os agentes econômicos voltados a intermediar oportunidades de emprego. Estes últimos formam um mercado ao interior do que convencionalmente temos entendido como o mercado de trabalho. Duas características especificam este outro mercado: por um lado, a mercadoria que nele circula (a informação sobre vagas, e não propriamente a força de trabalho); por outro, a existência de um terceiro ator econômico (o intermediador, e não apenas o comprador e o vendedor de força de trabalho). Sabemos que ele se torna tanto mais pujante quanto mais flexíveis os empregos e incertas as oportunidades, em meio à intensa reestruturação da economia mundial, marcada por crises de maior ou menor abrangência em termos internacionais (Autor, 2008; Benner, Leete e Pastor, 2007; Koene e Purcell, 2004).

Face a esses novos desdobramentos analíticos dos anos 1980 e 1990, havia que investigar o peso diferencial das instituições mercantis e das redes na procura e obtenção de trabalho, de modo a bem caracterizarem-se as diferenças estruturais existentes entre mercados. Com efeito, os resultados de pesquisas conduzidas nos anos 1990 e 2000 mostraram que o peso dos diversos expedientes acionados na procura de emprego variava de maneira significativa entre sociedades.

Em estudo comparativo por meio de *surveys* amostrais conduzidos em três metrópoles mundiais — Paris, Tóquio e São Paulo —, encontramos que os recursos habitualmente mobilizados na procura não tinham peso equivalente e variavam segundo o contexto em que se procurava (Kase e Sugita, 2006; Guimarães, 2009). Assim, sob distintas formas de regulação do trabalho e do emprego, e sob modalidades diversas de institucionalização da proteção social, variavam os mecanismos que ligavam os indivíduos às oportunidades ocupacionais. Dessa maneira, em sistemas de emprego onde o padrão de duração dos vínculos era mais estável (como no Japão), ou onde a regulação institucional do desemprego o fazia socialmente mais protegido (como na França), ganhavam proeminência mecanismos de obtenção de ocupação distintos daqueles que se observava no Brasil, país onde a recorrência das transições ocupacionais se aliava à fraca institucionalização da proteção social que se concedia àquele em busca de trabalho.

Desse modo, em São Paulo as redes pessoais foram os mecanismos que de longe mais se destacaram, especialmente através dos elos fortes do grupo familiar e dos amigos mais chegados; sobressaía-se também o esforço individual da prospecção direta junto às empresas; aos agentes econômicos do mercado de intermediação e aos meios anônimos (anúncios em jornais e revistas especializadas) restava papel muito claramente secundário. Em Tóquio, ao contrário, a informação disponível no espaço público, na forma de anúncios em jornais e revistas e pelo recurso às agências do sistema público de emprego, era aquela acionada de maneira mais recorrente pela maioria dos indivíduos. Já na região de Paris-Île de France prospectar individualmente as possíveis vagas existentes no mercado, mediante contato direto com as empresas, era o meio que se destacava, combinado com o recurso à informação veiculada pelo sólido e abrangente sistema público de apoio ao demandante de trabalho.

No caso das regiões metropolitanas de São Paulo e Tóquio, por razões particulares ao modo como foram construídos os levantamentos, foi possível avançar um pouco mais e investigar o mecanismo de procura que se mostrara efetivo, pois permitira ao entrevistado encontrar o seu último trabalho. Eficazes, em São Paulo, eram as redes pessoais e a prospecção individual no mercado, através de contato direto com as empresas. Em Tóquio, as redes sociais (pouco relevantes entre os mecanismos reconhecidos como os mais acionados para procura) surgiram, entretanto, como recursos em alguma medida eficazes para obter trabalho, conquanto o destaque maior continuasse com os mecanismos públicos (anúncios em jornais e revistas, agências do sistema público e escola); ali, e ao contrário de São Paulo, a prospecção direta era tida como uma iniciativa que rendia muito poucos frutos.

Ficava evidenciada, por esses achados, uma diferença analiticamente importante entre duas formas principais de categorizar o modo de conexão entre candidato e vaga. Por um lado, ele poderia se fazer (i) através de mecanismos de circulação de informação ocupacional institucionalizados no espaço público e postos em prática através dos agentes do mercado ou (ii) através de mecanismos enraizados nos espaços de sociabilidade privada e postos em prática através das redes de contatos pessoais. Por outro lado, o encontro entre candidato e vaga poderia se estabelecer (i) por uma relação direta entre o indivíduo e o mercado de trabalho (procura direta junto a empresas, uso de anúncios de jornais, realização de concursos) ou (ii) por uma relação mediada, seja por agentes do mercado de trabalho (agências de emprego, empresas de trabalho temporário), seja por redes de contatos pessoais.

À luz dos achados da pesquisa que comparou as três metrópoles mundiais, destacava-se, assim, o peso explicativo da dimensão macroinstitucional, notadamente das formas de regulação do trabalho e do emprego e das modalidades de institucionalização da proteção social. Entretanto, dois outros desafios se apresentavam: a necessidade de explorar o peso de outros determinantes das escolhas individuais e o estudo dos elos entre tipo de procura acionada e qualidade do emprego obtido. Eles nos permitiriam avançar hipóteses sobre os elos que ligam o modo de circulação da informação ocupacional e a reprodução (ou superação) de desigualdades.

Este é o objeto do presente texto. Para tal, usamos o artifício de construir a comparação com um intuito distinto ao da pesquisa anterior, isto é, manteremos constante o quadro macroinstitucional. Em vez de comparar metrópoles sujeitas a diferentes sistemas de emprego e regimes de proteção social, procuraremos aqui manter constantes tais características e empreender comparações intermetropolitanas, mas agora em nível intranacional. Isso porque dados recentemente produzidos para algumas das principais regiões metropolitanas brasileiras mostraram que havia uma variação significativa tanto na forma como se procurava trabalho e, por extensão, no peso dos diferentes mecanismos de circulação da informação ocupacional, quanto na eficácia desses mecanismos na alocação de oportunidades ocupacionais.

Nosso intuito neste texto será, por isso mesmo, o de avançar a reflexão ao redor de um argumento: (1) Se os indivíduos estão expostos a diferentes alternativas para ter acesso às informações sobre oportunidades de trabalho, e (2) se a depender da alternativa acionada são distintos os efeitos em termos de oportunidades a que se acede, (3) poder-se-ia reconhecer um padrão, uma síndrome de características que se associasse mais intensamente a cada um dos modos de circulação da informação ocupacional? (4) Variando esses modos, pesam mais as características que são do domínio do indivíduo (aquisitivas ou adscritas) ou aquelas que dizem do contexto em que o mesmo se insere e busca trabalho (tipo de segmento do mercado de trabalho ou tipo de metrópole em que se compete)?

Assim formulado, o interesse analítico afasta-se do terreno convencional à sociologia dos mercados de trabalho, onde se indaga sobre os resultados de um certo *modo de inserção* ocupacional, observando seus efeitos em termos da realização socioeconômica alcançada (seja via renda, prestígio da ocupação ou acesso a posições no mercado interno da firma, apenas para exemplificar). Neste texto, queremos, antes, refletir sobre o movimento que dá lugar ao encontro entre o demandante de trabalho e a vaga; iremos arguir que, a depender do tipo de mecanismo de informação pelo qual se chega a saber da existência de uma oportunidade de trabalho, variam as características da vaga e os perfis daqueles que logram obtê-la.

Indo um pouco mais longe, e de modo analiticamente mais ambicioso, queremos secundar os argumentos que mostram não apenas quão imperfeito é o modo de circular a informação no mercado de trabalho, e quão desigual o conhecimento dos competidores por vagas, mas, e cremos que os dados a seguir apresentados nos apoiarão nesse sentido, o quão socialmente segmentada é a forma de acessar as oportunidades. Vale dizer, os mecanismos de produção de desigualdades ocupacionais operam antes mesmo da obtenção da ocupação; eles começam a operar a partir do modo como se procura e obtém informação sobre chances de trabalho.

ONDE ANDA A VAGA ANSIADA?
COMO SABER DA OPORTUNIDADE DE TRABALHO?
UMA ANÁLISE EXPLORATÓRIA

Em recente pesquisa amostral, foi possível registrar a notável diferença existente nos padrões de procura e de obtenção de trabalho entre regiões metropolitanas brasileiras.[2]

O Gráfico 1 reproduz os achados tal como inicialmente veiculados, agrupando em quatro os mecanismos indicados pelos assalariados do setor privado como os propiciadores da obtenção do último trabalho: (i) os parentes, amigos ou conhecidos; (ii) o contato direto com a empresa emprega-

---

[2] Referimo-nos à pesquisa "Informações sobre o sistema público de emprego, trabalho e renda", conduzida pelo DIEESE, entre maio e outubro de 2008, por meio de questionário suplementar à Pesquisa de Emprego e Desemprego (PED). Na ocasião, foram investigados cerca de 94 mil domicílios em seis regiões metropolitanas brasileiras (Belo Horizonte, Porto Alegre, Recife, Salvador, São Paulo e Distrito Federal), com vistas à coleta de dados sobre os requisitos de contratação, os serviços de intermediação de mão de obra, as dificuldades dos desempregados e dos inativos para inserção no mercado de trabalho, o uso do seguro desemprego e a realização de cursos de capacitação ou qualificação profissional.

Nadya Guimarães, Murillo de Brito e Paulo Henrique da Silva

dora; (iii) o recurso a agências privadas; (iv) o recurso a agente do sistema público de emprego. Vê-se que o recurso às instituições do mercado de trabalho (sejam elas públicas ou privadas) é, via de regra, de muito pequena significação, ganhando algum destaque apenas em São Paulo e Porto Alegre. Já as redes de contatos pessoais, ao contrário, foram indicadas pela maioria dos entrevistados (com destaque especial para os de Recife e Salvador) como o mecanismo eficaz pelo qual encontraram o emprego atual. Uma exceção notável, a da região metropolitana de Porto Alegre; ali, é a prospecção direta junto às firmas que se sobressai.

Gráfico 1
COMO SE CHEGA AO EMPREGO PRIVADO?
DIVERSIDADES ENTRE METRÓPOLES BRASILEIRAS EM 2008

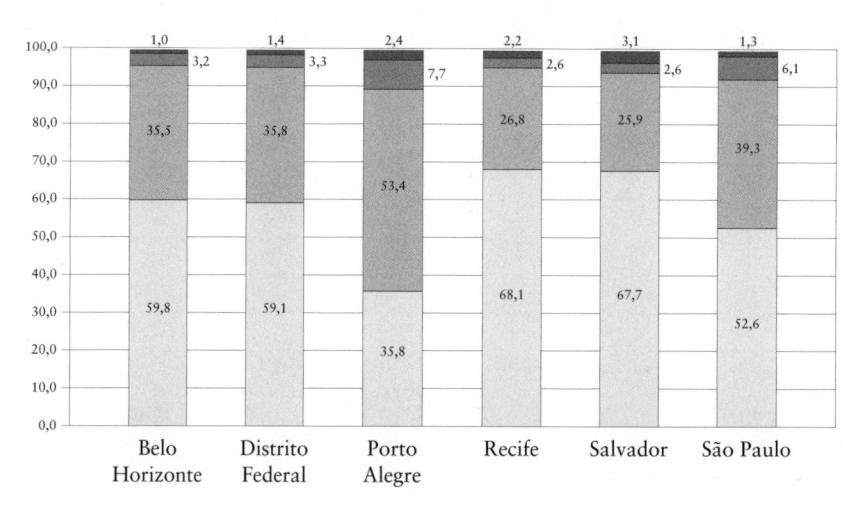

Fonte: DIEESE. Pesquisa amostral "Informações sobre o Sistema Público de Emprego, Trabalho e Renda", questionário complementar à PED, maio-out. 2008.

Em grandes linhas, a distribuição das oportunidades ocupacionais abertas pelo setor privado nas nossas metrópoles parece se fazer através de dois mecanismos principais de circulação da informação: de um lado, as redes de contatos pessoais; de outro, a ação individual do trabalhador que, de posse da sua carteira de trabalho, se lança ao mercado em busca do contato com a firma empregadora. Nessa diferença parece estar inscrita a polarização entre duas situações destacáveis do ponto de vista analítico: a de uma intensa imersão da operação do mercado na estrutura de relações sociais tecidas em espaços de sociabilidade privada (via redes) e a da aparente atomização do indivíduo institucionalmente desprotegido na busca por um posto de trabalho (via a prospecção direta).

Tamanho é o peso das redes que, em pelo menos duas das metrópoles analisadas, se observado o modo de acesso a postos no setor público, ordinariamente preenchidos por concurso público, os contatos pessoais continuam tendo um destaque nada desprezível. Tal é o caso de Recife e, especialmente, de Salvador (Gráfico 2).

Gráfico 2
COMO SE CHEGA AO EMPREGO PÚBLICO?

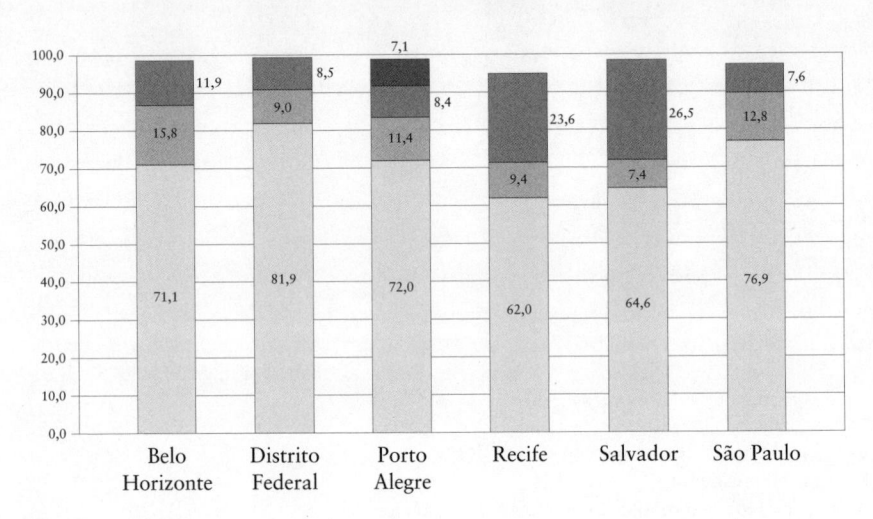

Concurso público
Empresa empregadora
Rede pessoal (parentes, amigos ou conhecidos)
Agência privada ou órgão de intermediação de estágio

Fonte: DIEESE. Pesquisa amostral "Informações sobre o Sistema Público de Emprego, Trabalho e Renda", questionário complementar à PED, maio-out. 2008.

Instigados por esses achados, consideramos plausível assumir que as características do contexto metropolitano poderiam ser um importante

Nadya Guimarães, Murillo de Brito e Paulo Henrique da Silva

fator a determinar o modo pelo qual se repartem as oportunidades ocupacionais no Brasil e, nesse sentido, o modo como desigualdades sociais se (re)produzem. Entretanto, por detrás das variações expressas nas duas figuras anteriores, poderiam estar atuando particularidades que especificariam seja o perfil dos demandantes de trabalho, seja o perfil dos postos de trabalho a que os mesmos tiveram acesso, seja outras características do contexto metropolitano.

De modo a seguir adiante na reflexão, e buscando separar o joio do trigo, selecionamos para uma análise mais aprofundada três metrópoles que tipificavam distintos modos de reparto de oportunidades: aquela em que era avassalador o peso das redes pessoais no acesso a chances ocupacionais, até mesmo no emprego público (Salvador); aquela em que tal redistribuição se baseava majoritariamente nos mecanismos mercantis de busca, seja pela via (predominante) da prospecção direta, seja pela via dos agentes do mercado de intermediação de empregos (Porto Alegre); e aquela em que os mecanismos de acesso via mercado e via redes pessoais apresentavam o menor desequilíbrio (São Paulo).

Em termos operacionais mais precisos, vamos investigar os fatores associados à variação nos meios eficazes de obtenção de postos de trabalho pelos trabalhadores assalariados nessas três metrópoles brasileiras — São Paulo, Porto Alegre e Salvador. Por "meios eficazes" entendemos os diversos modos pelos quais os entrevistados tiveram acesso à informação sobre o posto em que trabalhavam seja na condição de empregados, seja de trabalhadores domésticos.[3] Para fins do presente texto desconsideramos tanto os trabalhadores por conta própria, quanto os empregadores, os profissionais universitários autônomos e os donos de negócio familiar; ou seja, todos aqueles que tivessem maior comando sobre a reprodução da sua força de trabalho. Focalizamos a análise naqueles que careciam vendê-la e que, portanto, precisavam ter acesso a mecanismos de redistribuição da informação ocupacional. Isso se justifica porque o nosso interesse está em entender os mecanismos de produção de desigualdade que operam no processo de encontro entre o ofertante da vaga e o demandante de emprego.[4]

---

[3] O que representa uma amostra de 30.994 casos.

[4] Convém aclarar que vem do próprio desenho do questionário da pesquisa-fonte a circunscrição a empregados e trabalhadores domésticos da investigação sobre o meio de procura que se mostrou eficaz. Pela razão indicada no corpo do texto, tal circunscrição nos é analiticamente conveniente.

A pesquisa que nos serviu de fonte investigou um amplo leque de meios eficazes para a obtenção do posto de trabalho: contato direto com o atual empregador, concurso público, postos públicos de atendimento ao trabalhador, agências privadas de emprego, organizações comunitárias, centrais sindicais (ou sindicatos), órgãos de integração de estagiários, parentes, amigos ou conhecidos. Para apurar o foco analítico, reclassificamos as categorias originais em quatro novas classes, concebidas a partir da combinação de duas dimensões: (i) o tipo de relação que cada um dos meios eficazes estabelecia com o mercado de trabalho (se direta ou mediada) e (ii) o seu enraizamento (maior ou menor) em relações sociais.

Por essa via, chegamos a dois tipos de mecanismos que operam com base na relação direta entre o indivíduo e o mercado de trabalho: o contato direto com o atual empregador e o concurso público.[5] No primeiro caso, o processo de encontro entre o trabalhador e a vaga sofre maior influência do particularismo das imagens gerenciais, postas em ação na situação de triagem; no segundo caso, ele tende a ser mais universalista e, portanto, menos dependente das representações do selecionador, construídas no curso da interação na situação de entrevista.

São também dois os mecanismos de circulação da informação ocupacional que supõem uma relação indireta entre o indivíduo e o mercado: as instituições atuantes no mercado como intermediadores de trabalho (agências e intermediadores de empregos, ou de estágios, de tipo governamental, sindical, comunitário ou privado) e as redes de contatos pessoais tecidas pelo indivíduo nos seus espaços privados de sociabilidade (seus parentes, amigos ou conhecidos).

O Quadro 1, a seguir, apresenta as categorias originais do questionário e sua classificação nas novas categorias de análise, que serão doravante utilizadas.

---

[5] Lamentavelmente, o banco de dados que utilizamos restringe as formas de procura não mediada aos dois tipos antes referidos (prospecção direta e concurso), deixando de considerar outros mecanismos anônimos pelos quais o indivíduo também aciona o mercado, como a internet (procura virtual em sites de emprego) e os anúncios em jornais e revistas. O segundo é um clássico meio que, embora pouco importante para a Região Metropolitana de São Paulo, como vimos em pesquisas anteriores (Guimarães, 2009 e 2009a), mostrou-se central em outras metrópoles mundiais; já o primeiro, tem se revelado crescentemente importante, tal como pudemos documentar para o caso paulistano (Vieira, 2009).

Quadro 1
MEIO EFICAZ DE OBTENÇÃO DE POSTO DE TRABALHO
Compatibilização entre categorias originais e recodificadas

Categoria recodificada	Categoria original
Relação direta/prospecção no mercado	Direto com a atual empresa/empregador
Relação direta/concurso	Concurso público
Relação mediada por instituições	Postos públicos de atendimento ao trabalhador
	Agências de emprego privadas
	Organizações comunitárias
	Centrais sindicais/sindicatos
	Órgãos de integração de estagiários
Relação mediada por redes	Parentes, amigos ou conhecidos

Assim recodificados os meios de procura eficaz, que podemos dizer das diferenças que tipificam as três metrópoles? Grosso modo, elas se mantêm (Gráfico 3). Em Salvador e em São Paulo, continuam predominando os postos de trabalho obtidos através das relações com o mercado de trabalho que foram mediadas pela rede de amigos, parentes e conhecidos. Em Porto Alegre, persiste a ligeira predominância da relação direta via prospecção no mercado, o que a contrapõe ao padrão observado para as outras duas metrópoles; mas é também ali onde o papel mediador das instituições, mesmo se minoritário, se mostra o mais significativo frente às outras duas cidades; em outras palavras, o mercado é, em Porto Alegre, o local em que se busca o acesso à informação ocupacional, seja pela ação individual isolada, seja com o suporte das instituições de intermediação de empregos. São Paulo parece continuar representando uma situação intermediária entre os dois polos. De tal sorte que, quando nos movemos, no Gráfico 3, de Salvador a São Paulo e a Porto Alegre, cresce sistematicamente o peso dos mecanismos mercantis e decresce sistemática e significativamente o peso dos mecanismos não mercantis.

Para além das diferenças entre as três metrópoles, chama a atenção uma convergência: mesmo passados quinze anos da implementação dos mecanismos de proteção social à procura do trabalho (seguro desemprego, Fundo de Amparo ao Trabalhador, sistema público de emprego e renda), e transcorridos quatro governos de corte social-democrata (em diversos tons), é *ao indivíduo* que cabe fazer face aos ônus da opacidade do mercado e das imperfeições no entrecruzamento entre trabalhador e vaga. Com efeito — e em todas as três metrópoles — é pela via da ação individual e isolada (expressa na busca direta pela oportunidade de trabalho, no contato pessoal com o empregador) ou com o suporte da rede de contatos pessoais que se chega a saber da vaga que se transformaria no trabalho atual.

Gráfico 3
MERCADO OU REDES?
OS MEIOS EFICAZES PARA SE LOCALIZAR EMPREGOS
Salvador, São Paulo e Porto Alegre (n=30.994)

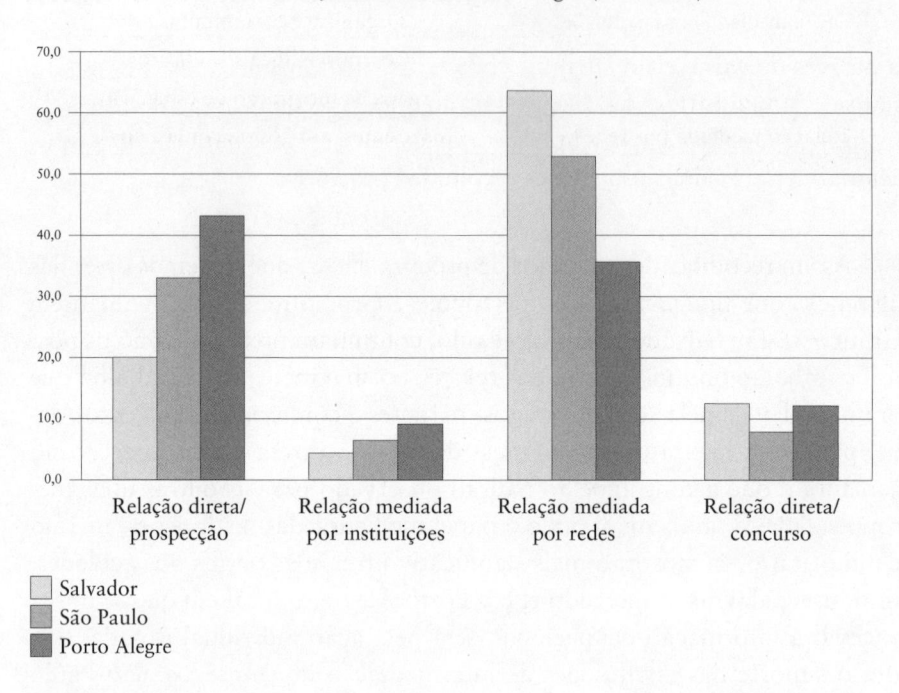

Fonte: DIEESE. Pesquisa amostral "Informações sobre o Sistema Público de Emprego, Trabalho e Renda", questionário complementar à PED, maio-out. 2008. Processamentos nossos.

Mas, voltemos ao nosso objeto primeiro, qual seja o de entender a diversidade de modos de chegar à oportunidade de trabalho. Existem características específicas associadas à escolha de estratégias específicas? Serão elas características *dos indivíduos* que lançam mão dessas diferentes estratégias, ou características *do contexto* em que eles competem? Haverá alguma variância nessas associações quando comparamos as três metrópoles?

Essa série de perguntas nos remete ao primeiro passo no argumento que queremos verificar, a saber, o de que as estratégias de acesso à informação

Nadya Guimarães, Murillo de Brito e Paulo Henrique da Silva

podem estar associadas a fatores relativos a atributos do indivíduo que compete por uma vaga ou a atributos do contexto em que tal competição se verifica. Essas são as duas dimensões que precisamos especificar a partir dos dados disponíveis na pesquisa comparativa intermetropolitana, de modo a poder verificar a existência de associações.

Especificamos a dimensão individual a partir de variáveis relativas tanto a atributos (como sexo, cor, idade, tempo de residência) quanto a características aquisitivas que são ativos valorizados no mercado de trabalho (como escolaridade, capacitação na área, conhecimento de língua estrangeira, conhecimentos em informática). Já a dimensão contextual foi especificada através de variáveis relativas a características do posto de trabalho pelo qual se competiu (tipo de relação de trabalho, tipo de empregador, tipo de vínculo). O Quadro 2 apresenta as variáveis selecionadas para traduzir operacionalmente as duas dimensões escolhidas para análise.

Quadro 2
IDENTIFICANDO POSSÍVEIS FATORES CORRELATOS
AO MEIO DE PROCURA EFICAZ
Dimensões e variáveis utilizadas

Atributos do indivíduo	Sexo	1. Masculino	2. Feminino
	Cor	1. Branca 3. Parda	2. Preta 4. Amarela
	Idade	1. 0 a 15 anos 3. 25 a 49 anos 5. Mais de 65 anos	2. 16 a 24 anos 4. 50 a 65 anos
	Escolaridade (grau da última série concluída)	1. Nunca frequentou escola 3. 2° grau	2. 1° grau 4. 3° grau
	Capacitação na área	1. Não	2. Sim
	Língua estrangeira	1. Não	2. Sim
	Informática	1. Não	2. Sim
Atributos do contexto	Tipo de relação de trabalho	1. Assalariado sem comissão 3. Ganha em espécie 5. Ganha por produção 7. Doméstico diarista	2. Assalariado com comissão 4. Militar ou religioso 6. Doméstico mensalista 8. Doméstico ganha em espécie
	Tipo de empregador	1. Privado 3. Serviços domésticos	2. Público
	Tipo de vínculo	1. Não, estatutário 3. Sim	2. Não

Como todas as variáveis são de tipo categórico, optamos por usar o coeficiente de Cramer para medir a intensidade da associação existente entre elas.[6] Os resultados, apresentados na Tabela 1, são sugestivos. Logo à primeira vista se sobressai que as características do contexto em que se compete estão mais fortemente associadas ao meio pelo qual se obteve a vaga que as características individuais. E isso vale para as três metrópoles. Em todas elas, os atributos da vaga obtida congregam o conjunto de variáveis com maior nível de associação com o meio que se mostrou eficaz para obtê-la. Isto indica que postos de trabalho com características similares (sobretudo no que concerne ao tipo de vínculo, mas também ao tipo de empregador) são obtidos através de meios também específicos; ou seja, nem todos os caminhos levam a empregos com características parecidas.

Tabela 1
OS FATORES CORRELATOS AO MEIO DE PROCURA EFICAZ:
CARACTERÍSTICAS DO INDIVÍDUO OU DO CONTEXTO?
Coeficientes de Cramer (variável dependente: meio de procura eficaz)

Dimensão	Variável	Coeficiente de Cramer		
		Salvador	São Paulo	Porto Alegre
Atributos do indivíduo	Sexo	0,076	0,079	0,088
	Cor	0,075	0,054	0,029
	Idade	0,125	0,105	0,140
	Tempo de residência	0,030	0,051	0,015
Características aquisitivas (escolaridade e capacitação)	Nível de escolaridade (por graus)	0,210	0,175	0,228
	Capacitação na área	0,150	0,115	0,164
	Língua estrangeira	0,033	0,063	0,044
	Informática	0,110	0,132	0,099
Características do posto de trabalho	Tipo de relação de trabalho	0,152	0,158	0,167
	Tipo de empregador	0,389	0,527	0,480
	Tipo de vínculo	0,575	0,574	0,590

Fonte: DIEESE. Pesquisa amostral "Informações sobre o Sistema Público de Emprego, Trabalho e Renda", questionário complementar à PED, maio-out. 2008. Processamentos nossos.

---

[6] O coeficiente de Cramer é similar aos coeficientes de correlação mais comumente utilizados (Pearson e Spearman), conquanto mais adequado para testes de associação com variáveis categóricas. O resultado é expresso em um coeficiente que varia entre 0 e 1, de sorte que quanto mais próximo de 1, maior é o nível de associação entre o par de variáveis em questão.

Dentre as características individuais, as que se referem aos ativos de qualificação e, dentre essas, o grau da última série concluída, apresentaram considerável associação com o meio pelo qual se obteve trabalho. Isso indica que pessoas com diferentes níveis de escolaridade não apenas ocupam empregos de qualidade distinta (o que é fartamente conhecido), mas que *chegam a esses empregos* por mecanismos igualmente diversos; assim, se já sabíamos que diferente era o tipo de vaga que se abria para o candidato mais educado, agora sabemos que igualmente distinto é o *modo pelo qual ele toma conhecimento dessa vaga*. Interessante observar que há uma ligeira diferença a esse respeito entre as metrópoles: para Salvador e Porto Alegre a escolaridade é o ativo relevante por excelência para marcar as diferenças no capital cultural acumulado; já para São Paulo parece haver uma síndrome melhor composta, pois a formação escolar não se distancia tanto em importância dos indicadores de qualificação profissional (notadamente do conhecimento de informática).

Por fim, e como salientado antes, as variáveis que medem os atributos individuais são aquelas com o nível de associação mais baixo com relação ao meio eficaz de obtenção do posto de trabalho. A idade é a que apresenta maior potencial de discriminação, a sugerir que indivíduos em faixas etárias distintas tendem a ter meios eficazes distintos de obtenção de trabalho. Sexo e cor são atributos de associação significativa, conquanto baixa; a cor importa, ligeiramente mais no caso de Salvador, enquanto a condição de sexo se destaca no caso de Porto Alegre. O tempo de residência na região metropolitana apresenta significância apenas em São Paulo.

Entretanto, apesar de prover sugestivas indicações, o teste de Cramer pouco nos diz sobre o sentido da associação entre as variáveis que indica estarem conectadas. Isto nos impede de afirmar de maneira mais precisa que tipos de meios eficazes de obtenção do posto de trabalho ligam os indivíduos aos distintos tipos de ocupação. Para que seja possível responder a essa questão, foi estimado um modelo de análise multivariada que é apresentado na seção a seguir.

O QUE DETERMINA O MODO COMO CIRCULA A INFORMAÇÃO OCUPACIONAL CAPAZ DE PROVER TRABALHO?

Nesta última parte do exercício de análise, vamos em busca de identificar possíveis relações de determinação entre o modo pelo qual se encontra uma vaga, por um lado, e grupos de características individuais e contextuais, por outro.[7]

Para a definição das variáveis a incluir no modelo, algumas adequações se fizeram necessárias. Elas resultaram de análise cuidadosa tanto dos resultados dos testes de associação indicados na Tabela 1, quanto de tabelas bivariadas geradas através do cruzamento entre a variável dependente e cada uma das variáveis independentes. O resultado dessas análises está indicado na Tabela 2.

Tabela 2
AS FORMAS DE PROCURA EFICAZ
E AS CARACTERÍSTICAS DO INDIVÍDUO E DO CONTEXTO:
TESTANDO A FORÇA DAS RELAÇÕES BIVARIADAS
ENTRE AS VARIÁVEIS A INCLUIR NO MODELO

Variável	Relação direta/ prospecção no mercado	Relação direta/ concurso	Relação mediada por instituições	Relação mediada por redes
Sexo: Masculino =1	0,56	0,43	0,48	0,51
Cor: Branca =1	0,67	0,64	0,65	0,51
Faixa etária: 16 a 24 anos =1	0,22	0,04	0,39	0,24
Faixa etária: 50 a 65 anos =1	0,11	0,26	0,04	0,13
Tempo de residência:				
Mais de 5 anos =1	0,95	0,96	0,95	0,94
Tipo de relação de trabalho:				
Assalariado =1	0,96	1,00	0,97	0,80
Tipo de empregador:				
Empresa privada =1	0,93	0,06	0,89	0,79
Tipo de vínculo:				
Com carteira =1	0,82	0,25	0,75	0,66
Escolaridade: 3º grau =1	0,24	0,58	0,31	0,14
Capacitação na área	0,21	0,24	0,21	0,13
Informática	0,07	0,02	0,12	0,04
Salvador	0,13	0,28	0,15	0,29
São Paulo	0,46	0,35	0,43	0,49
Porto Alegre	0,41	0,37	0,42	0,22

Fonte: DIEESE. Pesquisa amostral "Informações sobre o Sistema Público de Emprego, Trabalho e Renda", questionário complementar à PED, maio-out. 2008. Processamentos nossos.

---

[7] Devido à natureza da variável dependente — com quatro categorias-resposta, ou seja, uma variável categórica não dicotômica —, procedeu-se à estimação de um modelo de regressão multinomial.

Nadya Guimarães, Murillo de Brito e Paulo Henrique da Silva

Na primeira coluna desta tabela são apresentadas as variáveis que selecionamos para inclusão no modelo e os formatos nos quais foram operacionalizadas. Nas colunas subsequentes encontram-se estatísticas descritivas que mostram algumas diferenças importantes entre os indivíduos conforme os meios de que se utilizaram para a obtenção do posto de trabalho que ocupavam no momento da entrevista.

Assim, os negros são proporcionalmente mais frequentes entre os que haviam obtido trabalho através de suas redes de contato pessoal. A procura por este meio, por outro lado, é a que distancia mais os indivíduos da chance de obter emprego na condição de assalariados e torna mais difícil o trabalho com carteira assinada (excetuando o caso dos concursados). E como são mobilizadas por indivíduos com níveis de escolaridade sensivelmente mais baixos, as redes pessoais acabam, no mais das vezes, por ligá-los a posições ocupacionais que são também menos exigentes em termos de capacitação.

Já o acesso ao trabalho mediado por instituições do mercado (agências de emprego e similares) é um meio mais característico de indivíduos mais jovens, e se mostra capaz de ligá-los a empregos com carteira assinada, conquanto em ocupações mais exigentes no que diz respeito aos indicadores de capacitação dos que a ele recorrem. As ocupações às quais se chega pela via do concurso têm características bastante específicas: apresentam a menor proporção de trabalhadores com carteira assinada (não sem razão pois parte importante dos mesmos é regida pela legislação do funcionalismo público), menor proporção de homens e de jovens (nelas está a maior proporção de indivíduos com mais de 50 anos). São também as ocupações nas quais os indivíduos têm os níveis mais altos de escolaridade. Por fim, o grupo de indivíduos que recorrem à prospecção direta no mercado caracteriza-se por maior proporção de homens, de brancos e de indivíduos que obtiveram ocupações no setor privado, com carteira de trabalho assinada.

A Tabela 2 reitera o achado anterior no que concerne à importância, entre as metrópoles consideradas, dos diferentes circuitos que viabilizam a obtenção de trabalho. Em Salvador, as redes e o concurso público formam, por assim dizer, espaços polares de acesso ao trabalho. Em Porto Alegre, ao contrário, é sobretudo no mercado que isso se faz, seja pela prospecção individual e direta, seja pela busca apoiada em intermediadores. Em São Paulo, mercado e redes, prospecção direta e contatos pessoais, são, por assim dizer, uma configuração que combina um pouco de cada um dos dois tipos anteriores.

Diante desses sinais de covariação, parece plausível considerar que as características disponibilizadas pela pesquisa possam nos ajudar a discernir quais fatores estão associados à obtenção de postos de trabalho nos diversos tipos de meios eficazes de acesso à informação ocupacional.[8] A Tabela 3 apresenta os resultados do modelo estimado. Nele, a categoria de referência para a análise é a obtenção de trabalho via prospecção direta no mercado, o que significa que a análise das razões de chance para pertencimento às categorias da variável dependente serão sempre lidas com relação a esta categoria.

Escolhemos o contato direto com o empregador como o modo de procura eficaz tomado por referência no modelo porque sendo ele, por assim dizer, o mínimo denominador comum entre as três situações típicas (a de Salvador, a de Porto Alegre e a de São Paulo), podemos melhor observar como as formas alternativas (e até certo ponto polares) de chegar ao trabalho variam em suas chances (vis-à-vis a forma comum às três metrópoles) quando observamos o efeito líquido de características do indivíduo (adscritas ou aquisitivas) ou do contexto (ocupacional ou metropolitano).

Os resultados demonstram que as variáveis incluídas no modelo possuem boa capacidade de predição, e que a maior parte dentre elas apresenta significância estatística na discriminação dos indivíduos entre os diferentes tipos de meios eficazes de obtenção do posto de trabalho.

Assim, vemos que os indivíduos que obtiveram o posto de trabalho via concurso têm significativamente mais chances de serem do sexo masculino e da cor branca se comparados aos indivíduos que obtiveram trabalho através da prospecção direta no mercado.[9] Com relação aos atributos do posto ocupado, tem-se menores chances de trabalho em empresas privadas e chances muito maiores de carteira assinada (ressalte-se que os funcionários públicos estatutários estão excluídos dessa análise). Do ponto de vista da capacitação e do nível de escolaridade, os indivíduos que ocupam vagas por concurso têm maiores probabilidades de haverem alcançado escolaridade de 3º grau, com capacitação prévia na área de trabalho, do que os que obtiveram a vaga buscando-a diretamente nas empresas. Maiores chances de obtenção de trabalho por meio de concurso público são observadas para a cidade de Salvador, uma vez que residência em São Paulo ou Porto Alegre diminui as chances de obtenção da ocupação por essa via.

---

[8] Lembramos que a análise inclui apenas os indivíduos ocupados (seja como empregados, seja como trabalhadores domésticos).

[9] As razões de chance, expressas em percentuais, são apresentadas na quarta coluna da Tabela 3.

Tabela 3
RESULTADOS DO MODELO DE REGRESSÃO MULTINOMIAL
Categoria de referência: relação direta/prospecção de mercado (n=36.324)

		B	Sig.	Exp(B)	RDC (%)
Relação direta/ concurso	Intercepto	-2,508	0,000		
	Masculino =1	1,328	0,000	3,772	277,2
	Branca =1	0,278	0,007	1,321	32,1
	16 a 24 anos =1	-0,202	0,157	0,817	-18,3
	50 a 65 anos =1	-0,082	0,457	0,921	-7,9
	Residência mais de 5 anos =1	0,409	0,059	1,505	50,5
	Empresa privada =1	-6,562	0,000	0,001	-99,9
	Carteira assinada =1	2,313	0,000	10,107	910,7
	Escolaridade 3° grau =1	1,585	0,000	4,880	388,0
	Capacitação na área =1	0,359	0,001	1,432	43,2
	Informática =1	-0,087	0,696	0,916	-8,4
	RMSP =1	-0,446	0,000	0,640	-36,0
	RMPA =1	-0,895	0,000	0,409	-59,1
Relação mediada por instituições	Intercepto	-1,152	0,000		
	Masculino =1	-0,179	0,000	0,836	-16,4
	Branca =1	-0,178	0,001	0,837	-16,3
	16 a 24 anos =1	0,724	0,000	2,063	106,3
	50 a 65 anos =1	-0,837	0,000	0,433	-56,7
	Residência mais de 5 anos =1	0,214	0,034	1,239	23,9
	Empresa privada =1	-0,525	0,000	0,592	-40,8
	Carteira assinada =1	-0,312	0,000	0,732	-26,8
	Escolaridade 3° grau =1	0,341	0,000	1,406	40,6
	Capacitação na área =1	0,073	0,189	1,075	7,5
	Informática =1	0,492	0,000	1,635	63,5
	RMSP =1	-0,076	0,281	0,927	-7,3
	RMPA =1	0,085	0,257	1,088	8,8
Relação mediada por redes	Intercepto	2,837	0,000		
	Masculino =1	0,039	0,135	1,040	4,0
	Branca =1	-0,053	0,074	0,948	-5,2
	16 a 24 anos =1	0,078	0,010	1,081	8,1
	50 a 65 anos =1	0,003	0,938	1,003	0,3
	Residência mais de 5 anos =1	-0,144	0,009	0,866	-13,4
	Empresa privada =1	-0,984	0,000	0,374	-62,6
	Carteira assinada =1	-0,625	0,000	0,535	-46,5
	Escolaridade 3° grau =1	-0,545	0,000	0,580	-42,0
	Capacitação na área =1	-0,515	0,000	0,598	-40,2
	Informática =1	-0,360	0,000	0,698	-30,2
	RMSP =1	-0,728	0,000	0,483	-51,7
	RMPA =1	-1,391	0,000	0,249	-75,1

Fonte: PED. Fundação Seade. Elaboração própria (RDC = razão de chance).

A obtenção do posto de trabalho mediada por instituições do mercado está significativamente mais associada ao sexo feminino do que o observado para a prospecção direta no mercado. É também mais provável (que a busca direta) entre os negros. A faixa etária também discrimina a utilização deste meio de obtenção de trabalho: duplicam-se as chances para os jovens entre 16 e 24 anos (106,3% a mais) e reduzem-se para indivíduos com mais de 50 anos, reiterando achado anterior de que as instituições do mercado de intermediação de vagas são um importante caminho para entrada dos jovens no mercado de trabalho (Guimarães, 2009a). Por fim, as ocupações obtidas através destas instituições tendem a exigir níveis mais altos de escolaridade e conhecimentos em informática do que as obtidas via prospecção direta no mercado. Mas, sugerindo problemas com a qualidade desses empregos, as ocupações obtidas através das instituições do mercado (se comparadas com as obtidas por meio da busca direta) reduzem a chance de emprego com carteira, conquanto sejam mais frequentes no setor privado.

Que dizer dos indivíduos que chegaram à vaga que ocupam através de relações mediadas por suas redes? Eles claramente se diferenciam daqueles que obtiveram seus empregos pela via prospecção direta no mercado. No que diz respeito aos atributos pessoais, a obtenção de trabalho através de contatos pessoais (de novo, se comparada com a prospecção direta) tem mais chance de ocorrer entre indivíduos mais jovens e migrantes recentes (negativamente relacionada àqueles indivíduos que residem no município a mais de 5 anos). Mas é muito interessante considerar que, se os atributos pessoais alteram chances, eles reúnem, no entanto, as variáveis com menor potencial de distinção entre a prospecção direta no mercado e a obtenção de trabalho mediada por redes sociais. As características do posto de trabalho indicam chances significativamente menores de ocupar vagas com carteira assinada e postos em empresas privadas. Em termos de escolaridade e capacitação, menores probabilidades de que os indivíduos que obtêm o posto de trabalho via redes sociais tenham alta escolaridade, capacitação na área e treinamento em informática. Nestes casos também predominam indivíduos residentes em Salvador, que (como se viu) é a metrópole onde se tem mais chance de obtenção de trabalho via redes pessoais (sempre em comparação com aqueles que obtiveram seu trabalho via prospecção direta no mercado).

Retomando esses achados numa visão de conjunto, poder-se-ia dizer que os resultados do modelo de análise e os parâmetros estimados apontam que os empregos mais protegidos — que têm carteira assinada — e que exigem maior nível de escolaridade são principalmente aqueles obtidos via concurso, em uma relação direta do indivíduo com o mercado. Entretanto, embora se pudesse entender ser este um meio mais anônimo, universalista e protegido de acesso à vaga é destacável que, justamente nesses casos, a evidência de desigualdade de gênero apareça de forma mais clara (quando comparados aos empregos obtidos via prospecção direta).

Se os atributos pessoais têm impacto principalmente na obtenção de postos de trabalho via intermediação de instituições do mercado, são as características do contexto (notadamente do posto obtido) a dimensão mais importante para distinção entre todos os tipos de meios eficazes de obtenção de trabalho. Isso sugere que existem, de fato, caminhos específicos de obtenção de postos de acordo com o tipo de setor (público, privado ou doméstico) e o tipo de vínculo (existência ou não de carteira assinada).

A escolaridade é outra variável muito relevante na análise proposta, pois tem grande potencial de discriminação entre os tipos de meios eficazes, apontando que não apenas os atributos da vaga obtida são importantes preditores da estratégia eficaz de obtenção de trabalho, mas que o capital escolar atua junto a esses atributos, associando indivíduos a meios específicos de obtenção, que, por sua vez, levam a determinadas ocupações em detrimento de outras.

As relações mediadas por redes, por sua vez, são as mais comuns e ao mesmo tempo, as que levam a ocupações mais precárias, associando-se negativamente a vínculos estáveis de trabalho, e a níveis de escolaridade e capacitação mais altos. A incorporação da dimensão regional na análise demonstra que em Salvador tem-se um mercado no qual as relações diretas via concurso e as relações mediadas por redes — os dois extremos em um contínuo que vai do mais ao menos precário, em termos de ocupações obtidas — discriminam significativamente as estratégias dos trabalhadores na sua busca por empregos nessa metrópole, num padrão claramente específico com relação ao que é observável na comparação com São Paulo e Porto Alegre.

Mas, se, por um lado, o modelo de análise estimado traz pistas sobre o impacto de determinadas variáveis sobre as chances de pertencimento às categorias de meios eficazes de obtenção do posto de trabalho, por outro lado ele apresenta variabilidade em sua capacidade de predição para cada uma das categorias da variável dependente. Isto significa que as variáveis selecionadas para a estimação são mais adequadas para a predição do pertencimento a determinadas categorias em oposição às outras. O Gráfico 4 apresenta a distribuição dos casos analisados em um diagrama de dispersão no qual os eixos representam as probabilidades de pertencimento à categoria predita e à categoria observada.

Diagrama 1
DIAGRAMA DE DISPERSÃO:
PROBABILIDADE DE PERTENCIMENTO À CATEGORIA PREDITA VERSUS
PROBABILIDADE DE PERTENCIMENTO À CATEGORIA OBSERVADA

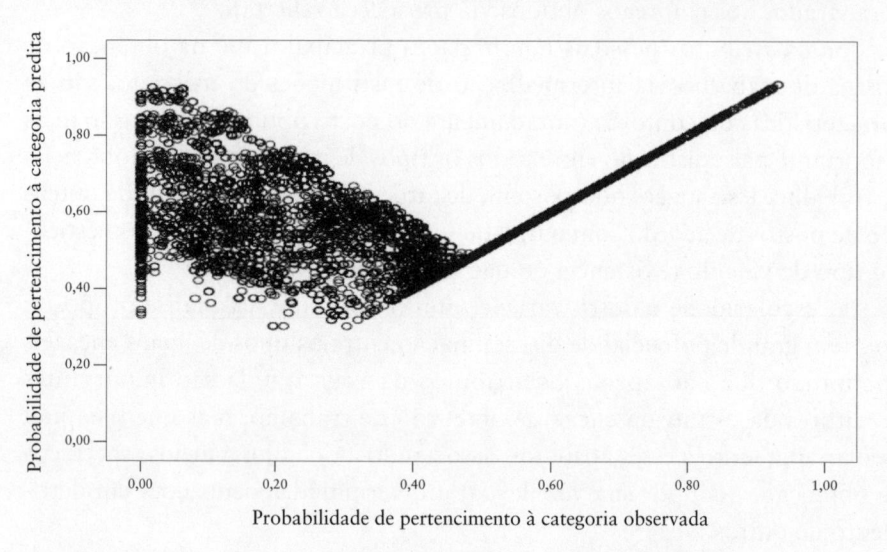

Probabilidade de pertencimento à categoria observada

Fonte: DIEESE. Pesquisa amostral "Informações sobre o Sistema Público de Emprego, Trabalho e Renda", questionário complementar à PED, maio-out. 2008.

O diagrama de dispersão aponta uma relação linearizada entre as probabilidades de pertencimento às categorias preditas e observadas para boa parte dos casos, representados na porção direita do diagrama. Para estes casos, a capacidade de predição do modelo é boa, pois a estimação consegue "acertar" a categoria observada com base nas variáveis dependentes utilizadas. Os demais casos representam uma porção de variância não explicada pelo modelo e surpreende o padrão linearizado contrário ao observado para os casos nos quais o modelo tem boa capacidade de predição. Isto indica que, nestes casos, o pertencimento a alguma das categorias de meios eficazes de obtenção do posto de trabalho responde a fatores diversos para além daqueles incluídos no modelo.

O diagrama mostra as limitações na capacidade de predição do modelo proposto de uma forma geral, mas não permite a identificação de seu ajuste específico a cada uma das categorias. Os Gráficos 4, 5, 6 e 7, a seguir, tentam dar pistas neste sentido. Eles mostram a distribuição empírica (i) das probabilidades de pertencimento à categoria predita e (ii) das probabilidades de pertencimento à categoria observada.

DISTRIBUIÇÃO EMPÍRICA DAS PROBABILIDADES DE PERTENCIMENTO ÀS CATEGORIAS PREDITA E OBSERVADA POR TIPO DE MEIO EFICAZ DE OBTENÇÃO DO POSTO DE TRABALHO

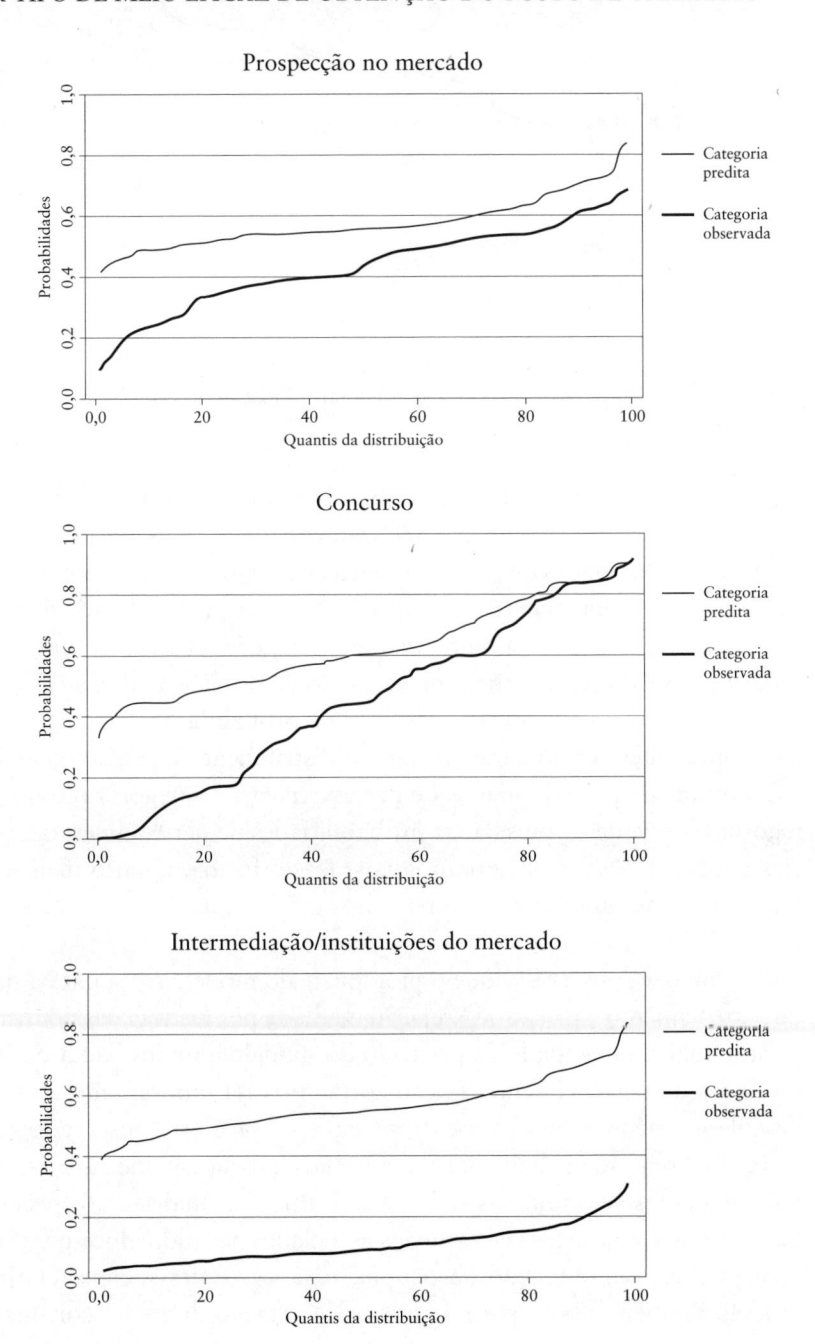

Os mecanismos de acesso (desigual) ao trabalho

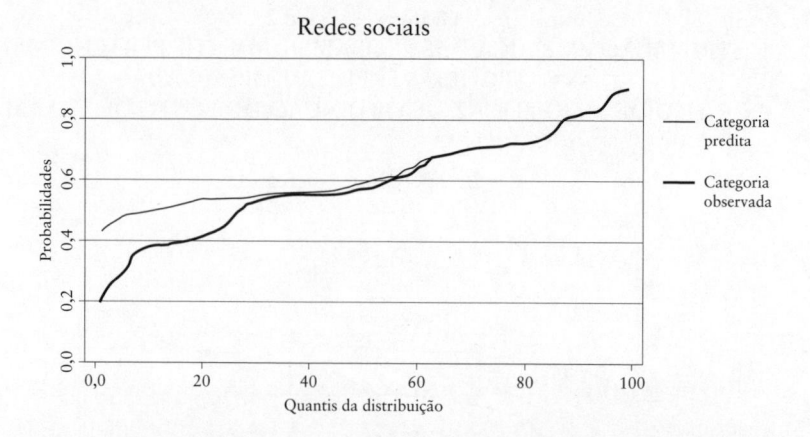

Redes sociais

Fonte: DIEESE. Pesquisa amostral "Informações sobre o Sistema Público de Emprego, Trabalho e Renda", questionário complementar à PED, maio-out. 2008.

Os gráficos apresentam a distribuição empírica dos indivíduos por cada uma das quatro categorias da variável dependente, classificados de acordo com as probabilidades de pertencimento às categorias preditas e observadas. Cada uma das retas representa a distribuição da probabilidade de pertencimento à categoria predita (linha fina) e à categoria observada (linha grossa). Essas retas são também uma representação da ordenação dos indivíduos dos níveis mais baixos aos níveis mais altos de probabilidade de pertencimento.

Um modelo totalmente ajustado à distribuição dos dados geraria retas sobrepostas de probabilidades de pertencimento à categoria predita e à categoria observada — ou seja, as probabilidades de pertencimento às categorias predita e observada seriam iguais. Desta forma, quanto mais extensas forem as áreas sobrepostas das retas nos gráficos, melhor o ajuste do modelo aos dados.

Com isso, observa-se que o pior ajuste do modelo se dá para a predição de pertencimento à categoria "relação mediada por instituições do mercado", para o qual a capacidade de predição do modelo é muito baixa e as probabilidades de pertencimento às categorias predita e observada estão muito descoladas. Mas, e no outro extremo, o melhor ajuste observado se dá na categoria "relação mediada por redes sociais", o que significa que as variáveis independentes selecionadas são, para a amostra analisada, especialmente interessantes para se prever variáveis associadas aos indivíduos para os quais o meio eficaz de obtenção da ocupação são as redes sociais. O ajuste do modelo também é bom para a categoria "relação direta — concurso", em

Nadya Guimarães, Murillo de Brito e Paulo Henrique da Silva

especial nos níveis mais altos de probabilidade (como é possível prever). Por fim, o ajuste para a categoria "prospecção direta no mercado" é razoável, apesar de que não é observável sobreposição das retas, em nenhum ponto das duas distribuições de probabilidade.

À GUISA DE CONCLUSÃO

Que podemos concluir à luz do exercício que nos permitem os dados até aqui apresentados?

Em primeiro lugar, que as desigualdades geradas pelo mercado precisam ser entendidas como um processo que antecede a obtenção da ocupação e que precisa ser acompanhado a partir do momento em que se procura trabalho. Isso porque, o modo de procurar — e o modo de obter acesso à vaga, como vimos, é fortemente dependente de atributos, do indivíduo (adquiridos ou adscritos) ou do contexto em que se insere (o tipo de posto de trabalho que busca e alcança e o contexto metropolitano em que compete). Sinais de segregação nos caminhos da procura são fortemente sugeridos por esses dados, aumentando a importância dos mecanismos públicos de apoio aos que demandam trabalho.

Finalmente, se o modelo estimado parece conter variáveis robustas para explicar o acesso ao trabalho por meio de redes, esse não parece ser o caso justamente naquela franja que, conquanto reduzida em seus efeitos, é a que mais cresce recentemente no mercado brasileiro de trabalho, qual seja, a do emprego intermediado por agências e similares. Esse é um desafio deixado pelo estudo aqui apresentado.

BIBLIOGRAFIA

AUTOR, David H. (2008). "Studies of Labor Market Intermediation". Paper preparado para a NBER Conference on Labor Market Intermediation, 17-18 de maio.

BARON, James N.; BIELBY, William T. (1980). "Bringing the Firms Back In: Stratification, Segmentation, and the Organization of Work". *American Sociological Review*, vol. 45, pp. 737-65.

BENNER, Chris; LEETE, Laura; PASTOR, Manuel (2007). *Staircases or Treadmills? Labor Market Intermediaries and Economic Opportunity in a Changing Economy.* Nova York: Russell Sage Foundation.

BLAU, Peter; DUNCAN, Otis Dudley (1967). *The American Occupational Structure.* Nova York: Wiley.

DEGENNE, Alain; FOURNIER, I.; MARRY, Cathérine; MOUNIER, Lise (1991). "Les relations sociales au coeur du marché du travail". *Sociétés Contemporaines*, n° 5, pp. 75-97.

GRANOVETTER, Mark (1974). *Getting a Job: A Study of Contacts and Careers*. Cambridge, Mass.: Harvard University Press.

_____ (1985). "Economic Action and Social Structure: The Problem of Embeddedness". *American Journal of Sociology*, vol. 91, pp. 481-510.

GUIMARÃES, Nadya A. (2009). *Desemprego: uma construção social*. Belo Horizonte: Argumentum.

_____ (2009a). *À procura de trabalho: instituições do mercado e redes*. Belo Horizonte: Argumentum.

HAUSER, Robert Mason; FEATHERMAN, David L. (1977). *The Process of Stratification: Trends and Analysis*. Nova York: Academic Press.

HODSON Randy (1983). *Workers Earnings and Corporate Economic Structure*. Nova York: Academic Press.

HSUNG, Ray-May; LIN, Nan; BREIGER, Ronald L. (2009). *Contexts of Social Capital: Social Networks in Markets, Communities, and Families*. Nova York: Routledge.

KALLEBERG, Arne; GRIFFIN L. J. (1980). "Class, Occupation, and Inequality in Job Rewards". *American Journal of Sociology*, vol. 85, pp. 731-68.

KASE, Kasutoshi; SUGITA, Kurumi (orgs.). (2006). *The Unemployed and Unemployment in an International Perspective: Comparative Studies of Japan, France and Brazil*. University of Tokyo, Institute of Social Sciences (ISS Research Series, 19), Tóquio.

KOENE, Bas; PURCELL, Kate (2004). "The Value of Relationships in a Transactional Labour Market: Constructing a Market for Temporary Employment", manuscrito não publicado.

LIN, Nan (2001). *Social Capital: A Theory of Social Structure and Action*. Cambridge/Nova York: Cambridge University Press.

SORENSEN, Aage (1977). "The Structure of Inequality and the Process of Attainment". *American Sociological Review*, vol. 42, pp. 965-78.

VIEIRA, Priscila P. F. (2009). "A experiência da procura de trabalho: um estudo de caso". Dissertação de Mestrado, FFLCH-USP, São Paulo.

WHITE, Harrison (1970). *Chains of Opportunity: System Models of Mobility in Organizations*. Cambridge, Mass.: Harvard University Press.

Parte III

POLÍTICA E REPRESENTAÇÃO

8

Estratégia partidária e clivagens eleitorais: as eleições municipais pós-redemocratização[1]

Fernando Limongi e Lara Mesquita

A redemocratização do Brasil se deu por meio de um longo e tortuoso processo. A elaboração de um novo texto constitucional em 1988 e a eleição popular direta do Presidente em 1989 completaram a transição iniciada em 1974 pelo general Ernesto Geisel. Uma das peculiaridades do regime militar brasileiro foi a manutenção de eleições legislativas para as prefeituras, excluídas as capitais de estado, as áreas de segurança nacional e as estâncias hidrominerais. Uma vez que o partido de oposição se mostrou o principal beneficiário do bipartidarismo imposto pelos militares, as eleições, ainda que limitadas, acabaram por ditar os rumos e o resultado do processo de redemocratização.

O voto no partido da oposição correlacionava-se positivamente à urbanização e negativamente à renda do eleitor. Assim, quanto maior a cidade e quanto mais carente o eleitor, maior sua propensão a votar no MDB.[2] As negociações, os avanços e recuos que marcaram a longa transição envolveram uma série de reformas da legislação eleitoral e partidária, por meio da qual os militares buscaram retardar o retorno do poder aos civis. Em 1979, a legislação partidária é abrandada e volta-se ao pluripartidarismo, ao mesmo tempo em que se aprova uma lei da anistia. Em 1982, retomam-se as eleições

---

[1] Este texto foi desenvolvido no Centro de Estudos da Metrópole (CEM) e financiado pela Fapesp. Agradecemos a Ivan Borin, que gentilmente nos cedeu os dados da eleição de 1992. Este texto é uma versão revisada e ampliada de "Estratégia partidária e preferência dos eleitores: as eleições municipais em São Paulo entre 1985 e 2004", publicado na revista *Novos Estudos*, Cebrap, nº 81, jul. 2008. O texto foi reescrito enquanto Fernando Limongi era Visiting Scholar, pelo Coca-Cola World Fund, no MacMillan Center da Universidade Yale.

[2] Os militares impuseram um sistema bipartidário em 1966, com um partido que apoiava o regime, a ARENA (Aliança Renovadora Nacional), e um de oposição, o MDB (Movimento Democrático Brasileiro).

diretas aos governos estaduais. Ironicamente, as eleições diretas para prefeitos das capitais tiveram que aguardar a saída dos militares do poder, sendo restabelecidas apenas em 1985.

A despeito do retorno ao pluripartidarismo, o partido de oposição, rebatizado de PMDB, continuou a crescer, contando com o apoio sistemático das camadas urbanas mais carentes. Assim, em 1985, com a recuperação do direito dos paulistanos de elegeram seu prefeito, esperava-se que esta hegemonia do PMDB na cidade de São Paulo viesse a ser corroborada com a conquista da prefeitura. Não foi, no entanto, o que ocorreu. O ex-presidente Jânio Quadros, candidato pelo PTB, vence a eleição derrotando, de forma surpreendente, Fernando Henrique Cardoso, o candidato do até então imbatível PMDB. Eduardo Suplicy, candidato do recém-fundado PT, ficou com a terceira colocação.

Como poderia um candidato de direita ser eleito em uma cidade que até então dera provas de inegável e forte oposicionismo? O apelo populista de Jânio Quadros e seu exotismo não são explicações suficientes, dado que candidatos apoiados por partidos de direita vencem em três outras oportunidades. Paulo Maluf, candidato do PDS, é eleito em 1992, e seu afilhado político, Celso Pitta, vence a eleição de 1996, enquanto Gilberto Kassab, do DEM, vence a eleição de 2008.

A direita, portanto, é uma força política de peso no cenário da cidade. Venceu a maioria dos pleitos, desmentindo o conhecido prognóstico da sociologia política nacional segundo o qual a viabilidade eleitoral da direita estaria associada ao atraso econômico, à existência do eleitor rural dependente e controlado pelo proprietário de terras. E a direita vence por duas vezes, deve-se ressaltar, liderada por um político, Paulo Maluf, que pode ser considerado o epíteto do regime militar. Cabe lembrar que ele foi prefeito indicado da capital entre 1970 e 1974, e governou o estado entre 1978 e 1982. Foi ainda candidato a presidência da República pelo PDS (ex-ARENA) nas eleições indiretas de 1985 que elegeu a chapa Tancredo-Sarney e culminou na criação do PFL (hoje DEM).

Ainda que a direita tenha sido a maior vencedora dos pleitos em São Paulo, não se pode dizer que tenha detido controle absoluto da arena eleitoral na cidade. O cenário eleitoral paulistano pode ser melhor caracterizado como sendo marcado pela polarização entre a direita e a esquerda. A prefeitura esteve sob controle do PT em duas oportunidades, de 1988 a 1992, e de 2000 a 2004. Nestas duas oportunidades, a prefeitura passou das mãos da direita para a esquerda. Mais do que isso, desde a instauração das eleições em dois turnos em 1992, o candidato do PT sempre chegou ao 2° turno.

A força da direita e da esquerda tem como contrapartida a fragilidade dos partidos de centro, o PMDB e o PSDB. De fato, o apoio ao PMDB junto às camadas mais pobre evaporou-se rapidamente. O PSDB, ainda que tenha conquistado o governo do Estado de São Paulo e a presidência em 1994 e 1998, amarga resultados verdadeiramente pífios na cidade. Vence, é certo, a eleição de 2004, mas em um cenário em que a direita já não conta com candidato viável. Mas cabe uma ressalva: os candidatos à presidência e ao governo do estado do PSDB tem sempre bom desempenho na capital.

Diante destes fatos, como dar conta dos resultados eleitorais da cidade? Uma resposta simples e direta poderia ser a seguinte: estamos diante de eleitores inconstantes, volúveis, não controlados por partidos, que ora votam na direita, ora na esquerda e, em outras disputas, inclinam-se mais sistematicamente pelo centro. Tratar-se-ia de eleitorado que teria rapidamente perdido os laços que o uniam ao partido de oposição ao regime militar, atraído por lideranças personalistas? Não acreditamos que estas sejam respostas convincentes.

Procuraremos mostrar que, a despeito da inconstância dos resultados, o eleitorado paulistano tem apresentado considerável estabilidade em suas opções. As flutuações das preferências dos eleitores são pequenas e se dão dentro de limites estreitos e conhecidos. Obviamente, estabilidade não é o mesmo que imobilismo. As mudanças, no entanto, são lentas e dependem da capacidade dos partidos mobilizarem o eleitorado. Sobretudo, para interpretar resultados eleitorais, é preciso levar em conta a oferta de candidaturas. Eleitores votam nas opções que os partidos lhe oferecem. Nestes termos, a estratégia perseguida pelos partidos passa a ser fundamental para dar conta do comportamento dos eleitores.

Partidos de direita, centro e esquerda lançaram ao menos um candidato cada em todas as eleições na capital paulista. Assim, o resultado dependeu das coalizões informais constituídas ao longo da campanha pelos próprios eleitores. Nos termos de Gary Cox (1992), a coordenação entre os eleitores foi a chave para definir a eleição para prefeito de São Paulo nesse período. Dito de outra forma: na ausência de coligações eleitorais entre os partidos dos diferentes blocos, a coordenação ficou a cargo dos eleitores. Direita e esquerda vencem a maioria dos pleitos, mas, ainda assim, os eleitores decisivos são os de centro. E estes demonstram maior inclinação para votar na direita do que na esquerda. Esta tendência se cristaliza de forma clara ao final do período, nas duas últimas eleições para sermos mais exatos, com a emergência de uma coalizão formal entre partidos de direita e de centro, DEM e PSDB, para enfrentar a esquerda, representada pelo PT.

O argumento será desenvolvido acompanhando cada uma das eleições, subdivididas em três grupos. Inicialmente, analisaremos as duas primeiras eleições pós-redemocratização. Apoiamo-nos na extensa literatura existente sobre as eleições transcorridas na cidade de São Paulo na passagem do bi para o pluripartidarismo. Reinterpretamos esta literatura para mostrar que, ao contrário do que se julgava, a direita esteve longe de mostrar sua tão repetidamente afirmada e projetada inviabilidade eleitoral. Antes o contrário: o apoio recebido por seus candidatos se mostrou estável, e até cresceu no período. Paradoxalmente, o outrora imbatível PMDB é que se mostrou frágil. Na cidade de São Paulo, o capital eleitoral do PMDB é dissipado rapidamente, enquanto o PT se estabelece como principal alternativa para derrotar a direita.

Para as eleições seguintes, baseamo-nos em análises empíricas originais, recorrendo a nosso próprio banco de dados. Contamos com informações sobre voto e grau de instrução dos eleitores organizados por seção (isto é, urnas). Sabemos, portanto, o resultado em cada seção, assim como a educação de cada um dos eleitores a votar naquela seção. Assim, podemos descrever em maior detalhe a evolução da competição partidário-eleitoral e a transformação das bases de apoio dos principais partidos para as eleições de 1992 em diante.

Analisamos os resultados eleitorais, as votações efetivamente obtidas pelos partidos. Interessa-nos o voto dado, a sua distribuição agregada. A exposição acentuará elementos descritivos que permitam caracterizar a evolução do apoio aos diferentes partidos entre as diferentes camadas da população, distinguidas por sua educação e de acordo com resultados anteriores.

Em nenhum momento arriscamos qualquer explicação sobre os determinantes do voto, isto é, nos abstemos de considerar por que os eleitores votam como votam. Enfatizamos a estabilidade e previsibilidade da distribuição das preferências partidárias expressas nas urnas. Assim, sejam quais forem as razões que levam eleitores a votar neste ou naquele partido, sabemos como a maioria deles votará em pleitos futuros. O fato é que, com o tempo, a polarização eleitoral na cidade ganhou contornos bastante claros.

Ao longo do período, o apoio ao PT entre os eleitores menos escolarizados e mais pobres cresceu de forma significativa. Esta penetração se intensificou durante a administração de Marta Suplicy (2001-2004) à testa da prefeitura, quando, ao que tudo indica, chegou ao seu limite. Nos últimos dois pleitos, o voto do PT entre os mais pobres estagnou. O apoio entre os mais escolarizados e ricos, decisivos para as vitórias de 1988 e 2000, caiu. De outra parte, o bloco de centro-direita, nesta etapa final, mudou de mãos,

Fernando Limongi e Lara Mesquita

passando da liderança do PDS para a do PSDB-DEM, com o que perdeu algum apoio entre os mais carentes, compensado por um domínio quase absoluto entre os mais abastados.

Antes de prosseguir, uma palavra sobre o uso dos termos direita, centro e esquerda. Seu emprego não importa em juízos substantivos acerca do comportamento dos eleitores ou do seu apoio a determinados tipos de política. Não estamos afirmando que eleitores se comportam de acordo com as ideologias normalmente associadas a estes termos. Tampouco estamos afirmando que os partidos que associamos a cada um destes rótulos defendam programas e/ou políticas identificados com estas posições. Isso pode ou não ser verdade. A conotação que emprestamos aos termos é meramente relacional, isto é, permite que situemos cada um dos partidos e os eleitores que votam nestes partidos no interior do espaço político. Como notou Sartori (1982), os partidos, ao disputarem votos, são obrigados a estabelecer relações e distinções entre si, isto é, cada um define sua posição em relação aos demais, constituindo desta forma o espaço político. Os partidos se dirigem aos mesmos eleitores, e as mensagens que enviam precisam estabelecer distinções e termos de comparação para que estes possam fazer suas escolhas. A competição eleitoral define as posições relativas dos partidos que os termos direita, centro e esquerda descrevem. Portanto, não há significados intrínsecos ou imanentes a serem associados a estes termos, apenas um ordenamento.

Definindo os jogadores: as eleições de 1985 e 1988

Em 1985, a primeira eleição para a prefeitura da cidade de São Paulo após o fim do governo militar, doze candidatos disputaram a cadeira de prefeito. Muitos partidos recém-formados lançaram candidatos buscando um lugar ao sol. Contudo, de fato, a competição ficou restrita aos candidatos lançados pelos maiores partidos. Para ser preciso, apenas três candidatos disputaram efetivamente os votos e as preferências dos eleitores naquela eleição. A votação acumulada de Jânio Quadros (PTB), Fernando Henrique Cardoso (PMDB) e Eduardo Suplicy (PT), os três mais votados, chegou a 95,83% dos votos válidos. As proporções dos votos obtidos por cada um deles — 37,5%, 34,2% e 19,7%, respectivamente —, definem os parâmetros sobre os quais a política paulistana se moveria nas próximas eleições. Se estes candidatos, pela ordem, forem associados à direita, ao centro e à esquerda, teremos que a distribuição da força eleitoral entre estes grupos mostra algum equilíbrio. Dentre as três, a esquerda, está claro, era a mais fraca. Contudo, não se pode esquecer que esta era apenas a segunda eleição disputada pelo PT. Deve se notar ainda que o partido obteve algum sucesso em sua disputa com o PMDB pelo apoio dos eleitores mais pobres. Eduardo Suplicy obteve, respectivamente, 13,6% e 24,4% dos votos na região mais rica e na mais pobre da cidade.[3] Mais importante, nenhum dos grupos foi capaz de obter apoio da maioria absoluta dos eleitores

A eleição de um candidato representando as forças de direita e a derrota do até então imbatível PMDB surpreenderam a maioria, senão a totalidade, dos analistas. A lógica da disputa eleitoral reinante no período de transição do autoritarismo à democracia fora subvertida. Desde a eleição paradigmática de 1974, o eleitorado urbano, sobretudo o mais carente, havia dado repetidas provas de seu apoio ao partido de oposição. A direita vencera justamente onde sua vitória parecia mais improvável, senão impossível. O apoio à direita nas eleições de 1974 a 1982 decrescia com a urbanização e a renda, comprovando-se assim a suposição longamente estabelecida na literatura de que a urbanização do país seria acompanhada da inviabilização eleitoral da direita. Como notou Bolívar Lamounier (1980: 16):

> "O contraste entre cidade e campo, ou até mais toscamente, entre capital e interior, adquiriu entre nós uma conotação inconfundível, traduzindo-se para o léxico político-eleitoral como autonomia versus submissão, oposição versus coronelismo."

Dito de outra forma, a análise política brasileira não encontra lugar para o voto urbano de direita, sobretudo entre as camadas mais carentes. Urbanização redundaria em autonomia do eleitor, e o voto na direita entre os mais pobres só pode ser entendido como manifestação da sua sujeição e subordinação. A tese, cujas raízes na literatura sobre o período 1946-1964 são conhecidas (Carvalho, 1958; Soares, 1973), teria sido referendada de forma cabal pelo crescimento do MDB/PMDB ao longo dos anos 1970. Diante dessas expectativas, uma vitória de um partido de direita na cidade de São Paulo parecia impossível.

---

[3] Para mais informações, ver Bolívar Lamounier e Judith Muszynscki, "A eleição de Jânio Quadros", em Bolívar Lamounier (org.), *1985: o voto em São Paulo*, São Paulo, IDESP, 1986; e Rachel Meneguello, *PT: a formação de um partido, 1979-1982*, São Paulo, Paz e Terra, 1989, que nota na p. 157 que a votação do Partido dos Trabalhadores em 1982 foi maior na Zona Leste da cidade, mais especificamente nas regiões fronteiriças com o ABC.

Fernando Limongi e Lara Mesquita

Estas projeções, contudo, foram alimentadas por um equívoco, a expectativa de que a perda de votos da direita se manteria constante ao longo do tempo. Obviamente, a hemorragia de votos poderia estancar em algum ponto, e este não precisava ser o fundo do poço. Foi o que aconteceu. O voto de direita parou de cair bem antes do patamar que o inviabilizaria.

O fato é que a direita já dera mostras da sua força na cidade e no estado nas eleições de 1982. Lamounier e Muszynski (1983: 14), por exemplo, falam em uma recuperação eleitoral do PDS na capital. Recuperação, deve se dizer, em relação ao desempenho pífio do candidato do partido ao senado em 1978. Mas não há recuperação se a referência for o ano de 1974.

Não é nosso objetivo explicar o voto em candidatos de direita entre os eleitores mais carentes.[4] Queremos apenas deixar estabelecidas a estabilidade e a força do apoio eleitoral à direita ao longo do período sob análise. Cabe frisar também um ponto adicional e pouco notado: a partir de 1988, estes eleitores na cidade (na verdade, no Estado de São Paulo) se tornaram cativos do partido comandado por Paulo Maluf, o PDS e suas diferentes denominações futuras. Mas estas considerações nos levam ao segundo aspecto que precisa ser frisado para dar conta da vitória de Jânio Quadros em 1985, qual seja, analisar as estratégias seguidas pelos maiores partidos, em especial, no caso, pelos partidos de direita.

O fato é que, em 1985, a direita disputa a prefeitura unida em torno da candidatura do PTB, ao contrário do que correra nas eleições para o governo estadual em 1982, quando esta se dividira, apresentando dois candidatos (Reynaldo de Barros pelo PDS e Jânio Quadros pelo PTB). Como argumentam Lamounier e Muszynski (1986: 9), a união da direita representou uma estratégia eleitoral consciente, traçada por suas lideranças:

"A diferença entre 1982 e 1985 foi que desta vez os conservadores uniram suas forças. Veja-se o caso do PDS. Cientes de que

---

[4] Ver Bolívar Lamounier, "O voto em São Paulo, 1970-1978", em Bolívar Lamounier (org.), *Voto de desconfiança*, Rio de Janeiro, Vozes, 1980, p. 79; Bolívar Lamounier e Judith Muszynski, *op. cit.*, p. 21; Antônio Flávio Pierucci e Marcelo Coutinho de Lima, "A direita que flutua", *Novos Estudos*, n° 29, pp. 10-27, Cebrap, 1991; e André Singer, "Collor na periferia: a volta por cima do populismo?", em Bolívar Lamounier (org.), *De Geisel a Collor: o balanço da transição*, São Paulo, Sumaré, 1990, para tentativas de explicações referidas ao contexto urbano paulistano. Em todos estes autores, apela-se de uma forma ou outra à noção de voto desviante, implicando que o voto esperado entre estas camadas seria em candidatos de esquerda. Ou seja, o voto na esquerda não pediria explicações.

a força de seu partido seria insuficiente para a vitória — lembre-se que no pleito de 1982 não conseguiram nem mesmo superar a votação janista na capital —, os dirigentes pessedistas deram seu apoio a Jânio Quadros. A coligação recebeu ainda o aval do PFL, cuja contribuição em votos era uma incógnita, mas que contava com ministros de grande prestígio, como Olavo Setúbal. A eficácia dessa aliança não é surpreendente, se considerarmos que a candidatura de Jânio em 1982, apoiada por um PTB muito débil, somada à de Reynaldo de Barros, que representava naquele momento todo o desgaste do PDS, chegou à marca de 33% dos votos."

A estratégia deu resultado, garantindo que o "candidato único das direitas" arrebatasse para si o conjunto dos votos obtidos pelo PDS e PTB na capital três anos antes. A continuidade é corroborada por Meneguello e Alves (1986: 98), que analisam dados desagregados por unidades administrativas no interior de cada uma das oito áreas homogêneas da cidade. As correlações entre os resultados dos dois pleitos variam entre 0,97 e 0,68.

As análises de Lamounier e Muszynski (1986) e de Meneguello e Alves (1986) mostram ainda que a votação dos candidatos de direita não estava confinada às áreas mais ricas da cidade. Na realidade, sequer estava correlacionada positivamente à renda da área homogênea. O fato é que, em ambas as oportunidades, mesmo nas áreas homogêneas 7 e 8, as mais pobres e carentes, a direita obtêm votações expressivas, sempre na casa de um terço dos votos. Portanto, para entender as vitórias futuras da direita (em 1992 e 1996) não será preciso falar ou encontrar uma nova direita. Reproduzimos aqui o argumento desenvolvido por Figueiredo *et al.*, 2002. Ou seja, vista em perspectiva, trata-se da mesma direita.

Se a direita se uniu para disputar esta eleição, o PMDB enfrentaria, pela segunda vez, a situação inversa. Com o avanço da redemocratização e a reestruturação partidária, o partido perdera o monopólio sobre o voto oposicionista entre os mais pobres, passando a disputar este eleitorado com o PT. A estratégia eleitoral bem-sucedida comandada pelo MDB/PMDB ao longo da transição, qual seja, a união das forças antiautoritárias para derrotar os militares nas urnas, perdera seu sentido com a chegada de um civil à presidência. Ocupando o governo estadual, o partido não mais poderia basear sua estratégia em apelos oposicionistas. O fato é que PMDB e PT disputariam um eleitorado que até então se mostrara cativo e fiel ao PMDB. A divisão cobraria seu preço, arrancando do PMDB uma vitória que o partido deu como praticamente assegurada ao longo de toda a campanha de 1985.

Fernando Limongi e Lara Mesquita

Apelos para que os eleitores do PT praticassem o "voto útil", isto é, que coordenassem seus votos em torno do candidato do PMDB para derrotar o inimigo comum — a direita —, só foram levantados no final da campanha. Os votos conquistados pelo PT, sobretudo na periferia da cidade, até então o grande reduto do PMDB, foram fundamentais para que Jânio sobrepujasse Fernando Henrique Cardoso. Nestes termos, a eleição de Jânio Quadros em 1985 se deveu à combinação de dois fatores: a existência de um apoio eleitoral significativo para candidatos de direita e a falta de coordenação entre as elites e os eleitores de centro e de esquerda, um bloco que até pelo menos 1982 fora controlado pelo PMDB.

O quadro para a eleição seguinte, a de 1988, não muda significativamente. A eleição é, uma vez mais, disputada em um único turno. As três, principais forças políticas lançam candidatos próprios; direita (Paulo Maluf pelo PDS), centro (João Leiva pelo PMDB) e esquerda (Luiza Erundina pelo PT). O quadro se complica um pouco pela presença de um candidato adicional à direita (João Mellão pelo PL) e ao centro (José Serra pelo PSDB). As elites, portanto, não coordenam suas estratégias. Não há coligações de peso.

Desta feita, no entanto, ao contrário do que se dera em 1985, os eleitores coordenam seus votos, e o fazem nos últimos dias de campanha, abandonando as candidaturas inviáveis, as dos partidos de centro, em favor dos extremos. No cômputo geral, o PT é o favorecido, e conquista, pela primeira vez e de forma não menos surpreendente que Jânio três anos antes, a prefeitura de São Paulo. Como notam Pierucci e Lima (1991, 21): "É sabido que a surpreendente vitória de Luiza Erundina (PT) ocorreu graças a uma ponderável migração de votos de outros candidatos — principalmente José Serra (PSDB) e João Leiva (PMDB)". Ainda segundo os mesmos autores, a virada petista teria se dado na *boca da urna*: "Pesquisa realizada pelo Datafolha em 19 de novembro, quatro dias depois da eleição, mostra que 25% dos votos de Erundina vieram dos eleitores que se decidiram por ela no próprio dia 15" (1991: 21). Pierucci e Coutinho (1991: 21-2) observam que Paulo Maluf também ganhou votos de eleitores estratégicos:

> "Mas esta virada pró-Erundina não aconteceu de modo igual pela cidade, nem foi somente o voto petista que se expandiu na última hora. O malufista também. [...] Maluf mantém nestes três dias um total geral inalterado na marca dos 26%, porém no interior de cada área homogênea o tamanho de seu eleitorado se altera sensivelmente. Na AH-1, a mais rica, ele salta de 26% para 36% (10 pontos a mais), e sobe de 22% para 27% na AH-2, que englo-

ba os bairros do Centro Velho (mais 5 pontos). Permanece estável na AH-3, solo de predileção do voto direitista. E a partir daí, caminhando em direção aos bairros da periferia, começa a perder votos."[5]

A polarização ocorrida nos últimos momentos da eleição de 1988 esvazia o centro e fortalece as alternativas polares do espectro político. A decisão final coube aos eleitores. Por meio da coordenação de seus votos, ou "voto útil", para usar o vocabulário consagrado nas eleições anteriores, nos dias finais da campanha o eleitor decidiu a eleição em favor de Erundina. O PT venceu, como os líderes do partido e a própria prefeita eleita reconheceram no dia seguinte à eleição (ver *Folha de S. Paulo*, 16/11/1988, A2), com o apoio decisivo dos eleitores do PMDB e PSDB. E o fato do PT ser o beneficiário desta convergência teve consequências para as eleições futuras: mais especificamente, levou ao esboroamento do PMDB paulistano e determinou a fragilidade do PSDB. Nas eleições seguintes, estes dois partidos não encontram espaço para crescer, defrontando-se com uma direita forte e unida comandada por Paulo Maluf e uma esquerda que disputava a reeleição.

Ainda que o súbito e inesperado desaparecimento do PMDB como força eleitoral relevante na cidade decorra de causas internas ao partido, não deve deixar de ser notado o rápido sucesso da estratégia petista na cidade. Para a sorte do PMDB, há dois pontos que devem ser considerados. Primeiro, a estratégia perseguida por Quércia de privilegiar o interior em detrimento da capital (Sadeck, 1989); segundo, a saída de Mario Covas, a principal liderança do partido na cidade, para o PSDB. Ainda assim, dados os magros resultados colhidos pelo PSDB, não foi este que roubou votos do PMDB, mas sim o PT.

O PT forçou sua entrada no cenário, recusando os apelos para se compor com o centro em nome de uma perspectiva de longo prazo. E o partido não revisou sua estratégia, mesmo diante das suas consequências em 1985. Foi recompensado rapidamente, conquistando a prefeitura já em 1988.

Que esta tenha sido a estratégia perseguida pelo PT e que ela tenha sido bem-sucedida, parece-nos de fácil aceitação pela maior parte dos analistas.

---

[5] A seguinte observação dos autores Antônio Flávio Pierucci e Marcelo Coutinho, *op. cit.*, não deve ser perdida: "Aliás, nas duas áreas homogêneas mais pobres, todos os concorrentes perdem votos para Erundina nos instantes finais da decisão, menos o PMDB de Quércia, que na AH-5 se mantém com 21%, sua taxa mais alta em toda a cidade na eleição de 1988".

Fernando Limongi e Lara Mesquita

Contudo, poucos estarão dispostos a aceitar que Paulo Maluf, do PDS, seguiu a mesma estratégia e alcançou o mesmo sucesso. Mas o fato é que 1985 foi a única eleição em que os "dirigentes pessedistas reconheceram sua fraqueza" e não apresentaram candidatura própria. Daí para frente, Maluf colocou o PDS em campo em todas as oportunidades.

Maluf disputou o governo do estado em 1986 e 1990. Nesta última, após vencer o primeiro turno por larga margem, foi derrotado pela mesma razão que perdera a prefeitura em 1988: a coordenação dos eleitores que rejeitavam seu nome. As sucessivas derrotas combinadas à persistência de voltar a liça fizeram com que sua estratégia fosse vista como a manifestação de uma obstinação pessoal irracional, quando não puramente doentia. No entanto, ser um eterno candidato pode ser entendido como parte de uma estratégia consistente para preservar seu controle sobre o eleitorado de direita. Em um calendário eleitoral que prevê eleições a cada dois anos, Maluf só não se candidatou duas vezes, em 1994 e 1996, sendo que nesta última oportunidade colou-se ao candidato que lançou. Obteve o maior número de votos na cidade em 1990, 1992, 1996 e 1998.

Deste ponto de vista, a cartada decisiva para Paulo Maluf foi jogada em 1986, primeiro ao inviabilizar a candidatura de Olavo Setúbal pelo PFL (hoje DEM) e, depois, ao longo da campanha, ao atacar seguidamente o também empresário Antônio Ermírio de Morais, candidato pelo PTB que, segundo as pesquisas de opinião, liderava a disputa. Com o sucesso desta estratégia, Paulo Maluf matou as esperanças de uma direita renovada e mais organicamente vinculada ao mundo empresarial, que se esboçou ao longo do período final da redemocratização. Olavo Setúbal e Antônio Ermírio tiveram suas pretensões políticas barradas por Paulo Maluf.

A polarização entre esquerda e direita ganhou corpo em 1988 e se consolidou. Nas eleições seguintes, somente estes PT e PDS apresentaram candidaturas viáveis. Portanto, entre 1985 e 1992, definem-se os principais contendores. A disputa fica restrita, para efeitos práticos, a apenas estes dois partidos. E assim ficou até 2000.

O PDS, comandado por Paulo Maluf, vence o embate no interior da direita, inviabilizando a renovação pretendida por setores empresariais, e se consolida como a maior força eleitoral da cidade. Em vista dos resultados anteriores, o sucesso da direita, a maior e mais consistente força eleitoral na cidade nos anos 1990, não deveria surpreender. Ainda que tenha crescido, a chave para suas vitórias foi dada por sua capacidade de reter seus eleitores.

Do outro lado do espectro, o colapso do PMDB, incapaz de manter seu controle sobre o eleitorado mais pobre em um cenário mais competitivo, tendo como contrapartida a ascensão do PT. Com a vitória de última hora em 1988, o Partido dos Trabalhadores se qualifica para reclamar a herança da coalizão eleitoral que o PMDB comandava. Ainda assim, o perfil do PT, sua base de sustentação, oscila nas eleições seguintes. Seu contorno mais claramente popular e oposicionista se definirá de forma plena apenas no final dos anos 1990. Por paradoxal que pareça, o PDS de Maluf é o partido com maior apoio popular nas eleições de 1992 e 96. É o que veremos a seguir.

AS ELEIÇÕES DE 1992 E 1996: A SUPREMACIA DA DIREITA

A dinâmica da campanha de 1992 é bem mais simples do que a verificada nas duas eleições anteriores. Das candidaturas lançadas, apenas as do PDS e do PT contam com um patamar inicial de votos que as viabiliza, constituindo-se assim em *pontos focais* para a coordenação dos eleitores dos demais partidos. O PDS, alavancado pelos eleitores tradicionais da direita, venceu a eleição para a prefeitura, mas contou com o apoio crucial dos eleitores que tendiam a votar no PMDB no passado. O ponto pede ênfase. Paulo Maluf, o candidato da direita, vence o PT na periferia da cidade, isto é, entre os mais pobres. O PT não conseguiu, ao que tudo indica, fazer com que o exercício do poder trouxesse retornos eleitorais imediatos entre seu eleitorado alvo.

O PDS cresceu em toda a cidade e entre todos os grupos sociais. Contudo, esse crescimento não deve ser exagerado. A direita contava com uma base de apoio considerável que a viabilizava. Em 1988, o voto em partidos de direita, isto é, a soma dos votos no PDS e no PL, chegou a 29,9% do total na cidade. Em 1990, no primeiro turno da eleição para o governo estadual, já sem concorrentes no interior da direita, Maluf atingira a casa dos 37,9% dos votos na capital, a mesma votação que recebeu em 1992.

Boa parte desse crescimento pode ser creditada à capacidade do PDS em atrair eleitores deixados sem opção em virtude da rápida decadência do PMDB. Antigos eleitores deste partido não contaram com alternativas viáveis. A fragilidade das candidaturas patrocinadas pelos partidos de centro em 1992 foi patente. O candidato de um PMDB já muito enfraquecido não conseguiu decolar, apesar de ter crescido um pouco no início da campanha, enquanto o PSDB, combalido pelas seguidas derrotas, deixou as suas lideranças de peso fora da disputa, apresentando um candidato desconhecido e sem maior apelo. Ainda assim, o apoio do PMDB entre os eleitores mais

Fernando Limongi e Lara Mesquita

pobres não deixa de ser considerável, rivalizando com o PT. Efetivamente, as alternativas disponíveis se reduziram ao PDS e ao PT, e a maior parte dos eleitores escolheu o PDS.

Surpreendentemente, diante desse quadro e em virtude do exercício da prefeitura, a votação no PT caiu entre uma eleição e outra. Luiza Erundina foi eleita com 29,8% dos votos, enquanto Eduardo Suplicy passa ao segundo turno em 1992 com 23,3% dos votos. Uma perda considerável e significativa, sobretudo quando se leva em conta, como notam Pierucci e Coutinho (1991: 22 e 1993: 97), que o declínio foi maior nos estratos mais pobres da população. Assim, a derrota do PT em 1992 pode ser creditada mais a deserção dos eleitores mais pobres do que, como querem Pierucci e Coutinho, a uma reação das classes altas e médias ao PT.

O Gráfico 1, a seguir, sumariza a relação entre voto e características sociais dos eleitores. Usando os dados do Cadastro Eleitoral, calculamos os anos médios de educação por seção e os resultados das eleições de acordo com esta variável.[6]

Gráfico 1
DESEMPENHO DOS PRINCIPAIS CANDIDATOS
POR EDUCAÇÃO MÉDIA NA SEÇÃO
Eleição municipal de 1992 em São Paulo

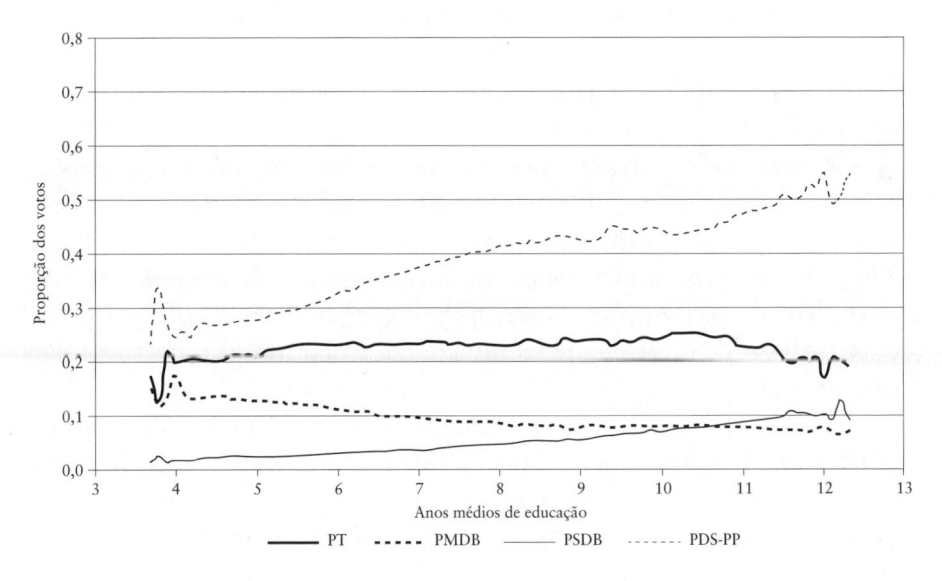

---

[6] Os dados foram agregados para cada 0,1 anos médios de educação.

Como se vê, a vitória do PDS se deveu a um apoio disseminado e majoritário entre todos os grupos,[7] ainda que a margem de vitória se amplie conforme o crescimento da educação média da seção. Quanto ao PT, chama atenção o fato do apoio a Suplicy não apresentar uma relação forte com a educação média da urna.

O controle da prefeitura, corroborando as conclusões de Pierucci e Coutinho citadas acima, não trouxe os votos almejados pelo Partido dos Trabalhadores entre os mais pobres e menos educados que moram na periferia da cidade. Note-se que a curva do PMDB e PSDB têm inclinações inversas: o PMDB tem mais apoio entre os mais pobres e menos educados, enquanto o oposto se dá com o PSDB.

O Gráfico 1 pode levar a algumas confusões. Os estratos criados com base na educação média estão longe de ter a mesma importância eleitoral. A educação média do eleitor paulistano é baixa. Há uma forte concentração de eleitores nas seções com educação média entre seis e oito anos. Na realidade, 50% dos eleitores votam em seções cujo grau de instrução médio está entre 6,2 e 8,7 anos de educação.

A caracterização tanto dos eleitores do PDS quanto do PT na eleição de 1992 ganha um significado mais claro quando cruzamos os votos dados por seção neste ano com o da eleição presidencial de 1994. A polarização PDS-PT cede lugar a disputa entre PSDB e PT. De acordo com nossas estimativas, 99% dos eleitores de Paulo Maluf em 1992 optaram por Fernando Henrique Cardoso em 1994. Os eleitores do PT em 1992 votaram majoritariamente, 55% para ser preciso, em Lula, ainda que uma parte considerável tenha escolhido o candidato tucano.

Estes resultados são perfeitamente consistentes com nosso argumento: temos um contingente significativo de eleitores de direita, de centro e de esquerda. O grupo de eleitores que transita do PT em 1992 para o PSDB em 1994 pode ser visto como a comprovação da existência de um eleitorado de centro deixado sem opções viáveis nas eleições municipais. E uma parte destes eleitores de centro pode ter votado em Paulo Maluf e em Fernando Henrique Cardoso.

A Tabela 1, a seguir, como as demais com o mesmo formato apresentadas no texto, tem interpretação óbvia: elas trazem a partição do voto em uma eleição de acordo com a votação em outra eleição. As marginais trazem os resultados observados. Assim, a primeira entrada da primeira coluna nos

---

[7] A afirmação se sustenta por todos os critérios de agregação que testamos, sejam geográficos, sejam socioeconômicos.

Fernando Limongi e Lara Mesquita

informa que 99,7% dos eleitores do PDS em 1992 votaram no PSDB em 1994. Como os votos do PDS em 1992 chegaram a 37,3% dos votos, temos que 33,2% dos eleitores votaram no PDS e no PSDB.

Tabela 1
VOTO NA ELEIÇÃO MUNICIPAL DE 1992 EM SÃO PAULO
CONDICIONAL AO VOTO PRESIDENCIAL EM 1994

1994/1992	PDS	PMDB	PT	Outros	Branco	Nulo	Eleição 94
PSDB	99,7	1,9	30,1	99,0	0,5	0,8	50,3
PT	0,0	5,1	55,3	0,2	59,1	24,9	23,6
Outros	0,1	57,1	2,5	0,2	3,3	59,3	13,1
Branco	0,1	6,9	0,8	0,2	26,1	2,2	4,3
Nulo	0,2	29,1	11,2	0,5	11,0	12,8	8,7
Eleição 92	37,3	9,8	23,4	5,8	12,6	11,2	

Fonte: TSE. Elaboração dos autores a partir da metodologia desenvolvida por Jason Wittenberg, Ferdinand Alimadhi, Badri Narayan Bhaskar e Olivia Lau, 2007, "ei.RxC: Hierarchical Multinomial-Dirichlet Ecological Inference Model for RxC Tables", In: Kosuke Imai, Gary King e Olivia Lau, *Zelig: Everyone's Statistical Software*, http://gking.harvard. edu/zelig.
Outros = Todos os partidos que participaram da disputa e que obtiveram votação inferior a 5% dos votos.

Vale recordar: não estamos atribuindo nenhum conteúdo específico às preferências dos eleitores. Apenas queremos frisar a consistência dos movimentos dos eleitores entre os partidos. A movimentação se dá entre partidos contíguos no espaço. As clivagens e divisões que estruturam as diversas disputas eleitorais permanecem as mesmas. As opções disponíveis, as candidaturas viáveis, mudam.

A eleição de 1996 em São Paulo transcorre no interior do mesmo quadro. As candidaturas viáveis são as mesmas de quatro anos antes: a do PDS e a do PT. Como mostra o Gráfico 2, a seguir, o PDS vence em todas as faixas educacionais. Na realidade, o partido ganhou votos de forma uniforme em todos os grupos.[8] O apoio ao PT cresce nas seções com educação média mais

---

[8] A exceção, contrariamente as expectativas, se dá no topo da pirâmide social, onde o PSDB desbanca o PDS. Mas é preciso recordar que se trata de um grupo numericamente restrito, sem maior influência sobre o resultado da eleição.

baixa e cai nas mais elevadas. Assim, o perfil do partido vai assumindo uma feição mais claramente popular, e o faz quando não controla a prefeitura.

Gráfico 2
DESEMPENHO DOS PRINCIPAIS CANDIDATOS
POR EDUCAÇÃO MÉDIA NA SEÇÃO
Eleição municipal de 1996 em São Paulo

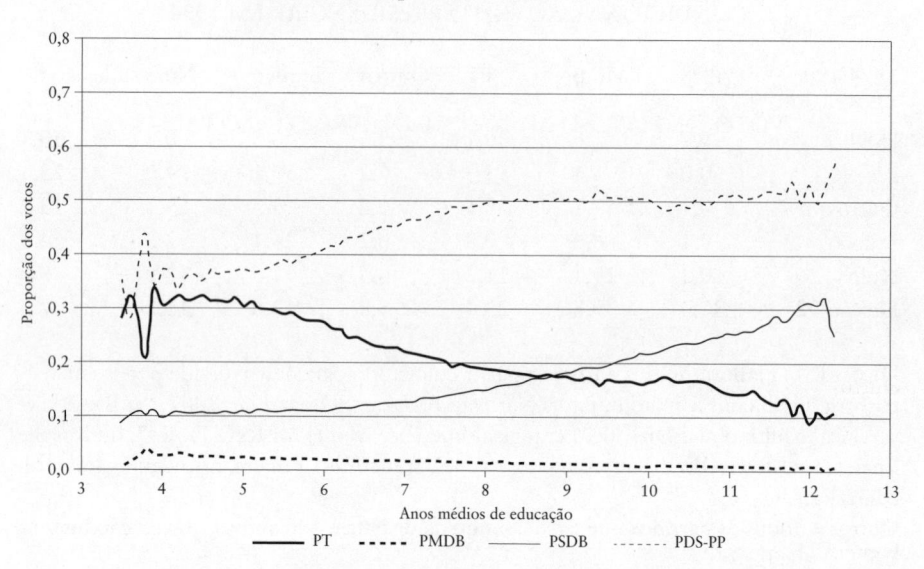

A análise da votação dos partidos em 1996, levando em conta o voto em 1992, mostra que, em geral, o eleitorado do PDS manteve-se fiel ao partido. Há, é certo, uma perda para o PSDB, mas ela é pequena (não se deve esquecer que a votação tucana é baixa), e é mais do que compensada pela atração de novos eleitores. O PDS rouba, inclusive, uma proporção considerável de eleitores do PT. As estimativas para áreas específicas da cidade, no entanto, mostram variações significativas. A taxa de fidelidade do PT é maior nas áreas mais carentes, onde também o partido ganha eleitores do PDS.

Face ao sucesso das candidaturas do PSDB ao governo do estado e à presidência em 1994, quando os candidatos do partido são os mais votados na cidade de São Paulo nas duas disputas, o mau desempenho do partido em 1996 pede uma discussão mais detalhada, oferecendo uma ótima oportunidade para esclarecer os parâmetros assumidos pela competição eleitoral no município.

Fica claro que a fragilidade do centro a que nos referimos acima deve ser contextualizada e relacionada à estratégia dos demais jogadores. Em

Fernando Limongi e Lara Mesquita

1994, tanto Mario Covas quanto Fernando Henrique não enfrentaram competidores de peso à direita. Paulo Maluf, acontecimento raríssimo, ficou de fora do pleito de 1994. Exercendo a prefeitura, sequer se empenhou em transferir sua força eleitoral aos candidatos que apoia. Ou seja, o sucesso do centro em 1994 esteve diretamente relacionado à ausência de competidores à direita. Na verdade, a mesma razão, a ausência de competição à direita, será crucial para o sucesso do PSDB nas eleições municipais de 2004.

Tabela 2
VOTO NA ELEIÇÃO MUNICIPAL DE 1996 EM SÃO PAULO
CONDICIONAL AO VOTO EM 1992

1992/1996	PDS	PSDB	PDT	PT	Outros	Branco	Nulo	Eleição 92
PDS	64,2	45,3	2,3	0,4	1,1	2,2	21,4	37,3
PMDB	3,8	1,0	20,2	20,9	17,5	33,8	15,5	9,8
PT	17,0	28,4	22,2	41,4	1,6	3,0	15,	23,4
Outros	3,6	22,2	3,4	1,0	1,8	3,8	8,1	5,8
Branco	0,5	0,3	30,2	27,2	72,2	49,5	10,2	12,6
Nulo	11,0	3,0	21,7	9,1	5,8	7,7	28,9	11,2
Eleição 96	44,9	14,5	7,1	22,8	3,8	1,5	5,3	

Fonte: TSE. Elaboração dos autores a partir da metodologia desenvolvida por Jason Wittenberg, Ferdinand Alimadhi, Badri Narayan Bhaskar e Olivia Lau, 2007, "ei.RxC: Hierarchical Multinomial-Dirichlet Ecological Inference Model for RxC Tables", In: Kosuke Imai, Gary King e Olivia Lau, *Zelig: Everyone's Statistical Software*, http://gking.harvard. edu/zelig.
Outros = Todos os partidos que participaram da disputa e que obtiveram votação inferior a 5% dos votos.

A comparação entre o apoio recebido pelo PDS em 1992 e 1996 e a candidatura presidencial do PSDB em 1994 e 1998 permite uma melhor caracterização das linhas do embate eleitoral na cidade. Nestes quatro episódios, eleitores de centro-direita se agruparam em torno de uma candidatura, enquanto os de esquerda, representados pelo PT, ficam do lado oposto. Desta forma, o desenrolar das disputas eleitorais ao longo dos anos 1990 leva a uma demarcação cada vez mais clara entre uma coalizão de centro-direita e uma de esquerda. Se em 1988 o PT chega à prefeitura com o apoio decisivo do eleitor dos partidos de centro, estes, com o tempo, pendem para a direita.

O cenário se altera em 2000. A crise do PDS, bombardeado por uma série de escândalos e denúncias de corrupção, abre espaço para que novos contendores desafiassem sua hegemonia sobre o bloco de votos da centro-direita na cidade. No outro lado do espectro, o PT enfrenta pela primeira vez alguma competição. Tendo deixado o partido em 1997, a ex-prefeita Luiza Erundina concorre pelo PSB. O PT, no entanto, não tem sua hegemonia sobre o eleitorado de esquerda ameaçada. Assim sendo, se considerarmos os resultados colhidos pelos partidos nas eleições passadas, podia-se dar como líquido e certo que o PT passaria ao segundo turno. A incerteza da disputa se resumia a saber quem se habilitaria a passar ao segundo turno com ele. Três partidos disputam esta vaga: o próprio PDS e os "desafiantes" PFL e PSDB. Que o PDS tenha vencido esta disputa em condições tão adversas é a prova de sua força entre o eleitorado deste bloco.

As estimativas para a matriz de transição de votos entre 1996 e 2000 são apresentadas na Tabela 3, a seguir. Sabemos que o PDS perdeu votos. Ainda assim, o que lhe restou de apoio deveu-se a eleitores fiéis. Os eleitores do partido em 1996 migram e contribuem fortemente para a votação do PFL, cujos votos praticamente se resumem a ex-eleitores do PDS, e para o PSDB. Mas cabe notar: estes eleitores não cruzaram a linha que os separa da esquerda. A clivagem na cidade é clara. Dois blocos, centro-direita e esquerda, se cristalizaram ao longo das últimas disputas eleitorais na cidade.[9]

A votação no PT cresce entre 1996 e 2000. Seus eleitores do pleito anterior representam pouco mais do que 40% dos votos recebidos por Marta Suplicy. Uma parte dos eleitores do partido seguiu Luiza Erundina, mas, a despeito destas perdas, o PT cresce, atraindo um montante razoável de eleitores do PSDB e do PDT. Por último, cabe frisar a composição do voto no PSDB. Ainda que o partido tenha tido votação muito similar nos dois pleitos, as estimativas apresentadas indicam que o partido alterou sua base de apoio. Mais da metade de seus eleitores no ano 2000 são ex-eleitores do PDS. Uma parcela considerável de seus eleitores na eleição anterior, como vimos, vota desta feita no PT.

As estimativas quanto ao voto no segundo turno condicional ao comportamento no primeiro confirmam a existência de uma clara clivagem cen-

---

[9] As últimas disputas eleitorais incluem as eleições gerais de 1994 e 1998, que não analisamos neste artigo.

tro-direita versus esquerda. Como mostra a Tabela 4, a seguir, os eleitores de esquerda e direita voltam a se unir no segundo turno. Os eleitores do PSB *voltam* ao PT e os do PFL *retornam* para o PDS. O comportamento dos eleitores do PSDB é o mais interessante: uma parte considerável opta pela direita, e outra parte, na ausência de um candidato confiável, vota branco e nulo. Isto é, os eleitores do PSDB não mais votam no PT. Os limites entre os dois blocos estão traçados de forma clara.

Tabela 3
VOTO NA ELEIÇÃO MUNICIPAL DE 2000 EM SÃO PAULO
CONDICIONAL AO VOTO EM 1996

1996/2000	PDS	DEM	PSDB	PSB	PT	Outros	Branco	Nulo	Eleição 96
PDS	99,4	88,3	50,2	0,1	5,1	79,9	67,3	54,3	44,9
PSDB	0,1	2,5	49,0	0,2	13,7	4,5	6,5	20,9	14,5
PDT	0,1	2,1	0,1	0,4	18,8	3,3	8,1	2,9	7,1
PT	0,1	0,6	0,1	98,3	41,5	0,8	1,4	1,6	22,8
Outros	0,1	2,8	0,1	0,3	6,6	6,1	7,7	10,1	3,8
Branco	0,1	1,3	0,1	0,2	2,7	2,0	3,7	3,7	1,5
Nulo	0,2	2,5	0,4	0,5	11,6	3,4	5,3	6,4	5,3
Eleição 00	15,7	10,3	15,6	8,9	34,4	5,6	4,1	5,4	

Fonte: TSE. Elaboração dos autores a partir da metodologia desenvolvida por Jason Wittenberg, Ferdinand Alimadhi, Badri Narayan Bhaskar e Olivia Lau, 2007, "ei.RxC: Hierarchical Multinomial-Dirichlet Ecological Inference Model for RxC Tables", In: Kosuke Imai, Gary King e Olivia Lau, *Zelig: Everyone's Statistical Software*, http://gking.harvard. edu/zelig.
Outros = Todos os partidos que participaram da disputa e que obtiveram votação inferior a 5% dos votos.

Em 2004, ainda que o PDS continue a apresentar candidatura própria, o processo de desarticulação das suas bases eleitorais já se encontrava em estágio avançado. Paulo Maluf, em nenhum momento, teve qualquer chance real de decolar. Na realidade, desta feita, não há disputa no interior da centro-direita.

Dentre os grandes partidos, apenas o PSDB lançou candidato. A disputa municipal reedita a disputa de 2002 no plano nacional e estadual. O cenário partidário se reduz a apenas dois partidos relevantes: PT e PSDB. É interessante notar o equilíbrio entre estas duas forças na cidade. Em 2002, o PT bateu o PSDB na cidade na eleição presidencial, enquanto as posições se invertem na eleição para o governo estadual.

Tabela 4
VOTO NO 2º TURNO DA ELEIÇÃO MUNICIPAL DE 2000 EM SÃO PAULO
CONDICIONAL AO VOTO NO 1º TURNO

2t/1t	PDS	DEM	PSDB	PSB	PT	Outros	Branco	Nulo	2º turno
PDS 2t	98,7	77,2	27,0	1,9	0,3	64,3	69,9	66,7	38,1
PT 2t	0,2	11,0	54,5	91,9	98,3	17,4	8,0	13,7	53,7
Branco 2t	0,3	4,6	6,7	2,9	0,5	8,2	11,6	8,3	3,4
Nulo 2t	0,8	7,2	11,8	3,3	0,9	10,1	10,5	11,3	4,9
1º turno	15,7	10,3	15,6	8,9	34,4	5,6	4,1	5,4	

Fonte: TSE. Elaboração dos autores a partir da metodologia desenvolvida por Jason Wittenberg, Ferdinand Alimadhi, Badri Narayan Bhaskar e Olivia Lau, 2007, "ei.RxC: Hierarchical Multinomial-Dirichlet Ecological Inference Model for RxC Tables", In: Kosuke Imai, Gary King e Olivia Lau, *Zelig: Everyone's Statistical Software*, http://gking.harvard.edu/zelig.
Outros = Todos os partidos que participaram da disputa e que obtiveram votação inferior a 5% dos votos.

Em relação a 2000, o crescimento do PSDB em 2004, como mostra a Tabela 5, a seguir, se deveu a um recrutamento de eleitores de todos os partidos. Em primeiro lugar, o partido reteve integralmente seus eleitores do último pleito. Outra fonte importante de votos são os eleitores que haviam votado no PT em 2000, seguida de um contingente significativo de eleitores do PDS. Já a votação do PT dependeu exclusivamente de eleitores de esquerda, quer tenham votado no PSB, quer no próprio PT em 2000.

O Gráfico 3 caracteriza a polarização PSDB-PT. O PSDB confirma sua maior presença entre os mais educados, enquanto o PT acentua sua entrada entre os eleitores de mais baixa renda. Em 2000, as curvas de apoio ao PSDB e ao PT cruzavam nas seções com educação média mais elevada. Em 2004, a força dos partidos se equilibra nas seções com 6,5 anos de educação média, sendo que 40% dos eleitores votam em seções com educação média abaixo deste valor. O PSDB, portanto, se comparado com o seu desempenho em 2000, ganha eleitores entre aqueles com educação média, ganhando uma cara mais popular do que nos pleitos anteriores.

Fernando Limongi e Lara Mesquita

Tabela 5
VOTO NA ELEIÇÃO MUNICIPAL DE 2004 EM SÃO PAULO
CONDICIONAL AO VOTO EM 2000

2000/2004	PDS	PSDB	PT	Outros	Branco	Nulo	Eleição 00
PDS	69,9	14,8	1,4	0,7	5,0	13,3	15,7
DEM	13,7	7,1	7,4	11,0	28,5	40,1	10,3
PSDB	0,1	38,7	0,1	0,1	0,6	0,4	15,6
PSB	0,2	0,9	25,6	1,9	2,7	2,1	8,9
PT	12,5	19,8	51,4	81,1	37,2	22,1	34,4
Outros	1,2	5,8	6,3	2,6	12,3	10,1	5,6
Branco 00	0,9	4,4	4,6	1,2	9,0	7,6	4,1
Nulo 00	1,5	8,4	3,1	1,4	4,8	4,2	5,4
Eleição 04	11,1	40,6	33,4	8,1	2,3	4,4	

Fonte: TSE. Elaboração dos autores a partir da metodologia desenvolvida por Jason Wittenberg, Ferdinand Alimadhi, Badri Narayan Bhaskar e Olivia Lau, 2007, "ei.RxC: Hierarchical Multinomial-Dirichlet Ecological Inference Model for RxC Tables", In: Kosuke Imai, Gary King e Olivia Lau, *Zelig: Everyone's Statistical Software*, http://gking.harvard.edu/zelig.

Outros = Todos os partidos que participaram da disputa e que obtiveram votação inferior a 5% dos votos.

Gráfico 3
DESEMPENHO DOS PRINCIPAIS CANDIDATOS
POR EDUCAÇÃO MÉDIA NA SEÇÃO
Eleição municipal de 2004 em São Paulo

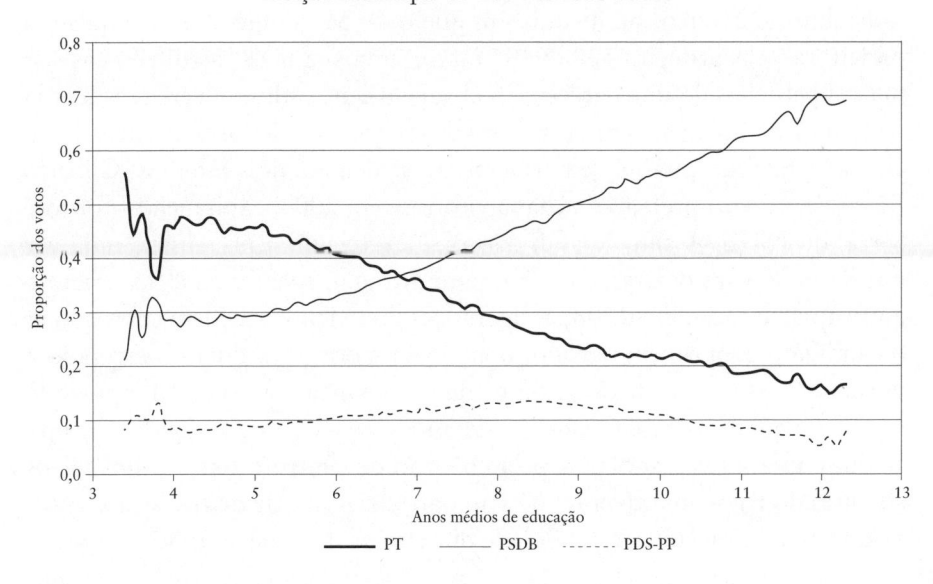

Contraditoriamente, do ponto de vista do apoio dos eleitores aos partidos, o conflito PSDB-PT é mais polarizado em termos sociais do que fora o confronto PDS-PT. E isto se deve a uma conjunção de fatores. De um lado, a penetração do PSDB entre os eleitores mais educados é maior do que a do PDS. O mesmo pode ser dito de outra forma: a contrapartida do enraizamento do PSDB é a maior dificuldade para o crescimento do PT entre estes eleitores. Na outra ponta da distribuição, temos o outro lado da moeda. A retirada do PDS de cena reverte em um aprofundamento da penetração do PT entre os eleitores de baixa renda, e em uma maior dificuldade do PSDB em crescer entre estes. Cabe relembrar que os gráficos que apresentamos podem levar a uma visão distorcida da força relativa dos partidos na medida em que os eleitores estão fortemente concentrados nas seções com educação média. Isto é, há um número menor de eleitores onde as diferenças entre os dois partidos é mais acentuada. Se organizarmos os mesmos dados de forma diferente, acumulando eleitores e votos das seções com educação média mais baixa para a mais alta, veremos que o PT mantém a dianteira sobre o PSDB em uma parcela considerável das seções. A distância que separa os dois partidos é da ordem de 20% no início da distribuição e encurta para menos de 10% somente ao se atingir as seções com 6,5 anos médios de estudo, quando a votação do PSDB, seção a seção, ultrapassa a do PT. No entanto, há uma considerável desvantagem a ser descontada. A força dos partidos só se equilibra nas seções com 8,7 anos de educação média e, a partir daí, cresce a diferença em favor dos tucanos.

À primeira vista, as eleições de 2008 parecem apresentar um cenário radicalmente diverso, na medida em que o DEM, antigo PFL, conquista a prefeitura pela primeira vez. No entanto, uma vez mais, as diferenças são mais superficiais do que parecem. A clivagem centro-direita versus esquerda continuou a pautar o comportamento dos partidos e eleitores. A chegada do DEM à prefeitura, não é demais lembrar, se deu em dois estágios. Gilberto Kassab era o vice-prefeito da chapa vitoriosa em 2004, capitaneada por José Serra, do PSDB. Assim, Kassab concorre exercendo a prefeitura, uma vez que Serra deixara o cargo em 2006 para disputar, e vencer, a eleição para o governo do estado. Em 2008, as lideranças do PSDB se dividem entre apoiar o candidato próprio do partido, o ex-governador e candidato derrotado à presidência Geraldo Alckmin, ou reeditar a aliança com o DEM, apoiando o prefeito em exercício. Como as lideranças, os eleitores se dividiram entre as duas alternativas apoiadas pela coalizão de centro-direita, enquanto os eleitores do PT se mantiveram fiéis ao partido. A matriz de transição reproduzida abaixo mostra a estabilidade dos apoios dos dois grandes blocos.

Fernando Limongi e Lara Mesquita

Tabela 6
VOTO NA ELEIÇÃO MUNICIPAL DE 2008 EM SÃO PAULO
CONDICIONAL AO VOTO EM 2004

2004/2008	PDS	DEM	PSDB	PT	Outros	Branco	Nulo	Eleição 04
PDS	97,9	15,7	0,2	0,3	1,0	2,8	6,5	11,1
PSDB	0,2	52,9	98,6	5,7	31,4	1,2	1,1	40,6
PT	0,3	14,9	0,3	83,5	55,2	2,3	41,4	33,4
Outros	0,5	6,1	0,2	5,6	4,6	78,7	35,0	8,1
Branco	0,4	2,6	0,2	1,9	2,3	10,1	8,5	2,3
Nulo	0,8	7,7	0,5	3,0	5,4	4,8	7,6	4,4
Eleição 08	5,4	30,9	20,7	30,2	4,8	3,3	4,6	

Fonte: TSE. Elaboração dos autores a partir da metodologia desenvolvida por Jason Wittenberg, Ferdinand Alimadhi, Badri Narayan Bhaskar e Olivia Lau, 2007, "ei.RxC: Hierarchical Multinomial-Dirichlet Ecological Inference Model for RxC Tables", In: Kosuke Imai, Gary King e Olivia Lau, *Zelig: Everyone's Statistical Software*, http://gking.harvard.edu/zelig.
Outros = Todos os partidos que participaram da disputa e que obtiveram votação inferior a 5% dos votos.

Tabela 7
VOTO NO 2º TURNO DA ELEIÇÃO MUNICIPAL DE 2008 EM SÃO PAULO
CONDICIONAL AO VOTO NO 1º TURNO

1t/2t	DEM 2t	PT 2t	Branco 2t	Nulo 2t	1º turno
PDS	5,2	0,5	46,5	20,0	5,4
DEM	53,9	1,2	1,8	1,9	30,9
PSDB	34,6	0,7	4,9	18,5	20,7
PT	0,0	85,9	0,4	0,2	30,2
Outros	3,7	1,1	11,9	42,8	4,8
Branco	1,1	3,7	30,0	12,0	3,3
Nulo	1,5	6,9	1,5	1,7	4,6
2º turno	56,1	36,3	2,6	5,0	

Fonte: TSE. Elaboração dos autores a partir da metodologia desenvolvida por Jason Wittenberg, Ferdinand Alimadhi, Badri Narayan Bhaskar e Olivia Lau, 2007, "ei.RxC: Hierarchical Multinomial-Dirichlet Ecological Inference Model for RxC Tables", In: Kosuke Imai, Gary King e Olivia Lau, *Zelig: Everyone's Statistical Software*, http://gking.harvard.edu/zelig.
Outros = Todos os partidos que participaram da disputa e que obtiveram votação inferior a 5% dos votos.

Como se vê, o candidato vitorioso dependeu fortemente dos votos do PSDB em 2004. Ainda assim, a capacidade de atrair um contingente considerável de ex-malufistas e mesmo de ex-petistas se mostrou decisivo para Kassab estabelecer sua vantagem sobre o candidato do PSDB, Geraldo Alckmin. Este, de sua parte, obteve votos exclusivamente entre eleitores de seu partido. O mesmo vale para o PT. Somente aqueles que haviam votado no partido em 2004 voltam a votar em Marta Suplicy em 2008.

Como se vê na Tabela 7, os resultados do segundo turno foram ditados pela clivagem centro-direita versus esquerda, como era de se esperar. O apoio a Kassab no segundo turno, o candidato vencedor, é composto por seus eleitores no primeiro turno e dos eleitores que apoiaram o PSDB. O apoio a candidatura de Marta Suplicy, do PT, praticamente se restringe aos seus próprios eleitores do primeiro turno.

Conclusão

Em 1985, os paulistanos retomam o direito de eleger seu prefeito. Os resultados desta eleição inaugural apontam para um equilíbrio de forças entre a direita, o centro e a esquerda. Este equilíbrio foi mantido nas eleições seguintes, ainda que os resultados apontem para a preponderância da direita e da esquerda. Em 1988, nos últimos dias da campanha, o centro é abandonado pelos eleitores, que convergem para as candidaturas de esquerda e de direita. O centro só voltaria a se constituir em uma alternativa viável em 2004, a despeito da influência que o PSDB tinha nas votações estaduais e nacionais realizadas na cidade.

Ao contrário do que afirma parte da literatura, não há um crescimento da direita. Mostramos que sua força eleitoral manteve-se relativamente constante entre 1982 e 1996. É certo que o controle sobre este eleitorado foi objeto de disputa após a redemocratização. O PDS, comandado por Paulo Maluf, se mostrou capaz de derrotar os desafios lançados por uma direita renovada e ancorada no mundo empresarial. Estabelecida sua hegemonia junto à direita, Maluf se mostrou capaz ainda de avançar de forma significativa sobre o espólio do PMDB. Seu declínio eleitoral se deu em função das denúncias de corrupção que desarticularam a segunda administração do partido à frente da prefeitura.

Quanto ao PT, verifica-se um crescimento e um aprofundamento de sua penetração junto ao eleitorado de mais baixa renda. Mas este avanço não é concomitante e tampouco decorre diretamente do esvaziamento do PMDB.

Fernando Limongi e Lara Mesquita

O PT só firmaria bases sólidas junto a este eleitorado durante a administração de Marta Suplicy. Como mostramos, a vitória do PT em 2000 foi ditada tanto pelo apoio do centro quanto pela "retirada" — votos brancos e nulos — deste. O PT não pode mais contar com este apoio direto e/ou tácito nas eleições seguintes.

No que tange ao centro, seu esvaziamento e fragilidade relativa se deram como consequência da perda de força do PMDB e da incapacidade do PSDB, espremido pelas estratégias bem-sucedidas de seus opositores, de se estruturar na cidade. Uma alternativa a partir do centro só se mostrou viável em 2004, quando já ia bem avançado o declínio do PDS. Mas o sucesso dos candidatos do partido em outras disputas mostra a existência e importância do eleitorado de centro na cidade. Mostra também como os resultados finais, sobretudo quem vence as eleições, depende de forma direta das estratégias partidárias, mais particularmente da política de lançamento de candidaturas.

As duas últimas eleições, a despeito de a primeira ter sido vencida pelo PSDB e a segunda pelo DEM, apontam para a estruturação de uma clivagem básica entre a centro-direita, comandada pelo PSDB e aliados, e a esquerda, comandada pelo PT. Poucos eleitores atravessaram a linha que divide estes dois campos nos últimos pleitos.

Os contornos básicos da disputa eleitoral na cidade de São Paulo foram estabelecidos na eleição de 1985. Direita, centro e esquerda mostraram ter apoio entre os eleitores. Em eleições disputadas em um único turno, como as de 1985 e 1988, os resultados foram determinados pela movimentação dos eleitores nos últimos dias da campanha. Com o advento dos dois turnos, a direita conquista a prefeitura por duas vezes seguidas, com o apoio de eleitores que, nas eleições presidenciais e para o governo estadual, votavam no PSDB, isto é, com o apoio do centro. Em 2000, o PT consegue reconquistar a prefeitura, com o apoio de parte destes eleitores de centro que repudiam Paulo Maluf em função dos escândalos que marcaram a segunda administração de seu partido. Em 2004 e 2008, a coalizão dos eleitores de centro-direita volta a se formar, garantindo a vitória do PSDB e do DEM nestas oportunidades. A polarização entre estes dois blocos se tornou mais clara e pronunciada com o tempo, assumindo contornos mais claros do ponto de vista social. O PT tem maior penetração entre os mais pobres, e o PSDB-DEM entre os mais abastados. A disputa eleitoral, portanto, se trava efetivamente tanto entre os setores com educação média como pelos eleitores de centro. Pensando bem, poderia ser de outra forma?

Bibliografia

CARVALHO, Orlando de (1958). "Ensaios de sociologia eleitoral". *Revista Brasileira de Estudos Políticos*, Belo Horizonte, UFMG.

FERRARI, Levi; COSTA, Vicente da (1989). "Uma análise da campanha". In: SADECK, Maria Tereza. *Eleições 1986*. São Paulo: Vértice.

FIGUEIREDO, Argelina C.; LIMONGI, Fernando; FERREIRA, Maria Paula; SILVA, Paulo Henrique (2002). "Partidos e distribuição espacial do voto na cidade de São Paulo". *Novos Estudos*, n° 64, São Paulo, Cebrap, pp. 153-60.

KING, Gary (1997). *A Solution to the Ecological Inference Problem*. Princeton: Princeton University Press.

LAMOUNIER, Bolívar (1980). "O voto em São Paulo, 1970-1978". In: LAMOUNIER, Bolívar (org.). *Voto de desconfiança*. Rio de Janeiro: Vozes.

_____ (1988). "O 'Brasil autoritário' revisitado: o impacto das eleições sobre a abertura". In: STEPAN, Alfred. *Democratizando o Brasil*. São Paulo: Paz e Terra, pp. 83-134.

LAMOUNIER, Bolívar; MUSZYNSCKI, Judith (1983). "São Paulo, 1982: a vitória do (P)MDB". *Textos IDESP*, n° 2.

LAMOUNIER, Bolívar; MUSZYNSCKI, Judith (1986). "A eleição de Jânio Quadros". In: LAMOUNIER, Bolívar (org.). *1985: o voto em São Paulo*. São Paulo: IDESP.

MENEGUELLO, Rachel (1989). *PT: a formação de um partido, 1979-1982*. São Paulo: Paz e Terra.

MENEGUELLO, Rachel; ALVES, Ricardo M. Martins (1986). "Tendências eleitorais em São Paulo (1974-1985)". In: LAMOUNIER, Bolívar (org.). *1985: o voto em São Paulo*. São Paulo: IDESP.

PIERUCCI, Antônio Flávio; LIMA, Marcelo Coutinho de (1991). "A direita que flutua". *Novos Estudos*, n° 29, São Paulo, Cebrap, pp. 10-27.

_____ (1993). "A vitória da direita". *Novos Estudos*, n° 35, São Paulo, Cebrap, pp. 94-9.

SADECK, Maria Tereza (1989). "A interiorização do PMDB nas eleições de 1986". In: SADECK, Maria Tereza (org.). *Eleições 1986*. São Paulo: Vértice.

SARTORI, Giovanni (1982). *Partidos e sistemas partidários*. Rio de Janeiro: Zahar.

SINGER, André (1990). "Collor na periferia: a volta por cima do populismo?". In: LAMOUNIER, Bolívar (org.). *De Geisel a Collor: o balanço da transição*. São Paulo: Sumaré.

SOARES, Gláucio Ary Dillon (1973). *Sociedade e política no Brasil*. São Paulo: Difusão Europeia do Livro.

TANNER, Martin T.; KING, Gary; ROSEN, Ori (2004). *Ecological Inference: New Methodological Strategies*. Nova York: Cambridge University Press.

Fernando Limongi e Lara Mesquita

9

Relação entre movimentos sociais e instituições políticas na cidade de São Paulo: o caso do movimento de moradia[1]

Luciana Tatagiba

Assistimos a uma nova inflexão no debate latino-americano sobre os movimentos sociais motivada pelos desdobramentos recentes da luta política no continente. Refiro-me a dois processos inter-relacionados. O primeiro, o aumento da participação política em suas diferentes modalidades, seja no modelo mais institucional ou a partir de diferentes tipos de ação direta. O segundo, a ascensão de forças políticas de esquerda ou centro-esquerda em vários governos da região. Combinados esses processos — que em parte resultam da ação dos próprios movimentos — alteram o cenário político no qual se dá a interação entre movimentos sociais e atores político-institucionais com interessantes implicações sobre a agenda de pesquisa nessa área.

No caso brasileiro a ampliação das oportunidades para a participação institucional e a ascensão de governos de esquerda são fatores profundamente inter-relacionados e que, em conjunto, remetem a um projeto político — que denominamos democrático-participativo ou democrático-popular — que teve seu conteúdo ditado nas lutas dos movimentos sociais e que hoje explicita, em suas fissuras e contradições, os avanços e recuos do processo de construção da democracia no nosso país.

Entre nós, a ampliação da participação emergiu como demanda da sociedade civil, no decorrer da luta pela redemocratização do regime. A partir do final da década de 1970, o agravamento dos problemas sociais e a crise do setor público abriram espaço para o questionamento do padrão centralizador, autoritário e excludente que marcara a relação entre as agências estatais e os beneficiários das políticas públicas, assim como para o reconhecimento da incapacidade do Estado de responder às demandas sociais.

---

[1] Este texto é uma versão ampliada do artigo que integra o livro *Interrogating the Civil Society Agenda: Social Movements, Civil Society, and Democratic Innovation*, organizado por Sonia E. Alvarez, Gianpaolo Baiocchi, Agustín Lao-Montes, Jeffrey W. Rubin e Millie Thayer (no prelo).

O tema da participação incorporava as expectativas em relação à democracia a ser construída: uma democracia para todos, a partir da ativação da mobilização e do poder das classes populares.

Nesse contexto se insere a aposta feita por vários movimentos sociais brasileiros, em estreita conexão com determinados atores da arena político-institucional, na luta "por dentro do Estado" como estratégia de transformação social. O próprio surgimento do Partido dos Trabalhadores se insere no âmbito dessa aposta. Uma aposta que gerou lutas longas, e no geral árduas, que resultaram na criação e reconhecimento de novos direitos de cidadania que mudaram o ambiente político no qual os governos deveriam passar a operar desde então.[2] Essas conquistas legais testemunham os avanços de uma agenda de esquerda e confirmam que, apesar de todas as resistências e contramarchas, o projeto participativo se impôs como princípio na sociedade brasileira.

Hoje o que se busca é saber até que ponto foi possível avançar a partir dessa estratégia. Esse é um balanço que criticamente se faz dentro e fora da academia, a partir de um olhar talvez menos celebratório do que aquele que orientava as análises nos anos 1990. Embora ainda haja muito a compreender e avançar em termos de pesquisa, o diagnóstico mais geral aponta para o fato de que os resultados das experiências concretas estão muito aquém das expectativas lançadas sobre elas. Mas, não é o caso de retomarmos aqui o tema, sobre o qual temos um acúmulo considerável no debate brasileiro.[3]

O foco agora é outro e pode ser traduzido nas seguintes questões: em um cenário caracterizado por uma oferta significativa de participação, quais os riscos e as vantagens de participar e de não participar? Quais os dilemas específicos que a ampliação dos canais de participação, associados à emergência de governos de esquerda, impõe à ação dos movimentos? Até que ponto os conceitos de autonomia e independência, ou cooptação e instrumentalização são ainda adequados para compreender a natureza e os significados dessas interações?

---

[2] Refiro-me aqui tanto aos mecanismos de participação direta e semidireta instituídos pela Constituição de 1988, como complemento à democracia representativa, como às outras conquistas que foram sendo regulamentadas nos anos seguintes: o Sistema Único de Saúde (SUS), a Lei Orgânica da Assistência Social (LOAS), o Estatuto da Criança e do Adolescente (ECA), o Sistema Único de Assistência Social (SUAS), o Estatuto da Cidade, o Sistema Nacional de Habitação de Interesse Social (SNHIS) etc.

[3] Há mais de dez anos, esse balanço vem sendo um dos temas privilegiados no âmbito do Grupo de Estudos sobre a Construção Democrática. Para uma produção coletiva, ver GECD, 1999.

Ao tomar essas questões como norte, o texto busca explorar a relação entre contexto e estratégia, entre dinâmicas conjunturais e as modalidades participativas e seus resultados. Como pano de fundo da análise está a reflexão sobre como o contexto condiciona os caminhos da interação entre movimentos sociais e atores políticos resultando em oportunidades e constrangimentos específicos. Uma inspiração teórica importante aqui é a Teoria do Processo Político, tal como formulada principalmente por Sidney Tarrow, 1997. O que se pretende é explicitar as ambiguidades e contradições de atuar num contexto que ao mesmo tempo em que amplia as chances dos movimentos de interagir e desafiar o sistema político impõe escolhas novas e dilemáticas.

A argumentação está dividida em duas partes. Na primeira apresento as linhas teóricas gerais que orientam a análise. Busco desenvolver o argumento de que a relação entre movimentos sociais e sistema político é permeada por uma tensão intrínseca entre os princípios da autonomia e da eficácia política. Na segunda parte, exploro essa discussão remetendo aos dilemas específicos da participação na cidade de São Paulo, tendo como referência empírica o caso do movimento de moradia.

Autonomia e eficácia política: o desafio da ação e da análise

A literatura sobre movimentos sociais na América Latina, sob forte influência da teoria dos novos movimentos sociais, não dedicou muita atenção às dinâmicas dos movimentos face ao Estado, aos governos e aos partidos (Gohn, 2000). Afinal a forma de conceber os movimentos e sua "novidade" estava em muitos casos associada à negação desses vínculos. Por isso não espanta que esse tenha sido, ao longo do tempo, um tema negligenciado ou quando muito tratado sob os contornos de um conceito de autonomia apreendido pelo signo da não relação. Mas, já em meados dos anos 1980, algumas análises apontavam para outras direções, chamando a atenção para as consequências negativas desses pressupostos sobre a conformação da agenda de pesquisa na área (no caso brasileiro, remeto a Cardoso, 1983, 1987; Boschi, 1983; Kowarick, 1987; Jacobi, 1988).

Se o discurso da autonomia, como não relação, remetia ao contexto concreto de luta contra o estado autoritário, um novo enquadramento para a análise das relações Estado-sociedade abria caminho para uma agenda de pesquisa voltada para os desafios da ação coletiva em contextos democráticos. Por essa via, o que estava em jogo era não apenas compreender o papel dos movimentos nos processos de transição, mas os impactos da política democrática sobre as dinâmicas e as estratégias dos movimentos. Mas, por diversos motivos, essa provocativa agenda de pesquisa não encontrou terreno fértil. Especificamente no caso brasileiro, o que se viu nos anos seguintes, como explica Doimo foi o "imobilismo teórico" resultante da polarização do debate entre autonomia x institucionalização seguida, na década seguinte, da crise do próprio conceito do movimento social (Doimo, 1995; Gohn, 2000; Silva, 2005).[4]

Mais recentemente, tanto os obstáculos quanto os avanços da luta política concreta impuseram novas direções ao debate, apontando para um conceito mais relacional de autonomia que caminha ao lado de uma concepção menos determinista das fronteiras entre sociedade civil e sociedade política (Dagnino, 2002; Dagnino, Olvera e Panfichi, 2006). Novos olhares sobre a relação dos movimentos com Estado, governos e partidos questionam análises consagradas que se pautam na existência de uma oposição natural, radical e imutável entre os campos, tomados em si mesmo como homogêneos. Nos novos estudos, o mais interessante é perceber como a própria *relação* entre sociedade civil e sociedade política se constitui como questão empírica e teórica a ser enfrentada.

Nessa linha, parto aqui, da compreensão de que a natureza e a intensidade das relações entre movimentos sociais e atores políticos são diversas assim como o tipo e o alcance de suas implicações. Sustento também que apesar dessa diversidade dos vínculos, essas relações são marcadas por uma tensão intrínseca entre os princípios da autonomia e da eficácia política, com repercussões sobre as estratégias de ação dos movimentos em conjunturas políticas específicas. A depender da conjuntura, essa tensão pode se apresentar de forma mais ou menos intensa.

A autonomia é aqui compreendida, de forma muito preliminar, como a capacidade de determinado ator de estabelecer relações com outros atores (aliados, apoiadores e antagonistas) a partir de uma liberdade ou independência moral que lhe permita codefinir as formas, as regras e os objetivos da interação, a partir dos seus interesses e valores. Por essa chave, a autonomia não pressupõe ausência de relação, mas a disposição e a capacidade de participar com o outro sem perder certa "distância crítica" que permite colocar a própria relação como objeto de reflexão. Para isso é preciso ter poder e,

---

[4] Para uma avaliação crítica desse "deslocamento temático" e a subsequente valorização do conceito de sociedade civil, remeto a Lavalle, Castello e Bichir, 2004.

Luciana Tatagiba

no caso dos movimentos, esse poder advém da força dos vínculos mantidos com a sociedade civil. A inserção dos movimentos nas redes da vida cotidiana — que segundo Melucci (2001, 2002), constitui a origem do seu poder — é que permite aos movimentos realizar essa difícil tarefa reflexiva, no decorrer da qual sua própria identidade vai sendo redefinida. Por essa linha de interpretação, a questão da autonomia dos movimentos remeteria a um esforço de investigação muito mais focado sobre a análise da relação dos movimentos com suas bases sociais, do que propriamente a sua relação com o sistema político.

A referência à eficácia política remete aos esforços empreendidos pelos movimentos no sentido de afetar o jogo político e a produção das decisões, numa direção que seja favorável à realização dos seus interesses.[5] A partir da interação mais ou menos intensa e continuada com atores do campo político-institucional os movimentos buscam o acesso ao poder político, de forma a produzir consequências no plano legislativo, nos processos de produção das políticas públicas, no controle sobre os aparatos administrativos etc. Ao trabalhar dessa forma o tema da eficácia política — associando-o ao debate sobre a autonomia — não busco discutir o sucesso das estratégias empregadas pelos movimentos (ou seja, o quanto eles conseguem ou não atingir seus objetivos políticos), mas considerar as consequências ambivalentes do envolvimento com o meio ambiente político sobre os movimentos e suas escolhas estratégicas. Não se trata, portanto, de avaliar resultados, mas de compreender processos.

Como disse, embora os princípios da autonomia e da eficácia não sejam contraditórios trazem aos movimentos exigências distintas, requerem investimentos e apostas específicas, que no geral encontram dificuldade de serem compatibilizados na prática. No caso dos movimentos populares essa tensão está ainda mais presente. A disputa pelo acesso ao Estado e aos recursos públicos, fundamental para a conquista e universalização dos direitos básicos de cidadania, muitas vezes acaba resultando numa sobredeterminação dos aspectos instrumentais e estratégicos da ação, relegando ao segundo plano a comunicação dos movimentos com suas bases. Quando isso acontece, a identidade do movimento passa a se definir muito mais pela sua relação com

---

[5] Quando falo em eficácia *política* dos movimentos, estou, por vício de origem, limitando meu olhar a um tipo de consequência da ação dos movimentos. Contudo, tenho consciência de que os movimentos não orientam sua ação unicamente pela interação com o sistema político, e considero que a capacidade dos movimentos de atuar como agentes de mudança não se restringe a essa interação.

o Estado ou com os partidos, do que a partir da sua localização societária (Munck, 1997: 17), com resultados perversos no que se refere à questão da autonomia. A instrumentalização das relações entre sociedade civil e sociedade política, nesse caso, parece esvaziar os potenciais de mudança advindos das relações entre os campos; embora possa resultar em avanços concretos em termos de conquistas materiais. Nesse resultado, os movimentos passam a atuar muito mais como demandantes de bens e serviços (e a serem assim reconhecidos), do que como atores que oferecem à sociedade novas formas de nomeação da realidade, a partir do exercício de sua função crítica (Melucci, 2001). É o potencial dos movimentos para acionar os conflitos, a partir e no interior das diferentes modalidades participativas, que se encontra em xeque. Se essa tensão e esses riscos são constitutivos das relações entre movimentos sociais e sistema político, determinados cenários os exacerbam ao facultar aos movimentos populares maiores possibilidade de acesso ao Estado e de influência sobre as políticas.

O movimento de moradia da cidade de São Paulo

O movimento de moradia é hoje o principal movimento popular da cidade de São Paulo.[6] O movimento tem um grande poder de convocação e de mobilização, no geral articulando repertórios de ação variados — que vão das ocupações de prédios públicos à participação em espaços institucionais. São movimentos com atuação multiescalar e é comum em vários deles a atuação descentralizada nos territórios. São atores importantes que colocam na agenda pública o tema do direito a morar, articulado ao importante debate sobre o direito à cidade.

Embora forte e com considerável visibilidade na cidade, é um movimento muito fragmentado internamente. Há intensa competição entre o conjunto das organizações que compõe esse campo e são frequentes as divergências e rachas, que geram novas organizações, muitas vezes com perfil similar. O movimento é uma rede ampla, heterogênea e complexa, cujas organizações se contam às centenas. Por certo, no momento em escrevo esse texto, novas

---

[6] A pesquisa sobre o movimento de moradia da cidade de São Paulo é financiada pelo CNPQ e pela AIRD/França. Algumas das análises aqui presentes resultam das discussões realizadas no âmbito do Grupo de Pesquisa sobre Participação, Movimentos Sociais e Ações Coletivas, que congrega alunos da Graduação em Ciências Sociais e Pós-Graduação em Ciência Política da Unicamp, sob minha coordenação.

Luciana Tatagiba

divergências provocam realinhamentos no interior do campo e em breve resultarão em novas organizações de movimento, tornando ingrata a tarefa de definir as fronteiras do campo movimentalista na área da moradia.

Um dos aspectos mais comumente mobilizados, pelos atores e pela bibliografia de referência, para explicar essas disputas remete à divergência em relação às formas de atuação. Especificamente, a utilização (ou não) da estratégia de ocupar prédios e terrenos vazios como forma de luta e as vantagens e limites do diálogo com o Estado. Uma parte do movimento defende o trabalho no campo legislativo e na formulação das políticas públicas, via participação em espaços institucionais como o Conselho de Habitação e o Orçamento Participativo, combinado com a pressão direta (por exemplo, as ocupações breves) para fortalecer essas lutas e garantir as conquistas. Nesse grupo, estariam as organizações filiadas à União do Movimento de Moradia. Outras organizações do campo, que se dizem mais combativas, criticam essa estratégia de aproximação com o Estado, as "conversas de gabinete" e defendem a centralidade da ocupação para morar como forma de luta. Nesse grupo, encontramos as organizações filiadas ao Fórum de Luta por Moradia, que se dizem "mais autônomas" e defensoras da ação direta. Um importante espaço de atuação dos movimentos visando à influência nas políticas públicas é o Conselho Municipal de Habitação (Tatagiba e Teixeira, 2007), que conta com o engajamento de uma parte significativa dessas organizações de movimento. O Conselho de Habitação surgiu da pressão dos movimentos de moradia e de reforma urbana. Ainda em 1990, no processo de discussão da Lei Orgânica Municipal de São Paulo, esses apresentaram emenda popular sobre reforma urbana e gestão democrática da cidade, prevendo a criação do Conselho de Habitação, com um total de 12.277 assinaturas.

Embora as divergências em torno das formas de encaminhar a luta (resultado das diferentes tradições a que as organizações estão vinculadas) possam explicar algumas clivagens no interior da rede, gostaria aqui de chamar a atenção para outra fonte de tensão, no geral não explicitada. Qual seja: a disputa pelo acesso aos programas e recursos governamentais, mais precisamente, aos programas de moradia e políticas compensatórias para população de baixa renda. Essa tensão está relacionada, por sua vez, ao papel que os movimentos de moradia passaram a ocupar (ou tentam ocupar) na operacionalização da política habitacional. Por essa via podemos ler desde outra chave a questão da fragmentação dos movimentos e a dificuldade em coordenar as ações no interior desse campo.

A própria forma como está construída a política habitacional, pulverizada numa dezena de espaços de poder, em diversos níveis federal, estadual e municipal (Cymbalista e Santoro, 2007), leva os movimentos a ter que atuar em diferentes espaços e a partir de diferentes estratégias, acirrando as divergências e a competição entre eles.

Apesar do discurso anti-institucional, com a abertura democrática os movimentos de moradia foram cada vez mais assumindo um papel de mediação entre os governos e as comunidades, assumindo o papel de organizar e influenciar a seleção da demanda por moradia, principalmente no caso dos governos populares. Num contexto de escassez, as organizações passam a disputar entre si, e com o governo, o direito de indicar as famílias a serem beneficiadas pelos novos programas habitacionais. Muitas vezes, uma ocupação bem-sucedida — ou seja, da qual resulte a desapropriação do imóvel — significa garantir para a organização ou organizações de movimento que se envolveram diretamente na luta a prerrogativa de indicar parte das famílias a serem beneficiadas. Conseguir junto ao governo que um percentual dos "benefícios" (na forma de unidades habitacionais, políticas compensatórias, como Bolsa aluguel, ou outros projetos) venha para sua organização é fundamental para qualquer liderança, uma vez que nisso consistirá seu poder de convocação junto às bases. Por outro lado, a capacidade de negociação e pressão junto às inúmeras agências estatais responsáveis pela política depende do número de militantes que a organização é capaz de recrutar. Não é uma equação fácil. Em qualquer caso, a participação é o que irá garantir a eficácia da ação. Muitas vezes o que chamamos de "militante" é na verdade um "cliente", para o qual a participação é o preço que se paga pelo acesso a um bem. No geral, a inclusão da família na lista dos beneficiários segue os critérios dos movimentos, que costumam premiar aqueles que têm participação mais ativa nas assembleias, nos atos e ocupações promovidos pelo movimento.

Uma vez que o acesso aos programas habitacionais passa pela participação no movimento, não só o Estado, mas também as lideranças construíam sua clientela dentre os menos favorecidos. Nesse processo, há uma interessante reconfiguração da relação entre lideranças e bases do movimento, paralela à redefinição da relação entre o movimento e as instituições políticas. Em ambos, como duas faces da mesma moeda, a defesa da autonomia parece ceder espaço a certo pragmatismo envergonhado, onde o que conta é a eficácia da ação. Essa também é uma pista que buscaremos aprofundar em pesquisas futuras. Vejamos agora como o movimento de moradia buscou sobreviver, conquistar e garantir direitos nos jogos labirínticos da política municipal.

Começo esse item reconhecendo minha dívida com um texto curto, mas muito preciso de Raúl Zibechi (2006). Nesse texto, Zibechi chama a atenção para os impactos da ascensão dos novos governos de esquerda (em seus diferentes matizes) na América Latina sobre a atuação dos movimentos sociais e suas relações com o sistema político. O autor destaca as dificuldades dos movimentos para se situarem nesse novo cenário, e a tendência à fragmentação do campo movimentalista refletindo as diferentes estratégias assumidas pelos movimentos diante de governos que embora possam situar-se no plano das esquerdas, mostram diferentes níveis de continuidade com o modelo hegemônico (Zibechi, 2006).

No caso brasileiro, a reconfiguração do PT é um dado da conjuntura que confere especificidade a essa análise. No decorrer dos anos 1990, as vitórias eleitorais do nosso maior partido de esquerda, o Partido dos Trabalhadores, foram acompanhadas de uma mudança no perfil do Partido. Nessa reorientação programática, a relação com os movimentos e a própria ideia de participação, embora continuasse sendo valorizada, foi assumindo um sentido cada vez mais instrumental. Como duas faces de uma mesma moeda, o "pragmatismo envergonhado" dos movimentos — ao qual me referi anteriormente — parece encontrar abrigo no pragmatismo das lideranças e governos petistas. Nesse cenário, como vou buscar demonstrar, os riscos à autonomia dos movimentos em relação aos governos petistas não parece estar na proximidade entre os movimentos e os atores políticos, mas na distância entre eles.

A intensa comunicação, articulação e interdependência entre os movimentos populares, o Partido e os governos petistas — que resultaram em importantes conquistas da cidadania na história brasileira recente — são estratégias ainda hoje muito presentes e valorizadas. Contudo, essa constante interação parece cada vez mais se dar sob um vazio de expectativas e apostas comuns em relação ao futuro. A aposta principal parece ser aquela que se renova a cada ciclo eleitoral.

Como buscarei sustentar aqui, é essa distância entre sociedade civil e sociedade política — em cenários específicos que favorecem a intensa articulação e interdependência entre esses dois campos — somada a um tipo específico de relação entre os movimentos e suas bases sociais, que colocam em risco a autonomia dos movimentos e não a proximidade que eles mantêm com o meio político-institucional. As pesquisas realizadas em São Paulo ajudam a desenvolver o argumento.

A construção da arquitetura participativa na cidade de São Paulo mostra que a emergência de governos de esquerda resultou em ampliação dos canais de diálogo com a sociedade.

Tabela 1
CRIAÇÃO DOS ESPAÇOS PARTICIPATIVOS
Município de São Paulo, 1988-2006

Período	Nº	%
Antes de 1988	4	11,4
Luiza Erundina (Partido dos Trabalhadores, PT) (1989-1992)	8	22,9
Paulo Maluf (Partido Progressista Brasileiro, PPB) (1993-1996)	3	8,6
Celso Pitta (Partido Progressista Brasileiro, PPB) (1997-2000)	3	8,6
Marta Suplicy (Partido dos Trabalhadores, PT) (2001-2004)	11	31,4
José Serra (Partido da Social Democracia Brasileira, PSDB) (2005-2006)	4	11,4
Gilberto Kassab (Democratas, DEM) (2006)	2	5,7
Total	35	100,0

Fonte: Tatagiba, 2008, p. 231.

Como vemos na tabela, a história da participação e do controle social na cidade de São Paulo segue uma trajetória irregular e descontínua, onde a vontade política dos governos emerge como variável explicativa central. Na tabela, nota-se que a criação dos espaços participativos na cidade concentra-se no período referente às duas gestões do Partido dos Trabalhadores (1989-1992) e (2001-2004). Em 1989, a eleição de Luiza Erundina colocou em curso o movimento de ampliação e complexificação da arena de formulação das políticas, com a criação de vários canais institucionais de participação, dentre os quais se destacam os conselhos gestores de políticas públicas e a primeira experiência de Orçamento Participativo na cidade. Nas eleições de 2000, com Marta Suplicy, o PT reassume o comando da capital. Nos oito anos de gestões conservadoras (com Paulo Maluf e Celso Pitta) vários desses espaços foram fechados e a interlocução com os movimentos passou a se dar apenas a partir de forte pressão nas ruas. A volta do PT colocou novamente em movimento a "sanfona participativa" (Avritzer, 2004), ampliando os espaços e os canais institucionalizados para a mediação política entre governo e movimentos sociais da cidade, com destaque para o retorno do Orçamento Participativo e a institucionalização da participação em novas áreas

Luciana Tatagiba

como habitação, segurança pública, população de rua etc. Do total de espaços participativos hoje em funcionamento na Prefeitura, 31% foram criados entre 2001 e 2004.

Os diferentes projetos políticos dos governos resultaram concretamente em maior ou menor possibilidade de acesso ao Estado, impactando as estratégias de ação dos movimentos. Um olhar panorâmico sobre a trajetória do movimento de moradia evidencia essas idas e vindas.

No governo da petista Luiza Erundina (1989-1992) o movimento de moradia passou a atuar num cenário altamente favorável, o que não significa que a relação entre governo e movimento fosse isenta de conflitos. A área de habitação era uma prioridade do governo, assim como o diálogo com os movimentos populares como forma de operacionalização da política. Nesse contexto, as formas de interação com o Estado se alteraram:

> "Os movimentos em outros governos eram meramente reivindicativos. Iam para a porta da Prefeitura para desestabilizar o Estado [...]. Sempre enxergávamos o Estado como inimigo a serviço da burguesia. No governo de Luiza Erundina, passamos a enxergar o Estado de uma forma diferenciada, não mais como inimigo, mas como o parceiro do movimento" (Cavalcanti, 2006: 72).

Já nos governos Maluf e Pitta (1993-2000), a resistência do Estado em negociar com os movimentos, levou a intensificação das ocupações, agora não só na periferia, mas principalmente na região central da cidade, sob a bandeira do direito à moradia no centro. Só a UMM, entre 1995 e 1999, afirma ter organizado mais de trinta ocupações em prédios públicos no centro de São Paulo. Com a volta do PT, na gestão de Marta Suplicy (2001-2004), novos espaços para a discussão e deliberação sobre a política de habitação foram criados, e novos programas e projetos habitacionais para população de baixa renda foram implementados. Com isso, abriram-se novas oportunidades de atuação para as organizações do movimento de moradia, principalmente aquelas ligadas de forma mais ou menos direta ao Partido dos Trabalhadores, resultando numa diminuição no número de ações de protesto, como as ocupações, que diminuíram consideravelmente. Os movimentos melhor posicionados no interior da rede conseguiram relativa influência sobre as instâncias governamentais, dirigindo parte significativa dos seus recursos para a intervenção nas políticas públicas:

"Foi em novembro de 99 que nós tentamos a última ocupação mesmo. E dali pra cá eu falei 'chega'. Eu já tava a ponto de ser presa [...]. Depois começou a surgir os programas do PAT, daí começou a surgir o programa PAR, daí elegemos a Marta, começamos a discutir locação social, bolsa-aluguel, aí veio o Conselho de Habitação. Então daí começou a dar um rumo diferente, mas até então não tinha nada disso" (entrevista com liderança do Fórum dos Cortiços, em Bloch, 2008: 113).

Em 2004, o PSDB, ao lado do DEM, assume o governo municipal e, no ano seguinte, o estadual colocando para as organizações populares ligadas ao campo petista, ainda maioria no interior da rede, dificuldades para atuação no campo institucional. Um exemplo claro é a atuação dos movimentos no Conselho Municipal de Habitação. Enquanto no governo de Marta Suplicy, dezesseis cadeiras do Conselho foram ocupadas por organizações populares ligadas ao movimento de moradia, na gestão seguinte do Conselho, já no governo Serra, nenhuma organização ligada ao movimento popular conseguiu se reeleger. O diálogo com os movimentos se daria via encontros bilaterais entre as articuladoras (UMM e FLM) e o Secretário de Habitação, que nessa gestão era um representante do mercado imobiliário. Nesse contexto, a pressão e a mobilização sobre os governos municipal e estadual voltam a ocupar centralidade nas estratégias das organizações, mesmo no caso daquelas que tinham reorientado sua prática numa direção "mais propositiva", ao lado de uma intensificação das ações no plano federal, tendo em vista o contexto mais favorável pós-eleição de Lula.

"[...] Por falta de diálogo com a prefeitura de São Paulo [...]. Então, não vai ter alternativa nós vamos ter que retomar novamente o processo de ocupação aqui no Centro" (entrevista com liderança da ULC, em Bloch, 2008: 119).
"Nós fomos para Brasília esse ano que o Lula entrou. No primeiro ano e no segundo, fomos porque tinha um projeto de lei de iniciativa popular que era o Fundo Nacional de Moradia Popular. [...] Nós tivemos 15 audiências, uma delas foi com o presidente Lula [...]" (entrevista com liderança da ULC, em Bloch, 2008: 99).

Ou seja, o que o caso do movimento de moradia evidencia é que em resposta às mudanças no ambiente político, em particular a maior ou menor abertura do Estado à participação, as organizações do movimento alteraram suas formas de ação, revendo as estratégias de interação com o Estado. Como resultado, os movimentos produziram novos cenários mais ou menos favoráveis à conquista dos seus interesses, que lhes desafiaram, mais uma vez, a rever suas formas de ação. As estratégias de ação foram se construindo e modificando no próprio jogo relacional, a partir de uma avaliação mais ou menos objetiva do poder relativo de cada ator, em cada conjuntura específica. O que vimos na pesquisa é que na prática, o uso de uma ou outra modalidade participativa — assim como a combinação entre elas — aparece fortemente condicionado pelo contexto no qual as organizações do movimento atuam.

A existência de uma política pública que incorpora a participação popular no seu processo de planejamento e implementação tende a empurrar as organizações — até mesmo as mais "radicais" — a diferentes formas de negociação com o Estado; enquanto, pelo contrário, uma política pública menos permeável à influência dos atores societais tende a empurrar as organizações — até mesmo as mais "propositivas" — a diferentes formas de ação direta. Claro que a forma como cada organização do movimento responde a esses diferentes contextos, assim como os resultados que obtém varia, dentre outras coisas, em função dos seus recursos organizacionais, de sua posição relativa no interior da rede, de seus projetos políticos etc. Aliás, um interessante campo de investigação a ser explorado em pesquisas é a forma como contextos, projetos e estratégias se combinam na produção de diferentes resultados.

Em governos de esquerda os movimentos tendem a valorizar a maior oferta de participação estatal e a disputar nessas instâncias seus projetos e interesses. Mas, tendem também a orientar sua ação por uma disposição menos conflitiva e uma postura de maior conciliação, evitando a pressão sobre os governos e diminuindo o uso do protesto como forma de negociação. Seja para garantir os interesses de suas organizações ou para garantir a governabilidade a partir de uma agenda de esquerda, os movimentos tendem a diminuir a distância crítica em relação ao Estado e ao partido submetendo, consequentemente, suas agendas de mais longo prazo ao ritmo e às exigências próprias às disputas eleitorais. Esse processo tende a aumentar a fragmentação no interior do campo movimentalista (como Zibechi também apontou) e pode resultar, no longo prazo, no enfraquecimento dos movimentos contraditoriamente à incorporação de várias de suas bandeiras em programas e políticas de governo. Os dilemas da participação no governo da petista Marta Suplicy em São Paulo são exemplares nesse sentido.

Realizamos uma pesquisa junto a importantes lideranças de movimentos sociais da cidade pedindo que avaliassem as características e os resultados da participação no governo de Marta Suplicy, já no apagar das luzes do seu governo. Refiro-me aqui a um estudo empírico realizado em parceria com o Instituto Pólis (Instituto de Estudos, Formação e Assessoria em Políticas Sociais), entre 2004 e 2005.

O estudo tinha como objetivo compreender se e de que maneira o processo de descentralização administrativa impactou a forma como a participação cidadã ocorria na cidade de São Paulo. Dentre outras coisas, a pesquisa evidenciou que o investimento dos movimentos nos espaços de participação — e, também, a leitura que faziam dos resultados e limites dessas experiências — aparecia fortemente condicionado pelo tipo de relação estabelecida com os atores político-institucionais nos territórios. O relatório final da pesquisa está em Teixeira e Tatagiba, 2005 (desdobramentos podem ser encontrados em Tatagiba e Teixeira, 2007). As entrevistas destacaram a positividade desse momento novo:

> "O espaço do diálogo é muito maior do que os governos anteriores, os dois anteriores [...] nem se compara, porque antes você nem chegava. Agora você chega e fala, às vezes eles não te ouvem. Mas você fala, dá sua opinião, critica [...] quer dizer o espaço é aberto para o diálogo" (entrevista com militante do Movimento de Combate à Fome, em Teixeira e Tatagiba, 2005: 67-8).

E também apontaram para o problema: a cisão entre discussão e deliberação, entre debate e execução. Uma das experiências mais lembradas foi o orçamento participativo. Nas análises o tom crítico prevaleceu, em relatos que reconstruíram o percurso que foi do entusiasmo ao desencanto com o OP. O sentimento de frustração pela falta de resultados concretos, a tendência a instrumentalização e manipulação da participação popular, a fragilidade da representação da sociedade civil e o uso político partidário dos espaços participativos permearam as avaliações sobre o OP nas diversas regiões pesquisadas.

> "A população no começo veio, acreditando e encheu algumas plenárias com mais de três mil pessoas, porque acreditavam. [...] Só a inscrição foi até as 5 horas da tarde [...] de tanta gente que participou... porque acreditavam... E foi decepcionante. [...] É um canal que foi esvaziando, perdeu a credibilidade" (entrevista com

militante da área de criança e adolescente, em Teixeira e Tatagiba, 2005: 57).

Pesou para essa avaliação dos movimentos, a prática da gestão no governo Marta Suplicy, que ao mesmo tempo em que instituía políticas participativas, demonstrando seu compromisso com a bandeira de democratização da gestão pública, mantinha uma prática política de negociação com a Câmara de Vereadores que passava pelo loteamento de cargos nas subprefeituras, tema muito presente nas entrevistas (Teixeira e Tatagiba, 2005: 78). Essa forma de gestão da governabilidade teve impactos diretos sobre o exercício da participação, principalmente no âmbito dos territórios. Nas palavras dos entrevistados, é como se "os leilões de subprefeituras pelo executivo municipal" tivessem contribuído para uma relação mais clientelista dos movimentos com os parlamentares, "se eles detêm o poder nas subprefeituras", os movimentos não podem prescindir do contato com eles (entrevista com militante da área da cultura, em Teixeira e Tatagiba, 2005: 94). Outro lado da mesma questão é a avaliação dos entrevistados sobre as realizações sociais do governo. O governo de Marta Suplicy teve, segundo os entrevistados, resultados muito positivos na área social; mas são resultados que parecem descolados dos canais de participação. Ou seja, não podem ser associados a conquistas provenientes da influência ou da pressão dos movimentos.

Em referência a esse quadro mais amplo, os movimentos realizaram uma interessante autoavaliação. Nessa autoavaliação, destacam o peso de atuar num contexto onde o interlocutor do movimento é um governo que deve ser pressionado e, ao mesmo tempo, fortalecido. Em governos de esquerda, os movimentos associados a esse campo ético-político agem sob o fio da navalha, tentando responder a exigências contraditórias. Uma expressão das ambiguidades e ambivalências que esse cenário inaugura aparece na inquietante formulação de uma liderança da UMM (União dos Movimentos de Moradia) ao referir-se à relação estabelecida entre o Movimento, o PT e o governo na gestão de Marta Suplicy: "nós acabamos pecando talvez por não exigir mais da Marta, pressionando mais. E, por outro lado, pecando também porque não conseguimos reeleger ela" (em Cavalcanti, 2006: 125). Na esteira desse argumento encontramos um conjunto de manifestações, como as que se seguem:

> "Quando a gente ia com o subprefeito, ou até no diretório [do PT], a gente ouvia que era importante respeitar a governabilidade. E nós, como movimento, e lutando pelo Partido, fomos co-

niventes [...]. Eu acho que nós não tomamos atitude nenhuma em respeito ao Partido. E hoje dói quando a gente vê que não fomos respeitados em nenhum momento" (fala de uma liderança em São Paulo, na oficina promovida pelo Observatório dos Direitos do Cidadão, em Teixeira e Tatagiba, 2005: 101-2).

"Na gestão Marta nós pecamos [...] deveria ter feito mais no começo, bater muito mais, ir pra cima, e nós não fomos por causa dessa confusão de que é 'o nosso governo'" (entrevista com representante da União para a Luta de Cortiços, em Bloch, 2007: 129).

"Há governo popular, diminui o grau de pressão; há governo conservador e direita, aumenta o grau de pressão. É fato também que é possível você enxergar o maior avanço das políticas sociais nos governos ditos populares [...]. O grau de amarrar acordo com as associações no governo popular eles são mais construídos do que em um governo conservador [...] de repente isso também gera outro tipo de pactuação evitando uma pressão maior" (entrevista com representante da União dos Movimentos de Moradia, em Cavalcanti, 2006: 122).

Se os compromissos com o governo popular limitaram o uso do protesto como estratégia de luta, o intenso trânsito dos militantes para dentro das estruturas estatais renovava o compromisso agora celebrado não apenas com o governo, no sentido geral, mas com determinadas secretarias onde nomes fortes do movimento passaram a ocupar postos de comando. Esse trânsito fortaleceu indiretamente as agendas dos movimentos, ao mesmo tempo em que dificultou o processo de mobilização e articulação das bases, tendo em vista o deslocamento de importantes lideranças para a sociedade política. O trânsito de militantes se dava não apenas na direção do governo, mas também para os diretórios zonais do PT, assim como para os gabinetes dos parlamentares ligados ao partido. Segundo sugere Cavalcanti, esse é um dado novo que marca a passagem de um padrão de liderança voluntária para uma liderança profissionalizada. Tomando como referente empírico o caso da UMM ele avalia: "Se no decorrer da década de 80 e começo dos 90, a maioria das lideranças entrevistadas militava de forma voluntária na UMM, durante os anos da gestão Marta, estas mesmas pessoas atuavam nos movimentos de forma profissionalizada, ou seja, ganhavam dinheiro para atuar politicamente" (Cavalcanti, 2006: 103-4). Essa mudança no padrão da liderança é um tema que merece ser aprofundado em estudos futuros. Por enquanto, o que pretendo sugerir é que a presença de governos de esquerda ao mesmo tempo em que amplia as chances de sucesso dos movimentos, parece ter como efeito colateral uma maior gravitação dos movimentos em torno das arenas e estruturas estatais, tendo como dinâmica propulsora as energias advindas das disputas eleitorais. Todo esse contexto obviamente impacta as formas de atuação no interior dos espaços de participação, revelando as dimensões complexas a partir das quais se combinam democracia participativa e representativa.[7]

Considerações finais

Em um contexto de tantas e diversas carências, os movimentos populares no Brasil, como nos demais países latino-americanos, vivem o que Maristela Svampa define como o dilema de acomodar a urgência das demandas com aspirações de corte emancipatório.[8] Um dilema que não é resolvido pela maior abertura de espaços de participação, pela intensificação dos canais de diálogo com o Estado, mas que se torna, como vimos, ainda mais complexo a partir deles.

Partindo desse reconhecimento, o que esse artigo pretendeu foi explicitar as ambiguidades e contradições de atuar num contexto que ao mesmo tempo em que amplia as chances dos movimentos de interagir e desafiar o sistema político impõe escolhas novas e dilemáticas. Pressionar e defender o governo, a partir e para além dos espaços institucionais de participação; fazer avançar a agenda de esquerda impondo a realização dos seus potenciais emancipatórios e garantir a própria sobrevivência material da organização agora "facilitada" pela intensidade dos trânsitos entre movimentos e arenas estatais; empurrar o sistema para além dos seus limites e evitar o esgarçamento da precária coesão que viabiliza vitórias nos sucessivos pleitos eleitorais; aprofundar a democracia exigindo a realização da sua dimensão redistributiva e garantir a governabilidade democrática desde a esquerda etc. Essas são algumas das exigências paradoxais que os movimentos enfrentam quando do outro lado está um governo que deve ser defendido, dos ataques da direita, e disputado no interior do próprio campo com tendências que buscam limitar o jogo político aos ritmos e exigências da lógica partidária

---

[7] Em Tatagiba e Teixeira, 2007, buscamos examinar mais de perto o que chamamos de "combinação subordinada" entre democracia participativa e representativa.

[8] Embora a referência da autora seja ao movimento piqueteiro, creio ser possível ampliar o argumento para o conjunto dos movimentos populares.

representativa. Nesse quadrante de exigências conflitantes os movimentos enfrentam o desafio de coordenar suas ações.

A consequência de reconhecermos essa complexidade e acolhermos as dimensões contraditórias do presente é evitar, a todo custo, análises dicotômicas e simplificadoras. Nas relações entre movimentos sociais e instituições políticas (assim como na análise dessas relações) o desafio, como resta claro, seria como manter viva a tensão entre autonomia e eficácia política partindo do reconhecimento das fronteiras entre os campos e, ao mesmo tempo, do intenso e potencialmente produtivo trânsito dos atores entre elas. Reconhecer a especificidade dos campos e suas lógicas específicas, sem reforçar as dicotomias e polaridades interpretativas que têm limitado o avanço do debate teórico, parece nessa agenda de pesquisa uma das exigências centrais.

BIBLIOGRAFIA

AVRITZER, Leonardo (org.) (2004). *A participação em São Paulo*. São Paulo: Editora Unesp.

BLOCH, Janaina Aliano (2008). "O direito à moradia: um estudo dos movimentos de luta pela moradia no centro de São Paulo". Dissertação de Mestrado, FFLCH-USP, São Paulo.

BOSCHI, Renato (1983). "Movimentos sociais e institucionalização de uma ordem". Rio de Janeiro: IUPERJ, mimeo.

CARDOSO, Ruth (1983). "Movimentos sociais: balanço crítico". In: SORJ, Bernardo; ALMEIDA, Maria Hermínia Tavares de (orgs.). *Sociedade e política no Brasil pós-64*. São Paulo: Brasiliense.

CAVALCANTI, Gustavo Carneiro Vidigal (2006). "Uma concessão ao passado: trajetórias da União dos Movimentos de Moradia de São Paulo". Dissertação de Mestrado, FFLCH-USP, São Paulo.

CYMBALISTA, Renato; SANTORO, Paula (2007). "Habitação: avaliação da política municipal, 2005-2006". In: CYMBALISTA, Renato *et al. Habitação e controle social da política pública*. São Paulo: Observatório dos Direitos do Cidadão/Pólis/PUC-SP.

DAGNINO, Evelina; TATAGIBA, Luciana (orgs.) (2007). *Democracia, sociedade civil e participação*. Chapecó: Argos.

DAGNINO, Evelina (2002). "Sociedade civil, espaços públicos e a construção democrática no Brasil". In: DAGNINO, Evelina. *Sociedade civil e espaços públicos no Brasil*. São Paulo: Paz e Terra.

DAGNINO, Evelina; OLVERA, Alberto; PANFICHI, Aldo (orgs.) (2006). *A disputa pela construção democrática na América Latina*. São Paulo/Campinas: Paz e Terra/Unicamp.

DOIMO, Ana Maria (1995). *A vez e a voz do popular: movimentos sociais e participação política no Brasil pós-70*. Rio de Janeiro: Relume-Dumará.

GOHN, Maria da Glória (2000). *Teoria dos movimentos sociais: paradigmas clássicos e contemporâneos*. São Paulo: Edições Loyola.

JACOBI, Pedro (1988). "Movimentos sociais e Estado: efeitos político-institucionais da ação coletiva". In: *Ciências Sociais Hoje*. São Paulo: Vértice/Anpocs.

KOWARICK, Lúcio (1987). "Movimentos urbanos no Brasil contemporâneo: uma análise da literatura". *Revista Brasileira de Ciências Sociais*, vol. 1, nº 3, São Paulo, Anpocs.

LAVALLE, Adrian Gurza; HOUTZAGER, Peter; CASTELLO, Graziela (2006). "Democracia, pluralização da representação e sociedade civil". *Lua Nova*, nº 67, São Paulo, Cedec.

MCADAM, D.; McCARTHY, J. D.; ZALD, M. (orgs.) (1999). *Movimientos sociales: perspectivas comparadas*. Madri: Istmo.

MELUCCI, Alberto (2002). *Acción colectiva, vida cotidiana y democracia*. México: El Colegio de México/Centro de Estudios Sociológicos.

MUNCK, Gerardo L. (1997). "Formação de atores, coordenação social e estratégia política: problemas conceituais do estudo dos movimentos sociais". *Dados: Revista de Ciências Sociais*, vol. 40, nº 1, Rio de Janeiro.

SVAMPA, Maristela (2008). "Argentina: una cartografía de las resistencias (2003-2008). Entre las luchas por la inclusión y las discusiones sobre el modelo de desarrollo". *OSAL*, ano IX, nº 24, Buenos Aires, outubro, pp. 17-50.

SILVA, Marcelo K. (2005). "Trazendo os atores sociais de volta: pontos para uma agenda de pesquisa sobre ação coletiva, movimentos sociais e sociedade civil". Porto Alegre, mimeo.

TARROW, Sidney (1997). *El poder en movimiento: los movimientos sociales, la acción colectiva y la política*. Madri: Alianza Editorial.

TATAGIBA, Luciana (2008). "Participação e reforma do Estado: sobre a arquitetura da participação em São Paulo, Brasil". In: O'DONNELL, G. *et al.* (orgs.). *New Voices in the Study of Democracy in Latin America*. Woodrow Wilson Center Press.

_____ (2004). "A institucionalização da participação: os conselhos municipais de políticas públicas na cidade de São Paulo". In: AVRITZER, L. (org.). *A participação em São Paulo*. São Paulo: Editora Unesp.

_____ (2002) "Los consejos gestores y la democratización de las políticas públicas en Brasil". In: DAGNINO, E. (org.). *Sociedad civil, esfera pública y democratización en América Latina: Brasil*. México: Fondo de Cultura Económica.

TATAGIBA, Luciana; TEIXEIRA, Ana Cláudia C. (2007). "Democracia representativa y participativa: ¿complementariedad o combinación subordinada? Reflexiones acerca de las instituciones participativas y la gestión pública en la ciudad de São Paulo (2000-2004)". In: TATAGIBA, Luciana; TEIXEIRA, Ana Claudia C.; OLIVEIRA, Mariana Siqueira de; JARA, Felipe José Hevia de la; STALKER, Germán. *Contraloría y participación social en la gestión pública*. Caracas: CLAD.

_____ (2007). "O papel do CMH na política de habitação em São Paulo". In: TA-TAGIBA, Luciana *et al.* *Habitação: controle social e política pública.* São Paulo: Instituto Pólis, pp. 61-114 (Série Observatório dos Direitos do Cidadão/Acompanhamento e Análise das Políticas Públicas da Cidade de São Paulo, n° 31).

_____ (2005). *Movimentos sociais e sistema político: os desafios da participação.* São Paulo: Pólis/PUC-SP.

ZIBECHI, Raúl (2006). "Movimientos sociales: nuevos escenarios y desafíos inéditos". *OSAL*, ano VII, n° 21, Buenos Aires, CLACSO, set.-dez., pp. 221-30.

Luciana Tatagiba

10

Movimentos sociais e articuladoras no associativismo do século XXI[1]

Adrian Gurza Lavalle, Graziela Castello e Renata Bichir

No Brasil, os movimentos sociais registraram misterioso sumiço no debate acadêmico ocorrido nos anos 1990, a despeito de esses atores terem ocupado posição privilegiada nas análises sociológicas da década anterior, centradas, precisamente, na emergência dos movimentos sociais enquanto novos sujeitos capazes tanto de revitalizar a ação social para além do rígido figurino prescrito pela luta de classes quanto de exprimir a inconformidade de diferentes segmentos da sociedade perante a política silenciária operada pela ditadura. No final dos anos 1980, balanços — não raro desencantados — sobre a pujante literatura dos movimentos sociais e as expectativas que ela depositou nesses atores como protagonistas da transformação social apontavam para o processo de institucionalização e normalização de formas de ação coletiva altamente visíveis no contexto da transição democrática e denunciava tal institucionalização como responsável pelo refluxo e desmobilização dos movimentos.

Ironicamente, o entusiasmo e a surpresa perante a emergência de *novos atores entrando em cena* — para utilizar a fórmula sintética com a qual Eder Sader (1988) intitulou um dos livros mais influentes do período —, cederam passo ao desencanto e, por vezes, à denúncia ora da ingenuidade da literatura e seus autores ora do abandono das causas da transformação social por parte dos atores. Porém, se os atores estelares dos anos 1980 saíram de cena no decênio seguinte, cedendo passo à centralidade da *nova sociedade civil*, isso parece ter decorrido não apenas dos processos de institucionalização e

---

[1] Este texto desenvolve argumentos formulados por primeira vez no artigo "Quando novos atores saem de cena: continuidade e mudanças na centralidade dos movimentos sociais", publicado em *Política e Sociedade*, nº 5, out. 2004, pp. 35-54. O novo desenvolvimento é informado por evidências empíricas exploradas sistematicamente em "Protagonistas na sociedade civil: redes e centralidade de organizações civis em São Paulo", publicado na revista *Dados*, vol. 50, nº 3, 2007. Ambos os artigos foram assinados pelos autores deste capítulo.

normalização, mas, pelo menos em parte, de mudanças nas categorias analíticas empregadas. Por outras palavras, os atores continuaram em cena, mas permaneceram despercebidos na literatura porque novas lentes analíticas passaram a iluminar outro tipo de atores como alicerces da expansão da democracia. O pensamento acadêmico parece ter sucumbido, assim, a um velho dilema da construção de conceitos: se, de um lado, o horizonte da transformação social, da emergência de processos inéditos, apenas torna-se acessível mediante a reforma do pensamento e a criação de novas ideias capazes de capturar o *nuvum* no mundo; de outro, é difícil elucidar até que ponto não é a própria mudança de perspectiva analítica que produz um efeito de novidade sobre fenômenos preexistentes.

Grosso modo, o propósito deste capítulo é duplo, conceitual e empírico. Trata-se de atentar, primeiro, para o efeito de ocultação produzido pelas novas lentes analíticas dos anos 1990, e, depois, de redirecionar o olhar à busca dos movimentos sociais com o intuito de mostrar, a seu respeito, transformações e continuidades no campo da ação social. Ambas, transformações e continuidades, elaboradas do ponto de vista da centralidade dos movimentos sociais e da emergência de um novo tipo de ator nas redes de atores da sociedade civil. De modo mais específico, sustenta-se que, se, de um lado, os movimentos continuam a usufruir extraordinária centralidade, de outro, um novo tipo de ator criado nos anos 1990, aqui chamado de articuladoras, partilha com eles posição semelhante na rede. Assim, a primeira parte deste capítulo foca a atenção na literatura da década passada; já a segunda dedica-se ao exame empírico dos movimentos sociais de uma perspectiva relacional, quer dizer, a partir de uma perspectiva analítica de redes, com suas correspondentes técnicas de formalização. Para desenvolver essa perspectiva descrevem-se de forma sucinta as definições utilizadas para os tipos de atores analisados, em seguida desenvolve-se breve menção acerca da metodologia aplicada e por fim expõem-se os resultados encontrados na pesquisa.

Atentar para o efeito de ocultação requer análise passível de ser equacionada no plano da literatura, entretanto, "desocultar" os movimentos sociais é tarefa própria da pesquisa empírica e, nesse terreno, apenas a conjugação e acumulação de inúmeros esforços poderão desenhar um quadro abrangente. Aqui é oferecida apenas uma peça para esse quadro, engastada em um processo de reflexão ainda em curso e nutrida por resultados de um *survey* sobre atores da sociedade civil; *survey* com mais de duzentas entrevistas e realizado na cidade de São Paulo, em 2002, como parte de um projeto de pesquisa maior, de caráter comparativo e internacional. A despeito de se tratar de resultados de um ponto no tempo só, a carência de estudos sistemáticos nessa área torna sua exploração um esforço frutífero.[2]

NOVA SOCIEDADE CIVIL E MOVIMENTOS SOCIAIS

É plausível argumentar que diversos fatores conjugaram-se no paulatino esfriamento de um ambiente de ativismo social simbolizado por um conjunto de organizações populares e iniciativas coletivas de natureza variada, enquadrados analiticamente pelas teorias dos movimentos sociais. Primeiro, o desfecho da transição: a reabertura da arena política e seus atores tradicionais, a construção de conexões entre demandas populares e os circuitos de representação de interesses próprios ao sistema político, o engajamento de parte dos atores societários criados no contexto da ditadura na construção de atores propriamente políticos. Segundo, a exaustão e o desgaste inerente ao ativismo de atores que não atingem patamares de institucionalização capazes de estabilizá-los. Por último, e em sentido inverso, a institucionalização e cristalização desses atores sob lógicas coorporativas, ou seja, a desmobilização ocasionada não pelo desgaste, mas pela cooptação. Cumpre mencionar que a plausibilidade desses argumentos se deriva tanto daquilo que, em termos gerais, a sociologia política e organizacional, bem como a ciência política, apontariam como previsível quanto das características do período histórico em questão, ou seja, a transição; no entanto, para além de estudos monográficos sobre determinados atores macro ou contextos de mobilização micro, inexistem reconstruções empíricas sistemáticas abrangentes e longitudinais sobre as transformações da ação coletiva entre os períodos pré e pós-transição.

A onda de balanços de finais dos anos 1980, ao estilo de uma "ressaca" pelos excessos de expectativas cultivadas nesses anos todos, acusava o declínio dos movimentos sociais arrolando causas como as mencionadas acima (Cardoso, 1994; Cunha, 1993; Nunes, 1987). Na verdade, tratava-se em boa medida de uma crise de expectativas, associada ao progressivo abandono das teorias dos movimentos sociais. Houve, todavia, um quarto fator que ao

---

[2] A pesquisa em que se baseia este *paper* é parte de estudo mais amplo realizado em vários países, intitulado "Rights, Representation and the Poor: Comparisons Across Latin America and India". Síntese do projeto pode ser encontrada em Houtzager, Harris, Collier e Gurza Lavalle (2002). Os artigos que consubstanciam os resultados desse projeto estão disponíveis na biblioteca virtual do Cebrap (http://www.cebrap.org.br).

longo dos anos 1990 tornar-se-ia lugar-comum na literatura dedicada à análise da ação coletiva e suas consequências para a política, a saber, a emergência de novas formas organizativas a conquistarem a centralidade outrora característica dos movimentos sociais. Assim, a proliferação de modalidades pulverizadas de ação coletiva, orientadas tematicamente em torno a questões de interesse geral e de índole pós-material, isto é, a multiplicação de um tipo de organização claramente coincidente com o perfil das ONGs, definiria a tônica do campo da ação coletiva na última década do século XX; campo cuja cabal compreensão apenas seria possível a partir da correta definição da categoria sociedade civil.

Embora, no Brasil, a ideia de sociedade civil tenha sido corrente no debate político e nos estudos acadêmicos pelo menos desde o fim dos anos 1970 — tornando-se mais ostensiva sua utilização ao longo do decênio seguinte —, na década de 1990 foi investida de especificações conceituais a tal ponto restritivas que suas semelhanças com as definições das décadas anteriores são quase apenas nominais (Gurza Lavalle, 2003).[3] A nova sociedade civil foi definida como uma trama diversificada de atores coletivos, autônomos e espontâneos que mobilizam seus recursos associativos mais ou menos escassos — via de regra dirigidos à comunicação pública — para ventilar e problematizar questões de "interesse geral". Nas palavras de Avritzer (1994: 284), "o que caracteriza a sociedade civil brasileira é a procura pela autonomia de uma esfera de generalização de interesses associada à permanência de uma forma institucional de organização baseada na interação comunicativa". Costa (1994: 47) discorre de forma semelhante em reflexão acerca da "redescoberta da sociedade civil no Brasil": "Aos movimentos sociais e às demais organizações que representam, na órbita da esfera pública, os fluxos comunicativos provindos do mundo da vida aparecem associados os papéis de articuladores culturais, de núcleos de tematização de interesses gerais e de fortalecimento da esfera pública como instância de crítica e controle do poder".

Há, é claro, diferenças de ênfase entre autores, mas uma análise pormenorizada da literatura dos anos 1990 permite salientar certos elementos articulados de maneira semelhante, ainda que nem todos estejam presentes em cada formulação sobre a nova sociedade civil: primeiro, sua natureza coletiva ou horizontal, isto é, falou-se em "associações autônomas", "associativismo civil", "ancoragem no mundo da vida"; segundo, o caráter legítimo

---

[3] Este e os próximos três parágrafos resumem os argumentos explorados em Gurza Lavalle (2003) no que diz respeito à relação entre movimentos sociais e a literatura da nova sociedade civil.

Adrian Gurza Lavalle, Graziela Castello e Renata Bichir

de suas demandas ou propósitos, concebidos em termos de "interesse geral", "problemas provindos do mundo da vida" ou "objetivos não sistêmicos"; terceiro, a adesão e separação livre e espontânea de seus membros, o que remetia à índole não organizacional ou informal da associação ("associativismo voluntário", "espontaneidade social", "inovação social"); quarto, a importância dos processos de comunicação na formação da vontade coletiva e nas estratégias para suscitar a atenção pública ("tematização pública de problemas"); e, por fim, seu papel de mediação entre a sociedade não organizada e os poderes econômico e político (Costa, 1997a: 17; 1995: 62-3; 1997b: 183; 1999: 100; Gohn, 1997: 30; Avritzer, 1997: 161-8).

À margem da sua recorrência no debate dos anos 1990, os diversos elementos utilizados na conceituação da nova sociedade civil enfrentam dificuldades à medida que as análises se deslocam de postulados abrangentes, normativos e abstratos para critérios específicos na identificação dos atores empíricos da nova sociedade civil. Não cabe problematizar a eventual existência de atores empíricos capazes de satisfazer as exigências de um elenco de características tão demandante. Tampouco cabe precisar as consequências restritivas de uma combinação de elementos definidos em registro normativo e de modo assim estilizado para a análise de diversos esforços de organização e ação coletiva erguidos conforme a outras lógicas internas — materiais, burocráticas, religiosas ou eminentemente de lazer, para mencionar apenas alguns exemplos —, mas apenas atentar para seus efeitos no caso do tipo de ação coletiva em questão, ou seja, aquela dos movimentos sociais. A inadequação entre a definição da nova sociedade civil e o perfil de atores específicos torna-se emblemática quando considerados os movimentos sociais, outrora privilegiados pela sociologia como referência central no horizonte das possibilidades da ação social. Com efeito, atores tidos como pilares da ação social emancipadora no curso dos anos 1980 tornaram-se *persona non grata* na lista dos atores representativos da sociedade civil no decênio seguinte — tal o caso do movimento sindical e dos atores eclesiásticos.

Não se tratou apenas de um *aggiornamento* linguístico, graças ao qual a semântica gasta dos movimentos sociais teria desaparecido do vocabulário das ciências sociais no Brasil durante uma década para ser substituída por novas palavras — "sociedade civil" — a serem utilizadas de modo igualmente intenso. Na verdade, não parece claro que os atributos do conceito da nova sociedade civil fossem plenamente harmônicos com os dos movimentos sociais, por vezes dotados de sólidas estruturas organizacionais e cujo funcionamento e efetividade podem exigir hierarquias rígidas e impõem custos no terreno da espontaneidade — para não enfatizar o problema dos expedientes de luta política, nem sempre considerados legítimos por amplas camadas da população. Mais relevante é notar que, embora nos anos 1980 houvesse consenso quanto à impossibilidade de compreender os movimentos sociais a partir de determinada inserção estrutural na economia, esses novos atores foram pensados, na América Latina, no quadro maior das classes sociais, dos sujeitos coletivos e da questão da dominação. Assim afirmava Eder Sader, referindo-se ao período final dos anos 1970: "Eu estava, sim, diante da emergência de uma nova configuração de classes populares no cenário público" (Sader, 1988: 36); as "características comuns [dos movimentos sociais] nos permitem falar de uma nova configuração de classe" (Sader, 1988: 311; ver também, Restrepo, 1990: 61-2, 78-100). Nesse sentido, a eventual incorporação dos movimentos sociais à nova sociedade civil, por autodefinição pós-marxista e normativa (Arato, 1994), negligenciaria o problema de certa incompatibilidade entre os termos de ambas as discussões.

Malgrado as dificuldades para enquadrar os movimentos sociais no conceito de sociedade civil cunhado nos anos 1990, parte da literatura aceitou haver certa continuidade entre os esforços mais modestos do associativismo civil e as grandes iniciativas de mobilização social organizada, resolvendo-se o problema como um assunto de grau de abrangência na capacidade de representação de interesses. Entendeu-se que os movimentos se situavam "um degrau analítico acima das demais associações da sociedade civil", com "um espectro temático e de conteúdos mais amplo que o destas" — conforme sustentado por Costa (1994: 46).[4] À margem da pertinência conceitual de tal operação — se respeitadas as restrições estabelecidas pela própria literatura quanto a sua definição da nova sociedade civil —, há razões estratégicas a se levar em consideração: os estudos sobre os novos movimentos sociais e a literatura da nova sociedade civil partilharam o mesmo horizonte político, qual seja, a possibilidade da modernização pela via da ação social. Nesse sentido, e em termos de inadequação a seus próprios quesitos, alguns autores seriam mais tolerantes com os atores sociais que encarnam a crítica à democracia institucional do que com a ação crítica de atores institucionais — partidos, por exemplo, ou melhor, porque ausentes na literatura da sociedade civil, embora tenham sido referentes indispensáveis da literatura sobre movimentos sociais, Igreja e sindicatos.[5]

---

[4] Para reforçar o argumento: "[...] consideramos os movimentos sociais como expressões de poder da sociedade civil" (Gohn, 1997: 251).

[5] Dois livros que balizaram a reflexão em torno dos novos movimentos sociais evi-

Não parece descabido afirmar que a flexão das exigentes restrições da definição da nova sociedade civil diante dos movimentos sociais permitia, a um só tempo, ampliar o leque de interlocutores e definir certa continuidade com o debate das duas décadas anteriores, atenuando as diferenças entre as posições conceituais que informaram a discussão nesses dois momentos. De fato, seria ingênuo não reconhecer que a grande influência e a rápida expansão do enfoque da nova sociedade civil, nos anos 1990, assim como, salvo raras exceções, a omissão generalizada das dificuldades inerentes ao enfoque para lidar com os movimentos sociais, obedeceram em boa medida ao papel desempenhado pela ideia de nova sociedade civil enquanto projeto político a preencher o vazio deixado pelo declínio das teorias dos movimentos sociais. Não parece gratuita a presença de semelhanças entre ambas as perspectivas no debate brasileiro: também os movimentos sociais foram distinguidos por sua novidade, espontaneísmo e autonomia, por se constituírem de atores radicalmente externos à lógica das instituições políticas e por suas alvissareiras contribuições à transformação da cultura política; e também a literatura manifestou sua perplexidade ao se defrontar com a institucionalização desses movimentos, atribuindo-lhe, em relação "ciclotímica" — conforme a arguta expressão de Götz (1995: 186-207) —, noções de conotação negativa como "cooptação", "desmobilização" e "refluxo". Isso para não mencionar a notável coincidência, em ambas as perspectivas, entre a fala dos atores e o discurso acadêmico.

Independentemente dos eventuais ganhos analíticos próprios ao debate conceitual dos anos 1990, a ênfase numa concepção restritiva da sociedade civil, concebida em registro acentuadamente normativo, trouxe custos cognitivos indesejáveis para o estudo dos movimentos sociais pelo menos em dois planos: primeiro, gerou uma ocultação artificial dos movimentos, sobredimensionando o papel de outros atores da sociedade civil — notadamente as ONGs — como se fossem sucessores ou ocupassem lugar análogo ao dos primeiros; segundo, contribuiu a refrear e em alguns casos até a interromper a acumulação de conhecimento sobre uma modalidade específica da ação coletiva — os movimentos sociais —, cujo estudo e análise na produção acadêmica registrou declínio abrupto, ao ponto de se tornar tema de reflexão raro ou "démodé" em diversos centros acadêmicos.[6]

denciaram a relevância desses atores institucionais: o já citado *Quando novos personagens entram em cena*, de Eder Sader (1988), e *São Paulo: o povo em movimento*, organizado por Paul Singer e Vinicius Caldeira Brant (1980).

[6] Pesquisadores comprometidos de longa data com a temática dos movimentos

Graças ao efeito de ocultação torna-se difícil elucidar até que ponto os movimentos sociais da década de 1980 saíram efetivamente de cena no decênio seguinte. Por isso, afirmar a artificialidade do deslocamento dos movimentos sociais para fora das áreas iluminadas pelos conceitos deixa em pé o desafio de averiguar o que realmente aconteceu com eles. Inversamente, indagar quais as mudanças efetivamente registradas nesses atores remete à especificação dos termos de um estranhamento perante a forma em que foram retirados da cena intelectual. Coberta a segunda tarefa, cabe proceder à realização da primeira.

Movimentos sociais e articuladoras

Conforme explicitado na introdução deste artigo, e a despeito das ênfases analíticas dos anos 1990, os movimentos sociais continuaram a preservar posições centrais nas teias de relações que articulam os atores da sociedade civil. Houve, todavia, mudanças relevantes no campo da ação coletiva, pois um novo tipo de ator criado na última década, as articuladoras, ganhou notável centralidade e posicionou-se ao lado dos movimentos pela sua capacidade de agregação de demandas e de coordenação da atuação de outros atores. Antes de mostrar os resultados de pesquisa que alicerçam tais afirmações convém especificar tanto as vantagens cognitivas de se lidar com atores a partir de definições sensíveis às exigências da pesquisa empírica quanto as características daquilo que aqui se entende por movimentos sociais e articuladoras.

As vantagens de se utilizar, *strictu senso*, uma abordagem relacional para lidar com ação coletiva organizada são bem conhecidas (Diani e McAdam, 2003). Há, todavia, algumas vantagens adicionais quando a análise

---

sociais continuaram com suas agendas de pesquisa, ver, por exemplo, Scherer-Warren (1998, 1996); no entanto, os movimentos sociais saíram de cena do debate sociológico mais amplo.

Por exemplo, se considerados todos os números publicados nas décadas de 1980 e 1990 das revistas *Dados, Novos Estudos, Lua Nova, Revista Brasileira de Ciências Sociais* (RBCS) e *Boletim de Informações Bibliográficas* (BIB), a partir dos títulos e palavras--chave, a produção voltada para a análise dos movimentos sociais cai pela metade entre o primeiro e o segundo período, passando de vinte para dez artigos. O contraste poderia ser maior, mas não foram contemplados nessas cifras os artigos sobre sindicalismo e novo sindicalismo, nem sobre igreja e comunidades eclesiais de base, quando não aparecem referidos diretamente como movimentos sociais nos dois critérios utilizados para o levantamento.

Adrian Gurza Lavalle, Graziela Castello e Renata Bichir

de redes é introduzida no terreno do estudo empírico de organizações civis. Tal como observado por Bebbington (2002), em exame dos vieses metodológicos que solapam a construção de conhecimento sobre as ONGs na América Latina, as análises empíricas nesta área não apenas costumam privilegiar o próprio ator como unidade de análise, mas não raro elevam-no ao estatuto de principal produtor de conhecimento sobre si próprio e sobre o campo em que se encontra inserido. Abordagens relacionais, como a empregada neste capítulo, permitem interpretações estruturais das capacidades e das ações dos atores, ou seja, não são baseadas na autocompreensão e racionalização de si próprios, mas na sua posição (objetivada) dentro de redes de relações que condensam e condicionam a lógica e os alcances da sua atuação.

Como boa parte dos conceitos que visam conectar formas específicas da ação coletiva com reflexões teóricas acerca das suas implicações para a racionalização do poder, para a ampliação da democracia e do espaço público ou para a emancipação social, a ideia de "movimentos sociais" apresenta problemas de ambiguidade na sua definição. Por um lado, a eles foi e é conferida uma capacidade de ação coletiva centrada na construção de novas identidades (Evers, 1984; Touraine, 1983; Sader, 1988; Melucci, 1989), normalmente não absorvíveis dentro do universo das instituições tradicionais de representação de interesses e definitivamente não passíveis de dedução teórica a partir da posição dos atores na estrutura econômica; também lhes foi imputado um protagonismo altamente espontâneo, devido à exigência de uma mobilização não burocratizada ou corporativizada. Por outro lado, o termo tem sido utilizado igualmente na definição de atores empíricos específicos, normalmente portadores de capacidade de contestação perante o Estado — Movimento dos Sem Terra (MST), Movimento dos Atingidos por Barragens (MAB) —, e na unificação analítica de conjuntos esparsos de iniciativas individuais e coletivas orientadas de modo diacrônico por afinidades de sentido em torno de temas específicos — movimento feminista, movimento negro, movimento de moradia, movimento de saúde. Não existem dúvidas quanto ao mérito heurístico da segunda utilização para uma sociologia da ação coletiva e da transformação social, porém, sua operacionalização é extremamente complexa. Afinal, nessa segunda acepção o movimento não pode ser postulado nem assumido como ponto de partida da análise, mas requer uma reconstrução empírica quanto a suas fronteiras e estrutura relacional.

O universo de atores aqui definidos como movimentos sociais corresponde a um subconjunto possível e restrito entre os atores englobáveis na segunda acepção, que coincide com organizações ou atores específicos identificados como movimentos — primeira acepção. A chave dessa sobreposição é o caráter organizacional dos atores entrevistados, permitindo contemplar movimentos sociais em sentido lato — segunda acepção — desde que dotados de estrutura organizacional para fins de coordenação. Trata-se de um recorte centrado em organizações ou movimentos populares, cujo perfil responde às seguintes feições empíricas: não trabalham com temas como as ONGs e algumas entidades assistenciais, mas com demandas e reivindicações sociais marcadas normalmente pelo seu caráter redistributivo; sua estratégia distintiva é a mobilização coletiva da população afetada pelos problemas para os quais estão voltados; assumem problemas mais amplos que aqueles normalmente trabalhados por associações de bairro. Exemplos de movimentos sociais, assim definidos, colhidos na amostra do *survey* realizado na cidade de São Paulo são: MST (Movimento dos Sem Terra), MSTC (Movimento dos Sem Teto do Centro), MNLM (Movimento Nacional de Luta pela Moradia) e ULC (Unificação de Lutas de Cortiços). Escapam deste recorte movimentos difusos e sem núcleo organizacional único e estável — movimentos feminista, pacifista, negro etc.

Por sua vez, as articuladoras são entidades constituídas por outras associações ou entidade civis, com a finalidade de coordenar e orientar suas ações e interesses bem como articular as diversas entidades que as constituíram. Não se trata de fóruns, conferências ou de outros espaços periódicos e até mesmo esporádicos de coordenação da ação entre atores da sociedade civil, senão de organizações plenamente institucionalizadas. Diferentemente dos movimentos, seus beneficiários são costumeiramente definidos como membros — inclusive no plano jurídico; e tal e como sugerido pelo nome, sua função principal é a articulação e coordenação dos interesses e esforços de outros atores. Articuladoras não raro são rotuladas como ONGs, mas a diferenciação entre ambos os tipos de ator não apenas é pertinente em termos sociológicos, como também empiricamente sustentável mediante a análise de atributos simples ou de medidas próprias à análise de redes. O empenho das ONGs na criação de redes e de espaços de coordenação é amplamente reconhecido (Casanovas e García, 1999: 69-74; Scherer-Warren, 1996), todavia, articuladoras diferem significativamente das ONGs em aspectos relevantes para análises preocupadas com a compreensão das dinâmicas e padrões de interação que ordenam o universo dos atores da sociedade civil. Isto em virtude de serem fundadas por outras entidades com o intuito de coordenar e articular suas ações, de construir agendas comuns e de escalar sua capacidade de agregação de interesses com fins de representação perante o poder público e outros atores sociais. Por outras palavras, as articuladoras podem ser classificadas como organizações civis de terceira ordem, quer dizer, distintas tanto daquelas instituídas sob o signo da identidade entre beneficiários e fundadores, administradores ou trabalhadores das associações — organizações civis de primeira ordem como as associações de bairro ou as de caráter comunitário —, quanto daquelas outras estabelecidas para beneficiar terceiros definidos como beneficiários, públicos-alvo ou segmentos da população — nesse sentido, de segunda ordem, como as entidades assistenciais e as ONGs. Assim, as articuladoras, cujos trabalhos estão orientados para outras entidades, são produto notável de uma estratégia bem-sucedida de construção institucional que reflete o adensamento e diferenciação do universo das organizações civis. Exemplos de articuladoras incluídas na amostra são: Abong (Associação Brasileira de ONGs), Rebraf (Rede Brasileira de Entidades Assistenciais Filantrópicas), Rede Nacional Feminista de Saúde de Direitos Sexuais e Reprodutivos, e Cooperapic (Cooperativa de Promoção à Cidadania).

Breve menção dos atores presentes na fundação dos movimentos populares e das articuladoras permite delinear melhor os contornos entre ambos os tipos de entidade: enquanto os movimentos populares se destacam por contar em grande parte com a presença da Igreja (63% contaram com ela na fundação), de partidos políticos (46%) e de sindicatos (36%), as articuladoras contaram fundamentalmente com outras entidades da sociedade civil como protagonistas na sua fundação (81,8%), seguidas em posição secundária pelos sindicatos e pelo governo.

Breve nota metodológica

Os dados apresentados neste capítulo provêm de *survey* realizado com 202 atores da sociedade civil, no Município de São Paulo, ao longo de oito meses de trabalho de campo no ano de 2002. As associações responderam questionário desenhado para indagar informações acerca da sua fundação, missão, nível de formalização, temas de trabalho, membros e/ou beneficiários, vínculos com outros atores da sociedade civil e com outras instituições governamentais. A construção de perguntas referentes aos vínculos das entidades trouxe como resultado informações relacionais passíveis de serem trabalhadas com metodologia de análise de redes. Aqui foram trabalhadas apenas as informações referentes à existência ou ausência de vínculos dos movimentos populares e das articuladoras com o universo dos atores da sociedade civil, mas análises detalhadas da composição e padrões relacionais que revelam o *modus operandi* da sociedade civil paulistana foram desenvolvidas alhures (Gurza Lavalle, Castello e Bichir, 2007; 2008).

A partir de um procedimento de amostragem de tipo bola de neve foram entrevistados 202 atores da sociedade civil, gerando um total de 741 diferentes entidades da sociedade civil e outro conjunto semelhante de organizações e instituições consideradas como "fronteira" ou externas ao universo pesquisado — agências do Estado, universidades, sindicatos, igrejas, organismos multilaterais, governos estrangeiros etc. A estratégia definida para o desenho da amostra apresenta importantes vantagens metodológicas e constitui um esforço inovador no sentido de ampliar o horizonte das abordagens empíricas mais usuais na literatura voltada ao estudo da sociedade civil: primeiro, o universo das entidades pesquisadas não foi definido *a priori*, como acontece com estudos que lançam mão de cadastros e listas, senão empiricamente a partir de cadeias de referencias fornecidas pelos próprios atores da sociedade civil; segundo, a multiplicação de referências conduzidas pelo critério da informação traz consigo ganhos qualitativos, a saber, a possibilidade de trabalhar do ponto de vista de uma análise de redes com universo de atores da sociedade civil efetivamente construído de forma relacional, e não apenas interpretado a partir da metáfora da rede. É claro que os estudos de caso constituem uma abordagem privilegiada do ponto de vista qualitativo, mas suas limitações para a generalização de resultados são também bastante conhecidas.

Há vieses inerentes às amostras produzidas mediante tal procedimento de caráter não aleatório, mas diferentemente daquilo que ocorre com as listas publicamente disponíveis ou cujo acesso depende de alguma modalidade de autorização, elas podem ser controladas e inclusive desenhadas para servir aos propósitos da pesquisa. De fato, os resultados aqui apresentados identificam principalmente os atores mais ativos da sociedade civil junto às camadas populares do Município de São Paulo. Assim, os dados apresentados refletem "o melhor mundo possível", pois atores pouco ativos têm menores probabilidades de serem mencionados nas cadeias de referências. Contudo, são precisamente as entidades mais engajadas que interessam para a determinação dos atores mais centrais no campo da sociedade civil.

Os resultados a serem apresentados são, a rigor, medidas relacionais, produzidas mediante o uso de metodologia e a partir de um banco de dados adequados para essa finalidade.[7] O conceito de rede, portanto, não desem-

---

[7] Para a aplicação dessa metodologia foi utilizado o software Ucinet. Para observação das implicações desse procedimento, ver Borgatti, Everett e Freeman (2002).

penha aqui a função, usual no debate sociológico, de analogia heurística; antes, trata-se propriamente de uma ferramenta, privilegiada metodologicamente pela sua capacidade para formalizar e tornar possíveis análises empiricamente fundamentadas sobre fenômenos cujas lógicas respondem a dinâmicas de redes sociais.

Optou-se, neste artigo, em um primeiro momento, pela utilização de medidas de centralidade, pois permitem analisar e destacar a posição relativa de cada um dos atores considerados — grau de centralidade — dentro do universo da sociedade civil aqui recortada. Segundo Hanneman (2001), um ator central no interior de uma dada rede é aquele que, a partir de um número considerável de relações, consegue exercer grande influência sobre os demais atores e gerar a dependência destes, controlando diversas possibilidades de fluxos e possuindo a capacidade de fazer escolhas dentro de seu universo de relações — assim, o poder no interior de uma rede surge como consequência dos padrões de relações estabelecidos entre os atores. Visto se tratar de medidas estruturais, quer dizer, da avaliação de um ator a partir da sua posição em uma estrutura de relações, assume-se que os modos de inserção dos atores em uma rede constrangem ou abrem possibilidade a sua capacidade de ação. Em um momento seguinte, serão apresentados os gráficos das redes dos dois tipos de atores destacados aqui, articuladoras e movimentos sociais, como forma de elucidar melhor as especificidades que caracterizam a centralidade desses dois tipos de associações dentro do universo de atores da sociedade civil.

Velhas e novas centralidades: movimentos sociais e articuladoras

O objetivo desta seção é examinar os padrões de relacionamento dos movimentos sociais e de um novo tipo de entidade criado nos anos 1990 — as articuladoras — dentro do campo dos atores da sociedade civil. Conforme já mencionado, trata-se de exame focado na estrutura de relações que permite iluminar as capacidades de intermediação de interesses e de coordenação de ação coletiva concentradas nos movimentos sociais e nas articuladoras — sempre em relação a outros tipos de atores presentes na sociedade civil. As centenas de entidades da sociedade civil (741) que delimitam o universo das relações possíveis contêm associações de bairro, ONGs, associações comunitárias, entidades assistenciais, fóruns e outros espaços de coordenação, bem como, é claro, movimentos sociais e articuladoras.

Os resultados gerados pela análise de redes foram agregados por tipos de ator da sociedade civil e, por isso, é possível afirmar que os atores aqui analisados possuem determinados atributos distintivos em relação aos outros tipos de entidades presentes na amostra. Graças a essa análise agregada por tipologia emergiram as articuladoras como uma novidade tanto no terreno da inovação institucional quanto no plano da sua centralidade no campo dos atores da sociedade civil. Com o intuito de simplificar a apresentação de resultados e de evitar a multiplicação de dados sobre atores que não ocupam a atenção deste artigo, a "Tabela Resumo" abaixo mostra resultados apenas para movimentos sociais e articuladoras, e sempre em relação à média dos atores presentes na amostra.[8] Tal opção, no fundamental, não introduz distorções quanto à centralidade dos movimentos e das articuladoras. A leitura dos dados assim organizados é simples: em vez de apresentar os resultados absolutos das medidas, pouco significativos para leitores não familiarizados com literatura de redes, as cifras mostram em porcentagens as diferenças entre os atores aqui examinados e o resto dos atores da sociedade civil presentes na amostra. Assim, 238% (*indegree*) significa que os movimentos recebem vínculos mais de duzentos por cento a mais do que a média dos outros tipos de atores.

Tabela 1
RESUMO DOS INDICADORES

Tipologia	Centralidade							
	OD	ID	B	OC	IC	Info	P	I
Movimentos sociais (n=11)	17,7	238	200	0,3	5,4	33,2	69,2	125,8
Articuladoras (n=33)	18,8	71,1	111	-4	3,2	9,1	56	45,9
Demais atores (n=158)	*	*	*	*	*	*	*	*

OD = *outdegree*; ID = *indegree*; B = *betweeness*; OC = *outcloseness*; IC = *incloseness*; Info = *information*; P = *power*; I = *influence*.
* Os asteriscos indicam os dados utilizados como referência. Os resultados apresentados para as articuladoras e para os movimentos sociais mostram quanto por cento mais ou menos esses atores possuem determinada característica em relação a todos os demais atores presentes na amostra.
Os "demais atores", aqui não examinados, completam os 202 atores entrevistados.

---

[8] A média não contém as medidas dos movimentos sociais e das articuladoras.

Adrian Gurza Lavalle, Graziela Castello e Renata Bichir

Os movimentos sociais são os atores mais centrais no conjunto dos atores da sociedade civil presentes na amostra: recebem um número muito maior de citações diretas de outras entidades (*indegree*) e também citam diretamente mais (*outdegree*); além disso, exercem um grau extraordinário de intermediação entre os atores (*betweeness*), ou seja, pela sua posição estratégica são ponto de passagem fundamental para uma parte considerável de atores da sociedade civil alcançar ou entrar em contato com outros. Contudo, e quiçá pela sua centralidade, os movimentos não preservam relações menos distantes — do que a média — dos atores que no conjunto da amostra têm condições de alcançá-los (*incloseness*); e tampouco mantêm relações significativamente mais próximas dos autores aos quais eles — os movimentos — conseguem chegar (*outcloseness*).

Aos resultados que ressaltam a grande centralidade e posição estratégica dos movimentos no campo dos atores da sociedade civil, cabe acrescer que suas relações com outros atores são notavelmente assimétricas (*power*); isto é, existe desigualdade de vínculos disponíveis entre os movimentos e os atores com os quais se relacionam, tornando os segundos estruturalmente dependentes do repertório de relações dos primeiros. Essa dependência ou assimetria de relações ou vínculos disponíveis entre os movimentos sociais e as demais entidades da sociedade civil significa que os movimentos sociais mantêm parte significativa das suas relações com atores escassamente vinculados que, nesse sentido, devem ocupar posições periféricas nas múltiplas redes de atores da sociedade civil.

Reforçando ainda mais a extraordinária centralidade dos movimentos, eles se destacam como os atores que mais recebem vínculos diretos e indiretos no interior do conjunto total dos atores da sociedade civil. De fato, é pertinente frisar que são os únicos atores da sociedade civil com papel preponderante de receptores de vínculos — mais recebem do que lançam relações —, pois, em diferentes graus, todas as demais entidades lançam mais vínculos do que recebem (*influence*).

As articuladoras possuem uma posição de destaque no interior da rede, compartilham com os movimentos sociais o mais alto grau de centralidade existente entre os atores da sociedade civil colhidos na amostra. A centralidade das articuladoras é fundamentalmente marcada por possuírem prestígio dentre o conjunto de atores analisados, ou seja, são entidades que recebem muitos vínculos (*indegree*). Também se destacam por construírem mais relações que a média dos demais atores (*outdegree*), além disso, elas desfrutam elevado poder de intermediação entre os demais tipos de atores (*betweenness*), o que significa que uma parte significativa das demais entidades utiliza ou precisaria utilizar as articuladoras como intermediárias para alcançar outros atores, beneficiando-se de sua posição central. Também é interessante notar que as articuladoras estão relativamente muito mais próximas dos vínculos provenientes das entidades que as citam (*incloseness*) do que dos vínculos construídos a partir das suas citações (*outcloseness*) — neste caso, as articuladoras se apresentam mais distantes que a média dos demais atores analisados.

É possível dizer ainda que as articuladoras guardam relações assimétricas com os atores a elas vinculados, configurando um quadro de dependência significativa (*power*). Esse resultado reflete a importância — para os demais tipos de associações — das relações estabelecidas com as articuladoras; importância que é confirmada pela influência exercida sobre as demais entidades (*influence*).

Em suma, e embora em patamares diferentes, a centralidade dos movimentos e das articuladoras mostra notável capacidade de agregação e intermediação de interesses em relação aos demais atores da sociedade civil.

ALTAS CENTRALIDADES COM ESTRATÉGIAS RELACIONAIS DIFERENCIADAS

Nesta seção avançaremos mais um passo elucidando as relações que os movimentos sociais e as articuladoras estabelecem entre si, a partir da observação dos gráficos que representam tais relações internas. Em primeiro lugar, apresenta-se a rede dos movimentos sociais. O Sociograma 1 mostra que a articulação interna desses atores molda uma rede cujo formato se aproxima de uma "estrela", quer dizer, conforme a teoria, de uma rede hipotética em que todas as relações possíveis estariam efetivamente presentes e passariam por um único ator central.[9] Contudo, essa rede é claramente uma rede binuclear, uma vez que praticamente todos os vínculos existentes são constituídos em relação a dois atores centrais, o Movimento dos Sem Terra (MST) e o Movimento dos Sem Teto do Centro (MSTC). O MST desempenha papel duplo: nucleia movimentos nacionais de índole rural e de assentamentos não urbanos, como o Movimento dos Pequenos Agricultores

---

[9] Sociogramas com formato de estrela (*star graph*) são redes que possibilitam os vínculos de todos os atores presentes na rede, configurando visualmente um centro para o qual chegam ou do qual saem todas as relações — por isso o formato de estrela (Wasserman e Faust, 1994: 169-72).

Adrian Gurza Lavalle, Graziela Castello e Renata Bichir

e dos Atingidos por Barragens (MOAB), e também os conecta com movimentos urbanos de caráter nacional, como o Movimento Nacional de Luta pela Moradia, e caráter local (da cidade de São Paulo), nucleados em torno do MSTC. O ator mais central da rede, neste caso, corresponde ao ator de maior capacidade de mobilização e visibilidade pública, a saber, o MST.

Sociograma 1
REDE INTERNA DOS MOVIMENTOS SOCIAIS[10]

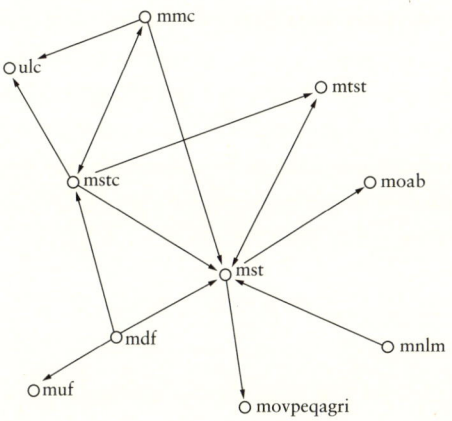

Nº isolados: 9 (47%)

A rede, que contempla as relações das articuladoras entre si, apresenta padrões contrastantes. O Sociograma 2 permite visualizar tais padrões. Nele se verifica que as articuladoras ordenam suas estratégias de relacionamento por afinidades temáticas, funcionais e programáticas, não raro parcialmente sobrepostas.

O nicho das entidades que tratam da questão de gênero é caso de afinidade eminentemente temática, e aquele das articuladoras de associações de bairro supõe clara afinidade funcional. As afinidades programáticas são visíveis nas sub-redes de movimentos populares, financiadoras do terceiro setor e articuladoras religiosas, que combinam com peso relevante mais de uma afinidade. Nesses últimos três casos, as articuladoras de cada nicho trabalham em prol de atores com um perfil específico, e, a um tempo só, disputam e representam concepções diferentes do sentido da ação coletiva na nossa

---

[10] Os nomes referentes às siglas contidas neste e no próximo sociograma encontram-se no anexo a este texto.

sociedade. De fato, dadas as funções, importância e custo de criar e manter entidades como as articuladoras, a composição do seu universo acaba por projetar, como em jogo de sombras, as constelações de atores com maior peso na disputa pelo sentido da ação coletiva perante o Estado e perante os próprios atores sociais. Por fim, se o MST constitui um intermediário necessário para outros atores na rede de movimentos sociais, a conexão entre diferentes nichos de articuladoras também dependem de entidades ponte — *gatekeepers* — para se vincularem a seus pares orientados por outras afinidades; notadamente, União Brasileira de Mulheres (UBM) para as articuladoras dos movimentos de gênero, Confederação Nacional de Associações de Moradores (Conam) para as das associações de bairro, Central dos Movimentos Populares (CMP) para as dos movimentos, e Rede Brasileira de Entidades Assistenciais Filantrópicas (Rebraf) para as religiosas.

Sociograma 2
REDE INTERNA DAS ARTICULADORAS

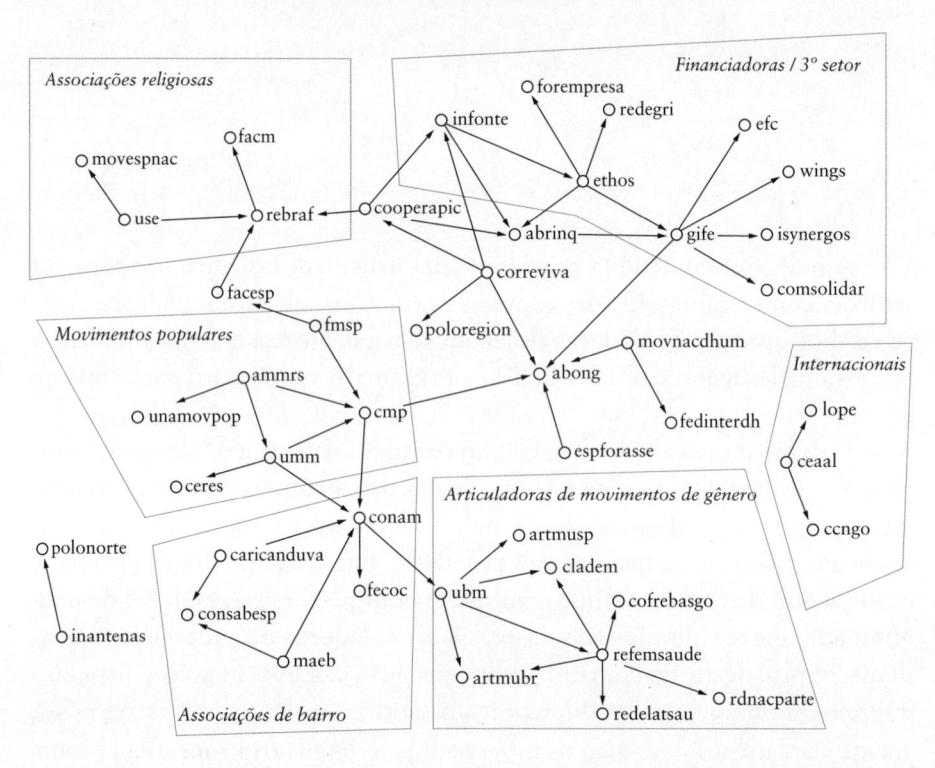

N° isolados: 53 (54%)

Adrian Gurza Lavalle, Graziela Castello e Renata Bichir

Comentário final

Outrora centrais pelo seu caráter promissor, os movimentos sociais registraram misterioso sumiço no debate acadêmico dos últimos anos do século XX. Independentemente dos fatores que possam ter incidido na sua eventual retração, neste capítulo recebeu atenção um fator que gerou efeitos de ocultação, a saber, a mudança das categorias analíticas empregadas. Os "holofotes" passaram a iluminar a nova sociedade civil a partir de uma concepção particularmente restritiva dos atores merecedores de tal denominação, fazendo com que os movimentos permanecessem despercebidos a despeito de continuarem em cena. Por isso a pertinência de se dirigir o olhar para o campo dos atores da sociedade civil em busca dos movimentos e das transformações e continuidades no que diz respeito à sua centralidade.

Os resultados apresentados apontam sistematicamente para a extraordinária centralidade dos movimentos sociais no universo atual da sociedade civil. De fato, o padrão de relações observado no caso desses atores confirma de modo consistente não apenas sua vocação, senão também sua capacidade para a agregação na coordenação e representação de interesses. Contudo, a pesquisa deparou-se com outro tipo de ator de recente criação, também caracterizado por sua notável centralidade e capacidade de interlocução no campo dos atores da sociedade civil: as articuladoras. A análise desenvolvida permite, assim, atentar para continuidades e mudanças no cenário da ação social. Pelo menos parte dos atores que entraram em cena nos anos 1980, ali continuou desempenhando funções relevantes; no entanto, houve também deslocamentos ocasionados por novos protagonistas a ocuparem posições igualmente centrais. Não se trata das ONGs, cuja dinâmica específica exige um exame por separado (Gurza Lavalle, Castello e Bichir, 2007), mas de entidades criadas por ONGs e por outros atores da sociedade civil. Por certo se trata de inovação institucional das mais relevantes, pois mostra a capacidade da sociedade civil para orientar o processo da sua diferenciação interna de modo a incrementar os alcances da coordenação de ações e da representação de interesses no seu seio.

Assim, e à margem dos efeitos de "novidade" e "sumiço" produzidos pela substituição de categorias analíticas "velhas" por outras "novas", os resultados aqui examinados sugerem, dentro dos limites inerentes a evidências circunscritas a São Paulo, a introdução de correções à narrativa amplamente aceita segundo a qual os movimentos teriam sofrido acentuado refluxo e cedido seu papel protagônico aos atores mais distintivos dos anos 1990: as ONGs. Primeiro, os movimentos sociais continuam usufruindo posição proeminente — com a maior centralidade da amostra —, pelo que diagnósticos denunciando seu ocaso parecem ter sido precipitados, quiçá em parte devido à perda relativa da visibilidade desse tipo de ator após os anos conturbados da democratização, quiçá em parte devido ao desencanto, frustração, "ressaca" e outros mecanismos de inversão de efeitos característicos de diagnósticos do mundo marcados por uma "inflação" de expectativas. Segundo, os movimentos dividem sua posição outrora hegemônica no campo das organizações civis com entidades mais novas, mas não apenas nem fundamentalmente com ONGs, como apontado com frequência na literatura, mas com articuladoras — de criação mais recente e cujo padrão de relacionamentos é similar ao das organizações populares ou movimentos. A centralidade adquirida vertiginosamente por essas entidades de terceiro nível, criadas para representar interesses de organizações de segundo nível e para coordenar e impulsionar a construção de agendas comuns, atesta tanto a maleabilidade da ação coletiva institucionalizada quanto a força das ONGs para moldar essa ação a sua imagem e semelhança.

Anexo
SIGLAS E NOMES DAS ENTIDADES
PRESENTES NOS SOCIOGRAMAS

Movimentos sociais

mdf	Movimento de Defesa dos Favelados
mmc	Movimento de Moradia do Centro
mnlm	Movimento Nacional de Luta pela Moradia
moab	Movimento dos Atingidos por Barragens
movpeqagri	Movimento dos Pequenos Agricultores
mst	Movimento dos Sem Terra
mstc	Movimento dos Sem Teto do Centro
mtst	Movimento dos Trabalhadores Sem Teto
muf	Movimento de Unificação das Favelas
ulc	Unificação de Lutas de Cortiços

Articuladoras

abong	Associação Brasileira de ONGs
abrinq	Fundação Abrinq
ammrs	Associação dos Movimentos de Moradia da Região Sudeste
artmubr	Articulação de Mulheres Brasileiras
artmusp	Articulação de Mulheres de São Paulo
caricanduva	Câmara do Vale do Aricanduva
ccngo	Collective Consultation of Non-Governmental Organizations

ceaal	Conselho de Educação de Adultos da América Latina
ceres	Coalition for Environmentally Responsible Economies
cladem	Comitê Latino-Americano e do Caribe para a Defesa dos Direitos da Mulher
cmp	Central de Movimentos Populares
cofrebasgo	Comissão do Federação Brasileira das Associações de Ginecologia e Obstetrícia
comsolidar	Comunidade Solidária
conam	Confederação Nacional de Associações de Moradores
consabesp	Conselho Coordenador das Sociedades Amigos de Bairro, Vilas e Cidades do Estado de São Paulo
cooperapic	Cooperativa de Promoção à Cidadania
correviva	Corrente Viva
efc	European Foundation Center
espforasse	Espaço Formação e Assessoria
ethos	Instituto Ethos
facesp	Federação das Associações Comerciais do Estado de São Paulo
facm	Federação Brasileira das Associações Cristãs de Moços
fecoc	Frente Continental de Organizações Comunitárias
fedinterdh	Federação Internacional de Direitos Humanos
fmsp	Fórum dos Mutirões de São Paulo
forempresa	Fórum Empresa
gife	Grupo de Institutos, Fundações e Empresas
inantenas	Instituto Antenas
infonte	Instituto Fonte
isynergos	Instituto Synergos
lope	Lope — Rede Latino-Americana
maeb	Missão Aliança Evangélica do Brasil
movespnac	Movimento Espírita Nacional
movnacdhum	Movimento Nacional de Direitos Humanos
polonorte	Polo Norte
poloregion	Polo Regional
rdnacparte	Rede Nacional de Parteiras
rebraf	Rede Brasileira de Entidades Assistenciais Filantrópicas
redegri	Rede GRI (Global Reporting Iniciative)
redelatsau	Rede Latino-Americana de Saúde
refemsaude	Rede Feminista de Saúde
ubm	União Brasileira de Mulheres
umm	União dos Movimentos de Moradia
unamovpop	União Nacional de Movimentos Populares
use	União das Sociedades Espíritas
wings	Wings Foundation

Bibliografia

ARATO, Andrew ([1994] 1995). "Ascensão, declínio e reconstrução do conceito de sociedade civil: orientações para novas pesquisas". *Revista Brasileira de Ciências Sociais*, n° 27, São Paulo, Anpocs, fevereiro.

AVRITZER, Leonardo (1994). "Modelos de sociedade civil: uma análise específica do caso brasileiro". In: AVRITZER, Leonardo (org.). *Sociedade civil e democratização.* Belo Horizonte: Del Rey.

_____ (1997). "Um desenho institucional para o novo associativismo". *Lua Nova*, n° 39, São Paulo, Cedec.

BEBBINGTON, A. (2002). "Reflexões sobre a relação norte-sul na construção de conhecimentos sobre as ONGs na América Latina". In: HADDAD, Sérgio (org.). *ONG e universidades: desafios para a cooperação na América Latina.* São Paulo: Fundação Peirópolis.

BORGATTI; EVERETT; FREEMAN (2002). "Ucinet — Software of Social Network Analysis User's Guide". Analytic Technologies.

CARDOSO, Ruth Corrêa Leite (1994). "A trajetória dos movimentos sociais". In: DAGNINO, E. (org.). *Anos 90: política e sociedade no Brasil.* São Paulo: Brasiliense.

CASANOVAS, Roberto Sainz; GARCIA, Oscar Chacón (2000). *Las ONGs latinoamericanas y los desafíos del desarrollo organizacional.* Bolívia: ICCO/Proactiva/Idepro.

COSTA, Sérgio (1999). "La esfera pública y las mediaciones entre cultura y política: el caso de Brasil". *Metapolítica*, n° 9, México, janeiro.

_____ (1995). "A democracia e a dinâmica da esfera pública". *Lua Nova*, n° 36, São Paulo, Cedec.

_____ (1997). "Categoria analítica ou *passe-partout* político-normativo: notas bibliográficas sobre o conceito de sociedade civil". *Revista Brasileira de Informação Bibliográfica em Ciências Sociais*, n° 43, São Paulo, Anpocs.

_____ (1997). "Contextos da construção do espaço público no Brasil". *Novos Estudos*, n° 47, São Paulo, Cebrap, março.

_____ (1994). "Esfera pública, redescoberta da sociedade civil e movimentos sociais no Brasil". *Novos Estudos*, n° 38, São Paulo, Cebrap, março.

CUNHA, Flávio S. (1993). "Movimentos sociais urbanos e a redemocratização: a experiência do movimento favelado de Belo Horizonte". *Novos Estudos*, n° 35, São Paulo, Cebrap, março.

EVERS, Tilman (1984). "Identidade: a face oculta dos movimentos sociais". *Novos Estudos*, n° 4, São Paulo, Cebrap.

GOHN, Maria da Glória (1997). *Teorias dos movimentos sociais: paradigmas clássicos e contemporâneos.* São Paulo: Loyola.

GURZA LAVALLE, Adrian (2003). "Sem pena nem glória: o debate sobre a sociedade civil nos anos 1990". *Novos Estudos*, n° 66, São Paulo, Cebrap, junho.

GURZA LAVALLE, Adrian; CASTELLO, Graziela; BICHIR, Renata (2007). "Protagonistas na sociedade civil: redes e centralidades de organizações civis em São Paulo". *Dados: Revista de Ciências Sociais*, vol. 50, n° 3.

_____ (2008). "Atores periféricos na sociedade civil: redes e centralidades de organizações em São Paulo". *Revista Brasileira de Ciências Sociais*, vol. 23, São Paulo, Anpocs, pp. 73-96.

HANNEMAN, Robert (2001). *Introduction to Social Network Methods*. Riverside: University of California/Department of Sociology.

HOUTZAGER, P.; BERINS COLLIER, R.; HARRIS, J.; GURZA LAVALLE, A. (2002). "Rights, Representation and the Poor: Comparisons across Latin America and India". *Destin Working Paper* 02-31, Londres, London School of Economics.

DIANI, G.; McADAM, D. (2003). *Social Movements and Networks: Relational Approaches to Collective Action*. Oxford: Oxford University Press.

MELUCCI, Alberto (1989). "Um objetivo para os movimentos sociais?". *Lua Nova*, nº 17, São Paulo, Cedec, junho.

NUNES, Edison (1987). "Movimentos populares na transição inconclusa". *Lua Nova*, nº 13, São Paulo, Cedec, setembro, pp. 92-4.

OTTMANN, Götz (1995). "Movimentos sociais urbanos e democracia no Brasil: uma abordagem cognitiva". *Novos Estudos*, nº 41, São Paulo, Cebrap, março.

RESTREPO, Luis Alberto (1990). "A relação entre a sociedade civil e o Estado: elementos para uma fundamentação teórica do papel dos movimentos sociais na América Latina". *Tempo Social*, nº 2, São Paulo, Departamento de Sociologia da USP.

SADER, Eder (1988). *Quando novos personagens entram em cena: experiências, falas e lutas dos trabalhadores da Grande São Paulo (1970-80)*. São Paulo: Paz e Terra, pp. 36, 311.

SCHERER-WARREN, Ilse (1998). "Movimentos sociais em cena: e as teorias, por onde andam?". *Revista Brasileira de Educação*, nº 9, São Paulo, Anped, set.-dez.

_____ (1996). *Redes de movimentos sociais*. São Paulo: Edições Loyola.

SINGER, Paul; BRANT, Vinícius Caldeira *et al.* (1980). *São Paulo: o povo em movimento*. São Paulo: Vozes/Cebrap.

TOURAINE, Alain (1989). "Os novos conflitos sociais: para evitar mal-entendidos" (1983). *Lua Nova*, nº 17, São Paulo, Cedec, junho.

WASSERMAN, Stanley; FAUST, Katherine (1994). *Social Network Analysis: Methods and Applications*. Cambridge: Cambridge University.

Parte IV

SOCIABILIDADE, COTIDIANO E VIOLÊNCIA

11

Cinema contemporâneo e políticas da representação da e na urbe paulistana

Esther Hamburger, Ananda Stücker,
Laura Carvalho e Miguel Ramos

Diversos filmes recentes abordam a desigualdade social brasileira em chave que associa paisagens de favelas e de periferias urbanas à violência e à pobreza, muitas vezes caracterizada como masculina e negra. Nos referimos a um conjunto ainda em aberto de obras que, a partir de *Notícias de uma guerra particular* (João Moreira Salles e Kátia Lund, 1999), repercute no âmbito da crítica e da própria realização, oferecendo um *corpus* privilegiado à problematização das relações entre imagem e vida urbana. Trata-se de uma vertente do cinema contemporâneo — seja no âmbito do documentário ou da ficção — que deu visibilidade a regiões das metrópoles que passavam, e ainda passam, ao largo da programação televisiva.

Nos referimos a filmes de uma lista que inclui, entre outros, *O invasor* (Beto Brant, 2002), *Cidade de Deus* (Fernando Meirelles, 2002), *Uma onda no ar* (Helvécio Ratton, 2002), *Ônibus 174* (José Padilha, 2002), *Carandiru* (Hector Babenco, 2003), *O prisioneiro da grade de ferro* (Paulo Sacramento, 2003), *Quase dois irmãos* (Lúcia Murat, 2004), *Em trânsito* (Henri Gervaiseau, 2005), *Antônia* (Tata Amaral, 2005), *Falcão: meninos do tráfico* (MV Bill e Celso Athayde, 2006), *Os doze trabalhos* (Ricardo Elias, 2006), *Tropa de elite* (José Padilha, 2007) e *Última parada* (Bruno Barreto, 2008).[1] Entre os títulos mais recentes nesse amplo conjunto que continua a se expandir e reverberar, no Brasil e em outras partes do globo, se encontra *Salve geral* (Sérgio Resende, 2009), sobre os ataques do Primeiro Comando da Capital (PCC, facção criminosa atuante em São Paulo e em importantes capitais do país, como é discutido no capítulo 13, de Paula Miraglia) ocorridos em maio de 2006 na cidade de São Paulo. *Cinco vezes favela: agora por nós mesmos* (Cacau Amaral, Cadu Barcelos, Luciana Bezerra, Manaira Carneiro, Rodrigo Felha, Wagner Novais e Luciano Vidigal, 2010), uma revisão de *Cinco*

---

[1] Para uma discussão sobre esse *corpus* fílmico, ver Hamburger (2008).

vezes favela, longa-metragem de 1962 produzido pelo CPC da UNE, composto de cinco curtas de Joaquim Pedro de Andrade, Leon Hirszman, Cacá Diegues, Miguel Farias e Miguel Borges. Na versão atual, Cacá Diegues, atuando agora como produtor, manteve o formato, mas convidou realizadores da periferia do Rio de Janeiro para dirigirem os episódios do filme. *Tropa de elite 2* (José Padilha) encontra-se em fase de pós-produção.

Ao abalar a invisibilidade que encobria a desigualdade social brasileira, esses filmes trouxeram a tona conflitos, ressentimentos e expectativas de desarticulação de estereótipos que reproduzem e reforçam a discriminação social. Nesse sentido, esses filmes podem ser vistos como "provocadores" de um debate que vem envolvendo parcelas crescentes do público, da crítica e dos próprios realizadores, em uma série que denominamos aqui de "interlocuções" estéticas e políticas, em torno do desafio de gestar formas de expressar certas paisagens urbanas e seus habitantes que estejam em sintonia e participem das transformações em curso nos convencionais bolsões de pobreza.

Estudos recentes sugerem melhorias nas condições sociais da Região Metropolitana de São Paulo,[2] maior acesso a serviços públicos e ao consumo (Torres *et al.*, 2006), embora a situação de desigualdade permaneça elevada (como é discutido por Lúcio Kowarick e Vera Telles em capítulos deste livro). Esses estudos apontam a complexidade da situação contemporânea, complexidade que aumenta se analisada também da perspectiva cultural, domínio em que se verifica uma certa efervescência que estimula o debate e o fazer cinematográfico, entre outras manifestações. Moradores das periferias se valem dos canais disponíveis e criam canais inovadores para denunciar diversas formas de discriminação que insistem em permanecer. O rap e o grafite, forma de arte urbana que ganhou espaço em museus no mundo e na própria capital paulista, constituem exemplos de manifestações "periféricas" contundentes, como vemos no capítulo 12, de Teresa Caldeira, assim como em Kehl (1999).

Saraus literários, como o da Cooperifa no Capão Redondo, terra também do grupo de rap Racionais MC's e de seu líder Mano Brown, se estabeleceram como instituições estáveis, em que se pratica formas que por séculos estiveram restritas àquelas parcelas ínfimas da população capacitadas para a leitura e a escrita. Ferréz, na mesma região da cidade, procura ir além de rótulos como "literatura marginal" em busca da poesia.

---

[2] Ver Marques, Gonçalves e Saraiva (2005), Torres, Bichir e Pavez (2006) e o capítulo de Camila Saraiva e Eduardo Marques neste livro, além de Holston (2008).

Nossa colaboração neste volume aborda especificamente as repercussões dessa efervescência no cenário cinematográfico, com base em pesquisa realizada com recursos da Fapesp e do CNPq, que envolveu a promoção de projeções e discussões de filmes na periferia e na universidade. No campo das imagens, os indícios de melhoria das condições sociais coincidem com a proliferação de títulos cinematográficos que caracterizam regiões periféricas como redutos de degradação, anomalia, falta de perspectiva, desemprego, barbárie. Rejeitados na periferia, esses títulos geram discussão sobre as formas adequadas de expressar as novas condições de vida nessas regiões. O forte conteúdo social desses filmes faz emergir as limitações do cinema no Brasil contemporâneo, já que o meio de expressão circula mais nos segmentos das classes média e alta da metrópole. Surgem inúmeros programas de oficinas de audiovisual, que por sua vez geram núcleos, como o Cinema de Quebrada, ou filmes *da* periferia, cuja produção é significativa mas encontra ainda poucos canais de difusão.

Discutimos aqui especificamente dois filmes feitos *sobre* a periferia: *O invasor* e *Antônia*. Esses títulos foram escolhidos dentre esse *corpus* mais amplo porque se passam na cidade de São Paulo e apresentam a periferia de maneira bastante diferente, e porque propiciaram experiências de exibição reveladoras, onde as discrepâncias de interpretação crítica permitem delimitar "horizontes de significação" — para além do debate estanque sobre conteúdos ideológicos, que marca muito a discussão sobre o chamado "filme de periferia".

O invasor antecede em cerca de seis meses *Cidade de Deus*, filme que alterou os paradigmas de realização do cinema brasileiro. A situação no tempo é relevante para mostrar que, na época em que foi produzido, o filme de Beto Brant se colocava como uma rara janela para artistas como Sabotage, cuja atuação garante alguns dos melhores momentos da obra. A proximidade da época de lançamento dos dois filmes é relevante também para entendermos a repercussão crítica de ambos. Embora *O invasor* não tenha alcançado expressão junto ao grande público, o filme protagonizado por profissionais de renome na área musical e na TV, como Paulo Miklos, Malu Mader, Marco Ricca, Alexandre Borges e Mariana Ximenes, inspirou diversas críticas, publicadas na imprensa e em revistas especializadas. Por motivos diversos, a crítica foi unânime em considerar *O invasor* um marco positivo no cinema brasileiro contemporâneo. Já *Cidade de Deus* alcançou expressiva audiência e repercussão política, mas provocou imediato protesto crítico. O filme de Fernando Meirelles com atores em sua maioria negros e desconhecidos, que se profissionalizaram nos laboratórios de preparação realizados durante quase um ano e conduzidos por Fátima Toledo, foi visto com desconfiança por divulgar uma imagem negativa da vida no morro, reduzido à violência do tráfico e da polícia corrupta e discriminadora. *Antônia* pode ser entendido como uma tentativa de oferecer uma opção feminina e afirmativa a *Cidade de Deus*. Feito com método semelhante,[3] baseado na improvisação e na construção de diálogos com ajuda dos próprios atores, o filme de Tata Amaral vai a Brasilândia, bairro da Zona Norte paulistana, o mesmo onde Leon Hirszman filmou *Eles não usam black-tie* (1980) e Roberto Moreira fez *Contra todos* (2004), com um elenco composto de jovens candidatas a cantoras que se aproximam das personagens que representam no filme. Tal como o antecessor, *Antônia* inspirou uma versão seriada para a TV, coproduzida pela TV Globo e pela O2, cuja primeira temporada foi ao ar antes da versão cinematográfica. *Antônia, o filme*, apesar da ampla exposição televisiva, do apoio da Globo Filmes, e do lançamento superdimensionado, foi pouco visto no cinema, e passou quase que desapercebido pela crítica.

Ao longo desse texto vamos problematizar as relações entre *O invasor* e *Antônia*, e entre a cidade e a crítica, com a intenção de chamar a atenção para horizontes significativos que delimitam intervenções em um debate, ainda sem conclusão, que se configura ao mesmo tempo como estético e político. Por exemplo, embora *O invasor* tenha sido levado a várias projeções na periferia a partir de nossa concordância com a unanimidade da crítica, que salientava diversos elementos a partir dos quais o longa-metragem propunha um tratamento inovador e antiespetacular da desigualdade social na metrópole paulistana, diversas experiências com o filme fora do restrito circuito de exibição que o consagrou geraram constrangimento, sugerindo limites para as "interlocuções" possíveis a partir dele.

PROVOCANDO INTERAÇÕES INUSITADAS: A PESQUISA

Abordamos as relações entre cinema, cidade e periferia levando em conta o baixo número de salas de exibição, o que de saída limita enormemente o público de cinema. Há hoje somente cerca de 2 mil salas de cinema em nosso país. Essas salas estão concentradas nas regiões metropolitanas, principalmente nos bairros de classe média alta. O preço dos ingressos (cer-

---

[3] Para um diálogo entre Fernando Meirelles e Tata Amaral sobre o processo de feitura de *Cidade de Deus*, ver Amaral (2002).

ca de R$ 8) se configura como mais um empecilho à formação de público. A fim de sugerir parâmetros, ainda que grosseiros, vale mencionar que enquanto um capítulo de novela de televisão, ou o programa noturno de domingo da nossa principal emissora, é visto diariamente por cerca de 50 milhões de pessoas, os poucos filmes de maior repercussão raramente chegam a 10 milhões de espectadores. O quadro fica ainda mais dramático quando se verifica que a maior parte dos filmes citados no início deste texto não passa dos 100 mil espectadores.

A baixa penetração do cinema, especialmente nas periferias das cidades brasileiras, chama mais atenção quando cotejada com a alta quantidade de filmes sobre a periferia, que, como vimos, configura uma vertente relevante do cinema contemporâneo.

A pesquisa em que se baseia esse texto partiu da discrepância entre a abundância de obras sobre a periferia em um meio que praticamente não chega a periferia, para propor interações inusitadas em torno de obras polêmicas sobre a periferia. Ao longo de cinco anos, propusemos debates na universidade em torno da produção de coletivos periféricos com a presença desses realizadores emergentes. Fizemos projeções ao ar livre e no interior de entidades e equipamentos públicos, como Casas de Cultura ou CEUs (Centros Educacionais Unificados), na Cidade Tiradentes, no Jardim São Luís e em Paraisópolis. Procuramos trazer para essas exibições realizadores, diretores, atores, além de alunos de graduação e pós-graduação da Universidade de São Paulo. Registramos esses encontros, que em geral contaram com ampla aprovação e interesse dos participantes, embora envolvessem deslocamentos de até três horas para ir e mais duas horas para retornar. O intuito foi experimentar a fruição de um mesmo filme em companhias diferenciadas e elaborar sobre as sensações coletivas que se associam a cada filme em cada situação. As diversas experiências nos sugerem uma pluralidade de elementos a serem levados em conta para entender essas interações em torno de imagens da cidade de São Paulo. Professores, coordenadores culturais, ativistas políticos e comunitários funcionam como "mediadores" locais, agentes que se impõem entre nós — equipe universitária e o público de alunos ou moradores. Esses mediadores apresentam razões mais ou menos semelhantes para filtrar o repertório de títulos a serem exibidos (vale a ressalva de que em cada local a lista de projeções e convidados se estabeleceu em comum acordo com mediadores específicos). Vale também observar que nas poucas ocasiões em que trabalhamos sem mediadores locais, ou com mediadores locais pouco articulados com as entidades da região, promovemos sessões que quase não tiveram público. As experiências mais interessantes foram as que contaram com o apoio de instituições como os CEUs ou os programas de Educação de Jovens e Adultos, capazes de reunir centenas de alunos para assistir a um filme. Reuniões com lideranças locais também confirmam a energia disponível para projeções e discussões. O trabalho consistiu portanto na promoção de exibições de filmes que, de alguma maneira, tratassem da cidade e especialmente das periferias, nas periferias, e a partir dessas situações inéditas, estimular o cotejar de críticas existentes publicadas em revistas e livros especializados, com leituras desenvolvidas no interior de nossa equipe universitária, com nossa experimentação dos mesmos filmes com públicos de regiões periféricas da cidade de São Paulo.

De saída vale observar que plateias na periferia não estão domesticadas pela norma culta de assistir a um filme em silêncio para não perturbar a experiência do vizinho. Ao contrário, são efusivas em suas manifestações de concordância ou discordância para com o que assistem. *Eles não usam black-tie*, por exemplo, era um filme em sala de aula universitária, e outro muito diferente na periferia. O interessante é investigar as balizas dessas variações de significado. A falta de contato entre esses diferentes segmentos do público no Brasil e em São Paulo é em geral tão radical, que acaba por delimitar horizontes interpretativos bastante diferentes e condicionados por elementos estruturais básicos.

O projeto parte da crítica às versões espetaculares que predominam nessa sequência de filmes que vem se estabelecendo também no cenário internacional como *favela situation film*. A partir do reconhecimento do que chamamos de "interlocuções" fílmicas, expressas na alternância de pontos de vista que esses diversos filmes propõem, com o objetivo desse projeto foi promover interlocuções inusitadas entre filmes e espectadores.

Notícias de uma guerra particular marca o início do surto de problematização imagética da periferia, com ramificações no exterior e que talvez possa caracterizar um gênero. O documentário pioneiro, feito pelo canal de televisão a cabo GNT, denuncia a situação de conflito armado que opõe a polícia e os traficantes nos morros cariocas. No meio do fogo cruzado, "o morador". O filme contrasta com isenção as perspectivas de cidadãos situados em cada uma dessas três posições, traçando um panorama terrível da situação de violência e corrupção que reforça as discriminações seculares que atingem especialmente negros, jovens e moradores de favelas do Rio de Janeiro. De maneira inédita, o média-metragem deu voz a participantes do "movimento", denominação que os presos comuns herdaram dos presos políticos com os quais conviveram no presídio da Ilha Grande, experiência que originou o Comando Vermelho, organização criminosa ligada ao tráfico. Este episódio é explicado em um capítulo do filme.[4] O documentário dá voz a meninos que trabalham no tráfico e que proferem depoimentos chocantes sobre sua disposição de matar e comemorar a morte do "inimigo" (a polícia), bem como seu conformismo diante da sabida baixa expectativa de vida a que o tráfico os condena. Policiais esclarecidos denunciam as práticas corruptas e preconceituosas da corporação que deveria defender todo cidadão, mas que pratica abuso de poder e violência discriminando especialmente pobres e negros. Paulo Lins, autor do romance *Cidade de Deus* (1997), dá seu depoimento sobre as alterações causadas pelo tráfico de drogas nas favelas do Rio de Janeiro nos anos 1980. E moradores impotentes descrevem seu cotidiano precário. O documentário, inicialmente visto pela audiência restrita dos festivais e da TV a cabo (no Brasil o número de domicílios com TV a cabo é inferior ao número de domicílios com acesso a internet), é no entanto seminal na vertente cinematográfica a que aqui nos referimos.

Nesse conjunto de filmes, dois títulos demonstram o potencial provocativo do cinema. *Cidade de Deus* e *Tropa de elite* geraram comentários, protestos e debates, envolvendo a crítica especializada, políticos e organizações comunitárias. A repercussão desses filmes revela que a forma pela qual um filme expressa uma situação de desigualdade e discriminação pode fazer com que a própria maneira pela qual segmentos invisíveis ganham visibilidade se torne assunto. A exibição de *O invasor* e *Antônia* em bairros da periferia de São Paulo, com intenso debate sobre as políticas de representação no cinema, trouxe novas possibilidades de análise fílmica, porque colocou-nos o desafio de reconhecer as diversas interfaces textuais inscritas em cada obra. Para além do convencional contraste entre o filme que vai bem de crítica e o filme que vai bem de público, é possível problematizar, a partir das interlocuções que promovemos, algo como um horizonte de possíveis interpretações diferentes para um mesmo objeto.

Nesse sentido, pode ser interessante apontar como as leituras de uma determinada forma visual variam de acordo com "uma disputa discursiva, com valores e sentidos negociados pelas práticas concretas mantidas pelos indivíduos no decorrer da ação social, o que implica necessariamente em estar atento aos usos políticos específicos deste mesmo artefato cultural" (Ribeiro, 2006). Shohat e Stam (2006) usam a expressão "fardo da representação" para se referir ao caráter necessariamente polêmico e sensível de imagens que rompem a invisibilidade de segmentos sociais discriminados. A

---

[4] O filme *Quase dois irmãos* também trata da convivência entre presos políticos e presos comuns na Ilha Grande, mas na chave da ficção.

noção é adequada para entender o pluriálogo que se realiza através dessa sucessão de filmes sobre regiões pobres das cidades grandes.

Vimos como *Notícias de uma guerra particular* coteja diversos pontos de vista sobre o conflito que tomou conta do morro. *Cidade de Deus* desenvolve versão ficcional desse embate a partir da perspectiva do morador no fogo cruzado entre traficantes, descritos de maneira intensa, e a polícia, vista de longe. *Tropa de elite* como que responde com uma versão policial. *Falcão: meninos do tráfico* traz a perspectiva de *rappers* da Cidade de Deus. O filme de MV Bill e Celso Athayde busca no pertencimento dos diretores ao local a legitimidade para a realização de um documentário que procura demonstrar que o tráfico não está exclusivamente na favela carioca que deu nome ao filme de Meirelles. Com seus planos próximos, escuros e desfocados, o filme sugere que "tá tudo dominado". O documentário dos *rappers* da Cidade de Deus é apenas a mais notória de uma série de filmes realizados por moradores das periferias brasileiras. Inúmeros projetos de oficinas audiovisuais na periferia ampliam a disputa pelo controle do que se tornará visível, como, e aonde, elemento estratégico da política contemporânea.[5] A disputa em torno de significados e a disputa por meios de representação conformam assim um campo de tensões que definem isto que chamamos de políticas da representação. Com estes filmes, a periferia das grandes metrópoles ganha novo fôlego como assunto provocativo, passa a mobilizar a discussão pública e motivar novas interpretações e representações fílmicas.

De um modo geral, a literatura especializada expressa resistência aos filmes que reduzem paisagens periféricas a habitat privilegiado de figuras estereotipadas, encarnações da barbárie que assombra a urbe contemporânea. Alguns trabalhos de pesquisa enfatizam diferenças entre o tratamento fílmico contemporâneo da favela e o tratamento que esse *locus* privilegiado da pobreza brasileira recebeu no âmbito do cinema novo (Bentes, 2003 e 2007). Diversos autores problematizam o caráter "espetacular" desses filmes, numa referência ao trabalho seminal de Guy Debord, *A sociedade do espetáculo* [1968] (2002), que repõe e atualiza problemas postos pela teoria crítica ao longo do século XX, reconhecendo o universo das imagens como dimensão constitutiva da vida. Alguns buscam no documentário alternativas a manipulação espetacular do cinema (Lins e Mesquita, 2008). Há quem classifique os documentários nessa vertente como filmes que buscam formas de expressar o campo do popular (Ramos, 2008). Mais especificamente, há

---

[5] Para um levantamento de diversos projetos de oficinas audiovisuais, ver Toledo (2010).

quem pesquise no interior do campo documental lampejos que expressem singularidades identificáveis como expressões do "homem ordinário" (Guimarães, 2006). No geral, há uma busca pelo espontâneo, pelo imprevisto, pelo não roteirizado, como espaço de respiro onde possam surgir imagens que fujam do lugar-comum, e que nesse sentido, rompam com a lógica do espetáculo.

Há ainda um esforço de teorizar o lugar dessas manifestações fílmicas no modo de produção capitalista contemporâneo, flexibilizado (Harvey, 1990) e baseado em fluxos transnacionais de mercadorias e mídias (Appadurai, 1990) que já não possuem lastro muito definido, onde a circulação se destaca. De uma forma geral, no campo dos Estudos de Cinema, esses trabalhos partem de uma inquietação comum que reconhece que imagens são carregadas de sentido e que deixam suas marcas no mundo. Discutem-se os mecanismos constituintes dessas relações.

O presente trabalho se situa nesse debate. Em certo sentido, como Walter Benjamin, falamos de uma crítica engajada, que pensa a si própria e ao fazer fílmico como práticas de transformação do mundo. Pensamos as diversas produções pesquisadas como um *corpus* fílmico composto não simplesmente de uma sucessão de filmes autônomos, mas de uma sequência de obras que estabelecem interlocuções entre si. Diferentes filmes indicam distintas maneiras de interpretar a periferia através das imagens — cada uma delas relacionada ao imaginário social e político contemporâneo. Diferentes arranjos fílmicos implicam posicionamentos distintos no campo de tensões em torno do significado das periferias urbanas na metrópole e na realidade social brasileira.

A exibição de O *invasor* e *Antônia* em bairros da periferia de São Paulo permite problematizar o horizonte de possíveis interpretações diferentes para um mesmo objeto fílmico. O *invasor* é um exemplo paradigmático de como uma obra cinematográfica é capaz de explicitar as tensões do discurso social. Na contramão da boa acolhida do filme pela crítica cinematográfica, exibições na periferia paulistana, em Paraisópolis (Zona Sul) e no Jardim Antártica (Zona Norte), para públicos de programas de Educação de Jovens e Adultos e de formação de professores, sugerem que o filme não alcança o potencial crítico que a ele se atribui. Ou melhor, que o alcance desse potencial está limitado ao público restrito das salas de cinema. O público que Anísio, personagem do filme, supostamente representa — o "invasor" a que o título se refere para caracterizar a trajetória inconveniente que o personagem oriundo da periferia ensaia — rejeita a maneira pela qual a sua região de moradia na cidade de São Paulo aparece no filme. Um olhar atento sugere que a periferia continua a jogar um papel subordinado no filme. É como se a região encarnasse o estereótipo e o medo que a elite tem dela, e assim ficaria reduzida a uma imagem negativa — o que possivelmente explica a rejeição recorrente ao filme que observamos em periferias que buscam justamente se descolar de estereótipos associados à pobreza. Menos provocativo na forma, *Antônia* abre espaço para a intimidade de personagens específicas, mulheres negras, mães, artistas, cantoras, merecendo maior aprovação, embora sem grandes repercussões.

O INVASOR

Ao comparar o filme de Luís Sérgio Person, *São Paulo S/A*, de 1965, com *O invasor*, Ismail Xavier (2006) identifica entre ambos uma relação de "simetria e diferença" que permite pensar a diferença entre "a cidade contemporânea e aquela que o cinema dos anos 60 produziu. Lá havia a experiência identificada com o desenvolvimentismo e o crescimento econômico; hoje temos os impasses da dívida pública, a relativa estagnação e a hegemonia do capitalismo financeiro" (p. 18). Para o autor, no primeiro filme, "a busca de um estilo realista produziu a metáfora da cidade-máquina que tem como referência o processo de acelerada expansão industrial do país no final dos anos 50" (p. 18). Já no caso de Brant o autor identifica o recurso ao *film noir* norte-americano, "para figurar a cidade como território em que um sentimento de cerco e perseguição não é delírio e tem como referência a expansão do crime organizado como padrão de administração das relações de poder em 2000" (p. 19). Xavier compara a crise dos protagonistas dos dois filmes como sintomática da crise do sujeito, incapaz de controlar as situações que o envolvem. Enquanto Carlos, o protagonista de *São Paulo S/A*, recusa o pacto com a engrenagem do sistema, colocado na proposta de sociedade com o patrão industrial arquitetada pela esposa, preferindo o caminho da ruptura, Ivan, personagem de *O invasor*, realiza o que Lúcia Nagib (2007) caracteriza como um pacto com o diabo.

Nagib (2007) realiza uma análise detalhada do filme de Beto Brant, apontando as maneiras pelas quais as referências documentais à cidade de São Paulo, extensamente presentes em longos *travellings* — movimentos de câmera que permitem ao espectador manter a noção de continuidade no tempo e no espaço — que relacionam o universo dos personagens a locais bem definidos e conhecidos da geografia da metrópole, como a avenida 23 de Maio e o vale do Anhangabaú. Ivana Bentes (2003) destaca a qualidade do filme de Beto Brant: "com exceção de *O invasor* e *O matador*, a maioria dos filmes não relaciona nem a violência e nem a pobreza com as elites, a cultura empresarial, os banqueiros, os comerciantes, a classe média, e aponta para um tema recorrente: o espetáculo do extermínio dos pobres se matando entre si".

O invasor apresenta o fenômeno da violência urbana como produto da elite paulistana, condenando-a moralmente por sua ganância. Como apontado em diversos textos críticos sobre o filme, há aqui a problematização da dicotomia centro-periferia, das relações sociais não pautadas pela solidariedade, registradas a partir da lógica do capital. No entanto, as reações ao filme denotam o horizonte social limitado em que ele se inscreve. *O invasor* é um filme que estabelece interlocuções com um universo restrito de pessoas — aquele que tem acesso às salas de cinema.

Observamos diversas exibições de *O invasor*. Em Paraisópolis e no Jardim Antártica, as exibições se deram respectivamente em conexão com um projeto de Educação de Jovens e Adultos e um coletivo de agentes culturais intitulado "Fabicine". Em ambos os casos, as exibições ocorreram em projetos curatoriais que buscavam exibir filmes para um público de quem se esperava a adesão à crítica à elite paulistana, o que não se verificou. As exibições se esvaziaram gradualmente e o público expressou discordância com o que identificou como mais uma versão da imagem da periferia como lugar de barbárie, mais um filme a ignorar o que os moradores apontam como indícios de melhoria em seus locais de moradia. A degradação moral da elite que o filme procura enfatizar ou não foi mencionada, ou foi percebida como extensão da imagem negativa da periferia, o que resulta em uma situação sem saída, que não corresponde a expectativa do público trabalhador ao fim de um dia de trabalho.

O filme de Beto Brant, realizado no mesmo ano que *Cidade de Deus*, sugere o ponto de vista da classe média alta. Os protagonistas Giba (Alexandre Borges) e Ivan (Marco Ricca) contratam Anísio (Paulo Miklos), um bandido da periferia, para matar o terceiro sócio da empreiteira. Mas o suposto invasor do filme, Anísio, sai da posição restrita de matador contratado para tentar se impor como sócio dos que o contrataram. Anísio invade o espaço social, econômico e geográfico de Ivan e Giba, e assim desestabiliza a hierarquia social estabelecida.

Anísio foge do biotipo mais comum do bandido de periferia. Ele não é negro, é interpretado por um cantor de uma banda paulistana de sucesso, os Titãs, e se solidariza com seus companheiros — como o amigo *rapper* Sabotage, que interpreta a si próprio no filme. Mas Anísio permanece assustador, construído na chave do filme de horror (Nagib, 2007). O personagem representa o fantasma que a elite e a classe média temem, o rosto desconhecido que conquista a filha do sócio morto e subverte o plano ambicioso de Giba e Ivan. A fala de Giba a Ivan define sua visão de Anísio e, por consequência, de toda a periferia: "Ele quer mais, como todo mundo. E se tiver uma oportunidade ele vai aproveitar [...] Você tem alguma dúvida? O mundo é assim, meu velho. [...] Ele só te respeita porque ele sabe que você tem mais poder do que ele. Mas é bom não facilitar com essa gente. No fundo esse povo quer o seu carro, seu cargo, o seu dinheiro, suas roupas".

O invasor inspirou críticas positivas porque não trata a periferia de maneira isolada, mas a define em relação a uma não periferia. Há categorias relacionais em jogo e elas se expressam no partido do filme, que usa planos longos. A periferia é quase sempre apresentada em cenas exteriores. A câmera não adentra as casas, a vida privada e íntima dos moradores. Permanecemos nas paisagens tomadas do carro em movimento. O bar é um raro espaço interior passível de ser adentrado pelo ponto de vista de quem não é dali, espaço onde a mediação comercial facilita a interação. Até mesmo uma figura que representa resistência à imagem que atrela o negro à violência, o *rapper* Sabotage, aparece pedindo dinheiro aos dois empresários para produzir seu CD.

Se alguém é o invasor, pressupõe-se que alguém seja o invadido. Embora o filme aborde essa oposição, não vai fundo na complexidade da tensão entre polos que se definem mutuamente. A periferia não é vista enquanto entidade autônoma, mas sim como extensão do espaço da elite corrupta. Ela permanece extensão do desejo de ascensão social e do imaginário de medo e violência da elite paulistana. O apelo do capital reina em todos os espaços.

Anísio não tem autonomia, ele não é "o" invasor que o título anuncia, sugerindo personagem singular e autônomo; ele é sujeito indefinido, personificação de um medo de classe vago e preconceituoso, que iguala tudo o que é periférico como invasor e violento em potencial, e que só merece atenção enquanto tal. Por mais que o filme busque denunciar a elite paulistana como intimamente ligada à situação de violência nas periferias, acaba por recusar autonomia ao espaço periférico, que aparece apenas como espelho invertido do eixo central, a elite. Ao caracterizar uma extensão entre um e outro na chave da corrupção e da violência, o filme acaba por reforçar um discurso negativo que destoa da efervescência em curso nas periferias. O filme se encerra com um movimento contraditório entre proporcionar uma imagem desmoralizante da elite e reforçar a ligação convencional entre periferia e violência.

Ao trabalhar com o par "elite corrupta e mandante do crime" e "periferia criminosa e ansiosa para obter o que é da elite", o filme autoriza uma posição confortável para aquela classe média ilustrada que vê com maus olhos a ambição, a corrupção e o consumo exagerados de certa elite, e que vítima da violência que se atribui à periferia, responsabiliza os poderosos pela situação. Assim, o filme reserva para si o ponto de vista desta classe média, ausente do filme e de responsabilidade (Shoat e Stam, 2006) pelo círculo de violência que vitima a todos. É justamente este o público típico das salas de cinema dos filmes brasileiros de bilheteria mediana, como *O invasor*. O filme é contundente e ousado ao apontar a cumplicidade de empresários da elite com a violência. Mas se enfraquece ao não explicitar o seu próprio ponto de vista, justamente aquele em que se situam o cineasta e seu público.

ANTÔNIA

Numa perspectiva diferente de *O invasor*, o filme *Antônia*, de 2007, aparece como alternativa a obras que associam a periferia a valores negativos, como violência e corrupção moral, muitas vezes encarnados em figuras masculinas, negras, viris e agressivas. Em oposição a esse quadro, o filme de Tata Amaral pode ser visto como uma ação afirmativa, na medida em que define quatro figuras femininas por protagonistas, valorizando o engajamento, a expressão artística e a postura positiva de jovens da periferia.

A temática feminina, presente no filme, aparece também no trabalho anterior da diretora. Em *Um céu de estrelas* (1997), Tata Amaral focou a relação da cabeleireira Dalva, mulher adulta de classe baixa, com um operário desempregado. Em *Através da janela* (2001), trata da velhice através da história de Selma (Laura Cardoso), uma enfermeira aposentada que convive numa casa com o filho jovem. *Antônia* continua o trabalho da diretora em torno do universo feminino, dessa vez através da perspectiva da juventude, concluindo o que chegou a ser considerado uma "trilogia da mulher".

O filme conta a história de quatro amigas moradoras da Vila Brasilândia, periferia da Zona Norte de São Paulo, que formam o grupo de rap "Antônia", do título. As quatro personagens buscam a realização pessoal, profissional e a sobrevivência no bairro violento da periferia paulistana através do talento musical. Manter a existência do grupo em meio a incidentes policiais, maternidade, envolvimentos amorosos e relações conjugais, não é fácil.

Tata Amaral está sintonizada com a ânsia de artistas, agentes culturais e moradores da periferia que movimentam diversos núcleos populares de produção audiovisual surgidos na década passada: a busca de uma imagem positiva da periferia. A pesquisa para um longa-metragem que abordasse a juventude da periferia começou para a diretora em 1998, quando o Secretário de Cultura de Santo André, Altair Moreira, a convidou para realizar um documentário sobre a cena do hip-hop no ABC.[6] É dessa época o projeto *Lila Rapper*, posteriormente abandonado, com roteiro de Jean-Claude Bernardet e Luís Alberto de Abreu. Após *Através da janela*, Tata Amaral realizou com Francisco César Filho o documentário *Vinte dez* (2001), mergulhando no universo hip-hop da periferia de Santo André. O curta *Juke Box* (2002) também é resultado da continuação dessa pesquisa no universo do hip-hop, no qual figuram diversas entrevistas com garotas do rap, jovens negras da periferia. Na experiência de *Vinte dez*, como relata a própria autora, ela abandona o projeto de *Lila Rapper* e escreve o primeiro argumento de *Antônia*.

Antônia pode ser compreendido na busca de uma dramaturgia alternativa que, como *Cidade de Deus*, se enraíze na linguagem oral e corporal da periferia — daí o interesse da diretora, explícito na entrevista anteriormente citada, no método de construção do roteiro usado no filme de Fernando Meirelles. Mas, em diálogo com *Cidade de Deus* e com outras realizações sobre a periferia que se seguiram, *Antônia* busca uma perspectiva que expresse dimensões do cotidiano da periferia pouco abordadas no cinema.

Coerente com a proposta, *Antônia* não emprega atores profissionais. O filme trabalha com jovens artistas da periferia paulistana, predominantemente ligados à música e ao rap, sem experiência prévia em atuação. Escolhidos entre seiscentos candidatos, o elenco se submeteu a três meses de preparação dramática conduzida por Sérgio Penna, que já havia realizado trabalho semelhante em *Bicho de sete cabeças* (Laís Bodanzky, 2001) e *Carandiru* (Hector Babenco, 2003). Também coerente com o projeto, o roteiro, de Tata Amaral e Roberto Moreira, deixa espaço para o improviso das atrizes na construção de diálogos a partir de situações cotidianas.

O filme se ressente de baixa densidade dramática, talvez provocada pelo excesso de improviso em situações em que as atrizes aspirantes a can-

---

[6] Ver a entrevista da diretora disponível no site do filme (http://antoniaofilme.globo.com/dowld/entrevista.doc), e também "Tata Amaral fala de *Antônia*. Série baseada no filme estreia dia 17 na Globo", no site UOL Cinema, 1/11/2006 (http://cinema.uol.com.br/mostra/ultnot/2006/11/01/ult1783u12.jhtm).

toras interpretam personagens muito próximas a si mesmas. Diálogos lentos, por vezes carregados de silêncios, sugerem não o tempo morto carregado de significado de muitos cinemas, mas a ausência de reação ao improviso. Ao invés do aproveitamento da linguagem das atrizes na construção de falas significativas, muitas vezes o que se vê é a redundância nervosa no uso repetido de alguns termos e gírias, o que enfraquece a potência dos diálogos. Assim, nesse filme, a busca da interpretação próxima do documental acaba muitas vezes por depor contra a tensão dramática.

O método de desenvolvimento do roteiro e construção dos diálogos em *Cidade de Deus* envolveu uma dinâmica intensa de improvisação e reelaboração, resultando em uma tessitura que combina densidade dramática e apropriação da linguagem oral e corporal dos meninos do tráfico pelos jovens que desejam ser atores. Longe de se identificar com seus personagens, os atores que se revelam no filme buscam justamente escapar das trajetórias que incorporam. É como se, ao construir personagens de meninos traficantes, esses aspirantes a ator ganhassem distanciamento. Eles representam aquilo que conhecem de perto mas de que querem escapar. O roteirista de formação clássica se beneficiou também da distância do laboratório e do set de filmagem. Em *Antônia*, as atrizes representam a si próprias, em uma história em que todos nós torcemos por elas *a priori*, independente das circunstâncias. Como em um *reality show* de ação afirmativa, falta drama ao filme (Stücker, 2009).

Nesse campo tensionado entre posturas éticas, políticas e estéticas, num projeto que inova a despeito de suas fragilidades, *Antônia* foi bem acolhido nos espaços de exibição forjados pela pesquisa. Ao contrário dos filmes presos ao impasse da fuga, prisão ou morte, ou de outros nos quais a ascensão depende da violência, do crime ou de ações "questionáveis", nesta obra as quatro cantoras da Vila Brasilândia abrem caminhos através de seus talentos, não sem tropeçar nas adversidades típicas de seu ambiente social.

A despeito de seus problemas, *Antônia* responde à demanda por imagens positivas da periferia, capazes de fazer frente à predominância da interpretação do espaço da periferia como símbolo de uma sociedade cindida e corroída por ameaças sociais extremadas associadas ao tráfico de drogas e armas, ao domínio de poderes paralelos sobre regiões inteiras dos territórios metropolitanos, à ausência de Estado e de justiça que resulta da perda do monopólio da força. Visto na periferia, *Antônia* aparece como alternativa a filmes escuros, que privilegiam as paisagens urbanas tortuosas, características das vielas íngremes e estreitas que serpenteiam nos morros cariocas. Embora nem tudo sejam flores em *Antônia*, já que as meninas enfrentam a pressão da violência e do sistema carcerário, o machismo, a ausência de força paterna, elas lutam por realização a um só tempo pessoal e profissional. *Antônia* parece apresentar versão menos estereotipada e mais esperançosa.

O público de alunos de Educação de Jovens e Adultos das periferias leste e sul paulistana manifesta de maneira recorrente seu descontentamento com as formas pelas quais a periferia aparece na TV e no cinema contemporâneos. A crítica tem inspirações diversas. Jovens ativistas, engajados em movimentos culturais e políticos, promovem projeções e cursos em busca de temáticas e tratamentos estéticos que os libertem de representações que insistem em aprisioná-los a realidades que eles já consideram superadas. Estudantes jovens, adultos ou idosos se interessam pela construção de referenciais transformadores, mesmo que esses envolvam o confronto violento da violência que marca seu cotidiano, como em *Tropa de elite*. Há moradores de bairros periféricos que gostariam de ver nas telas as melhorias que chegam a seus bairros — e aí hospitais e escolas são citados, ao lado de cadeias de supermercados e lojas comerciais. Desse ponto de vista, é a inclusão no mercado de consumo que mereceria alarde. Atentar para estes outros olhares, em geral de gente que possui pouco ou nenhum acesso às salas de cinema, e cuja visão de mundo ainda aparece pouco no debate público, parece essencial para a elaboração de caminhos mais complexos de compreensão e representação, particularmente se há uma busca de incorporar as periferias às imagens da cidade.

Antônia aparece como um contraponto claro e seguro em relação à visão hegemônica na mídia sobre a periferia — e que, como mostramos, *O invasor* continua a afirmar. *Antônia* trata do cotidiano na periferia, das ações pequenas, dos sonhos de quatro personagens que estão distantes do círculo de ressentimento que figura no panorama cinematográfico brasileiro contemporâneo, especialmente no que se refere a espaços periféricos.

Em *Antônia*, a periferia é o local onde a história se passa, um local onde é possível haver superação sem a corrosão de valores e de premissas básicas de sociabilidade. A periferia não determina o que acontece na vida das personagens, apenas indica obstáculos e problemáticas.

No filme, personagens dotadas de autenticidade pela origem periférica das não atrizes que as encarnam, nos conduzem bairro adentro. Os planos abertos em tomadas externas, caricatos, são escassos. A paisagem típica das moradias de autoconstrução da periferia no horizonte surge apenas na primeira imagem do filme, onde as quatro garotas avançam numa ladeira em direção à câmera, tendo ao fundo a imagem da periferia. Mas em geral as ruas perdem o caráter emblemático, não buscam o típico, nem um esgotamento daquilo que poderia ser mais representativo do espaço da periferia na paisagem. Aparecem pouco e sem destaque, são cenários, sem muita importância, para conversas entre as garotas enquanto voltam para casa. Cenas no interior das casas permitem um retrato íntimo, particular e diversificado do espaço da periferia. Nestes ambientes, as personagens ganham singularidade e se afastam do tipo social que as orienta. Ao contrário de *O invasor*, *Antônia* se afasta da visão generalizante e permite alguma individualização.

Uma moradora do bairro de Cidade Tiradentes que se diz frequentadora da Brasilândia, onde *Antônia* foi rodado, diz que gostou muito do filme, "porque as quatro amigas partem em busca de seus sonhos, e jamais o bairro em que moram interfere por ser precário". O peso da condição social como determinante dos rumos da vida, tal como aparece em outros filmes recentes sobre as periferias das cidades brasileiras, incomoda a ela e a outros moradores. *Antônia* ressalta um sentido de mobilização, de engajamento e esperança de transformação presente na trajetória das personagens, que o público vê como uma imagem positiva da periferia, apesar de suas mazelas.

Há no caso dos dois filmes analisados aqui, como já foi dito, uma incongruência entre a avaliação da crítica e as interpretações que identificamos nas exibições na periferia. Ambos os aspectos devem ser considerados para a compreensão do significado que cada um dos filmes adquire no embate político e social brasileiro. A aceitação de *Antônia* tem a ver com o cuidado e a atenção à tessitura do espaço periférico, considerado como parte integrante da cidade, e assim responde aos discursos violentos que classificam e condenam esses espaços como de exclusão, real e simbólica. Talvez por falta de salas de cinema na periferia, *Antônia* não tenha se realizado plenamente junto ao público com que estabelece relações mais efetivas. De qualquer maneira, o sucesso da versão televisiva, que alcançou bons índices de audiência, não chegou a provocar debates. *O invasor* provocou a crítica, que viu no filme uma alternativa às visões que tendem a confinar a desigualdade social e a violência nas regiões periféricas das cidades. Na periferia, ele encarna uma versão apocalíptica, que não só reforça os estereótipos como os estende às classes médias altas. Cada um a sua maneira, ambos os filmes se prestam, e se limitam, a leituras de segmentos específicos do público.

A CIDADE E O CINEMA

A cidade e o cinema estão intrinsecamente ligados ao longo da história. Forma de manifestação artística relativamente recente, o cinema surge nos últimos anos do século XIX sob o signo da modernidade, marcado pela e marcando a paisagem e a vida urbana. O primeiro cinema, ou o "cinema de atrações" (Gunning, 1986), surge como possibilidade nas cidades europeias e americanas, associado à liberdade que o espaço público promete, à possibilidade de divertimento anônimo, em meios às *Luzes da cidade*, para citar o título do filme de Charles Chaplin, mas também como meio de expressão da opressão da sociedade industrial. Cinema e cidade estão imbricados também em elaborações que buscam compreender o cinema como dimensão da esfera pública, ritual coletivo que se atualiza no início do século XX em salas de exibição situadas nas cidades e frequentadas por segmentos específicos do público. Por exemplo, ao aderir a matinês, onde era possível acompanhar a emoção de uma luta de boxe e admirar a exibição de corpos masculinos, mulheres norte-americanas, nas primeiras décadas do século XX, penetraram espaços até então restritos a homens. O advento do público feminino estimulou a performance de galãs de torso nu, como Valentino, e sinaliza a participação das mulheres na esfera pública (Hansen, 1991).

Os cinemas modernos renovam a relação com a cidade. Filmes associados ao neorrealismo italiano, à nouvelle vague francesa e a diversos movimentos dos anos 1950 e 60 situam suas histórias no tempo contemporâneo e nas ruas de cidades como Roma, Milão, Nápoles, Estocolmo e Paris, em detrimento da filmagem em estúdio. São filmes que buscam recursos de enquadramento e decupagem — como planos-sequência (que exploram a profundidade de campo) — que facilitem a percepção de continuidades no tempo e no espaço.

A cidade surge no cinema moderno como espaço simbólico que transpira vida, associada a cinemas engajados com seu tempo. A perambulação de personagens pelas ruas de grandes cidades funciona quase que como guia que justifica o registro fotográfico de extensas sequências descritivas da paisagem urbana. A perambulação dispensa a relação imediata de causa e efeito que norteia a narrativa clássica, abrindo espaço para a inserção de "tempos mortos", ou seja, momentos fílmicos em que a câmera busca captar o movimento cotidiano da cidade, permitindo que a vida urbana penetre na textura do filme; como durante a chuva que obriga pai e filho, protagonistas de *Ladrões de bicicleta*, de Vittorio de Sica, a se abrigarem embaixo de uma marquise, ao lado de um grupo de frades alemães.

A história do cinema brasileiro também é pontuada pelas maneiras diferentes de expressar a vida urbana, relação que especifica períodos e marcos regionais. O Rio de Janeiro é uma cidade cenográfica por excelência. Cartão postal do Brasil, a "cidade maravilhosa" protagoniza duas obras inaugurais do cinema moderno: os dois primeiros filmes de Nelson Pereira dos Santos, *Rio 40 graus* (1955) e *Rio Zona Norte* (1957) (Xavier, 2001). Os dois filmes do cineasta paulista merecem destaque também pelo olhar sensível à desigualdade social que "romanticamente" (Bentes, 2003) situa a vida no morro como centro criativo, reduto da poesia, do samba, do carnaval, da cultura popular, celeiro de alguma esperança de mudança social. O cinema novo se concentrou mais no sertão, mas *Cinco vezes favela* (Joaquim Pedro de Andrade, Leon Hirszman, Cacá Diegues, Miguel Farias e Miguel Borges, 1962) reúne trabalhos de curta-metragem engajados, especialmente os filmes dirigidos pelos quatro últimos diretores, que foram produzidos pelo Centro Popular de Cultura da UNE (União Nacional dos Estudantes). São Paulo também aparece no cinema durante esses anos. Mas, como observa Rubens Machado (2008), "Estaríamos talvez há um século vendo convergir nos filmes as particularidades paulistanas que nos afastariam daquelas fortes visões de conjunto que caracterizam bem e com mais verossimilhança as imagens cariocas, nova-iorquinas, parisienses ou napolitanas?" (p. 192). O autor salienta a emergência de duas chaves "cruas" de tratamento da cidade no cinema marginal, a de Candeias e a de Sganzerla. Mas é no início dos anos 2000, para Machado, que surge uma possibilidade nova, justamente no trabalho de diretores como Sérgio Bianchi e Beto Brant. O trabalho desses diretores, especialmente *Cronicamente inviável* (2000), de Bianchi, e *O invasor* (2002), prenunciam os filmes que emergem no final do século XX e início do XXI, e que privilegiam o tratamento da periferia paulistana: "Polarizada pela força da sua periferia desvalida, a nova São Paulo multifacética parece valer-se de uma interrogação básica sobre o quase nada que sobrou do seu espaço público, a pulverização daquela Canaã de oportunidades para a formação de um futuro cidadão. Promessa de cidadania, mais do que nunca: procura-se, viva ou morta" (p. 196).

De fato, no final dos anos 1990 e início do novo milênio, o tema cinema e cidade volta à tona, agora em meio a uma redefinição de registros que vem gerando polêmicas acirradas entre técnicos, políticos e artistas-realizadores. Voltando ao início do nosso projeto e às ideias de interlocução, vemos que ao assistir e debater um filme com públicos diferentes, o filme assume múltiplos significados, colocando questões interessantes para a crítica. Essas experiências ajudam a pensar horizontes de significados possíveis a partir da tessitura de cada filme, que são mobilizados de maneiras diferentes conforme a experiência social que o filme expressa e aquela do público. O mapeamento desse espectro de significados possíveis, enraizados na experiência social contemporânea, pode potencializar a análise fílmica, explicitando com maior sensibilidade os tensionamentos em jogo. Buscamos complexificar a análise do sentido que os filmes adquirem considerando interlocuções com distintos atores sociais, localizando-os no interior das tensões políticas com as quais se debatem e a partir das quais forjam significados históricos. Projetos fílmicos ou televisivos contemporâneos parecem ser mais interessantes quanto com maior fineza se colocam neste jogo de tensões.

Os debates que o projeto provocou sugerem a hipótese de que a "vertente periferia" do cinema paulistano contemporâneo catalisa uma disputa pelo controle da representação envolvendo segmentos amplos da sociedade. Nesta vertente, debates semelhantes se multiplicam em intensos trabalhos de exibição e realização. Os padrões estéticos adotados apresentam soluções diferentes para o desafio de superar a imagem estereotipada e propor compreensões do mundo mais complexas. Soluções efetivas farão avançar o problema para novos patamares, em uma discussão que é a um só tempo política e estética. Inúmeros projetos buscam formas inovadoras, capazes de desconstruir os estereótipos que reforçam discriminações estabelecidas em sinergia com novas formas de organizar o espaço da cidade. Por enquanto, os filmes *de* periferia circulam de maneira limitada, e os filmes *sobre* a periferia circulam pouco na própria periferia. Formas efetivas de expressar a complexidade e a diversidade da metrópole paulista pedem redes de produção e de distribuição que avancem mais no sentido de incorporar a diversidade social como propuseram *O invasor* e *Antônia* — cada qual com suas limitações.

BIBLIOGRAFIA

AMARAL, T. (2002). "A construção do filme, segundo o diretor Fernando Meirelles". *Trópico*. http://pphp.uol.com.br/tropico/html/textos/1605,1.shl.

APPADURAI, A. (1990). *Modernity at Large: Cultural Dimensions of Globalization*. Chicago: University of Chicago Press.

BENTES, I. (2003). "The Sertao and the Favela in Contemporary Brazilian Film". In: NAGIB, L. (org.). *The New Brazilian Cinema*. Londres: I. B. Tauris, pp. 121-38.

_____ (2007). "Sertões e favelas no cinema brasileiro contemporâneo: estética e cosmética da fome". *Alceu*, vol. 8, nº 15, jul.-dez., pp. 242-55.

BERNARDET, J. C. (2003). *Cineastas e imagens do povo*. São Paulo: Companhia das Letras.

CALDEIRA, T. (2005). "'I Came to Sabotage your Reasoning!': Violence and Resignifications of Justice in Brazil". In: COMAROFF, Jean; COMAROFF, John (orgs.). *Law and Disorder in the Postcolony*. Chicago: Chicago University Press, 2006.

GUNNING, T. (1986). "The Cinema of Attraction[s]". *Wide Angle*, n° 8, pp. 63-70.

HAMBURGER, E. (2008). "Da política e da poética de certas formas audiovisuais". Tese de Livre-Docência, ECA-USP, São Paulo.

HANSEN, M. (1991). *Babel and Babylon: Spectatorship in American Silent Film*. Cambridge: Harvard University Press.

HARVEY, D. (1990). *The Condition of Postmodernity*. Oxford/Malden: Blackwell.

KEHL, M. R. (1999). "Radicais, raciais, racionais: a grande fratria do rap na periferia de São Paulo". *São Paulo em Perspectiva*, vol. 13, n° 3, São Paulo, Fundação Seade, pp. 95-106.

HOLSTON, J. (2008). *Insurgent Citizenship: Disjunctions of Democracy and Modernity in Brazil*. Princeton: Princeton University Press.

MACHADO JR., R. (2008). "Plano em grande angular de uma São Paulo fugidia". *Comunicação e Informação*, vol. 1, n° 2, pp. 192-6.

_____ (2004). "São Paulo e o seu cinema: para uma história das manifestações cinematográficas paulistanas (1899-1954)". In: PORTA, Paula (org.). *História da cidade de São Paulo*. São Paulo: Paz e Terra, vol. 2, pp. 456-505.

MARQUES, E.; GONÇALVES, R.; SARAIVA, C. (2005). "As condições sociais na metrópole de São Paulo na década de 90". *Novos Estudos*, n° 73, São Paulo, Cebrap, pp. 89-108.

NAGIB, L. (2007). *A utopia no cinema brasileiro*. São Paulo: Cosac Naify.

SCHWARTZ, V.; CHARNEY, L. (1995). *Cinema and the Invention of Modern Life*. Berkeley: University of California Press.

SHOHAT, Ella; STAM, Robert (2006). *Crítica da imagem eurocêntrica*. São Paulo: Cosac Naify.

STÜCKER, A. (2009). "A periferia nos seriados televisivos *Cidade dos Homens* e *Antônia*". Dissertação de Mestrado, ECA-USP, São Paulo.

TOLEDO, M. (2010). "Educação audiovisual popular no Brasil: panorama 1990-2009". Tese de Doutorado, ECA-USP, São Paulo.

TORRES, H.; BICHIR, R.; PAVEZ, T. (2006). "Uma pobreza diferente? Mudanças no padrão de consumo da população de baixa renda". *Novos Estudos*, n° 74, São Paulo, Cebrap, pp. 17-22.

XAVIER, I. (2006). "São Paulo no cinema: expansão da cidade-máquina, corrosão da cidade-arquipélago". *Sinopse*, n° 11, ano VIII, set., pp. 18-25.

_____ (2006). "Corrosão social, pragmatismo e ressentimento". *Novos Estudos*, n° 75, São Paulo, Cebrap, pp. 139-55.

_____ (2001). *O cinema brasileiro moderno*. São Paulo: Paz e Terra.

12

O rap e a cidade:
reconfigurando a desigualdade em São Paulo[1]

Teresa Pires do Rio Caldeira

Nos últimos anos, uma série de movimentos artísticos e culturais emergiram nas periferias de São Paulo e a partir daí difundiram-se pela cidade, marcando cada vez mais sua presença no cotidiano da metrópole. Esses movimentos simultaneamente criticam o padrão de desigualdade social e espacial da cidade e reimaginam a periferia e as condições de vida nestes locais. O hip-hop é um dos mais evidentes e influentes desses movimentos. Ele afirmou-se em São Paulo num contexto em que se intercruzaram uma série de processos de transformação social que afetaram especialmente os jovens paulistanos. Antes de mais nada, esses movimentos culturais e o hip-hop têm como pano de fundo o enraizamento da democracia na sociedade brasileira. Mas uma democracia disjuntiva (Caldeira e Holston, 1999), em que os direitos civis continuam sendo precários. Nos anos 1990, quando o hip-hop difundiu-se, a marca mais evidente dessa precariedade era o aumento da violência urbana que vitimiza sobretudo homens jovens vivendo nas periferias. Em 2000, a cidade de São Paulo registrou perto de 6 mil homicídios. Do total de vítimas, 92,5% eram homens; 38% tinham entre 15 e 24 anos. Essa cidade democrática e violenta vinha há tempos sofrendo com um processo de desindustrialização e transformação econômica que não só havia gerado altas taxas de desemprego, mas afetado profundamente as expectativas de vida dos jovens: não era mais possível pensar sobre o futuro com os mesmos referenciais que haviam balizado os planos das gerações anteriores. Finalmente, nos anos 1990 havia se consolidado em São Paulo um novo padrão de segregação espacial baseado na criação de enclaves fortificados e

---

[1] Este texto é uma versão resumida e revista pela autora do artigo "'I Came to Sabotage your Reasoning!': Violence and Resignifications of Justice in Brazil", em *Law and Disorder in the Postcolony*, John Comaroff e Jean Comaroff (orgs.), Chicago, University of Chicago Press, 2006, pp. 102-49. A presente versão para o português foi realizada por Thiago Lins.

no uso intensivo de sistemas de segurança. Esse é um padrão de segregação cuja lógica é impor separações. Os novos movimentos culturais e artísticos que se consolidaram nos anos 1990 expressam alguns dos paradoxos dessa democracia violenta e dessa cidade segregada.

Neste artigo, focalizo o cenário hip-hop de São Paulo para analisar a configuração de uma poderosa crítica da sociedade brasileira — e de seu modelo de desigualdade e racismo — e a tentativa de criar meios para controlar a proliferação da violência e morte entre os jovens moradores das periferias. Membros desta cena usam música, dança e grafite para articular o que eles chamam de "atitude", um novo código comportamental que permitiria a jovens pobres, especialmente negros, sobreviver em meio à violência generalizada. Contudo, paradoxalmente, eles também recriam alguns dos termos de sua própria segregação ao reinventarem simbolicamente a periferia como um gueto isolado, uma imagem importada do rap norte-americano. Dessa maneira, eles constroem uma postura de autorreclusão similar às práticas de reclusão das classes altas, e seu protesto contra a exclusão acaba contribuindo para a reprodução de espaços segregados e intolerância.

FALANDO DA PERIFERIA

Este verso do rap "Genesis", dos Racionais MC's, sintetiza em poucas palavras a sua perspectiva:

> Eu tenho uma bíblia velha, uma pistola automática e um sentimento de revolta.
> Estou tentando sobreviver no inferno.
> (*Sobrevivendo no inferno*, 1997)

Os Racionais MC's são o grupo de rap mais importante de São Paulo. É formado por Mano Brown, Ice Blue, Edy Rock e KL Jay. O projeto expresso em seus raps é usar as palavras como armas, para fazer as pessoas pensarem, serem racionais, para fazer com que a informação circule, para denunciar, para construir um raio-X do Brasil. Sua missão é tirar os jovens do caminho das drogas, do álcool e do crime organizado. Para eles, essa é a única alternativa em um universo essencialmente sem alternativas, a única chance de vida.

Os movimentos artísticos e culturais que surgiram nas periferias de São Paulo a partir dos anos 1990 são bastante diversos. Os mais perceptíveis

Teresa Pires do Rio Caldeira

entre eles são o hip-hop (que inclui o rap, o *break* e um estilo de grafite), a pichação e outras formas de grafite. Mas estes movimentos incluem também a chamada literatura marginal, a literatura das prisões, saraus de poesia, estações clandestinas de rádio (chamadas de rádios comunitárias) e, algumas vezes, outro tipo de mídia como vídeos e filmes. Muitas dessas manifestações, especialmente o hip-hop, são formas globalizadas da cultura jovem com numerosas expressões ao redor do mundo (ver Mitchell, 2001). Elas representam linguagens e estilos apropriados por grupos do mundo inteiro que são vítimas de discriminação e preconceito, para reelaborar suas identidades e expor as injustiças às quais são submetidos. Cada uma dessas apropriações estabelece um diálogo com pessoas em situações similares em toda parte e, simultaneamente, cria uma interpretação local, particular, do estilo. A seguir, meu foco principal será na circulação local do rap em São Paulo. Embora eu não analise aqui a sua relação com outros movimentos globais, especialmente o hip-hop norte-americano, é claro que o rap de São Paulo replica vários dos temas e estilos do rap norte-americano — em especial o *"gangsta* rap" da Costa Oeste. Ademais, concentrarei minha análise na produção de seus mais famosos criadores em São Paulo, os Racionais MC's.[2] Seus raps são muito conhecidos, servem de referência constante em conversas e entrevistas e, sobretudo, forneceram algumas das principais metáforas e símbolos que circulam entre esses movimentos. As pessoas sabem de cor algumas de suas longas letras, cantam seus raps em festas e shows na periferia, e os citam constantemente. Os Racionais dão aos jovens pobres da periferia uma interpretação e uma linguagem para falar de experiências que não haviam sido expressadas anteriormente — ou que, ao menos, não haviam recebido este tipo de interpretação poderosa e confrontadora.

Os Racionais posicionam-se na periferia, identificam-se como pobres e negros, expressam um explícito antagonismo racial e de classe, e criam um estilo de confrontamento que deixa pouco espaço para a tolerância e para a negociação. Seus raps estabelecem uma distância inegociável entre ricos e pobres, brancos e negros, centro e periferia. O racismo é uma de suas denún-

[2] Meu interesse pelo movimento hip-hop vem de uma pesquisa em andamento sobre gênero, juventude e transformação do espaço público em São Paulo. Desenvolvi o trabalho de campo desta pesquisa entre julho de 2001 e dezembro de 2002, e nos verões de 2003 e 2004. Gostaria de agradecer às instituições que apoiaram esta pesquisa: J. William Fulbright Foreign Scholarship, Fapesp, Núcleo de Estudos da Violência da Universidade de São Paulo, Program in Latin American Studies da Universidade da Califórnia, Irvine, e o Academic Senate Council on Research, Computing and Library Resources da Universidade da Califórnia, Irvine.

cias mais importantes. Os membros do hip-hop não apenas são majoritariamente negros, mas também assumem publicamente — e de modo confrontador — sua identidade racial em uma sociedade que tem preferido negar categorias raciais em nome de uma ilusória "democracia racial", e na qual a denúncia do racismo tem estado ausente na maior parte de seus movimentos populares. Eles frequentemente se chamam de "pretos" ao invés de "negros", estabelecendo assim uma certa distância em relação aos movimentos negros organizados e recusando diferenças entre "pretos" e mulatos. Por fim, estes *rappers* são em sua maioria homens, em uma sociedade na qual as mulheres de sua geração são mais educadas que os homens, mais integradas ao mercado de trabalho e, substancialmente, menos envolvidas e vitimizadas por crimes violentos e abuso policial. Apesar de sua pobreza e exclusão, eles estão conectados aos circuitos globais da cultura jovem, cujos estilos reinterpretam e adotam, e a um mercado de consumo também globalizado que inclui não apenas roupas e carros, mas também *pagers*, aparelhos de celular, computadores e o equipamento necessário para produzir e fazer circular sua música e literatura.

Os Racionais MC's falam de dentro da periferia sobre a periferia. Falam a seus moradores, especialmente aos homens jovens, a quem querem conscientizar sobre as dificuldades da periferia e a quem esperam converter à sua visão particular sobre ela. Usam vários termos para se referir a estes homens jovens próximos a eles, que sofrem as mesmas dificuldades. Eles os chamam de "manos". Mas também se referem a eles como "sangue bom".

> Acorda sangue bom!
> Aqui é Capão Redondo Tru, não Pokémon.
> Zona Sul é invés, é *stress* concentrado.
> Um coração ferido por metro quadrado...
>
> ("Vida Loka, Parte 2", 2002)

A elaboração do lugar e a referência constante aos locais de onde os *rappers* são oriundos é um dos traços distintivos do hip-hop. Em São Paulo, como em Los Angeles e Nova York, os raps são interpretações — realizadas por seus residentes jovens — das condições de vida nos seus espaços mais precários. A "periferia" é o espaço de referência dos Racionais. Mas a periferia sobre a qual eles cantam é um espaço ressignificado.[3]

---

[3] É inevitável perceber o paralelo entre a imagem da periferia elaborada pelos *rappers* de São Paulo e aquela dos bairros do centro de Los Angeles ou de Queens, em Nova

Teresa Pires do Rio Caldeira

Em São Paulo, como na maioria das metrópoles brasileiras, a urbanização baseou-se na expansão periférica e na autoconstrução, muitas vezes assentada em loteamentos irregulares ou até mesmo ilegais (grilados). Em São Paulo, como em outras cidades brasileiras, os trabalhadores sempre entenderam que a ilegalidade e a irregularidade são condições sob as quais eles podem tornar-se proprietários e habitar a cidade moderna. E em São Paulo, como em todo lugar, as regiões metropolitanas são marcadas pela dicotomia entre a "cidade legal" (ou seja, o centro habitado pelas classes altas) e as periferias irregulares/ilegais. Nas ruas sem calçamento ou infraestrutura, os trabalhadores constroem eles mesmos suas casas, sem nenhum financiamento, em um lento processo de transformação que simboliza perfeitamente o progresso, o crescimento e a mobilidade social: passo a passo, dia após dia, a casa é melhorada e as pessoas renovam a confiança de que o sacrifício e o trabalho duro compensam.

Foi nessas periferias que, nos anos 1970 e 80, residentes organizaram numerosos movimentos sociais que forçaram o governo a estender a infraestrutura e os serviços urbanos até seus bairros. Eles descobriram que sendo contribuintes legitimavam o seu "direito de ter direitos" e o seu "direito à cidade", isto é, direito à ordem jurídica e à urbanização (infraestrutura, água encanada, coleta de esgoto, eletricidade, serviço de telefonia etc.) disponível nos centros. Os movimentos sociais urbanos tiveram um papel central no processo político que levou ao fim da ditadura militar e na constituição de uma nova concepção de cidadania.

Nos últimos vinte anos, as periferias de São Paulo foram submetidas a processos contraditórios de melhorias e deterioração. O Estado respondeu às demandas dos movimentos sociais com investimentos que melhoraram a infraestrutura urbana e indicadores como mortalidade infantil e regularização das propriedades. A combinação de melhorias na infraestrutura e regularização mudou substancialmente as condições da periferia na paisagem urbana, uma transformação análoga à das condições políticas que seus moradores obtiveram por meio da organização de movimentos sociais. Todavia, na medida em que a periferia progredia e a democratização criava raízes no Brasil, as condições que sustentavam a industrialização, o desenvolvimento e a mobilidade social erodiram. Elas começaram a entrar em colapso nos

---

York, apresentada pelos *rappers* norte-americanos. Há, de fato, muitos traços em comum nestas diferentes cidades pós-industriais, ainda que seus índices de pobreza e homicídio não sejam comparáveis. Sobre a relação entre rap e a cidade pós-industrial nos Estados Unidos, ver Rose (1994) e Kelley (1996).

anos 1980, a chamada "década perdida", e continuaram a mudar como resultado da adoção de políticas de "ajuste estrutural". Alguns dos efeitos dessas mudanças são as altas taxas de desemprego, o agravamento da má distribuição de renda e a erosão das perspectivas de mobilidade social que caracterizaram sobretudo os anos 1990, anos de consolidação do rap e do hip-hop.

Certamente, um dos aspectos que contribuíram de modo significativo para deteriorar as condições da vida diária nas periferias foi o acentuado aumento dos crimes violentos. Esse tipo de crime aumentou de modo contínuo no Brasil do início dos anos 1980 até os anos 2000, e a taxa de homicídios em São Paulo em 2000, de quase 60 por 100 mil habitantes, foi uma das mais altas do mundo. Em São Paulo, o homicídio tornou-se a principal causa de morte entre os homens jovens (e a terceira causa no total da população) e fez com que a expectativa de vida dos indivíduos do sexo masculino diminuísse em quatro anos na última década (Jorge, 2002). Essa taxa sempre foi muito mais elevada nos bairros periféricos do que nos bairros centrais. Ainda mais dramático é o fato de a polícia ser responsável por cerca de 10% dos homicídios da Região Metropolitana de São Paulo nos últimos vinte anos. A maioria dos casos de homicídio e de assassinatos causados pela polícia acontece nas periferias, e não nas regiões centrais. Nos anos 2000, as taxas de homicídio decresceram bruscamente, atingindo o baixo índice de 11,5 por 100 mil habitantes em 2010 na cidade de São Paulo. Apesar desta queda, que afetou as mais variadas áreas da cidade, a experiência da violência é um dos principais traços da vida nas periferias, especialmente para os homens jovens.[4]

Em suma, apesar de o espaço urbano das periferias ter melhorado e os direitos políticos de seus moradores terem se expandido, seus direitos civis diminuíram e seu dia a dia se deteriorou em consequência de vários processos que aumentaram as incertezas sob as quais os moradores têm que moldar

---

[4] Índices de homicídio compilados pelo Núcleo de Estudos da Violência e disponíveis em: http://www.nevusp.org/portugues/index.php?option=com_content&task=view&id=1382&Itemid=74.

Embora não haja um consenso sobre as razões deste decréscimo, explicações apontam para a intensificação do trabalho das ONG's nas áreas de maior incidência de homicídios, a campanha para desarmamento da população que coletou mais de 110 mil armas no Estado de São Paulo entre janeiro de 2004 e julho de 2005, a melhoria no equipamento e preparação de policiais, e o aumento das taxas de encarceramento. Ver também o capítulo 13 deste livro, "Homicídios: guias para a interpretação da violência na cidade", de Paula Miraglia.

Teresa Pires do Rio Caldeira

suas vidas. Essa configuração era especialmente clara nos anos 1990, quando os Racionais produziram a maior parte dos raps analisados aqui.

Enquanto os membros do hip-hop criticam as condições de vida nos arredores da cidade, eles transformam as mais diversas periferias em um símbolo: "a periferia". Como símbolo, "a periferia" simplifica e homogeneiza as mais diversas periferias ressaltando sobretudo as piores desigualdades sociais e a violência e apagando os sinais dos vários avanços que aconteceram nas duas últimas décadas. Além disso, nem todos os moradores das periferias — e nem mesmo a maioria deles — compartilham desta interpretação da periferia articulada na forma deste recente símbolo. É provável que as pessoas que compartilham dessa visão sejam apenas a minoria. No entanto, o restante da população não pode ignorar uma visão que os representa de um modo tão poderoso e que mais uma vez posiciona as áreas onde vivem no centro do debate político.

Os membros do hip-hop são em sua maioria jovens, a primeira geração de filhos de migrantes, nascidos nos bairros pobres da cidade na qual seus pais sonharam tornarem-se donos de uma casa e cidadãos modernos. Entretanto, as condições que eles encontraram nas periferias são bem diferentes daquelas encontradas por seus pais. Eles são parte da primeira geração a crescer sob um sistema de governo democrático, mas também sob os efeitos das políticas neoliberais, como alto índice de desemprego, menos empregos formais e uma nova cultura "flexível" de trabalho. Em muitos aspectos, seus pais foram bem-sucedidos em seus sonhos de mobilidade social; sua inserção na cidade, no mercado de consumo moderno e na esfera pública de debates políticos são sinais deste sucesso. Contudo, enquanto os pais acreditavam em progresso, eles sentem que têm pouca ou nenhuma chance de mobilidade social. Eles se veem como marginais e excluídos, não como trabalhadores ou cidadãos, apesar de exercerem diariamente seus direitos civis de integrar-se ao debate público e de criar uma representação pública. Cresceram em um momento no qual as possibilidades de inclusão tiveram como contrapartida seu imediato enfraquecimento, quando a expansão do consumo veio aliada ao desemprego, o largo acesso à mídia aliado à percepção de sua distância em relação às visões que representam, a educação formal aliada à sua desqualificação no mercado de trabalho, melhores condições urbanas aliadas à violenta criminalidade, democracia aliada à injustiça. É deste lugar que eles criam uma das mais poderosas críticas à desigualdade social, injustiça e racismo já produzidas no Brasil.

Rap após rap, os Racionais descrevem a pobreza e as condições precárias da periferia onde moram e por onde circulam, a violência do dia a dia e a falta de alternativas. Muitas vezes eles contrastam a vida das periferias à vida dos bairros ricos, expondo um claro antagonismo, como no rap "Fim de semana no parque" (escrito por Mano Brown, 1993), uma de suas primeiras e mais famosas composições. Seguindo um modelo comum, a música começa com uma dedicatória que é falada ao invés de cantada:

> 1993, fodidamente voltando, Racionais!
> Usando e abusando da nossa liberdade de expressão, um dos poucos direitos que o jovem negro ainda tem nesse país.
> Você está entrando no mundo da informação, autoconhecimento, denúncia e diversão.
> Esse é o raio X do Brasil. Seja bem-vindo!
> À toda comunidade pobre da Zona Sul!
>
> (*Raio X do Brasil*, 1993)

A referência ao direito de liberdade de expressão que abre este rap é uma das poucas menções feitas pelos Racionais a qualquer tipo de direito. Ela vem junto com um de seus raros casos de uso da palavra "negro", o termo politizado para se referir às pessoas negras. Os Racionais pensam que exercer os direitos não faz parte do que eles descrevem como o universo dos negros da periferia. A única exceção é o direito à liberdade de expressão, aquele que sustenta a sua missão. Seu projeto é usar as palavras como armas para tirar a "molecada" do caminho das drogas, do álcool e do crime organizado. Sua missão é salvá-los.[5]

No trecho a seguir, de "Fim de semana no parque", os Racionais confrontam o estilo de vida da "playboyzada" em um bairro rico próximo a eles com o da "molecada" de sua vizinhança em uma tarde de domingo ensolarada. O termo "playboy", ou "boy", sempre utilizado em inglês, refere-se a homens brancos pertencentes às classes média e alta e, invariavelmente, carrega uma conotação muito negativa. Seu uso é oposto ao "sangue bom" e ao "mano". Em "Fim de semana no parque", eles observam famílias indo ao parque, playboys desperdiçando água para lavar seus carros, motocicletas, prostitutas, bicicletas, pais correndo, clubes de elite.

---

[5] Em uma das mais provocativas análises disponíveis sobre o rap brasileiro, a psicanalista Maria Rita Kehl caracteriza a missão dos Racionais como um "esforço civilizatório". Usando referências freudianas, ela descreve os Racionais como parte de uma fratria órfã que vem ocupar um novo papel na sociedade brasileira (Kehl, 2000).

Teresa Pires do Rio Caldeira

Olha só aquele clube, que da hora,
Olha aquela quadra, olha aquele campo.
Olha! Olha quanta gente!
Tem sorveteria, cinema, piscina quente.
Olha quanto boy, olha quanta mina.
Afoga essa vaca dentro da piscina.
Tem corrida de kart, dá pra ver.
É igualzinho o que eu vi ontem na TV.
Olha só aquele clube, que da hora,
Olha o pretinho vendo tudo do lado de fora,[6]
Nem se lembra do dinheiro que tem que levar
Do seu pai bem louco gritando dentro do bar.
Nem se lembra de ontem, de onde, e o futuro.
Ele apenas sonha através do muro...

Recentemente, o mundo luxuoso da classe alta tornou-se especialmente visível para os moradores da periferia. Por um lado, a televisão é quase universal nos bairros pobres, e o estilo de vida da classe alta "é igualzinho o que eu vi ontem na TV". Por outro, mudanças recentes no modelo de segregação urbana da cidade trouxeram uma maior proximidade espacial entre ricos e pobres, e tornaram algumas áreas ricas bastante visíveis para os moradores da periferia. Esse é especialmente o caso dos bairros da Zona Sul, onde vivem os Racionais. Chegar nessa área implica cruzar os bairros mais ricos da cidade. Apesar das casas, complexos de escritórios e estabelecimentos comerciais da classe média e alta serem fortificados, eles olham além dos muros em seu caminho para casa e simplesmente observam as diferenças.

Essas observações os fazem "imaginar automaticamente" a "molecada" de seu bairro, correndo e jogando bola descalça, em ruas não pavimentadas, gritando palavrões, sem videogames ou mesmo televisão, contando apenas com a proteção de São Cosme e Damião. Em seu dia a dia, não há muito com o que brincar: tudo está do outro lado, esse lado obsceno descrito com ódio e desprezo que é mostrado ao "pretinho vendo tudo do lado de fora". Zona Sul, "a número um em baixa renda da cidade", é como uma região de casas empilhadas que eles ocasionalmente chamam de favelas. Na periferia, por vezes uma criança acha "um brinquedo prateado, [que] brilhava no meio do mato" e pode decidir usar suas balas para melhorar o Natal. Lá você pode achar cadáveres na rua, nenhum investimento público, nenhum espaço para

---

[6] Os grifos nesta letra, assim como nas letras a seguir, são da autora.

as crianças se entreterem. No entanto, na periferia, você encontra dignidade, calor humano, felicidade geral e lealdade. Os Racionais pertencem à periferia. Lá estão seus irmãos, seus amigos e a maioria das pessoas se parecem com eles — são negros.

Na maioria de seus raps, os Racionais retratam a periferia como o que chamo de "espaço de desespero". Muitos de seus raps são dolorosos de ouvir por causa do modo poderoso com que descrevem a proximidade da morte, com que se referem a amigos mortos e expressam a vulnerabilidade da vida na periferia. "Pra sobreviver aqui tem que ser mágico./... Morte aqui é natural, é comum de se ver./ Caralho! Não quero ter que achar normal/ ver um mano meu coberto de jornal!/ É mal! Cotidiano suicida!", eles afirmam no rap "Rapaz comum" (escrito por Edy Rock, 1997). "Mas aí se quiser se destruir, está no lugar certo", dizem eles sobre a periferia em "Fim de semana no parque". Os Racionais reiteram incansavelmente os elementos desse espaço de desespero: a violência constante, a naturalidade e a proximidade da morte, drogas, álcool, crime organizado e rixas entre os "irmãos". Essas são as coisas a que é preciso resistir para que se possa sobreviver. A pobreza é algo com que as pessoas podem lidar. O truque é evitar as coisas que levam à morte. *"Morrer é um fator... malandragem de verdade é viver."* Este é o argumento deles em outro rap famoso, "Fórmula mágica da paz" (Mano Brown, 1997). Eles também concluem:

> Cada lugar, uma lei, eu tô ligado.
> No extremo sul da Zona Sul tá tudo errado.
> *Aqui vale muito pouco a sua vida,*
> *nossa lei é falha, violenta e suicida.*
> ... Legal, assustador é quando se descobre...
> que tudo deu em nada, e que só morre pobre.
> *A gente vive se matando, irmão, por quê?*
> Não me olhe assim, eu sou igual a você.
> Descanse o seu gatilho, descanse o seu gatilho,
> entre no trem da malandragem,
> meu rap é o trilho.

Os Racionais descrevem a si mesmos como sobreviventes porque escaparam da falta de alternativas da periferia, ou melhor, eles escaparam de seu destino, da alternativa que comumente se apresenta aos jovens: o fratricídio. Há sempre a violência da polícia, mas a principal causa das mortes são os irmãos pobres matando uns aos outros. A descrição que eles fazem do processo de difusão da violência recíproca nos lembra o que René Girard (1977) chama de crise sacrificial, uma crise de distinções na qual homens são nivelados pela violência e na qual há uma impossibilidade de manutenção da diferença entre o bem e o mal. Na indistinção do universo da violência e morte, os Racionais tentam traçar uma linha. Eles descobrem que "malandragem de verdade é viver", quando "morrer é um fator". E eles querem, talvez de um modo romântico, usar o rap para mostrar a outros homens jovens (sim, somente homens, já que eles não falam com as mulheres, não as veem como um igual e, na realidade, apenas as desprezam) o que pode separar a vida da morte.

A linha que separa a vida e a morte, o certo e o errado, céu e inferno, violência e paz, é, de fato, tênue. As distinções são instáveis e, portanto, há sempre ambiguidade. Eles moram lado a lado com manos que fazem outras escolhas, que não tiveram força para resistir às drogas, ao dinheiro, ao apelo do consumo, do crime. E eles entendem a razão de os manos terem feito essas escolhas: "ninguém é mais que ninguém", eles repetem. Membros do movimento hip-hop carregam armas, bem como os "manos" nas periferias, e as exibem nas capas de seus álbuns e em seus encartes. Eles simpatizam com aqueles que estão presos. A cultura das prisões de São Paulo e a do hip-hop compartilham muitos elementos. Na realidade, um dos mais famosos raps dos Racionais, "Diário de um detento", foi escrito por Jocenir, um prisioneiro da Casa de Detenção de São Paulo, o "Carandiru". O rap descreve os sentimentos de um prisioneiro no dia do famoso massacre de 1992 em que 111 prisioneiros foram mortos pela polícia.

O que permite aos Racionais traçar esse estreito caminho que separa a vida e a morte? Antes de tudo, a razão e a palavra. Eles pensam, eles são os Racionais; suas palavras são armas. Mas eles sozinhos não têm tanto poder. Desse modo, eles evocam Deus e os orixás para ajudá-los a "parar no meio do caminho". Deuses e a "bíblia velha" acabam sendo os únicos garantidores das distinções. Na ausência de um sistema de justiça digno de confiança, dada a impossibilidade de se acreditar nas autoridades —, sobretudo na polícia, que apenas mata — eles se voltam a Deus. É este o argumento dos Racionais no álbum *Sobrevivendo no inferno*, em um de seus mais famosos raps, "Capítulo 4, versículo 3", uma referência ao Salmo 23, "O Bom Pastor".

> *Vim pra sabotar seu raciocínio!*
> Vim pra abalar o seu sistema nervoso e sanguíneo!
> ... Veja bem, *ninguém é mais do que ninguém,*

Veja bem, veja bem, eles são nossos irmãos também.
Mas de cocaína e crack,
Whisky e conhaque,
Os manos morrem rapidinho sem lugar de destaque!
Mas quem sou eu pra falar
De quem cheira ou quem fuma?
Nem dá
Nunca te dei porra nenhuma
Você fuma o que vem, entope o nariz,
Bebe tudo o que vê,
Faça o diabo feliz
Você vai terminar tipo o outro mano lá
Que era um preto tipo A,
Ninguém entrava numa.
Mó estilo,
de calça Calvin Klein, tênis Puma
Um jeito humilde de ser, no trampo e no rolê
Curtia um funk, jogava uma bola,
Buscava a preta dele no portão da escola.
Exemplo pra nós, mó moral, mó ibope,
Mas começou colar com os branquinhos do shopping.
"Aí já era"
Ih! Mano, outra vida, outro pique,
Só mina de elite, balada, vários drink,
Puta de butique, toda aquela porra,
Sexo sem limite, Sodoma e Gomorra
Hã... faz uns nove anos.
Tem uns quinze dias atrás eu vi o mano
Cê tem que ver,
Pedindo cigarro pros tiozinho no ponto,
Dente tudo zoado, bolso sem nem um conto.
O cara cheira mal,
Cê ia sentir medo!
Muito louco de sei lá o quê logo cedo
Agora não oferece mais perigo:
Viciado, doente, fodido:
Inofensivo!
... Irmão, o demônio fode tudo ao seu redor!
Pelo rádio, jornal, revista e outdoor,

Teresa Pires do Rio Caldeira

Te oferece dinheiro, conversa com calma.
Contamina seu caráter, rouba sua alma.
Depois te joga na merda sozinho!
É... transforma um preto tipo A num neguinho!
Minha palavra alivia sua dor,
Ilumina minha alma.
Louvado seja o meu Senhor!
Que não deixa o mano aqui desandar,
Ah! e nem sentar o dedo em nenhum pilantra!
Mas que nenhum filha da puta ignore minha lei:
Racionais, capítulo 4, versículo 3!
Aleluia! Aleluia! Racionais!
... Para os manos da Baixada Fluminense à Ceilândia
Eu sei, as ruas não são como a Disneylândia!
De Guaianases ao extremo sul de Santo Amaro,
Ser um "preto tipo A" custa caro!
É foda!
... Não tive pai, não sou herdeiro.
Se eu fosse aquele cara que se humilha no sinal
Por menos de um real,
Minha chance era pouca.
Mas se eu fosse aquele moleque de touca,
Que engatilha e enfia o cano dentro da sua boca,
De quebrada, sem roupa, você e sua mina,
Um, dois! Nem me viu! Já sumi na neblina!
Mas não...
Permaneço vivo, eu sigo a mística!
27 anos, contrariando a estatística!
O seu comercial de TV não me engana,
Eu não preciso de status nem fama.
Seu carro e sua grana já não me seduz,
E nem a sua puta de olhos azuis!
Eu sou apenas um rapaz latino-americano
Apoiado por mais de 50 mil manos!
Efeito colateral que seu sistema fez.
Racionais, capítulo 4, versículo 3!

Ser um "preto tipo A", que desafia as estatísticas e continua vivo, é difícil. Ele deve fugir da violência, sempre, mas também resistir a muitas

outras seduções e tentações que transformam "um preto tipo A num neguinho". A única fonte de proteção é Deus, "que não deixa o mano aqui desandar". Mas se um jovem negro sobrevive no universo do desespero e das
tentações, ele é subversivo. Ele sabota o seu (nosso) raciocínio. E a sabotagem
parece ser múltipla. Ele sabota o sistema, as estatísticas, o raciocínio das
elites, o *status quo* racista que o destina a morrer na periferia. Ele sabota o
modelo de violência recíproca e indistinção que faz com que os irmãos ma-
tem uns aos outros. Mas ele também pode sabotar as maneiras usuais de
conceber a democracia e a esfera pública democrática, ao assumir uma posição de exclusão não negociável, ao desenhar rígidas fronteiras para a irmandade e ao colocar à prova o valor da tolerância e do respeito pelas diferenças. Eles sabotam a garantia de um projeto democrático que ignora o
dever de proteger os corpos dos subalternos.

Para os Racionais, o que define um "preto tipo A" é "atitude". Essa
expressão, que também está presente no léxico do hip-hop norte-americano,
adquire um papel mais proeminente e central no hip-hop de São Paulo. "Ter
atitude" significa comportar-se da forma adequada, da forma que, supostamente, ajudará uma pessoa a manter-se "no lado da vida". Isso significa
evitar drogas, álcool e o crime; ser leal aos seus "manos"; ter orgulho da raça
negra; ser viril; evitar um consumo ostensivo e a proximidade com as classes
mais altas; evitar a mídia de massa; ser fiel à periferia; ser humilde; manter
as mulheres à distância. Em outras palavras, a irmandade é mantida unida
por este código estrito de comportamento que aqueles que se consideram
seus porta-vozes não hesitam em aplicar em termos bastante autoritários;
como fazem no rap "Júri Racional", em que condenam rigorosamente um
negro considerado traidor da raça.

Da irmandade são excluídos não só as figuras mais óbvias (ricos, brancos, policiais, políticos) e aqueles com a atitude errada. Também estão excluídas as irmãs — todas as mulheres. Talvez a única mulher tratada com
respeito nos raps sejam as suas mães, que sofrem, choram por eles e lhes dão
caráter. Versos desprezando as mulheres são abundantes. A lista de defeitos
atribuídos a elas é mais detalhada do que aquela atribuída aos brancos ricos
e, muitas vezes, as palavras usadas para se referir a elas são mais ofensivas
(bem como aquelas usadas para se referir ao negro "traidor"). Há muitas
hipóteses possíveis para explicar tamanha ansiedade em relação às mulheres, um traço que também caracteriza o hip-hop norte-americano. É importante salientar que as mulheres na periferia parecem ter outra relação com a
situação de marginalidade, pois elas continuam a se educar, a entrar na
força de trabalho e procurar empregos, para sustentar e chefiar famílias,

Teresa Pires do Rio Caldeira

muitas vezes criando os filhos sozinhas. Eu argumentaria que a difamação das mulheres (mesmo das negras), bem como o severo julgamento do "traidor" negro, são partes da mesma tendência, a necessidade de policiar as fronteiras de uma comunidade que se mantém unida na base da "atitude" e onde não existe tolerância com as diferenças. Essa prática de policiamento é fácil quando se trata daqueles que são obviamente diferentes, mas torna-se uma tarefa pesada quando é preciso separar aqueles que são "iguais, mas nem tanto".

O medo constante da traição e o policiamento do comportamento são difundidos em um universo unido por fundamentos morais e no qual o dia a dia é altamente imprevisível, dada a incerteza econômica e a fragilidade da vida. O álbum duplo dos Racionais *Nada como um dia depois do outro dia* (2002) apresenta várias discussões sobre traição e inveja. Os raps reproduzem supostas acusações de pessoas que duvidam que os membros do grupo continuarão leais aos "manos", agora que são famosos. Há também a repetição da noção de que é muito difícil confiar nas pessoas, porque há sempre pessoas de mau caráter por toda parte. A confiança é imprescindível para manter a irmandade viva — mas como confiar nas pessoas se até Cristo, "que morreu por milhões", foi traído por um dos doze que andavam com ele e acabou chorando? No rap "Jesus chorou" (2002), eles expressam suas dúvidas, medos e vulnerabilidade na medida em que pedem por ajuda e evocam "gente que acredito, gosto e admiro, brigava por justiça e paz [e] levou tiro: Malcolm X, Gandhi, Lennon, Marvin Gaye, Che Guevara, Tupac, Bob Marley e o evangélico Martin Luther King...".

A periferia é um lugar de incertezas. Os *rappers* a caracterizam como um espaço de desespero. Por um lado, é um lugar de ostensiva desigualdade social e falta de oportunidades; por outro, um local onde a presença da morte é esmagadora. Em ambos os casos, é um lugar de incertezas. A geração de jovens a que os *rappers* pertencem cresceu em um momento em que a forte crença no progresso e na mobilidade social — que estruturou as vidas e as ações da geração anterior de moradores da periferia — havia desaparecido. Além disso, a cultura do trabalho que ancorava o senso de dignidade da classe trabalhadora — especialmente da parcela masculina — perdeu suas referências dentro do contexto de desemprego, trabalho informal e flexibilização das relações de trabalho. Quando a perda de referências combina-se com a presença constante do assédio policial e do assassinato dos amigos, "o dia a dia torna-se um perpétuo ensaio geral para a morte. O que está sendo ensaiado [...] é a efemeridade e evanescência das coisas que os seres humanos podem adquirir e dos laços que podem tecer", conforme afirma

Zygmunt Bauman.[7] Não é de se admirar, então, que sejam grandes as preocupações em relação a traição, lealdade, aparência e mau-olhado, e que a confiança seja algo a ser cuidadosamente construído e difícil de obter.

Analisando ansiedades semelhantes no *gangsta* rap, Paul Gilroy argumenta que elas sinalizam uma transformação na esfera pública negra, na qual "velhos modelos" são substituídos por uma nova "biopolítica" em que "a pessoa é identificada unicamente em termos do seu corpo" (Gilroy, 1994, p. 60). Na periferia de São Paulo, bem como nos guetos centrais das cidades norte-americanas, o corpo do homem negro está no centro da luta entre vida e morte, poder e impotência. Neste contexto, é possível entender por que o sexo está em primeiro plano e por que a misoginia e a preocupação com os limites da vida e da morte permeiam o rap.

À medida que antigas certezas sobre os limites fixados da identidade racial perderam seu poder de convencimento, a segurança ontológica capaz de responder a um senso do valor da vida radicalmente reduzido tem sido buscada no poder naturalizador das diferenças de gênero e no sexo, assim como na habilidade de enganar a morte e tirar a vida (Gilroy, 1994, p. 70).

DEMOCRACIA E ESPAÇOS FECHADOS

Nos últimos anos, numerosos movimentos no Brasil têm exposto as desigualdades e injustiças que condicionam a vida do trabalhador pobre e seus espaços. Os movimentos sociais dos anos 1970 e 80 são o exemplo mais conhecido. Mas seu ponto de vista tem duas diferenças cruciais em relação ao hip-hop. Em primeiro lugar, os movimentos sociais contrapõem as imagens negativas da periferia apresentando uma imagem positiva de si mesmos como membros de uma comunidade unida, "solidária", de famílias trabalhadoras e donas de propriedades. Em outras palavras, eles questionam o modo como são vistos pela elite, mas não os valores de propriedade e progresso dessa elite. A noção de comunidade unida eles aprenderam com a Teologia da Libertação. A ética do trabalho duro como uma ferramenta de aperfeiçoamento e garantia de dignidade estruturou a visão de mundo do trabalhador pobre durante todo o período de industrialização e urbanização de São Paulo. Em segundo lugar, eles articularam suas necessidades por meio de uma postura de inclusão. Colocaram-se dentro da esfera política e forçaram de fato a expansão de seus parâmetros para que pudessem

---

[7] Zygmunt Bauman, citado por Paul Gilroy (1994, p. 69).

Teresa Pires do Rio Caldeira

encaixar-se neles. Enunciaram sua desigualdade como base para sua exigência de direitos iguais. Nessa reivindicação, eles afirmaram a inclusão e o pertencimento.

A lei e o Estado, com os quais os moradores da periferia se envolveram e que os incorporaram durante o período de democratização, garantiram seus direitos políticos, melhoraram em parte seus espaços, e até protegeram seu direito à propriedade. Mas foram incapazes de proteger seus corpos e vidas, especialmente os dos homens negros. É essa vulnerabilidade e algumas rígidas restrições da inclusão da classe trabalhadora na democracia brasileira, e na vida social, que os Racionais e o movimento hip-hop expressam dramaticamente. Entretanto, ao fazer isso, eles põem a si mesmos numa posição de enclausuramento.

Os membros do hip-hop usam o único direito que imaginam possuir os negros pobres como eles — o direito da liberdade de expressão assegurado pela democratização — para tentar manter os manos unidos e ajudar a mantê-los vivos. Sob a rubrica da "atitude", eles engendram uma ética rígida (mesmo que às vezes duvidem dela e a contradigam):[8] nada de drogas, álcool, consumo ostensivo, contato com os brancos, confiança em mulheres e assim por diante. A irmandade produzida por sua ética e bom comportamento é mantida unida pela evocação de Deus (e, por vezes, dos orixás), pelo patrulhamento constante dos manos uns sobre os outros e pelo autoritário "julgamento racional". Não há outra instituição a não ser os dispersos grupos de hip-hop para articular as regras e o funcionamento da irmandade. Estes grupos evitam relações com organizações externas. Como diz Ferréz, um famoso escritor de Capão Redondo e um dos editores da literatura marginal: "É só eu e meu povo!... É nós por nós!".[9]

---

[8] Um fascinante tópico para discussão é a relação entre o movimento hip-hop e os diversos grupos pentecostais que possuem forte presença na periferia. Esse tópico incluiria uma comparação entre a influência da Igreja Católica (representada pela Teologia da Libertação) nos movimentos sociais e a influência do pentecostalismo evangélico no hip-hop.

[9] Apresentação de Ferréz durante o ciclo de debates "Metropolis XXI", realizado em Ágora, São Paulo, em 18 de novembro de 2002. Ver também seu livro *Capão Pecado* (Labortexto, 2000). Uma questão que precisaria de maior elaboração é a influência do hip-hop norte-americano na constituição do imaginário da periferia enquanto gueto. As periferias brasileiras nunca constituíram um gueto no sentido norte-americano, e os moradores de São Paulo, ricos e pobres, nunca antes haviam concebido as periferias como um espaço fechado e excluído, semelhante ao gueto norte-americano. Entre os membros do hip-hop, contudo, a imagem do gueto (norte-americano) é comum e deve estar moldando sua percepção e a construção de seu isolamento.

Sem dúvida, os jovens moradores negros da periferia têm muitas razões para o ceticismo quando se trata de assistência e instituições. Sem dúvida, também, é difícil para eles considerar noções como justiça, direitos e pertencimento — do modo como são articuladas pelas instituições do Estado democrático — relevantes para si próprios. Contudo, é importante notar que eles evocam os mesmos preceitos, rearticulados, como parte de sua ética. Entretanto, o seu autoenclausuramento e a sua intolerância com as diferenças (qualquer diferença, de fato; lembre-se o caso das mulheres) estabelecem limites para o tipo de comunidade e políticas que eles possam criar. Eles pensam a periferia como um mundo à parte, algo similar ao gueto norte-americano, um imaginário que nunca foi utilizado antes no Brasil para pensar as periferias. Além disso, democracia não é uma palavra de seu léxico; é de fato uma noção que pertence ao outro lado, ao lado da sociedade branca e rica. Suas evocações da justiça não são necessariamente feitas em termos de cidadania e estado de direito — como eram as dos movimentos sociais (e, nesse sentido, seus clamores por justiça têm, por vezes, uma preocupante similaridade com o modo como os comandos do crime organizado usam os mesmos preceitos). É uma ordem moralista, onde não existe lugar para a diferença. É também uma ordem na qual as noções de justiça e direitos estão desconectadas, uma vez que a primeira é articulada em termos religiosos e a segunda se refere a uma noção de cidadania.[10] Desse modo, ela fornece outra indicação de como noções que muitas teorias sobre a democracia assumem como coexistentes são, na realidade, articuladas de formas inesperadas em diferentes contextos sociais.

A construção de uma postura de autoenclausuramento pelo movimento hip-hop torna-se especialmente problemática quando se considera que é

---

[10] Seria muito interessante comparar a articulação moralista de justiça do hip-hop com aquela do Estado corporativista entre os anos de 1940 e 1960. Com Getúlio Vargas, os trabalhadores aprenderam que tinham direitos. A ordem corporativista que ele instaurou foi baseada na criação de direitos trabalhistas. Contudo, a lei não era universal. Ao invés disso, ela criou diferentes categorias de trabalhadores, com diferentes acessos a seus direitos. Basicamente, os trabalhadores com direitos trabalhistas assegurados eram aqueles com um contrato de trabalho legal e uma profissão reconhecida pelo Estado. Para o trabalhador comum, entretanto, os direitos eram vistos como universais, mas distribuídos de acordo com um critério moral: eles eram "dados" por bons empregadores aos empregados que os mereciam. A noção popular era que, para ter direitos, o trabalhador deveria ser (moralmente) correto e ter suas qualidades reconhecidas por um bom patrão. Essa visão era a predominante nas periferias até os anos 1980, e só foi transformada pelos movimentos trabalhistas dos anos 1970 e 80, associados aos movimentos sociais. Discuto esta noção em Caldeira, 1984, cap. 4.

Teresa Pires do Rio Caldeira

paralela a outras práticas de enclausuramento pelas classes superiores. Há algum tempo, grupos das classes altas vêm criando espaços de isolamento para suas atividades, sejam elas de residência, trabalho, entretenimento ou consumo. Estão isolados em enclaves fortificados, mantidos sob vigilância de seguranças particulares (ver Caldeira, 2000). Quando os dois lados do muro veem a si mesmos como encerrados e autossuficientes, quais são as chances da democratização? Quais são as chances de construção de uma cidade menos desigual e segregada, e de um espaço público democrático, quando se evoca a intolerância para construir as comunidades em ambos os lados dos muros?

Bibliografia

CALDEIRA, Teresa Pires do Rio (1984). *A política dos outros: o cotidiano dos moradores da periferia e o que pensam do poder e dos poderosos*. São Paulo: Brasiliense.

_____ (2000). *Cidade de muros: crime, segregação e cidadania em São Paulo*. São Paulo: Editora 34/Edusp.

CALDEIRA, Teresa Pires do Rio; HOLSTON, James (1999). "Democracy and Violence in Brazil". *Comparative Studies in Society and History*, vol. 41, nº 4, pp. 691-729.

FERRÉZ (2000). *Capão Pecado*. São Paulo: Labortexto Editorial.

GILROY, Paul (1994). "'After the Love has Gone': Bio-Politics and Etho-Poetics in the Black Public Sphere". *Public Culture*, vol. 7, pp. 49-76.

GIRARD, René (1977). *Violence and the Sacred*. Baltimore: Johns Hopkins University Press.

JORGE, Maria Helena Prado de Mello (2002). "Violência como problema de saúde pública". *Ciência e Cultura*, vol. 54, nº 1, pp. 52-3.

KEHL, Maria Rita (2000). "A fratria orfã: o esforço civilizatório do rap na periferia de São Paulo". In: KEHL, Maria Rita (org.). *Função fraterna*. Rio de Janeiro: Relume Dumará.

KELLEY, Robin D. G. (1996). "Kickin' Reality, Kickin' Ballistics: Gangsta Rap and Postindustrial Los Angeles". In: PERKINS, William Eric (org.). *Droppin' Science: Critical Essays on Rap Music and Hip-Hop Culture*. Filadélfia: Temple University Press.

MITCHELL, Tony (org.) (2001). *Global Noise: Rap and Hip-Hop Outside the USA*. Middletwon: Wesleyan University Press.

ROSE, Tricia (1994). *Black Noise: Rap Music and Black Culture in Contemporary America*. Middletown: Wesleyan University Press.

Discografia

RACIONAIS MC'S (1991). *Holocausto urbano*. Zimbabwe.

_____ (1992). *Escolha o seu caminho*. Zimbabwe.

_____ (1993). *Raio-X do Brasil*. Zimbabwe.

_____ (1997). *Sobrevivendo no inferno*. Cosa Nostra.

_____ (2002). *Nada como um dia depois do outro dia*. Cosa Nostra.

13

Homicídios: guias para a interpretação da violência na cidade[1]

Paula Miraglia

O Brasil ocupa hoje um lugar incômodo no topo do ranking dos países mais violentos do mundo. Enquanto a média na Europa é de 5 homicídios para cada 100 mil habitantes, a taxa nacional está próxima dos 30 para cada 100 mil. Mas se os homicídios são os responsáveis pela marcha acelerada da violência letal no país desde a década de 1980, o número assustador de mortes não é um fenômeno isolado. Ele faz parte de um quadro mais agudo de violência e de criminalidade, constituído no país ao longo das últimas décadas.

No caso brasileiro, ainda é preciso atentar para um dado em particular. Enquanto a média das taxas de homicídio no país relativas ao conjunto da população permaneceram estáveis entre 1980 e 2002 (o crescimento foi para cada 100 mil habitantes — de 21,3 para 21,7), podemos observar um aumento gritante dos números quando recortamos a faixa etária. Entre os jovens, no mesmo período, as taxas saltaram de 30 para 54,5. Isto é, o crescimento do número de homicídios nas últimas décadas no Brasil está imediatamente relacionado ao aumento do número de homicídios contra a juventude (Waiselfiszs, 2004a).[2] Com efeito, o quadro de violência descrito tem um protagonista: as grandes vítimas e agentes dos homicídios hoje no Brasil são jovens, entre 15 e 24 anos, homens, negros ou pardos, moradores da periferia das grandes cidades.

As cidades brasileiras permanecem sendo um retrato das disparidades sociais do país, sendo constituídas como espaços de profunda segregação

---

[1] Trechos desse artigo foram extraídos da tese de doutorado "Cosmologias da violência: entre a regra e a exceção — uma etnografia da desigualdade em São Paulo", defendida no Departamento de Antropologia da USP.

[2] Para efeitos comparativos entre países, cidades e distritos, ao longo desse capítulo, ao invés do número absoluto de crimes, são utilizadas taxas que indicam o número de homicídios por 100 mil habitantes de uma determinada região.

territorial e social. Todavia, é inegável que os últimos 25 anos sintetizaram no Brasil um processo de urbanização dos grandes centros metropolitanos traduzido, não apenas, mas também, numa melhora dos serviços e condições de vida na periferia (Caldeira, 2000; Marques e Torres, 2005). Nos últimos anos, inclusive, indicadores econômicos apontam para uma redução também nos níveis de desigualdade no país (Paes de Barros e Carvalho, 2006).

Nesse mesmo período, a nação assistiu ao fortalecimento das suas instituições democráticas. As sucessivas eleições, o processo de *impeachment* do então presidente Fernando Collor de Melo em 1992, o plebiscito sobre o regime e sistema de governo no Brasil em 1993, o referendo em 2003 acerca da proibição do comércio de armas e a criação das ouvidorias de polícia a partir de 1995, são alguns exemplos nesse sentido. O fortalecimento da sociedade civil, a proliferação das organizações não governamentais, o aumento dos espaços e mecanismos institucionalizados de reivindicação e participação popular, são processos que, com todas as suas falhas e fragilidades, também enunciam a consolidação da democracia no país.

Conjugar tais informações é relevante uma vez que a violência também é compreendida como uma questão de desenvolvimento econômico e social em função de seus custos e impactos variados. Diante de um quadro de reconhecidos avanços democráticos e sociais, o aumento das taxas de criminalidade aparece como um elemento dissonante, como um contraponto que injeta complexidade a esses processos.

As taxas elevadas de crimes, traduzidas na proliferação dos roubos, furtos, sequestros e mortes violentas, promoveram, além da própria criminalidade, a consolidação do medo e da sensação de insegurança como dados da vida urbana. Tais temas ganharam centralidade progressiva ao longo dos anos e, hoje, é possível dizer que a violência assim como a segurança converteram-se em elementos fundamentais para caracterizar e compreender o desenvolvimento dos grandes centros urbanos brasileiros — tanto do ponto de vista das relações sociais quanto da sua configuração espacial. Novos padrões de sociabilidade são estabelecidos, recriando leituras e percepções acerca da cidade, dos seus espaços públicos, da sua organização espacial e arquitetônica e da própria oposição entre centro e periferia.

Incorporada ao dia a dia, a violência se transfigura e se apresenta de muitas formas, e por isso é tão difícil apreendê-la de imediato. Para além dos crimes, a violência está nas conversas informais cotidianas, nas denúncias de violações de direitos, no medo das mães que, nas periferias, evitam deixar que seus filhos frequentem a rua sem supervisão, na má conservação das escolas públicas, na presença da criminalidade organizada, no esvaziamento

Paula Miraglia

dos espaços públicos, na fragilidade das instituições responsáveis pela justiça e segurança — e, desse modo, ela pode ser associada a mais uma infinidade de temas, contextos e questões.

Uma dimensão menos palpável do fenômeno, mas igualmente relevante, é a maneira como a população percebe a violência. Sabemos que não há uma correspondência factual entre violência real e violência percebida. Em outras palavras, ainda que o crescimento da criminalidade não promova um aumento proporcional nos riscos de vitimização, ele provoca um aumento da sensação de insegurança. Vivemos como se a violência estivesse igualmente em toda parte, quando ela de fato não está. Organizamos o cotidiano como se corrêssemos os riscos correspondentes às taxas de criminalidade. Sabemos, porém, que se o medo se espalha de maneira mais uniforme, a violência é vivida de maneira extremamente desigual: um rápido olhar para os mapas de distribuição da criminalidade em São Paulo, por exemplo, mostra que os bairros mais centrais da cidade concentram os crimes contra o patrimônio, enquanto as periferias sofrem a maioria dos crimes contra a pessoa.

Diante desse cenário, o fenômeno dos homicídios, ainda que não expresse a criminalidade urbana na sua totalidade, torna-se um bom referencial para refletir sobre ela. Em primeiro lugar, porque, como vimos, estamos falando de números extremamente elevados que desafiam as políticas de segurança pública. De imediato nos interpelam sobre sua condição de sintoma de uma sociedade que se tornou mais violenta ao longo da sua história recente.

Além disso, trata-se de um crime que implica uma relação, algum tipo de interação e sociabilidade entre autor e vítima. E, deste modo, ao mesmo tempo em que dialoga com condições estruturais, carrega, na história de cada crime, histórias particulares, tocando em temas variados seja da biografia do autor e da vítima, seja dos contextos nos quais aconteceram.

Na medida em que atingem de maneira especial um segmento específico da população e se concentram, em sua maioria, em determinadas regiões das cidades, os homicídios são também ilustrações valiosas da desigualdade com a qual a violência é distribuída nos grandes centros urbanos. Mais do que isso, são a expressão de uma economia de riscos bastante específica.

Do ponto de vista metodológico, vale lembrar que no Brasil, onde as estatísticas criminais ainda não são uma fonte homogênea no que diz respeito à qualidade de seus dados, o estudo dos homicídios tem sido privilegiado uma vez que esse é o crime que apresenta menos problemas relativos à subnotificação. No caso específico do Estado de São Paulo, desde 1995 há uma lei que obriga a Secretaria de Segurança Pública a publicar, trimestralmente, as estatísticas criminais do Estado, registradas a partir das ocorrências. A lei permite que, além do poder público, a sociedade civil acompanhe o comportamento da criminalidade em São Paulo, bem como a própria atividade do Estado e das suas forças policiais. Os números divulgados são relativos aos homicídios dolosos, culposos, tentativas de homicídio, lesões corporais, latrocínios, estupros, sequestros, tráfico de entorpecentes, roubos e furtos, número de armas apreendidas pelas polícias. Além desses casos, também são divulgados os números das seguintes ocorrências envolvendo policiais militares e/ou policiais civis: pessoas mortas ou feridas em confronto com policiais e pessoas mortas e feridas em outras situações que não confronto — especificando se os policiais estavam de folga ou em serviço. São divulgados também o número de policiais, civis e militares, mortos em serviço, mortos em folga, feridos e, finalmente, número de prisões efetuadas pela Polícia Civil e pela Polícia Militar. Mesmo assim, a qualidade dos dados, bem como a sua veracidade, são alvos permanentes de polêmicas e controvérsias.[3]

Por fim, mais recentemente, a redução nas taxas de homicídios em São Paulo tem sido objeto de debate entre acadêmicos, formuladores de políticas, mídia e opinião pública, revelando a diversidade de atores interessados e implicados com a temática da criminalidade urbana na cidade. Nesse sentido, a queda no número de mortes para além da sua dimensão sociológica ganha também interesse enquanto mapa político-institucional da violência.

Este capítulo parte da evolução do número de homicídios em São Paulo para compreender dinâmicas sociais mais amplas envolvidas e produzidas pelo fenômeno da violência urbana, identificar atores e demonstrar como a violência nos moldes como vem sendo praticada é uma ferramenta poderosa de reprodução de desigualdades.

Vale aqui a ressalva de que, como está amplamente registrado pela bibliografia brasileira (cf. Caldeira, 2000; Bretas, Poncioni, 1999; Cardia, 1997; Kant de Lima, 1989, 1995; Lemgruber, Musumeci, Cano, 2003; Mesquita Neto, 1999; Pinheiro, 1982; Soares, 2000), a violência institucional, particularmente aquela provocada pela polícia, é responsável até hoje por um número expressivo de mortes e uma série de abusos e violações de direitos. Sem desconsiderar a sua centralidade para o debate acerca da violência e criminalidade no país, este capítulo optou por não tratar desse tema de maneira específica.

---

[3] Para uma análise sobre produção de informações no campo da Segurança Pública, ver Lima, 2005.

Paula Miraglia

SÃO PAULO E O QUADRO DAS MORTES VIOLENTAS

A violência no Brasil, sobretudo aquela associada aos processos de urbanização ou de constituição das cidades, não é um dado novo. Em seu livro *Crime e cotidiano*, o cientista político e historiador Boris Fausto (2001) analisa a criminalidade em São Paulo entre os anos de 1880 e 1924. Ainda que o número de crimes seja extremamente inferior ao que encontramos hoje em dia, e os tipos de crime ou os instrumentos empregados na perpetração da violência descrevam outros padrões, já naquela época as mudanças vividas pelo cenário urbano parecem ter tido um papel relevante. O período foi caracterizado por um crescimento econômico intenso, somado a um aumento da população vivendo nas cidades, que, junto com o processo de imigração, segundo o autor, contribuíram para o processo de transformação da cidade de São Paulo, já em 1924, em um grande e importante centro urbano, o segundo maior do país.

O estudo indica o engajamento de parcelas específicas da população na criminalidade, seja como vítimas, seja como autores. Partindo dos tipos de crime e sua relação com o processo de urbanização e os problemas daí advindos, a pesquisa é capaz de falar da estratificação social na época. Os crimes eram associados à malandragem, aos imigrantes, ou localizados em espaços específicos, como os cortiços. Tais espaços ou personagens associados ao crime ajudavam a construir um determinado discurso social acerca da criminalidade. Ainda segundo o autor, a penalização também aparece como instrumento de controle e de classificação de determinadas classes sociais.

Em larga medida, esses são argumentos que nos ajudam a pensar o cenário contemporâneo. A violência na condição de tema do cotidiano está presente de forma difusa nas cidades brasileiras e, além da própria violência em si, suas derivações — o medo, a sensação de insegurança e o aparato de proteção particular, para citar alguns exemplos — desempenham um papel importante na caracterização das metrópoles brasileiras.

Sabemos, contudo, que essa suposta dispersão deve ser tratada com cautela. Trata-se sem dúvida de uma temática urbana, muitas vezes comparada a outros problemas da vida nas cidades (Zaluar, 1994b), tais como a saúde, a educação ou o saneamento. A leitura e compreensão do fenômeno, entretanto, são menos generosas, e associam sem muitas mediações violência e criminalidade violenta à imagem da periferia, privilegiando sua condição de algoz. Em se tratando da cidade de São Paulo, é preciso considerar, além das dimensões epistemológicas da categoria, a própria geografia da cidade. Ao falarmos de periferias estamos nos referindo duplamente às regiões pobres da cidade e também às suas franjas geográficas, localizadas longe do centro físico de São Paulo. Regiões que nos interessam aqui em função das suas altas taxas de homicídios.

A seguir são apresentadas estatísticas relativas aos homicídios cometidos em São Paulo no período compreendido entre 1993 e 2005, e gráficos que trazem as taxas por 100 mil habitantes.

O Gráfico 1 permite uma comparação entre as taxas de homicídios de São Paulo e do Brasil.

Gráfico 1
TAXA DE ÓBITO POR HOMICÍDIOS NA POPULAÇÃO TOTAL
Estado de São Paulo, Município de São Paulo e Brasil, 1993-2006

	1993	1994	1995	1996	1997	1998	1999	2000	2001	2002	2003	2006
Município de São Paulo												
	44,2	46,1	56,4	57,8	56,7	61,1	69,1	64,8	63,5	52,6	52,4	23,7
Estado de São Paulo												
	28,2	30,1	34,3	36,2	36,1	39,7	44,1	42,0	41,8	37,9	35,9	19,9
Brasil												
	20,3	21,4	24,0	24,4	25,0	25,9	26,3	26,7	27,8	28,4	28,8	25,7

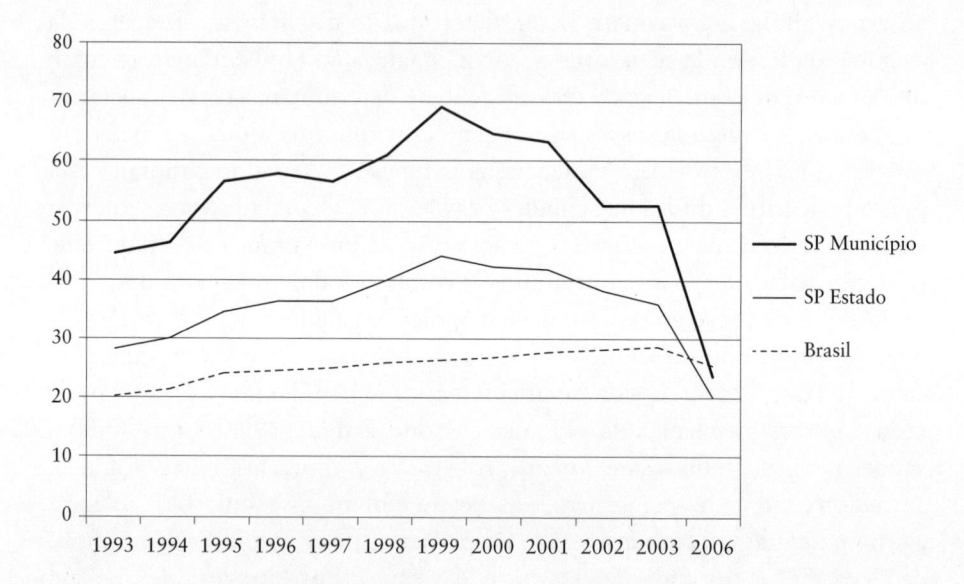

Fonte: Mapa da Violência de SP, MS/SVS/DASIS/SIM. Mapa da Violência dos Municípios Brasileiros 2008, SIM/SVS/MS.

Paula Miraglia

A comparação é importante na medida em que mostra como São Paulo, seja o Estado, capital ou a região metropolitana, tem taxas que se destacam no cenário nacional, caracterizando uma região particularmente violenta. A média brasileira já é alta em relação a outros países, mas o caso de São Paulo é ainda mais notável nesse sentido.

No entanto, os dados do Gráfico 1 mostram também como, diferente da média nacional, as taxas de São Paulo começam a cair a partir de 2000, enquanto que as taxas brasileiras, ainda que permaneçam menores do que as de São Paulo, cresceram de forma sistemática durante o mesmo período.

O Gráfico 2 mostra em detalhes as diferenças entre as taxas de homicídios das unidades da Federação.

Gráfico 2
TAXA DE ÓBITO POR AGRESSÃO POR ESTADO
São Paulo, Rio de Janeiro, Espírito Santo e Pernambuco, 2000-2006

Estado	2000	2001	2002	2003	2004	2005	2006
São Paulo	42,0	41,8	37,9	35,9	28,5	21,6	19,9
Rio de Janeiro	50,9	50,4	56,3	52,5	49,0	46,0	45,6
Espírito Santo	46,2	46,0	51,3	50,1	49,1	47,0	50,9
Pernambuco	54,1	58,8	54,3	55,3	50,7	51,4	52,6

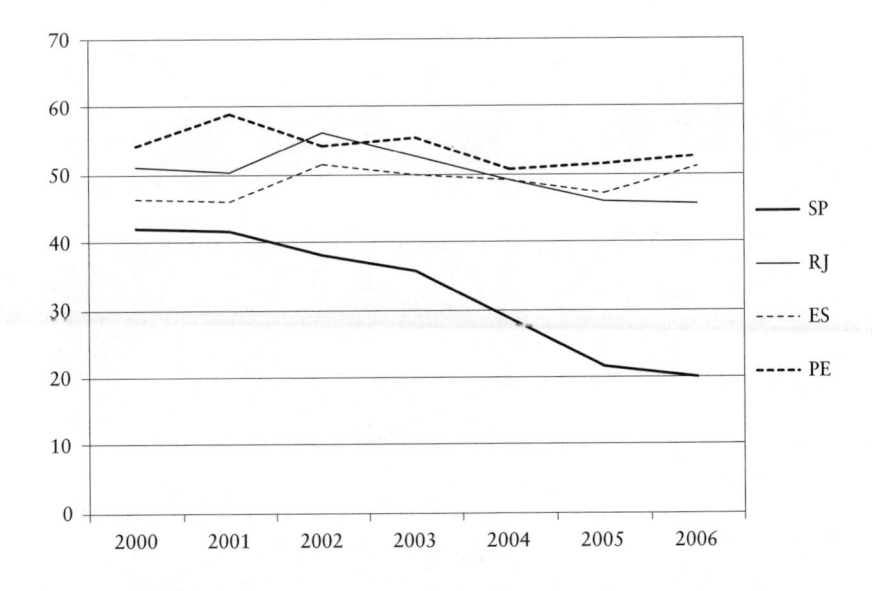

Fonte: NEV/SIM/DATAUS/Seade.

Aqui foram selecionados os estados mais violentos do país. Nesse conjunto, São Paulo já aparecia com a menor taxa em 2000 (42,0) e, ao longo dos seis anos seguintes, também foi o estado que observou a maior redução nas taxas de óbitos por agressões. Como mostram os dados, a redução, quando ocorre, nos restante dos estados é discreta. No Espírito Santo, por exemplo, a taxa de 2006 (50,9) é menor do que a dos anos anteriores, mas é maior do que a taxa de 2000.

Gráfico 3
TAXA DE ÓBITO POR HOMICÍDIOS NA POPULAÇÃO TOTAL
Estado, Região Metropolitana e Bairros de São Paulo, 1996-2007

1996	1997	1998	1999	2000	2001	2002	2003	2004	2005	2006	2007
Estado de São Paulo											
36,6	35,6	39,0	43,2	42,0	41,8	39,9	35,9	28,5	21,6	19,9	15,3
Região Metropolitana											
55,1	54,1	58,6	65,2	59,4	57,9	55,2	48,3	37,0	27,6	24,0	17,8
Alto de Pinheiros											
14,8	10,7	10,9	15,4	18,0	6,8	11,4	6,9	4,7	7,1	0,0	7,3
Capão Redondo											
79,0	84,7	73,6	79,9	83,6	85,8	85,8	67,0	56,0	36,5	28,5	19,2
Jardim Ângela											
97,7	90,9	102,6	115,5	118,3	99,3	99,2	81,1	64,5	43,7	33,2	26,6

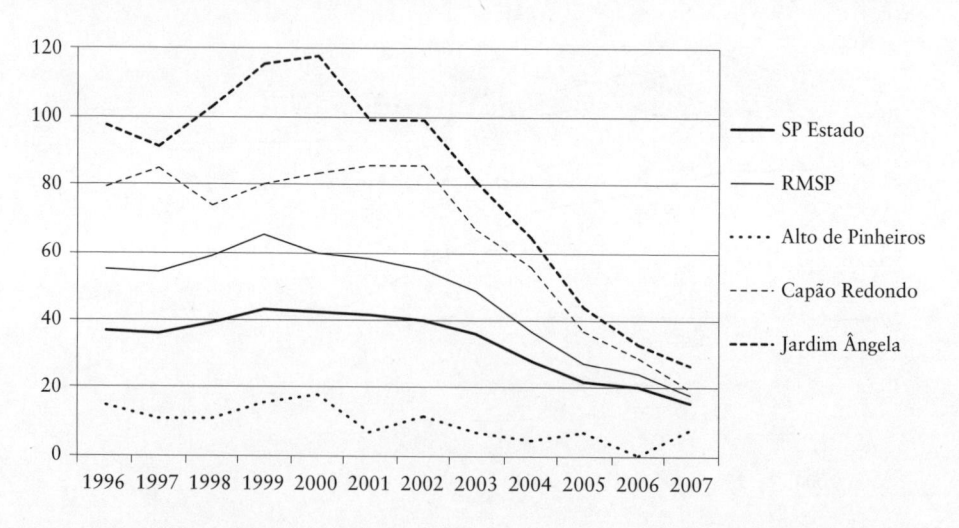

Fonte: Fundação Seade.

Paula Miraglia

O Gráfico 3 traz as taxas de homicídios para a população total do Estado de São Paulo, para a região metropolitana e para três bairros: Alto de Pinheiros, localizado numa região residencial e rica da cidade, e Capão Redondo e Jardim Ângela, ambos na Zona Sul de São Paulo, ambos distritos vulneráveis em função das condições socioeconômicas, qualidade dos serviços públicos e acesso a cidade que os caracterizam.

Além do número elevado de mortes como um todo, as taxas revelam, em primeiro lugar, a desproporcionalidade do número de mortes quando comparamos diferentes regiões da cidade. Há uma grande diferença entre as taxas do Jardim Ângela e do bairro de Alto de Pinheiros no que se refere ao número de mortes. O risco que um morador do primeiro distrito tem de morrer, mesmo com a redução das taxas na cidade como um todo e no próprio Jardim Ângela, é cerca de quatro vezes maior do que o de um morador de Alto de Pinheiros.

Mas, além disso, o acompanhamento da série histórica revela como, com exceção do Capão Redondo, os homicídios começam a cair em São Paulo a partir de 2001 e as taxas tornam-se menos díspares ao longo do tempo. Acompanhando a curva decrescente, nota-se como a queda no número de mortes é mais acentuada no Jardim Ângela, mas que, ainda assim, o distrito tinha em 2007 uma taxa (26,6) maior do que a do seu vizinho, o Capão Redondo (19,2), e quase duas vezes a do Estado de São Paulo.

Finalmente, os Gráficos 4 e 5 reúnem informações para explicitar um dos argumentos que vêm sendo construídos ao longo deste trabalho.

Gráfico 4
TAXA DE ÓBITO POR HOMICÍDIOS NA POPULAÇÃO JOVEM
Município, Região Metropolitana e Estado de São Paulo, 1993-2003

	1993	1994	1995	1996	1997	1998	1999	2000	2001	2002	2003
Município de São Paulo											
	95,2	106,6	115,3	112,2	112,3	122,3	139,1	138,8	133,5	114,2	113,9
Região Metropolitana											
	90,5	103,5	109,1	105,9	106,3	117,0	130,5	128,1	122,0	112,5	107,7
Estado de São Paulo											
	56,9	64,5	67,0	67,8	70,0	79,2	89,0	89,6	85,6	81,0	76,0

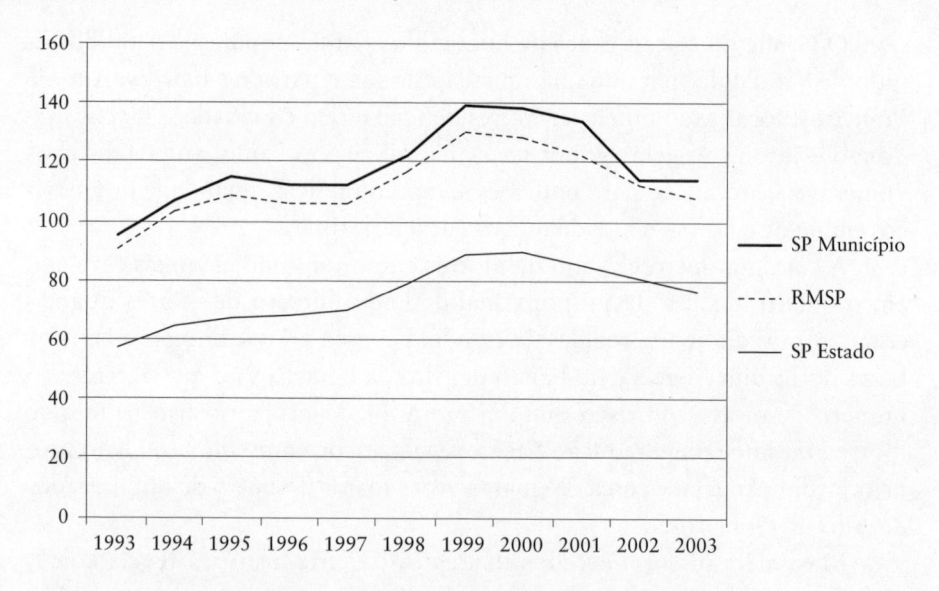

Fonte: Mapa da Violência de SP, MS/SVS/DASIS/SIM.

Parte de um país com taxas elevadas de homicídios, quando comparado a outros países do mundo, São Paulo, a despeito da queda dos homicídios, se destaca como um Estado especialmente violento, tendo como vítimas privilegiadas dessa categoria de violência interpessoal os jovens.

Gráfico 5
TAXA DE ÓBITO POR HOMICÍDIOS NA POPULAÇÃO TOTAL E JOVEM
Município, Região Metropolitana, Estado de São Paulo e Brasil, 1993-2003

	1993	1994	1995	1996	1997	1998	1999	2000	2001	2002	2003
Município de São Paulo (população total)											
	44,2	46,1	56,4	57,8	56,7	61,1	69,1	64,8	63,5	52,6	52,4
Município de São Paulo (população jovem)											
	95,2	106,6	115,3	112,2	112,3	112,3	139,1	138,8	133,5	114,2	113,9
Região Metropolitana											
	43,3	46,6	54,3	55,8	54,6	59,2	66,4	63,3	61,9	53,6	51,1
Estado de São Paulo											
	28,2	30,1	34,3	36,2	36,1	39,7	44,1	42,2	41,8	38,0	35,9
Brasil											
	20,3	21,4	24,0	24,4	25,0	25,9	26,3	26,7	27,8	28,4	28,8

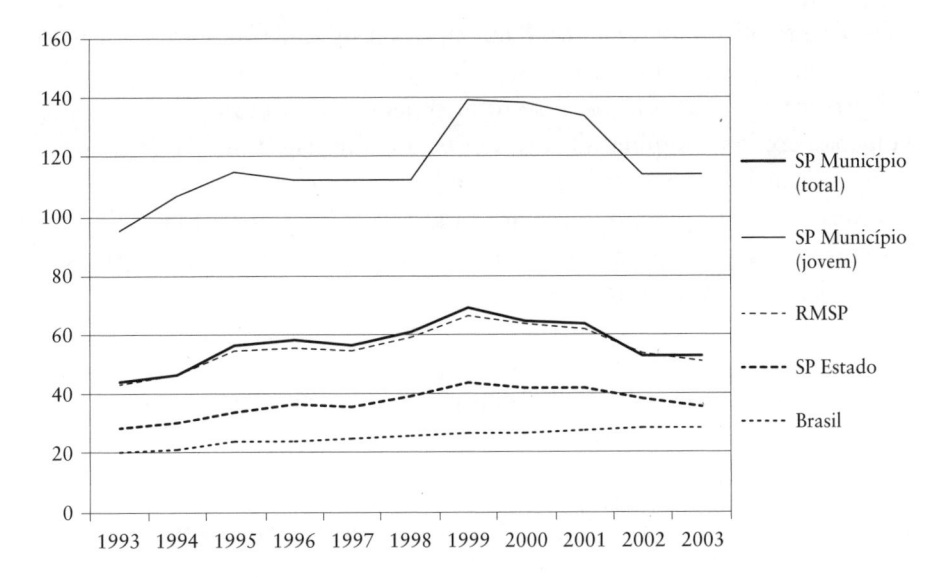

Fonte: Mapa da Violência de SP, MS/SVS/DASIS/SIM.

A distância entre as curvas dos gráficos deixa explícito o elevado grau de vitimização dos jovens em relação ao restante da população.

Esses números ajudam a compor um perfil das mortes. Dados como local, faixa etária e sua evolução são fundamentais para compreender as histórias associadas a esses crimes. Delimitar sua magnitude nos ajuda a acompanhar de que maneira esse tipo de violência foi sendo incorporado à história da cidade e do país.

Antes de nos debruçarmos sobre as dinâmicas envolvidas nessas mortes, é preciso chamar a atenção para um elemento particular da violência perpetrada no país: a difusão das armas de fogo.

No Brasil, entre 1979 e 2003, mais de 550 mil pessoas foram vítimas de mortes provocadas por algum tipo de arma de fogo. Nesse mesmo período, enquanto a população total do país crescia 51,8%, o número de pessoas vítimas de armas de fogo cresceu 461,8%, sendo os homicídios os responsáveis primordiais por esse aumento (Waiselfisz, 2005). As estatísticas do Departamento de Homicídios e Proteção à Pessoa (DHPP) apresentadas mais adiante neste capítulo corroboram esses números: as armas de fogo foram o objeto empregado em 89% dos homicídios analisados. Comparado com outros países, o Brasil desponta como um dos líderes de mortes causadas por armas de fogo. Os números são contundentes: partindo dos dados do DATASUS do Ministério da Saúde referentes a 2002, a médica Luciana Phebo

(2005) contabilizou um total de 38 mil mortes provocadas por armas de fogo naquele ano, seja por homicídio, suicídio ou disparos acidentais.

Em números absolutos, esse total supera outros países considerados violentos, como Colômbia, El Salvador e África do Sul. Em relação à população, o Brasil ocupa o 4º lugar no ranking mundial de mortalidade por projéteis de armas de fogo. No país, o risco de morrer por armas de fogo é 2,6 vezes mais alto do que no restante do mundo, sendo essas mortes em 90% dos casos homicídios.

Tabela 1
MORTES CAUSADAS POR ARMAS DE FOGO
População total e jovem, 1979-2003

Ano	População total	Mortes por armas de fogo	%	População jovem	Mortes por armas de fogo	%
1979	711.742	6.993	1,0	28.018	2.208	7,9
1980	750.727	8.710	1,2	31.986	2.924	9,1
1981	750.276	9.320	1,2	32.519	3.042	9,4
1982	741.614	9.045	1,2	32.155	2.881	9,0
1983	771.203	10.830	1,4	33.168	3.449	10,4
1984	809.825	12.578	1,6	35.081	4.135	11,8
1985	788.231	13.488	1,7	35.482	4.676	13,2
1986	811.556	14.869	1,8	38.504	5.244	13,6
1987	799.621	16.092	2,0	37.345	5.510	14,8
1988	834.338	17.126	2,1	37.343	6.064	16,2
1989	815.774	20.440	2,5	40.411	7.672	19,0
1990	817.284	20.614	2,5	39.199	7.495	19,1
1991	803.836	21.550	2,7	38.769	7.653	19,7
1992	827.652	21.086	2,5	37.509	7.193	19,2
1993	878.106	22.742	2,6	39.296	8.171	20,8
1994	887.594	24.318	2,7	41.566	8.845	21,3
1995	893.877	26.763	3,0	42.932	9.694	22,6
1996	908.883	26.481	2,9	43.356	9.506	21,9
1997	903.516	27.753	3,1	44.076	10.442	23,7
1998	929.023	30.181	3,2	44.664	11.574	25,9
1999	938.658	31.198	3,3	44.712	12.264	27,4
2000	946.392	43.539	4,6	45.875	17.872	39,0
2001	960.614	37.090	3,9	45.808	15.075	32,9
2002	981.900	37.938	3,9	48.096	15.788	32,8
2003	1.001.475	39.284	3,9	47.577	16.345	34,4

Fonte: MS/SVS/DASIS/SIM/Unesco.

Paula Miraglia

A Tabela 1 mostra a marcada prevalência das mortes por armas de fogo entre a população jovem em comparação à população total, e mostra também como a evolução das mortes é maior entre essa faixa etária.

Algumas análises recentes (Kahan, Zanetic, 2006; Waiselfisz, 2005) tentam estabelecer a correlação entre o grande número de armas em circulação no Brasil e os altos índices de violência letal existentes no país. Experiências internacionais tais como as da Austrália e de Bogotá (para citar cenários distintos) mostram que o controle do comércio e a consequente redução das armas em circulação resultam na redução das mortes.

Não são poucos os estudos brasileiros que destacam a proliferação das armas de fogo e o consequente acesso facilitado que jovens têm a esse aparato em regiões pobres como um fator que contribui de maneira determinante para o aumento da violência.[4] No entanto, mesmo diante de números tão incisivos, e da obviedade implícita à relação entre armas e letalidade, não é possível esboçar com precisão os termos em que se dá a interação entre esses dois elementos. As armas não podem ser tomadas como a causa de fundo da violência, mas apenas como um potencializador — poderoso, é claro — da mortalidade dos conflitos.

Sua presença na periferia, contudo, deve ser entendida também como uma manifestação da ilegalidade e seu grau de difusão. A entrada das armas de fogo está conjugada com o tráfico de drogas, com o tráfico e mercado ilegal de armamento e com o fluxo de armas originalmente legais roubadas em outros tipos de crime, que passam a ser ilegais quando desaguadas na periferia. A disponibilidade das armas de fogo, além de aumentar a chance de um desfecho letal para os conflitos, enfatiza a ineficácia da lei e dos mecanismos de controle e regulamentação.

Por fim, é importante ressaltar que ainda que, em relação aos homicídios, tema central desse artigo, os crimes contra o patrimônio, de modo geral, observam um comportamento distinto. Em primeiro lugar, esse tipo de crime não está restrito às franjas da cidade, mas afeta os bairros centrais de maneira bastante acentuada. Além disso, eles não beneficiaram da queda relatada para os homicídios. O Gráfico 6, por exemplo, mostra como os roubos (não incluído o roubo de veículos) tiveram uma queda discreta ou permaneceram estáveis no mesmo período. É possível dizer que os crimes contra o patrimônio são os principais responsáveis pelo medo e a sensação de insegurança. Assim, mesmo que São Paulo tenha se convertido numa ci-

---

[4] Entre muitos estudos, podemos citar Peralva, 2000; Soares, Bill, Athayde, 2005; Zaluar, 1999.

dade com menos riscos em relação à ocorrência de homicídios, a manutenção das altas taxas de crimes contra o patrimônio, fez com que ela não se tornasse, necessariamente, numa cidade percebidamente mais segura.

Gráfico 6
NÚMERO DE OCORRÊNCIAS DE ROUBO
Município de São Paulo, 1999-2008

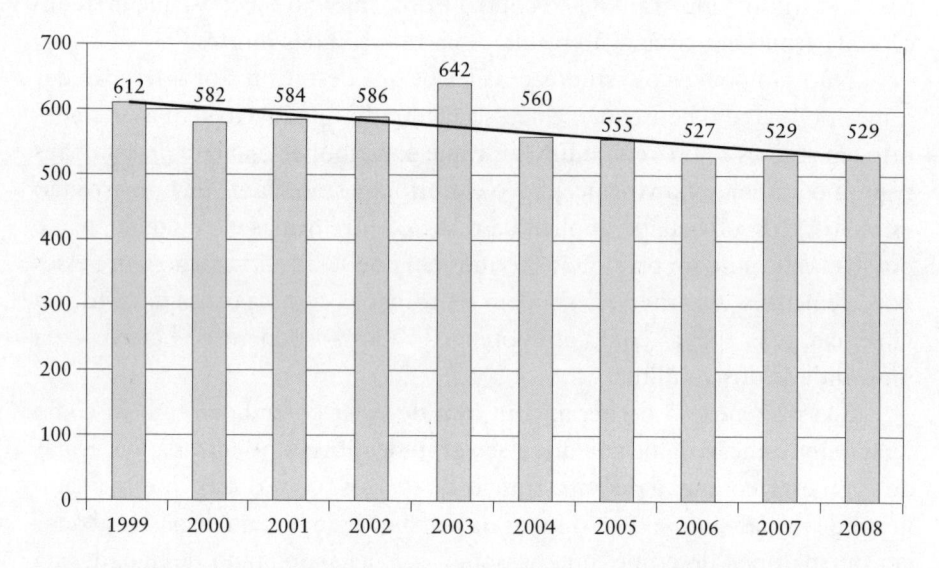

Fonte: Secretaria de Segurança Pública de São Paulo, Estudos Criminológicos/Versão 4.

Violência desigual

A distribuição dos crimes na cidade de São Paulo retrata a diversidade do fenômeno. Ao mesmo tempo em que está descartada a associação entre pobreza e criminalidade, por outro, não é possível ignorar a sobreposição geográfica de áreas de menor renda, maior concentração de favelas, maior presença de negros e pardos, baixa escolaridade, com a concentração de homicídios. O mapa da violência em São Paulo revela o confinamento da violência letal nas periferias: as franjas da cidade concentram o maior número de homicídios.

O Índice de Vulnerabilidade Juvenil (IVJ), elaborado pela Fundação Seade, é um indicador que sintetiza um conjunto de variáveis para indicadores baseados em variáveis socioeconômicas. O índice foi criado como referência na formulação exclusiva de políticas públicas para essa parcela da população, mas permite um olhar mais atento para os dados relativos à violência. O IVJ considera em sua composição "[...] níveis de crescimento populacional e a presença de jovens entre a população distrital, frequência à escola, gravidez e violência entre os jovens e adolescentes residentes no local" (Fundação Seade, 2002). Ou seja, reúne as estatísticas sobre fatores considerados relevantes num cenário de risco juvenil: deficiências educacionais, mortes por homicídios e maternidade na adolescência. Este indicador varia em uma escala de 0 a 100 pontos, em que o zero representa o distrito com menor vulnerabilidade e 100 o de maior.

Na sua primeira versão de 2002, o IVJ trazia dados dos 96 distritos administrativos de São Paulo. Junto com o Grajaú, o Jardim Ângela, distrito que em 1998 ficou conhecido como "o lugar mais violento do mundo" (Kahn, 2002), ocupava a 4ª posição no ranking dos distritos mais vulneráveis, fazendo parte do "grupo 5", com 65 ou mais pontos na Índice de Vulnerabilidade Juvenil.

A taxa de mortalidade por homicídio da população masculina de 15 a 19 anos utilizada no cálculo da versão de 2002 do IVJ para o distrito, era de assustadoras 438,2 mortes para cada 100 mil habitantes. No mesmo ano, a taxa de São Paulo para a população total era de 64,8; do Brasil, 47,2; e de Pinheiros, 21,8 (Waiselfisz, Athias, 2005).

Na sua versão mais recente, lançada em 2007, a elaboração do Índice reorganizou a divisão territorial da cidade e, ao invés de trabalhar com distritos, separou as áreas de acordo com a seguinte classificação: 1) áreas pobres; 2) áreas de classe média baixa; 3) áreas de classe média e; 4) áreas ricas,[5] como mostra o Mapa 1. A área pobre reúne dezenove distritos administrativos, localizados na sua totalidade nas regiões mais periféricas da cidade.[6] A reunião desses distritos agregava, em 2005, 31,4% dos paulistanos, sendo que desse total, 8,9% eram jovens.

---

[5] Os aspectos metodológicos da caracterização dessas regiões como pobres ou ricas estão explicados de maneira detalhada no próprio documento do IVJ. Sem abandonar a dimensão política da escolha de determinadas variáveis para caracterizar a condição vulnerável, o uso do indicador de vulnerabilidade cumpre aqui o objetivo de fazer um retrato de determinadas regiões e sublinhar a desigualdade entre regiões de São Paulo a partir de categorias que nos interessam.

[6] São os distritos de Anhanguera, Brasilândia, Campo Limpo, Capão Redondo, Cidade Tiradentes, Grajaú, Guaianases, Iguatemi, Itaim Paulista, Jardim Ângela, Jardim Helena, Jardim São Luís, Marsilac, Parelheiros, Pedreira, Perus, São Rafael, Vila Curuçá e Lajeado.

Mapa 1
DISTRIBUIÇÃO DAS CLASSES SOCIAIS SEGUNDO O IVJ
Município de São Paulo

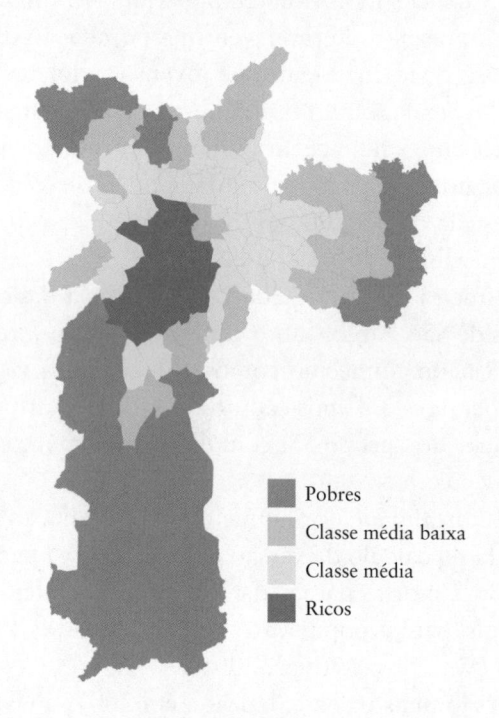

■ Pobres
■ Classe média baixa
■ Classe média
■ Ricos

Fonte: IVJ/Fundação Seade.

A redução dos homicídios em São Paulo a partir de 1999 provocou uma consequente redução no IVJ de maneira geral, uma vez que essa era uma das estatísticas consideradas no cálculo do Índice. Mas não apenas isso. Diante de uma redução generalizada da vulnerabilidade entre os jovens na cidade de São Paulo, o Índice observa a maior redução nas áreas consideradas pobres. De acordo com a análise feita na construção do indicador, o aumento da frequência ao ensino médio entre jovens de 15 a 17 anos foi o principal responsável pela redução nos índices de vulnerabilidade. Tal dado é seguido pela redução nas taxas de mortes entre jovens de 15 a 19 anos e a diminuição da evasão escolar entre jovens de 15 a 17 anos. A taxa de fecundidade entre adolescentes parece ter uma importância menor na redução verificada.

No entanto, acompanhando a redução do IVJ nas diferentes áreas desagregando os componentes temos os seguintes dados: a taxa de mortalida-

Paula Miraglia

de por agressão entre homens de 15 a 19 anos para o Município de São Paulo é de 5 pontos. Nas áreas ricas ela é zero; nas áreas de classe média, 3; média baixa, 5; e nas áreas pobres alcança 8 pontos. Observando os outros componentes do indicador, na Tabela 2, é possível notar que, não por acaso, é o indicador que trata de violência que retrata a maior disparidade entre as áreas ricas e pobres.

Tabela 2
REDUÇÃO DO IVJ POR TIPO DE ÁREA SEGUNDO COMPONENTES
Município de São Paulo, 2000/2005

| Total | Classe | | | |
	Rica	Média	Média baixa	Pobre
Taxa de fecundidade				
2	0	0	2	4
Taxa de mortalidade por agressões de homens de 15 a 19 anos				
5	0	3	5	8
Proporção de jovens de 15 a 17 anos que não frequentam a escola				
4	5	4	6	4
Proporção de jovens de 15 a 17 anos que não frequentam o ensino médio				
8	6	6	10	8
Total				
19	11	13	23	24

Fonte: Fundação Seade/IVJ 2007.

Sobre tais diferenças, o IVJ observa que, a despeito da redução generalizada, os riscos ainda permanecem mais elevados para os jovens moradores das regiões mais pobres. Logo, se São Paulo celebra a redução de homicídios, não podemos deixar de assinalar que há uma manutenção do padrão espacial da mortalidade. Em outras palavras, esse tipo de violência segue vitimizando primordialmente as periferias da cidade, que parecem não se beneficiar da mesma forma das políticas públicas disponíveis para combatê-la.

As taxas de mortalidade por agressão para essa faixa em 1999/2001 eram para a área rica de 56,7, e para a área pobre, de 303,0. Em 2005 esses números eram respectivamente 57,1 e 184,4.

Os Mapas 3 e 4 retratam a distribuição dos homicídios em 2000 e 2005, revelando, mais uma vez, a distribuição desigual desse tipo de crime na cidade. Nesse período, a taxa de mortes causadas por homicídios foi reduzida em mais de 50%. A diferença entre a gradação das manchas nos dois mapas retrata essa redução. Mas, além disso, o que as manchas também deixam claro, para além da própria diminuição, é que a concentração territorial desigual permanece.

Mapas 3 e 4
DISTRIBUIÇÃO DOS HOMICÍDIOS NO MUNICÍPIO DE SÃO PAULO

2000 2005

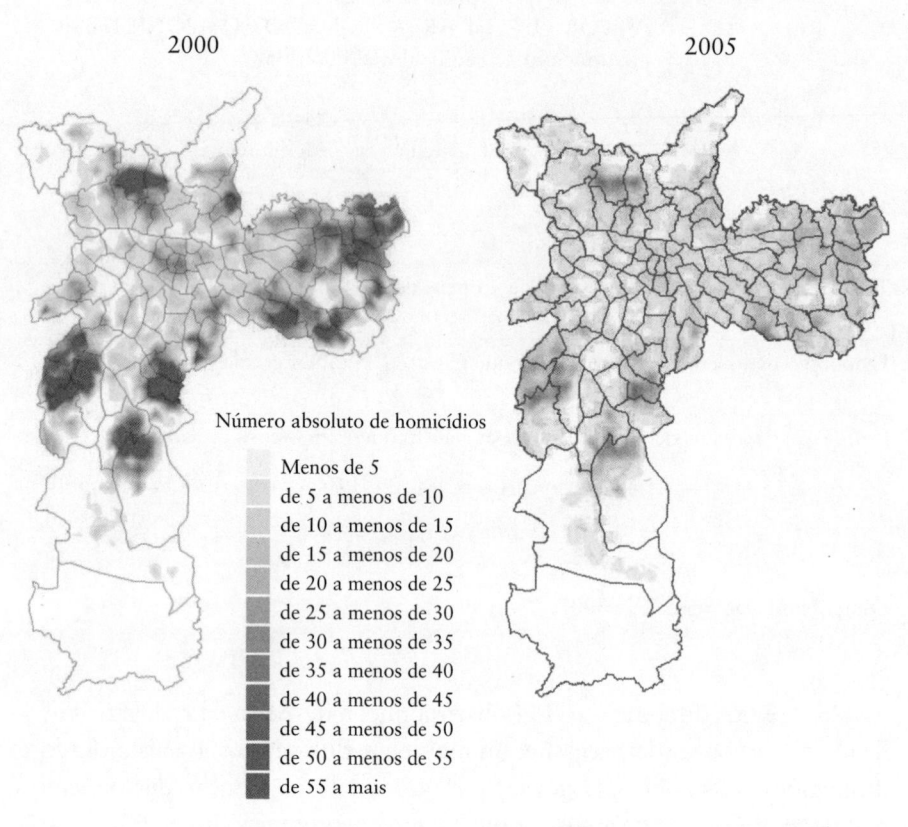

Número absoluto de homicídios

Menos de 5
de 5 a menos de 10
de 10 a menos de 15
de 15 a menos de 20
de 20 a menos de 25
de 25 a menos de 30
de 30 a menos de 35
de 35 a menos de 40
de 40 a menos de 45
de 45 a menos de 50
de 50 a menos de 55
de 55 a mais

Fonte: IVJ/Fundação Seade.

Diante desse cenário, é inevitável questionarmos se algum dia as periferias da cidade serão menos violentas do que o centro. Em outras palavras, ao mesmo tempo em que a violência letal aparece como um produto da segregação, junto com o acesso comprometido à bens e equipamentos públicos, baixos níveis de escolaridade, altos índices de desemprego, entre outros elementos, ela parece compor o conjunto que alimenta a própria reprodução dessa segregação. E, nesse sentido, não parece ser possível superá-la, sobretudo em sua dimensão desigual, sem transformar o quadro de desigualdades múltiplas que ainda é uma característica da cidade.

Mas a redução das mortes não aparece apenas como chave interpretativa de um possível diagnóstico sobre o fenômeno da violência em São Paulo. Ela nos permite também avaliar sua evolução e suas novas configurações, além da emergência de novos atores.

POLÍTICAS DE SEGURANÇA VERSUS UM CRIME MAIS ORGANIZADO: UM EMBATE POLÍTICO-INSTITUCIONAL

A despeito de um debate público intenso, não há um consenso sobre o que teria motivado a redução dos homicídios no estado e na cidade de São Paulo. A redução dos crimes é atribuída a um conjunto extenso e variado de fatores: a ação do Estado, as atividades de ONGs nas áreas mais violentas, a mobilização comunitária nesses mesmos locais, a políticas específicas tais como a "Lei de Fechamento de Bares" em alguns municípios, o Estatuto do Desarmamento, a criação do Infocrim,[7] a atuação do Ministério Público, o "Plano de Combate aos Homicídios" do DHPP, o aumento de evangélicos convertidos nas periferias e a atuação da Polícia Militar.

As explicações aparecem ora isoladas, ora como uma combinação, dependendo de quem controla o discurso. São todas elas, porém, alvo constante de controvérsias no que diz respeito à sua eficácia, e revelam uma verdadeira batalha no campo político e institucional que conjuga a disputa pela paternidade dos supostos avanços no campo da segurança e uma disputa entre modelos de enfrentamento. O que funciona melhor, a repressão ou a prevenção? A segurança é um tema da polícia exclusivamente, ou deve ser tratada também como um assunto de políticas públicas em outras áreas, tais como educação, urbanismo ou saúde?

Um esforço de sistematização recente agrupa as causas da redução, nomeando diferentes fenômenos tais como o aperfeiçoamento dos mecanis-

---

[7] Sistema de Informação Criminal da Secretaria de Estado da Segurança Pública, criado em 2000. É um sistema eletrônico de informação que permite a comunicação de todos os distritos policiais na cidade de São Paulo, produzindo um mapeamento dos dados estatísticos de criminalidade.

mos de planejamento, gestão e controle, o papel dos municípios, os efeitos da participação social, fatores demográficos e socioeconômicos, o aumento das taxas de encarceramento no Estado e a redução das disputas de território por facções criminosas (Lima, Ferreira, Bordini e Bessa, 2009).

Mas, além de um retrato da falta de clareza por parte das políticas ou de uma arena agitada de disputa política, esse feixe variado e pouco preciso de explicações é também um espelho fiel da multiplicidade de causas evocadas pela violência. No caso de São Paulo, são muitas as modalidades de homicídios: aqueles ligados ao tráfico de drogas, ao crime organizado em geral, os praticados por matadores profissionais, as mortes resultantes dos conflitos interpessoais, ou mesmo os que são resultado da criminalidade violenta associada ao crime contra o patrimônio.[8] As estatísticas mais recentes mostram uma mudança na curva de homicídios em São Paulo. Em 2009 as taxas voltaram a subir.[9] Não é possível saber ainda se essa é uma tendência ou se esse crescimento é excepcional. Mas paralelamente às estatísticas criminais, pouco a pouco, estudos recentes conseguem delinear de maneira mais precisa a organização do Primeiro Comando da Capital (PCC) como um ator relevante e ativo nas dinâmicas da criminalidade em São Paulo — seja nas periferias da cidade, seja no interior do sistema prisional.

Não há consenso sobre a data e o contexto de origem do PCC. Uma das versões que circulam com maior reconhecimento aponta um jogo de futebol, em 1993, realizado no anexo da Casa de Custódia e Tratamento de Taubaté, como momento fundador do grupo. Sua finalidade original era organizar as demandas e a própria convivência dos presos em espaços reconhecidamente superlotados, atuar como um mediador entre a população carcerária e a direção do presídio, melhorar as condições de cumprimento das penas e garantir minimamente a integridade dos apenados.

Biondi (2007) faz um pequeno histórico dos mitos fundadores do PCC. Mas a despeito dessa imprecisão quanto ao surgimento da organização, hoje há acordo em torno da sua capilaridade e poder no interior do sistema prisional. Depois de quase duas décadas, o PCC hoje se faz presente em 90% dos estabelecimentos penais do Estado de São Paulo (Biondi, 2007) e, além disso, se instalou nos bairros de periferia de São Paulo e em outros municípios do estado, expandindo suas atividades criminosas como, por exemplo, o tráfico de drogas.

---

[8] Na minha tese de doutorado, mencionada anteriormente, faço uma análise mais detalhada sobre as motivações associadas às mortes em São Paulo.

[9] Fonte: Secretaria de Segurança Pública do Estado de São Paulo.

Paula Miraglia

Análises por parte de acadêmicos, gestores públicos e da própria polícia reconhecem na superlotação dos presídios, um elemento essencial para a organização da facção criminosa. Essa seria, inclusive, uma distinção fundamental na caracterização das dinâmicas criminais do Rio de Janeiro e de São Paulo: na primeira cidade, os grupos criminosos se organizaram e conduziam suas ações nas comunidades vulneráveis da cidade. Sua interferência nos presídios era de fora para dentro. No caso de São Paulo, o crime se organizou dentro dos presídios para, posteriormente, atuar no interior das comunidades.

Entre os dias 12 e 15 de maio de 2006, São Paulo rendeu-se definitivamente ao pânico provocado pelos ataques do PCC, vivendo uma sequência de eventos que se tornaria um marco na escalada da violência urbana em São Paulo. Durante esse breve período, 82 unidades prisionais paulistas foram palco de rebeliões simultâneas. Ao mesmo tempo, do lado de fora dos presídios, as forças de segurança do Estado de São Paulo sofriam sucessivos ataques, de proporções inéditas. O conjunto de ações foi coordenado pelo Primeiro Comando da Capital, que estaria dessa maneira retaliando a decisão do Governo do Estado de São Paulo de isolar as lideranças do movimento por meio da transferência de seus integrantes. Entre os presos transferidos estava Marcos Willians Herba Camacho, o Marcola, apontado como líder do grupo, o qual foi transferido para o RDD (Regime Disciplinar Diferenciado) no presídio de segurança máxima de Presidente Bernardes, no interior do Estado de São Paulo.

Os ataques resultaram na morte de 23 policiais militares, sete policiais civis, três guardas municipais, oito agentes penitenciários e mais quatro civis. Nos presídios e CDPs (Centros de Detenção Provisória), outros nove detentos morreram durante as rebeliões.

Além das mortes, bases da polícia e da Guarda Municipal foram atacadas repetidamente na capital e no interior. Ônibus foram depredados e queimados em várias partes da cidade — só em São Paulo, quase cinquenta ônibus no total, segundo dados da SPTrans.[10]

Além da dispersão do medo e da violência pela cidade, que ficou imediatamente deserta, os ataques resultaram, entre outras coisas, numa violenta ofensiva por parte da Polícia Militar, concentrada nas periferias de São Paulo, onde integrantes da facção criminosa e os envolvidos com os ataques eram procurados. O resultado imediato foi a transformação desses locais em verdadeiros campos de perseguição e batalha, submetendo o conjunto da

---

[10] Empresa responsável pelo transporte público municipal de São Paulo.

população local a dias de terror, sobretudo de madrugada e à noite, quando saíam e voltavam do trabalho. Exatamente uma semana depois dos ataques, as represálias somavam um total de 109 mortes, de acordo com os números divulgados pela imprensa. As vítimas foram classificadas pela polícia como "suspeitos". O então secretário da Segurança Pública do Estado, Saulo de Castro Abreu Filho, ordenou o recolhimento dos laudos das mortes ocorridas em confrontos com a polícia. Os nomes das vítimas não foram divulgados e a investigação correu em sigilo. A justificativa para tais procedimentos, que violavam a lei e levantavam suspeitas sobre a legalidade das ações da polícia, era que qualquer medida no sentido contrário atrapalharia as investigações sobre o eventual envolvimento das vítimas com o PCC. Não há até hoje um laudo conclusivo sobre as mortes. Em outras palavras, não se sabe se algum dos mortos pela polícia tinha, em primeiro lugar, algum tipo de vínculo com a facção criminosa, tampouco se as vítimas efetivamente reagiram à abordagem policial, se houve confronto, e se os policiais não poderiam ter detido essas pessoas ao invés de matá-las.[11]

Ainda que os "ataques de maio" tenham dado visibilidade a um ator até então pouco conhecido no que diz respeito a sua capacidade de organização e ao alcance de suas ações, há uma série de estudos que mostram como não é possível deixar de reconhecer não apenas a existência do PCC, mas sua relevância intra e extrainstitucional.

Ao mapear os espaços possíveis para a resolução de conflitos num bairro da periferia de São Paulo, Gabriel Feltran (2008) descreve como os "debates", ou seja, espaços formais conduzidos por lideranças locais da facção criminosa, onde são travados diálogos que expõem as partes envolvidas num conflito, são um recurso reconhecido, acessado e temido pela população local. O desfecho de tais arenas de decisão pode ser desde a resolução do conflito entre as partes, o perdão e até uma sentença de morte.

O trabalho de Feltran revela novas formas de administração da justiça e, portanto, do ordenamento social, que incorpora ao seu cotidiano uma interação permanente entre o formal e o informal. O argumento nos interessa particularmente porque o autor identifica, inclusive, que essa organização das conflitualidades, bem como o monopólio que passa a ser exercido pelo PCC da prática dos homicídios como estratégia de punição, teria contribuído de maneira importante para a redução das mortes na periferia.

Por meio de uma rica etnografia, Biondi (2009) avança na configuração da categoria "debate". Mas mais do que isso, a autora descreve e esmiúça

---

[11] Para um relato sobre a crise do PCC e o sistema prisional, ver Furukawa, 2008.

Paula Miraglia

códigos de conduta reconhecidos e, portanto, compartilhados no interior do sistema prisional, que extrapolam os limites dos presídios, revelando uma determinada cultura organizacional. Essa possibilidade de identificar um determinado repertório cultural, capaz de imprimir rígidos códigos de comportamento, são elementos que dão lastro à constatação da abrangência e do poder da facção criminosa.

Finalmente, ao questionar de maneira provocativa a noção de liderança compreendida nas ações articuladas do PCC, Adalton Marques (2010) evidencia a capilaridade e extensão da organização. Ao analisar os diálogos travados durante a Comissão Parlamentar de Inquérito (CPI) do tráfico de armas, o autor identifica uma liderança difusa na organização, mas ainda assim bastante interconectada e eficaz, que desafia o próprio sistema de justiça na medida em que é alimentada pela comunicação entre presídios e mundo exterior e também entre presídios.

Ainda que tais estudos não nos permitam medir com precisão a influência ou o impacto das atividades da facção no conjunto da criminalidade urbana, eles apontam a emergência de um novo ator, extremamente relevante. Ao fazerem isso, nos dão pistas para pensar sobre como a cidade e as relações sociais travadas na cidade reagiram a um quadro agudo de violência, bem como outras formas de violência foram incorporadas ao seu repertório.

Não se trata de negar eventuais avanços no que tange as políticas no campo de segurança pública ou recusar a própria redução da violência letal. Mas de reconhecer os limites colocados quando se trata de olhar para a violência como parte de uma sociabilidade construída em cenários cujo pano de fundo segue sendo a segregação em seus múltiplos sentidos.

A violência na sua forma de criminalidade urbana segue sendo um dado da cidade. E assim como suas desigualdades estruturais, parece estar longe de ser superado.

Bibliografia

ADORNO, Sérgio (1999). "O monopólio estatal da violência na sociedade brasileira contemporânea". In: MICELI, Sérgio (org.). *O que ler na ciência social brasileira*. São Paulo: Sumaré/Anpocs.

BRETAS, Marcos; PONCIONI, Paula (1999). "A cultura policial e o policial civil carioca". In: PANDOLFI, Dulce *et al.* (orgs.). *Cidadania, justiça e violência*. Rio de Janeiro: Fundação Getúlio Vargas, pp. 149-63.

BIONDI, Karina (2007). "Relações políticas e termos criminosos: o PCC e uma teoria do irmão-rede". *Teoria e Sociedade*, nº 15.2, Belo Horizonte, pp. 206-35.

CALDEIRA, Teresa Pires do Rio (2000). *Cidade de muros: crime, segregação e cidadania em São Paulo*. São Paulo: Editora 34/Edusp.

CANO, Ignácio; SANTOS, Nilton (2001). *Violência letal, renda e desigualdade no Brasil*. Rio de Janeiro: 7 Letras.

CARDIA, Nancy (1997). "O medo da polícia e as graves violações dos direitos humanos". *Tempo Social*, vol. 9, nº 1, São Paulo, Departamento de Sociologia da USP, pp. 249-65.

_____ (1988). "A violência urbana e os jovens". In: PINHEIRO, Paulo Sérgio (org.). *São Paulo sem medo: um diagnóstico da violência urbana*. Rio de Janeiro: Garamond.

ALVAREZ, Marcos Cesar; SALLA, Fernando; SOUZA, Luiz Antônio F. de (2004). "Políticas de segurança pública em São Paulo: uma perspectiva histórica". *Justiça e História*, vol. 4, nº 8, Porto Alegre, pp. 173-99.

FAUSTO, Boris (2001). *Crime e cotidiano: a criminalidade em São Paulo (1880-1924)*. São Paulo: Edusp, 2ª ed.

FELTRAN, Gabriel (2008). "Resposta ilegal ao crime: repertórios da justiça nas periferias de São Paulo". XXXII Encontro da Anpocs, Caxambu.

ANUÁRIO DO FÓRUM BRASILEIRO DE SEGURANÇA PÚBLICA (2007). São Paulo, Fórum Brasileiro de Segurança Pública. http://www.forumseguranca.org.br/institucional/wp-content/uploads/2009/01/anuario-2007-fbsp.pdf.

EVOLUÇÃO DO ÍNDICE DE VULNERABILIDADE JUVENIL 2000-2005 (2007). Fundação Seade, São Paulo.

ÍNDICE DE VULNERABILIDADE JUVENIL (2002). Fundação Seade, São Paulo.

FURUKAWA, Nagashi (2008). "O PCC e a gestão dos presídios em São Paulo". *Novos Estudos*, nº 80, São Paulo, Cebrap, pp. 21-41.

KAHN, Túlio; ZANETIC, André (2002). *Projeto de avaliação do Espaço Criança Esperança*. São Paulo: Ilanud/Instituto Sou da Paz.

LEMGRUBER, Julia; MUSUMECI, Leonarda; CANO, Ignácio (2003). *Quem vigia os vigias? Um estudo sobre controle externo da polícia no Brasil*. Rio de Janeiro: Record.

LIMA, Renato Sérgio de; FERREIRA, Sinésio Pires; BORDINI, Eliana; BESSA, Vagner de Carvalho (2009). "Homicídios: políticas de controle e prevenção no Brasil". Coleção Segurança com Cidadania, ano 1, SENASP/MJ, pp. 11-20.

MARQUES, Adalton (2010). "'Liderança', 'proceder' e 'igualdade': uma etnografia das relações políticas no Primeiro Comando da Capital". *Etnográfica*, vol. 14, nº 2, Lisboa, pp. 311-35.

MARQUES, Eduardo; TORRES, Haroldo (2005). *São Paulo: segregação, pobreza e desigualdades sociais*. São Paulo: Senac São Paulo.

MESQUITA NETO, Paulo de (1999). "Violência policial no Brasil: abordagens teóricas e práticas de controle". In: PANDOLFI, Dulce Chaves; CARVALHO, José Murilo de; CARNEIRO, Leandro Piquet; GRYNSZPAN, Mario (orgs.). *Cidadania, justiça e violência*. Rio de Janeiro: Fundação Getúlio Vargas.

MINISTÉRIO DA SAÚDE/UNESCO/MINISTÉRIO DA JUSTIÇA (2004). *Vidas poupadas: impacto do desarmamento no Brasil.* Brasília: MS/UNESCO/MJ.

MOSER, Caroline; MCILWAINE, Cathy (2006). "Latin American Urban Violence as a Development Concern: Towards a Framework for Violence Reduction". *World Development*, vol. 34, nº 1, pp. 89-112.

MOSER, Caroline (2004). "Urban Violence and Insecurity: An Introductory Roadmap". International Institute for Environment and Development (IIED). SAGE.

PAES DE BARROS, Ricardo; CARVALHO, Mirela de (2006). *Quatro dilemas centrais para a política social brasileira.* Brasília: IPEA.

PAES MANSO, Bruno (2005). *O homem X: uma reportagem sobre a alma do assassino em São Paulo.* São Paulo: Record.

PERALVA, Angelina (2000). *Violência e democracia: o paradoxo brasileiro.* São Paulo: Paz e Terra.

PERES, Maria Fernanda Tourinho (2006). "Violência: um problema de saúde pública". In: LIMA, Renato Sérgio de; PAULA, Liana de (orgs.). *Segurança pública e violência: o Estado está cumprindo o seu papel?* São Paulo: Contexto, pp. 101-12.

PHEBO, Luciana (2005). "Impacto da arma de fogo na saúde da população no Brasil". In: FERNANDES, Rubem César *et al.* (orgs.). *Brasil: as armas e as vítimas.* Rio de Janeiro: 7 Letras/ISER.

PINHEIRO, Paulo Sérgio (1952). "Polícia e crise política: o caso das polícias militares". In: PAOLI, Maria Célia *et al.* (orgs.). *A violência brasileira.* São Paulo: Brasiliense, pp. 57-92.

SOARES, Luiz Eduardo; GUINDANI, Mirian (2007). "A violência do Estado e da sociedade no Brasil contemporâneo". *Nueva Sociedad*, nº 208, mar.-abr.

SOARES, Luiz Eduardo (2006). "Segurança pública: presente e futuro". *Estudos Avançados*, vol. 20, nº 56, São Paulo, IEA-USP, pp. 91-106.

_____ (1996). *Violência e política no Rio de Janeiro.* Rio de Janeiro: Relume Dumará/ISER.

WAISELFISZ, Julio Jacobo; ATHIAS, Gabriela (2005). *Mapa da violência de São Paulo.* Brasília: UNESCO.

WAISELFISZ, Julio Jacobo (2005). *Mortes matadas por armas de fogo no Brasil, 1979-2003.* Brasília: UNESCO.

_____ (2004). *Mapa da violência IV: os jovens do Brasil.* Brasília: UNESCO/Instituto Ayrton Senna/Ministério da Justiça/Secretaria Estadual de Direitos Humanos.

_____ (2002). *Mapa da violência III: os jovens do Brasil.* Brasília: UNESCO/Instituto Ayrton Senna/Ministério da Justiça/Secretaria Estadual de Direitos Humanos.

ZALUAR, Alba (1998). "Pra não dizer que não falei de samba: os enigmas da violência no Brasil". In: SCHWARCZ, Lilia Moritz (org.). *História da vida privada no Brasil: contrastes da intimidade contemporânea*, vol. 4. São Paulo: Companhia das Letras.

_____ (1994). "Exclusão social e violência". In: ZALUAR, Alba. *Cidadãos não vão ao paraíso.* Campinas: Editora da Unicamp.

14

Transformações sociais e políticas nas periferias de São Paulo[1]

Gabriel Feltran

Este ensaio discute as relações contemporâneas entre a dinâmica social das periferias de São Paulo e a esfera dos direitos da cidadania. Para tanto, apresento uma linha de transformações, em quatro décadas (1970-2010), do projeto dos "trabalhadores"[2] que colonizaram esses territórios, fundindo o desejo operário de ascensão social à aposta política na expansão da cidadania. Analisando o percurso de tensões desse projeto nas últimas décadas, argumento que o estatuto do conflito social e político ensejado pelas periferias urbanas foi deslocado. Se nos anos 1980 esse conflito pôde ser pautado numa perspectiva de "integração" das camadas "trabalhadoras", pela aposta na contrapartida social do assalariamento, agora trata-se sobretudo de gerenciar as fronteiras entre periferias e direito — de modo compartilhado entre Estado, polícias e "mundo do crime" — pela ênfase sistemática nas representações da violência urbana. O estudo dos significados recentes das categorias "trabalhador" e "bandido", internos e externos às periferias da cidade, auxilia o argumento.

A pesquisa de campo que subsidia a argumentação deste artigo teve início no município de Carapicuíba, Zona Oeste da região metropolitana, há mais de dez anos;[3] mas desde 2002 faço pesquisa na Zona Leste da cida-

---

[1] Este texto foi desenvolvido a partir de exposição no I Encontro Nacional de Antropologia do Direito, organizado pelo Núcleo de Antropologia do Direito da Universidade de São Paulo em 2009. Agradeço à Ana Lúcia Pastore pela oportunidade de elaborar essa reflexão.

[2] Utilizo aspas para demarcar as categorias de uso corrente nas periferias da cidade, como "trabalhador", "mundo do crime", "bandido" etc. Os nomes próprios citados são fictícios.

[3] Os procedimentos metodológicos utilizados na pesquisa foram: i) observação direta e participante de rotinas de indivíduos, famílias, organizações sociais e estatais dos bairros, com posterior anotação sistemática em cadernos de campo; ii) entrevistas semiestruturadas ou abertas com interlocutores previamente selecionados, por vezes gravadas

de: inicialmente na Vila Prudente e, nos últimos seis anos, em alguns bairros do distrito de Sapopemba, na divisa com Santo André.[4] Os temas estudados, entretanto, mudaram muito durante esse tempo. Em suma, a ênfase analítica nos "trabalhadores" e seus movimentos sociais foi, aos poucos, cedendo lugar ao estudo do "mundo do crime" e suas ações coletivas nas periferias da cidade, notadamente o PCC (Primeiro Comando da Capital). As questões de fundo que me moveram nesse percurso, entretanto, permaneceram praticamente as mesmas: propunha-me a compreender os sentidos políticos que se desprendem das mudanças no tecido social das periferias nas últimas décadas, relacionadas a transformações intensas nas esferas do trabalho, da família, da cidade e do associativismo popular. As noções de *política*, *direito* e *cidadania* foram, por isso, operadoras centrais da minha análise: estas categorias me permitiram elaborar a questão das periferias no espaço *entre* os mundos social e político, entre as formas de vida locais e sua expressão como discurso público e institucional, entre os cotidianos de famílias e os modos de sua figuração associativa e de senso comum, ou seja, na tensão sempre presente entre essas esferas.[5]

Cenários de transformação

No estudo dos movimentos sociais das periferias de São Paulo, apoiei-me na literatura que identifica um *nexo constitutivo* entre cultura e política, captado e problematizado a partir do trabalho de campo.[6] Imerso nessa

em áudio e integralmente transcritas; iii) longas conversas informais com inúmeros interlocutores, diurnas e noturnas, durante os períodos (intercalados) de permanência nos bairros estudados; iv) coleta de documentação formal e informal de interesse, sobretudo no plano das organizações locais.

[4] Sapopemba é um distrito com pouco mais de 300 mil habitantes, em área inteiramente urbanizada entre os distritos Parque São Lucas e São Mateus. O distrito será melhor caracterizado adiante.

[5] Para as distinções entre as esferas social e política, ver Arendt (2003, 2004). A distinção teórico-normativa da autora inspira minha abordagem, embora seja subvertida aqui com o intuito de pensar não as esferas que se distinguem, mas justamente suas *relações* constitutivas.

[6] Dagnino (1994) e o Grupo de Estudos sobre a Construção Democrática, agrupada em Dagnino (2002); Dagnino, Olvera e Panfichi (2006); Dagnino e Tatagiba (2007). Tatagiba desenvolve essa perspectiva, no capítulo 9 deste volume, pautando dilemas contemporâneos dos movimentos sociais do centro e das periferias de São Paulo.

Gabriel Feltran

perspectiva, meus territórios de pesquisa e os seus atores políticos mais evidentes — os movimentos populares — foram construídos a partir das teorias normativas; essas periferias seriam espaços de privação e resistência, especialmente quando politizadas contextualmente pelo ciclo ascendente dos movimentos sociais, a partir dos anos 1970. Na década seguinte, estes atores forjariam ainda, nos espaços públicos, um *lócus* de expressão dos interesses dos mais pobres da cidade, primeiro por suas ações diretas, depois em canais institucionalizados de relação entre sociedade civil e Estado.[7] A representatividade desses atores, então analiticamente fora de questão, geraria maior pluralismo na cena política, e daí seu impacto democratizante: ampliando a atividade política para além dos marcos do Estado e das instituições formais, os atores coletivos das periferias traduziriam a reivindicação por bens *sociais* (asfalto, água, luz, casa etc.) em luta por universalização de *direitos*. De movimentos sociais, portanto, em contextos específicos, esses atores se traduziam em sujeitos políticos.[8]

Nesse marco interpretativo, a noção de direito se colocava tanto como categoria analítica quanto como aposta política. Daí a normatividade intrínseca à análise. Pressupunha-se no próprio corpo conceitual, junto das "lideranças" dos movimentos, que com a transição de regime político estaria aberta uma possibilidade de *integração* das classes trabalhadoras a um projeto de nação mais democrática, portanto menos desigual. Democracia e justiça social se confundiam. O direito aparecia na análise de modo similar às formas como era figurado como categoria estratégica de um projeto de construção democrática.[9] A tematização do direito nesses termos me trazia, sem que me desse conta, um ganho etnográfico. Pois ela impedia, de saída, que as periferias da cidade fossem lidas pela ótica da exclusão ou da ausência — de civilidade, de educação, de inteligência, de formação etc. Pois a pauta no direito *verificava* que justamente ali, naquelas periferias, é que se plasmara o projeto político que se expandia para muito além daqueles territórios. As conexões eram visíveis — das reuniões dentro de favelas aos movimentos, dali aos partidos, eleições, governos e assim por diante.

---

[7] Vale lembrar que os movimentos populares das periferias associavam-se também a movimentos das áreas centrais da cidade, que descrevem trajetórias distintas nas últimas décadas. Para um olhar sobre as dinâmicas das mobilizações nas áreas centrais, contemporaneamente, ver o capítulo de Lúcio Kowarick neste volume.

[8] Sader (1988) e Paoli (1995).

[9] Sobre a reivindicação de direitos como estratégia política, ver Evelina Dagnino (1994).

Partindo desse cenário quase celebratório da virtude democrática das periferias urbanas, entretanto, a investigação etnográfica me conduziu, ao longo dos últimos anos, ao seu avesso normativo. Passei a estudar o "mundo do crime", a violência e a emergência do PCC como instância de "justiça" nesses mesmos territórios. Este percurso temático, a princípio irrefletido, levou-me mais recentemente a considerar a emergência de modos de conflito social e político distintos dos anteriores, irreconciliáveis nos marcos universalistas dos direitos da cidadania. Pois meu trabalho não fez mais do que seguir as pistas das transformações de práticas internas e discursos sobre as periferias da cidade, que também abandonaram, na última década, a ênfase descritiva centrada na figura do "trabalhador", integrável pelo direito, para privilegiar aquela mais recente da violência urbana e da proliferação dos "bandidos", a serem idealmente apartados do convívio social. Nessa nova figuração dominante de território e populações, não se trataria mais de pautar os direitos da cidadania e seus potenciais de extensão universal, mas de figurar publicamente a cisão essencial entre "trabalhadores" e "bandidos", que organiza a percepção da fratura social contemporânea e solicita administração de suas fronteiras.

O esforço deste texto é refletir sobre esse deslocamento, a partir das transformações fundamentais das dinâmicas sociais e políticas das periferias da cidade. Se a perspectiva inicial era vislumbrar como a emergência dos movimentos políticos impactava a dinâmica social das periferias e influenciava a transformação de suas práticas cotidianas, rumo a um horizonte de democratização, agora trata-se de vislumbrar os reflexos sociais, de rumos indeterminados, da emergência do "mundo do crime" como uma *outra* instância normativa. Nesse percurso, foi-se evidenciando que o diagrama analítico do direito e da cidadania não havia sido pensado para aquelas transformações, não as previa, e portanto não dava conta de explicá-las. Foi preciso modificá-lo e, para tanto, procurei partir da descrição dos novos contextos de relação entre as esferas cotidianas dos bairros estudados, suas ações coletivas e suas figurações públicas, em seus conflitos constitutivos. As distinções marcantes entre "trabalhadores" e "bandidos", em diferentes situações e perspectivas, funcionam neste texto como objeto heurístico da descrição e análise desses conflitos.

Parto do argumento de que os usos e os significados do par de categorias "trabalhador" e "bandido", no Brasil contemporâneo, são múltiplos e se distinguem a depender da perspectiva ou situação em que a classificação é formulada. Na tentativa de demonstrar o argumento, entretanto, não parece ser produtivo escolher uma perspectiva dentre outras (elas são múltiplas

Gabriel Feltran

também na pesquisa de campo), e dissecá-la; parece-me ser preciso, ao contrário, colecionar perspectivas do uso dessas categorias com o máximo de rigor etnográfico para, a partir daí, organizar a reflexão sobre elas e seus usos. A intenção central de fazê-lo, aqui, é em primeiro lugar assinalar a força semântica crescente, nas últimas décadas, que a oposição "trabalhador" e "bandido" passa a ter nas periferias da cidade (e fora delas); em segundo lugar, trata-se de demonstrar empiricamente as distinções de sentido que as categorias ganham quando utilizadas de um lado ou outro da fronteira cognitiva que aparta territórios e sujeitos específicos da legitimidade necessária aos considerados dignos de reivindicar direitos.

As categorias "trabalhador" e "bandido" têm me instigado há algum tempo,[10] e para tratar delas atualmente, em São Paulo, gostaria de partir de uma caracterização do território que estudo nos últimos anos, e das famílias que vivem ali. A ocupação desse território possui particularidades que me permitem abordar o percurso de ênfases que as categorias "trabalhador" e "bandido" sofreram e sofrem, ao longo das últimas quatro décadas. Estive em Sapopemba pela primeira vez em 1999, e passei a fazer pesquisa sistemática ali no início de 2005. Sapopemba é um dos 96 distritos do município, situado num cinturão que os urbanistas costumam chamar de "periferia consolidada" da cidade de São Paulo. O distrito está situado na porção sul da Zona Leste da cidade, fazendo divisa com a região conhecida como ABC, composta pelos municípios de Santo André, São Bernardo e São Caetano. Dos bairros em que faço pesquisa, avista-se por exemplo o polo petroquímico de Santo André, e os moradores de Sapopemba deslocam-se ao ABC, e não ao centro de São Paulo, quando necessitam de serviços que seus bairros não dispõem. A região de Sapopemba foi toda urbanizada para servir de moradia operária, sobretudo a partir dos anos 1960 e, mais intensamente, nos anos 1970. Todos os distritos vizinhos, da Zona Leste da cidade, tinham urbanização muito reduzida até o começo dos anos 1960. Famílias passavam férias em chácaras no território de Sapopemba, até então, algo impensável hoje, quando a urbanização do distrito já se apresenta inteiramente consolidada, com toda infraestrutura urbana fundamental instalada há décadas (exceto nas favelas). A narrativa geral desse período fundador da urbanização dos bairros é conhecida: "milagre econômico", crescimento do emprego

---

[10] Trabalhei sobre elas, por exemplo, em Feltran (2008, 2009). As relações entre esse mesmo par de categorias já foram formuladas, há 25 anos, por Zaluar (1985). Os contextos de pesquisa são muito diferentes dos apresentados aqui, mas há muitas ideias da autora das quais me sirvo neste texto.

industrial, expectativa de contrapartida social para o assalariamento operário e expansão da fronteira urbana, num cenário de intensa migração interna e especulação imobiliária. A mancha urbana se expande de modo concêntrico, agressivamente. São Paulo é um exemplo modelar desse cenário.

No polo melhor estabelecido economicamente, chegavam ao distrito muitas famílias já moradoras de São Paulo, mesmo que fossem de origem migrante, que pagavam aluguel em regiões mais centrais da cidade. Essas famílias, de modo geral, compravam um terreno um pouco mais distante do centro porque conseguiam preços mais baixos, e pela proximidade do ABC, onde muitos provedores trabalhavam. Na virada para os anos 1970, quando era simples conseguir trabalho, e relativamente simples obter um posto na indústria, estes trabalhadores chamavam seus parentes para também se mudarem. As fábricas estavam "ajustando" trabalhadores, eles poderiam se ajudar na migração, no início da vida, e a família melhoraria de vida. Entre aqueles que ocuparam o distrito, entretanto, havia outros arranjos familiares de migrantes. E no polo pior situado economicamente, estavam os migrantes então recém-chegados, dos estados do nordeste, de Minas Gerais e do norte do Paraná. Alguns deles conseguiam comprar um terreno mas, mais comumente, suas famílias se instalavam em ocupações irregulares e favelas. Todos levantavam suas casas com sua própria força de trabalho, mais ou menos precariamente, em regime de autoconstrução. Família e vizinhos se ajudavam em momentos decisivos da construção.[11]

Os primeiros loteamentos começaram a receber, então, uma população que, embora heterogênea, compartilhava algumas representações comuns do que seria a vida em São Paulo e, mais importante, do que se poderia esperar dela. Se nem todo mundo era operário, quase todo mundo queria ser — a perspectiva de ter um trabalho estável era central para a realização do projeto de mobilidade, e a indústria então oferecia essa perspectiva. Se nem todo mundo conseguia um trabalho com "carteira assinada", todo mundo queria que os filhos o tivessem. Se nem todo mundo era católico praticante, a teologia católica e a moral do trabalho eram aceitas como legítimas entre quase todos. O centro da mudança de vida estava, portanto, fincado num plano de mobilidade ascendente da família, a longo prazo, muito adequado a uma teologia e a uma figuração do trabalho — e do "trabalhador" como horizonte moral de quase toda essa população.

---

[11] A extensa produção de Lúcio Kowarick é referência fundamental na descrição e análise dessas dinâmicas urbanas, sobretudo em São Paulo. Os processos em questão estão em destaque, por exemplo, em Kowarick (1993).

Gabriel Feltran

Durham (1973, 1980, 2005) trata muito bem desse cenário, em textos que se tornaram clássicos dos estudos das periferias de São Paulo: o projeto de mobilidade ascendente era um norte de estruturação familiar que, pela difusão da promessa de contrapartida salarial, tornava-se representação coletiva dominante nas periferias de São Paulo. O eixo da dinâmica social desses territórios era, portanto, o trabalho. Por isso cabia tão bem, na perspectiva dessa população, o rótulo de *trabalhadores*. Ser trabalhador evitava que esses recém-chegados, em busca de integração, fossem figurados como *vagabundos*, *marginais* ou *bandidos*. Alba Zaluar (1985) demonstra como o "trabalhador" sempre foi pensado *em oposição* ao "bandido", o par de relações mutuamente excludentes é constitutivo de ambas as categorias. Assim era e segue sendo, porque "trabalhador" e "bandido" sempre foram, nas periferias das cidades, um par de possibilidades de subjetivação em tensão latente.

A *comunidade*[12] era composta de trabalhadores e como não havia muita garantia pública de segurança para seus moradores, era tarefa dessa própria comunidade trabalhadora minimizar a violência nos locais em que vivia. O "mundo do crime" já começava a aparecer nesses mesmos territórios, e como a figuração era de que ele era o "outro" diametral dos trabalhadores, deveria ser expurgado por eles mesmos. A própria "comunidade" — entenda-se aqui grupos muito minoritários de moradores dos territórios, em ação que se legitimava entre parcelas mais significativas deles — organizava formas de "justiça popular" conhecidas nos anos 1970 e 1980, em diversas metrópoles brasileiras: os linchamentos e o pagamento de grupos de "justiceiros" (ou "pés de pato", como eram conhecidos, sobretudo na Zona Sul da cidade), que cuidavam de promover a "limpeza" do nome público desses bairros, assassinando sumariamente aqueles a quem se atribuía a categoria "bandido". A disposição da violência, organizada por "trabalhadores", mantinha então a figura dos "bandidos" como oposta à sua "comunidade".

No interior da família trabalhadora, além disso, a sucessão geracional era central para o projeto de mobilidade. Havia significativa expectativa dos pais no "futuro dos filhos", era preciso que eles estudassem e valorizassem a lida. A primeira medida necessária da educação, portanto, era expurgar o risco de eles serem tratados, confundidos, ou mesmo de virarem "bandidos".

---

[12] O termo "comunidade" auxilia a conformação de uma representação de unidade interna homogênea, e é muito usado nas periferias, desde o contexto de alta da Teologia da Libertação, nos anos 1970 e 80, época das Comunidades Eclesiais de Base, até hoje.

Crianças e adolescentes deveriam trabalhar e estudar, dois antídotos então infalíveis ao ócio que engendra vagabundos, ladrões e marginais. Estudar, sobretudo, era a fórmula para conseguir um bom trabalho. Os cursos do SENAI (Serviço Nacional de Aprendizagem Industrial), por exemplo, surgem voltados para essa população, e não por acaso são muitíssimo valorizados naquele contexto: realizariam a continuidade da linha ascendente do projeto familiar de "integração social" via trabalho. A carteira assinada — os "direitos" — garantia a dignidade individual. Um adolescente que voltava para casa no fim da tarde de macacão, protótipo do operário, era o orgulho da família. Nem a polícia, nem os "justiceiros", se preocupavam com ele.

Tanto pela força dessa figuração coletiva, em que é fundado, quanto pela baixíssima expressividade dos interesses dessa população no regime autoritário, o projeto operário vai constituir atores políticos de representação já na segunda metade dos anos 1970. O que são os movimentos sociais que pipocaram nas periferias de São Paulo, naquele período, senão a manifestação pública, depois política, desse projeto de integração social? Não foi à toa que os sindicatos apareceram como atores centrais desses movimentos; não foi à toa que a Teologia da Libertação se difundiu pautando o trabalho e a família como algo que dignificava essa gente; não foi à toa que a figura pública de Lula — nordestino migrante, operário e morador das periferias — ganhou tamanha legitimidade popular. Lula, os sindicatos e os movimentos de base simbolizavam a entrada dessa população no rol daqueles que poderiam participar do "novo" Brasil, em construção. O principal ator político programático que surge desse universo, também não por acaso, se chama Partido *dos Trabalhadores*.

Em São Paulo, diferente do que ocorreu em outras metrópoles brasileiras, o PT conseguiu uma hegemonia marcante entre os movimentos sociais de base. Daí a força de sua expansão ao longo dos anos 1980, a eleição de Luiza Erundina para a Prefeitura já em 1988, e a expressividade de sua conexão com os movimentos sociais até, pelo menos, meados dos anos 1990. Em Sapopemba, essa conexão foi forte até muito recentemente. O PT seria funcionalmente, na perspectiva dessa "comunidade trabalhadora", o ator mais legítimo para a representação de seus interesses no espaço público. A perspectiva política formulada em torno da dignidade do trabalho — e dos direitos a ele associados — oferecia assim um diagrama de inteligibilidade ao projeto de integração do trabalhador dessas periferias. Foi essa inteligibilidade nova que fez com que os movimentos populares pudessem naquele contexto ser percebidos como atores políticos legítimos, a despeito de toda a tradição brasileira de deslegitimação pública dos pobres e do conflito de classes, e fundarem arenas públicas renovadas (Costa, 1997). Dessas arenas se irradiariam, segundo as expectativas populares do período, as promessas de integração social e democracia política que o Brasil acalentaria nas décadas seguintes.

Entre "trabalhadores" e "bandidos"

É agora possível estabelecer um corte nesse cenário, para contrastá-lo com as configurações contemporâneas da dinâmica social nas periferias da cidade. Ao fazê-lo, percebe-se que tudo isso mudou muito. Em 2010, o cenário social e político em questão é radicalmente diferente desse que narrei até aqui. Os quarenta anos que nos separam de 1970 foram um período de transformações de intensidade fora do comum para quem vive nas periferias da cidade. Todos esses parâmetros costurados até aqui — trabalho, família, religião, projeto de mobilidade social, gestão da violência, relações com a política e com um projeto de nação — permaneceram válidos, mas se modificaram intensamente em conteúdos e relações internas. No mundo do trabalho, a chamada *reestruturação produtiva*, que toda a sociologia do trabalho estuda nos últimos vinte anos, modificou inteiramente o pátio industrial, e com ele as relações e mercados de trabalho populares; Sapopemba, que foi muito marcada pela industrialização do ABC e pelo sindicalismo, é cenário em que se pode notar com detalhe como as transformações no mundo operário impactam as trajetórias familiares. Havia pleno emprego na entrada dos anos 1970, cerca de 6% de desemprego em 1986, na cidade de São Paulo, e mais de 20% em 2000. Na década de 1990, portanto, a expansão do desemprego foi muito significativa e o mercado de trabalho muito mais exigente. Com a reestruturação das plantas industriais, *just-in-time*, robôs, produção por demanda, flexibilidade, enfim, com a "revolução toyotista", passou-se a exigir uma qualificação muito mais intensa do operário. As famílias operárias que estudei em Sapopemba, nos últimos anos, traduzem com clareza essas transformações. O senhor que mal tinha o "primeiro grau" e conseguiu ter um emprego industrial durante duas décadas foi demitido, aos 40 anos de idade, no começo dos anos 1990; não retornou mais às fábricas, exceto para vender espetinhos de churrasco na saída dos turnos.[13] O filho daquele operário, que como tantos estudou no SENAI, tampouco encontrou

---

[13] Para a trajetória específica de uma família que viveu essas transformações, ver Feltran (2008, capítulo 2).

emprego nas montadoras da região, sua trajetória é toda feita no setor de serviços, terceirizados, precarizados. A reestruturação do mundo operário, portanto, já seria fator suficiente para explicar uma série de percalços encontrados pelas famílias, instaladas nas periferias da cidade entre os anos 1970 e 1980, em seu projeto de mobilidade de classe sustentado pela aposta no trabalho estável e em suas contrapartidas sociais. Houve, entretanto, muitas outras esferas de transformação igualmente decisivas para a compreensão das dinâmicas sociais desses territórios, e de seus rebatimentos políticos mais visíveis.

A família, que os trabalhos fundadores de Eunice Durham (1973, 1980), Alba Zaluar (1985) e Teresa Caldeira (1984) estudaram, que na representação dominante ajudava-se mutuamente desde o processo de migração, para depois construir a moradia em colaboração — o tio, o primo e o cunhado ajudando a "bater a laje", a fazer um quartinho no fundo, a cunhada ajudando a cuidar das crianças etc. — é obrigada, com o passar das décadas na cidade, a modificar suas relações internas. Pois se antes, no campo, a unidade produtiva era doméstica e os braços contavam-se mais que as bocas, a situação se invertia em época de desemprego estrutural. Se já na cidade, nos anos 1970, ainda conseguia-se emprego (ou trabalho) para todos os membros produtivos, e daí fundamentava o auxílio mútuo numa espiral positiva, com a crise do emprego dos anos 1980 e 1990, e a redução das contrapartidas do assalariamento a partir da chamada "Reforma do Estado", a família extensa se tornava aquela em que duas pessoas trabalhavam e sete ou oito eram sustentadas por eles. Os que trabalham, por isso, são obrigados a distribuir seu salário por todos da família, o que gera conflitos dos mais diversos: a divisão sexual do trabalho deve ser revista, a sensação de precariedade mina a confiança na mobilidade ascendente, os conflitos geracionais se acirram. Essas dinâmicas são muito recorrentes em minha pesquisa, são descritas com regularidade nas narrativas de meus interlocutores em campo. Essas modalidades de conflito familiar, com o passar dos anos, vão produzindo uma tendência maior a arranjos familiares mais próximos do nuclear, ou do matrifocal, e mais distantes do arranjo extenso antes predominante nas representações da família popular. O jovem adulto desiste de viver com os pais, tenta se sustentar alugando outro lugar para viver, a presença do agregado torna-se menos frequente etc. O processo é característico do ambiente urbano, já a princípio marcado por maior escassez de recursos de sobrevivência e maior pressão por manutenção de *status*, mas foi acelerado nas margens da cidade por todos esses fatores. Nas famílias operárias que estudei, a mãe teve de sair para "trabalhar fora" quando o provedor perdeu o emprego, na entrada dos anos 1990; a filha mais velha parou de estudar para cuidar dos irmãos, os filhos alternaram empregos instáveis e, inclusive, aproximaram-se na juventude dos mercados ilícitos, em franca expansão nos seus territórios de moradia. Não são raras as histórias de filhos, amigos e parentes assassinados nos anos 1990. Outros conflitos se colocam nessas passagens, evidentemente. As transformações em questão produzem deslocamentos, o que é preciso ressaltar, não apenas no ambiente familiar mas nas dinâmicas sociais em seu conjunto: desde o plano mais privado da organização das vidas até os modos de conformação dos discursos públicos e das ações políticas.

A migração, que caracterizava a população das periferias da cidade, compondo uma espécie de população de mediação entre o rural e o urbano, diminuiu progressivamente nos anos 1990 e estancou nos 2000. Os nascidos nas periferias das cidades nas últimas décadas são paulistanos, mas não paulistanos quaisquer; são indivíduos nascidos e crescidos *na periferia*. Quando iniciei uma pesquisa mais sistemática com a geração dos meninos nascidos nos anos 1990, hoje adolescentes, o mundo do migrante que vinha trabalhar em São Paulo já era muito distante deles, alheio a seus significados. Os meninos com quem converso em pesquisa de campo são do Jardim Elba, são do Parque Santa Madalena, do Planalto, eles são "da periferia", têm seus territórios de moradia inscritos em seus modos de se vestir, de conversar, e também nos conteúdos que enunciam. As marcas da periferia também estão em seus corpos: técnicas corporais, tatuagens, brincos, *piercings* e acessórios compõem uma estética própria. Se o projeto de mobilidade permanece como pano de fundo, ao qual se recorre em discursos voltados ao exterior, entre eles mais do que nunca o lugar é *aqui* e o tempo é *hoje*.

Essas transformações rebatem, então, no complexo das moralidades em disputa nos territórios, que organiza os parâmetros de distribuição da legitimidade dos sujeitos. No plano religioso, a população das periferias que se declarava quase integralmente católica transita significativamente ao pentecostalismo, nas últimas décadas. A expansão pentecostal sugere relação com a crise do projeto operário, de ascensão social paulatina e ao longo de gerações. Se agora o tempo é mais curto, a prosperidade deve ser tentada em golpes mais precisos, mais rápidos; a teologia pentecostal é, então, muito melhor situada: a *conversão* encerra uma vida e inicia outra, a prosperidade se obtém na terra, os valores e narrativas se conectam mais adequadamente a essas transformações.[14] O projeto de ascensão social familiar, nesse con-

---

[14] Almeida (2009) é texto obrigatório sobre a expansão do pentecostalismo no Brasil, a partir de estudo etnográfico em São Paulo.

texto de transformação intensa, tende a maior individualização, quando permanece vivo: a filha da família operária encontra opções distintas das dos pais, retarda ao máximo o casamento para poder voltar a estudar, depois dos irmãos mais novos terem crescido.[15] O pressuposto é o de que, caso reproduzisse uma família tal como fez sua mãe, casada aos 18 anos de idade, seu horizonte de previsibilidade já não poderia incluir a ascensão social.

Essas transformações expressam algumas tendências, embora evidentemente não sejam absolutas, nem homogeneamente distribuídas no tecido extremamente heterogêneo das periferias da cidade. Em Sapopemba, uma parcela dos operários instalados ali nos anos 1970 consegue efetivamente fazer a ascensão social esperada, outra parcela segue remediada, e eles representam juntos, hoje, parcela majoritária entre os fundadores dos bairros como Sapopemba. Mas eles não são todos, nem quase todos os moradores do distrito; e mais significativo do que isso, não são mais eles que pautam a figuração dominante no senso comum, e nos debates públicos, acerca dos territórios onde vivem.

É a franja mais pobre das periferias da cidade, aquela que adensa as favelas e suas margens, durante as últimas décadas, a que vai aparecer publicamente como a típica habitante desses territórios. É a partir dessa camada da sua população que vai se construir, principalmente a partir dos anos 1990, a imagem pública das periferias de São Paulo.[16] Muitas trajetórias pessoais e familiares que pude acompanhar, nos últimos anos, auxiliaram-me a compreender esse processo; estive em contato com diversas famílias que melhoraram de vida ou que permaneceram como estavam, mas estudei também outras tantas que não conseguiram patamares mínimos de estabilidade social e econômica em suas trajetórias depois da migração, seja pela sua baixa qualificação para o mercado de trabalho, seja pela instabilidade

---

[15] Eu era mulher, então não fiz o SENAI. O que me sobrava, então? Casar, ter filhos, essas coisas. Estudar foi uma opção minha. Fui estudar porque tinha algumas inquietações e fui estudar. [...] Eu me achava muito estranha porque desde quando eu era pequena eu gostava de música clássica, gostava de ler, gostava de um monte de coisa que não tinha nada a ver com a minha família (Juliana, 36, psicóloga, solteira).

[16] Essa transformação pode se notar, inclusive, comparando-se as expressões culturais marcantes das periferias da cidade nos anos 1980 (a estética *punk*, a xenofobia dos "carecas do ABC" ou as letras politizadas do *rock nacional*, todas emanadas de filhos de operários denunciando a incompletude da promessa de integração), àquelas que marcaram esses territórios nos anos 1990 (o *rap* e o *funk*, cantados agora não pelas elites operárias dos territórios, mas por aqueles que nasceram nas favelas dali, e seu desenvolvimento em vertente *gangsta*, nos anos 2000).

Gabriel Feltran

das crises econômicas, seja por tragédias ou casos de violência extrema a que foram submetidos os percursos de seus integrantes. Frustrado o projeto de melhoria de vida na cidade, essas famílias se distribuíram desigualmente pelos territórios das periferias, mas em todos eles sua presença gerou desconforto, e criou clivagens reconhecidas internamente por estigmas e estereótipos. No distrito de Sapopemba, há hoje num polo uma elite operária bem estabelecida, que mora em sobrados com dois carros na garagem, com os filhos na universidade ou já formados, e no polo oposto as casinhas de madeira que desmoronam todo janeiro, na favela do Madalena. Entre eles há o motorista de ônibus, a manicure, a senhora que trabalha numa entidade social, a que abriu uma lojinha para consertar eletrodomésticos, gente de carne e osso cujas trajetórias demonstram imensa heterogeneidade. Essa configuração muito heterogênea do distrito é marcada internamente também nos cotidianos, pelas categorias de nomeação: há o pessoal que se considera de "classe média" (chamados de "playboys" por quem não se considera assim); há os moradores das "casas", do "bairro", mais próximos das avenidas que das favelas; há o pessoal que vive nos "conjuntos" habitacionais, produzidos por políticas públicas; e finalmente há o "pessoal da favela".

É a partir desses últimos, em minha hipótese, que se funda a conflitividade social contemporânea, que pretendo tratar adiante. Por ora, cabe ainda ressaltar algumas outras linhas de transformação marcantes desses territórios. Nos últimos trinta anos, nos interstícios dos loteamentos legalizados ou grilados de Sapopemba, quase sempre autoconstruídos para moradia, foram brotando *equipamentos públicos* — praças, parquinhos, escolas, postos de saúde, dois CEUs (Centros Educacionais Unificados), os CRAS (Centros de Referência de Assistência Social) etc. — e *favelas*, que já são 37 no distrito, segundo dados oficiais. O cenário urbano do distrito, em 2010, tem muito pouco a ver com aquele de décadas atrás. As pessoas gostam de dizer, em entrevista: "quando eu cheguei aqui era só mato, a gente carregava água na cabeça, depois a gente fez isso, aquilo, conseguimos asfalto, fizemos abaixo-assinado e tal". Essa narrativa é recorrente e necessária, na perspectiva de quem a enuncia, porque a geração nascida ali a partir dos anos 1990 não a reconhece como própria; os jovens das periferias vivem num território urbano consolidado, bastante conectado a outros bairros e regiões da cidade e, sobretudo, à esfera do consumo global. As estatísticas de crescimento do consumo das classes D e E no Brasil são impressionantes nos últimos anos, aumentam quase 20% ao ano. Os jovens têm celulares de último tipo, comprados a prestação; e o crédito popular funciona desde as Casas Bahia até os hipermercados e *shopping centers*. A *internet* também é acessada em *lan-houses*, no trabalho ou mesmo em casa.

Nesses deslocamentos, é evidente que os atores políticos nascidos nos anos 1970 com a função de representar publicamente as periferias da cidade — os movimentos sociais populares — têm sua representatividade duramente questionada. Nascidos para representar uma população migrante, operária e católica, e inscritos na ação política voltada à construção democrática, esses atores têm dificuldades para se legitimar frente a uma geração já nascida nas periferias, em boa parte pentecostal e com trajetórias acidentadas de trabalho e desemprego. Essa dificuldade é ainda mais forte entre os setores marcados pela economia informal e, sobretudo, pelos mercados ilícitos — por definição alheios à esfera do direito como alternativa de melhoria de vida. As narrativas dos movimentos, fincadas no esquerdismo militante, na teologia da libertação e no sindicato operário vão dizer pouco aos novos moradores das periferias. Até porque esses atores — os então "novos movimentos sociais" — já haviam sido muito bem-sucedidos em seu trânsito ao aparato estatal e já estavam mais distantes do trabalho de base nas periferias, em processo chamado pela bibliografia específica de "inserção institucional".[17] Nesse processo, os movimentos sociais de base, nos anos 1980, migraram tendencialmente para administrações e governos, mas não ocuparam ali espaços decisórios centrais; eles se constituíram como uma espécie de "burocracia de base"[18] das políticas sociais, materializada hoje numa miríade de associações, projetos, entidades e ONGs espalhadas pela malha urbana. Entre outros fatores, a capacitação técnica mais frágil do que a dos burocratas formados em escolas de elite, e a rede de relações privadas mais ligadas à periferia do que aos centros de poder, explicam porque essas associações e entidades, formadas por quadros dos antigos movimentos sociais, ocupam quase invariavelmente espaços subalternos nos governos e no Estado, nos três níveis da federação.

Um resultado dessa dinâmica de transformações é uma tendência, mais notada recentemente, à inversão no vetor normativo da relação desses atores

---

[17] As últimas três décadas são, não há como esquecer, o período da construção institucional de canais de relações entre Estado e sociedade, espaços participativos, conselhos, orçamentos participativos, fóruns de discussão e deliberação de políticas sociais. São referências dessa bibliografia Dagnino (2002, 2006) e Dagnino e Tatagiba (2007).

[18] O termo é emprestado de Eduardo Marques, que o utilizou para se referir a esse processo de cristalização da posição institucional subalterna dos movimentos sociais urbanos, em comunicação pessoal no ano de 2006.

com o Estado e os espaços públicos. Pois se, nos anos 1980, esses movimentos de base organizavam demandas da favela e as procuravam publicizar, hoje é mais comum que, conveniados a projetos, programas e políticas públicas, esses atores utilizem boa parte do seu tempo implementando as demandas (editais, portarias etc.) oriundas de esferas centrais da decisão do Estado, quando não do chamado "Terceiro Setor". Sua atuação é, assim, funcionalizada prioritariamente na intermediação da execução de políticas estatais junto da "população atendida", ou do seu "público-alvo".[19] Simplificando muito o argumento, é possível então notar, a essa altura, que se o conjunto de atores duramente construídos para representar as periferias tem dificuldades para fazê-lo atualmente, e não surgem outros atores com legitimidade política para substituí-los, estabelecem-se uma série de fronteiras de tensão entre as periferias da cidade e os espaços ampliados de ação social e política. Essa lacuna de representação é, definitivamente, mais radical entre a parcela mais pobre dos jovens das periferias e, sobretudo, dos moradores de favela. A narrativa político-partidária, ou mesmo movimentista, lhes é desinteressante.

Caracterizado esse cenário de deslocamentos do trabalho, da família, da religião, da infraestrutura urbana, do consumo, do acesso a políticas sociais e das dimensões de sua representação e atores políticos, parece-me ser preciso recolocar o foco analítico na relação entre "trabalhadores" e "bandidos". Pois evidentemente, nesses deslocamentos, essa relação também se altera. Todas essas esferas tradicionalmente legítimas nas periferias da cidade — a família, a religião, o trabalho, o consumo, a representação política etc. — passa a se relacionar mais diretamente com essa esfera de sociabilidade conhecida como "mundo do crime", que expande-se em torno dos mercados ilegais e ilícitos transnacionais, cujas pontas de varejo estão cravadas nesses territórios. O argumento que apresento a seguir ampara-se na constatação de que, nessas transformações nada triviais, abriu-se espaço para que o "mundo do crime" disputasse legitimidade com toda essa série de instituições e atores tradicionalmente legítimos nas periferias da cidade. Em 2010 já não é possível conceber o "crime" como uma esfera alheia àquela comunidade trabalhadora coesa em torno da representação operária, ou como algo passível de repressão comunitária, como se fazia nos anos 1980.[20]

---

[19] Analiso essa tendência, com mais detalhe, em Feltran (2007).

[20] Por isso os "justiceiros" praticamente desaparecem na virada para os anos 1990, em São Paulo, e a gestão da segurança passa a ser feita, em muitos territórios, pelo próprio "crime", cujo senso de justiça esteve em franca expansão e legitimação, lastreadas

Como diversos pesquisadores vêm notando,[21] esse "mundo do crime" passa progressivamente a tensionar outros sujeitos e instâncias legítimas das periferias da cidade. Tensiona o mundo do trabalho, porque gera muita renda para os jovens, e simbolicamente é muito mais atrativo para eles do que descarregar caminhão o dia todo, ou entregar panfletos de farol em farol; tensiona a religiosidade, porque é indutor de uma moralidade estrita, em que códigos de conduta são prezados e regras de honra são sagradas; tensiona a família, porque não se sabe bem o que fazer com um filho "na droga", ou com outro que traz R$ 500 por semana para casa, obtidos "da droga"; tensiona a escola, porque os meninos "do crime" são malvistos pelos professores, mas muito bem-vistos pelas alunas mais bonitas da turma; tensiona demais a justiça legal, porque estabelece outras dinâmicas de punição e reparação; tensiona o Estado em seu cerne, porque reivindica para si o monopólio do uso da violência (legítima entre a população) em alguns territórios. Ou seja, todos esses atores: a escola, a família, a religião, o trabalho, a justiça, o Estado, esses atores tradicionalmente "legítimos", começam a ter de lidar com a presença e a atratividade do "mundo do crime". Passa a se estabelecer, de fato, uma disputa pela legitimidade entre essas esferas, e os atores tradicionais dos territórios passam a se pensar mais radicalmente *em oposição* ao "crime". Há muitíssimos relatos de campo me contando dessa disputa, dessa "guerra contra o crime", travada por professores, assistentes sociais, psicólogos, educadores, militantes e pais de família. Quando argumento, como em Feltran (2008), pela "expansão do mundo do crime" nas periferias da cidade, é especificamente a esse processo de disputa de legitimidade a que me refiro (e não a um aumento das atividades ilegais ou ações criminais). O que está em jogo nessa expansão é que o "mundo do crime", antes visto por todos como o oposto diametral do "trabalhador", paulatinamente passa a concorrer como ator e instância normativa nas periferias da cidade, ocupando terrenos mais amplos e solicitando, inclusive, reações de demarcação mais clara de fronteiras da legitimidade.[22]

---

pela acumulação decorrente da conexão dos mercados nacional e internacional de drogas e armas. Ver Feltran (2010, 2010b).

[21] Marques (2007); Telles (2009); Biondi (2010); Hirata (2009); e meu próprio trabalho (Feltran, 2008).

[22] Se Michel Foucault afirma que "lá onde há poder há resistência" (Foucault, 1988: 91), a necessidade de resistir a essa expansão do "crime" denota as relações de poder que lhe são constitutivas e, nessa chave, a questão política que se desprende delas.

Gabriel Feltran

Essa expansão gera formas de identificação com o "crime", especialmente entre parcelas minoritárias das camadas mais jovens, que já não implicam vinculação a atividades ilegais ou ilícitas, mas se fundam em modos cotidianos de se relacionar com essa instância de autoridade efetivamente presente nos territórios. A existência do "mundo do crime" nas periferias, é de difícil compreensão; ela desarranja as categorias previamente pensadas para descrever as ações morais e as organizações coletivas nesses territórios. O "crime" é uma existência que não cabe na rubrica do "crime organizado", porque se espraia para *muito* além das atividades criminais; tampouco suas facções, empenhadas em criar para si um discurso político, podem ser descritas pela noção de "movimento social", pois não se propõem a produzir um "sujeito político" no sentido que a literatura específica conferiu ao termo (ver Sader, 1988; Paoli, 1995). A proposta de vida inscrita nessa subjetivação afasta-se muito da proposta crítica e integradora dos movimentos sociais, sendo traduzida mais criteriosamente pela expressão *vida loka*, fantasticamente difusa entre adolescentes.[23] Essa vida intensa em prazer e dor, adrenalina e risco, de curto prazo, quando vista como horizonte de relação social, sugere uma chave analítica muito distinta daquela perspectiva integradora que o direito propunha. Nota-se em sua difusão como a narrativa de um país que vai ser democrático, que incluiria suas massas trabalhadoras na esfera do direito, perdeu força nesses territórios.

A "guerra contra o crime", que todas as instituições sociais tradicionalmente legítimas vão travar nos anos 2000, nas grandes cidades, figura mais a assunção da fratura social do que a integração. Essa fratura solicita também uma cisão discursiva (e cognitiva) mais profunda. O que essa "guerra" faz notar é que esse "mundo do crime" não pode ser extinto, contemporaneamente, porque goza de *status* suficiente para seguir resistindo na disputa de legitimidade social. Essa disputa pela legitimidade tem conformado, mais recentemente, novos padrões de interação entre as políticas estatais de repressão ao crime, os policiais de base e grupos inscritos nos mercados ilícitos. Os padrões de interação que se processam nos cotidianos das periferias com certa autonomia, nos últimos anos, dão origem também a novas instâncias de justiça nas periferias da cidade, pela emergência de sujeitos coletivos ali legitimados, com destaque para o Primeiro Comando da Capital. De prisões

---

[23] A expressão dá título a um álbum duplo do grupo Racionais MC's, ícone do gênero em São Paulo. Daniel Hirata (2009) produz ensaio em que procura relacionar a representação de "vida loka" ao conceito de "vida nua" que o filósofo Giorgio Agamben (2002) tomou emprestado de Hannah Arendt (2000: 333).

e favelas brotam os "irmãos", integrantes batizados do PCC, que reivindicam para si o monopólio de dispor e gerir a violência (legítima, em contraposição à violência policial) nesses territórios. Passagens nada simples, difíceis de compreender: é o "crime" quem aparece reivindicando para si o papel de instância normativa da justiça (Feltran, 2010, 2010b) entre grupos sociais e territórios das periferias, e sobretudo entre aqueles mais próximos socialmente da operação de varejo dos mercados ilícitos (que se expandem, como se sabe, para muito além das periferias).

Esse "mundo do crime", entretanto, não *domina* os territórios ou as populações tiranicamente. A posse de armas e a disposição para utilizá-las é, evidentemente, a fonte última da legitimidade e autoridade do "mundo do crime" e dos "irmãos" nas periferias da cidade. Entretanto, cotidianamente esses grupos manejam componentes muito mais sutis de disputa pelas normas de convivência, como a reivindicação de justeza dos comportamentos, amparados na "atitude", "disposição" e "proceder", e na oferta de "justiça" a quem dela necessita; a ajuda para solução de problemas de moradia; o amparo para pagamento de advogados; subsídio para a visita de parentes presos etc. Se não se trata de um jugo ou de uma dominação autoritária, tampouco trata-se de um movimento democrático: a questão é que "o crime" emerge noutra chave de compreensão, como resultante de trocas sociais complexas travadas entre instâncias reconhecidas e legítimas nos territórios, obtendo dessas trocas consentimentos ativos e legitimidade para ali se estabelecer. Assim, o "mundo do crime" aparece como uma entre outras instâncias de geração de renda, de acesso a justiça ou proteção, de ordenamento social, de apoio em caso de necessidade, de pertencimento e identificação. Não se afirma aqui, portanto, que "o crime" se espraia indistintamente pelo tecido social das periferias, manchando o tecido social, nem que os jovens dali sejam ou estejam se tornando "bandidos"; a questão é outra: trata-se de um universo de relações em disputa pela legitimação social, pelos critérios de subjetivação social e política, que trava relações tensas (e intensas) com uma série de outras instâncias sociais mais tradicionais.

Se essa constatação faz sentido, é imperativo modificar os modos de abordar analiticamente o conflito nas *fronteiras* entre, de um lado, a esfera da democracia formal, cristalizada nos últimos anos no Brasil, e de outro as dinâmicas de subjetivação política nessas periferias que, em certa medida, se fundam em dimensão alheia aos marcos do projeto de "integração social" anterior. Se há vinte anos essas fronteiras ainda podiam ser vistas como linhas a serem superadas pela "democratização", pelo "crescimento", pela "inclusão", pela "cidadania", elas são figuradas hoje, nas relações efetivas entre

Estado e organizações sociais das periferias da cidade como divisão irreconciliável que é preciso conter, gerenciar. O projeto normativo *de fato* — não de direito, claro — das instâncias estatais empenhadas em lidar com essas fronteiras, nos anos 2000, parece deixar de pautar a integração, e portanto o empenho em produzir subjetivação política entre indivíduos e grupos hierarquizados subalternamente, e passa a atuar no registro da administração das fronteiras do direito, mantendo o quanto possível fora delas a população figurada como *causa* dos conflitos que, por demais incivis, ameaçam a democracia.[24]

As políticas sociais voltadas para as periferias da cidade, que se expandem já no final dos anos 1990, traduzem esse cenário. Ao mesmo tempo que ampliam a cobertura de serviços e se fazem em marcos legais cada vez mais progressistas, o que é inegável, são implementadas de modo bastante distinto a depender do lado da fronteira que se esteja. Nas periferias, sua função imediata é minimizar os conflitos que emergem das relações com territórios e populações marginais. Não se trata de "construção de cidadania", mas sobretudo de gerir as franjas da cidade, acionando um dispositivo assistencial claramente associado a outras formas de controle. Pois entre espaços e grupos que não podem ser administrados a contento, ou se negam a sê-lo, a política essencial que se acopla à assistência é a repressão — muitas vezes realizada fora dos marcos legais ou "democráticos", vale dizer. Não (apenas) a burocratização das relações entre governos e entidades sociais de atendimento,[25] mas sobretudo a alta do encarceramento em São Paulo, estado que passa de cerca de 45 mil presos em 1996, para mais de 150 mil, em 2009, é expressiva dessa tentativa gerencial. Não são apenas as prisões, entretanto, que contribuem para essa política pública de contenção do conflito social ensejado pelas periferias contemporâneas: há também a internação

---

[24] Há toda uma bibliografia socioantropológica que pauta, recentemente, a "gestão diferencial dos ilegalismos" proposta por Michel Foucault (1975) para analisar esse gerenciamento (Telles, 2009; Marques, 2009; Biondi, 2010). A ideia de que a lei serve para demarcar um espaço de gestão da fronteira legal-ilegal já aparecia em Whyte (2005, capítulo 4). Para uma análise de fronteira acerca dos modos dessa sujeição no Brasil, em diálogo crítico com as "teorias do sujeito" e especificamente tratando da categoria "bandido", ver Misse (2010). O problema da subjetivação política dos mais pobres anima a teoria democrática há tempos, e a crítica de Jacques Rancière aos modelos deliberativos de democracia (mais centralmente a Habermas), nesse ponto, pode ser lida em Rancière (1996a, 1996b).

[25] Discuto as transformações nos modos de relação entre entidades de atendimento (que crescem muito nos anos 1990 e 2000) e governos, via convênios em políticas sociais, em Feltran (2008, parte III).

na Fundação Casa (antiga Febem), as clínicas de recuperação para viciados em drogas, os espaços destinados a tratamentos de saúde mental, os albergues para moradores de rua, os abrigos para adolescentes, e muito mais.[26] Em suma, é todo um dispositivo bastante complexo de gestão associado a *uma mesma população*, que quando não está internada, está nas periferias e, principalmente, nas favelas. Em pesquisa de campo em favelas, por isso, não é incomum encontrar trajetórias individuais que traçam circuitos praticamente ininterruptos entre a cadeia, o "crime", a clínica de internação, a situação de rua, o albergue, a clínica de desintoxicação etc. E esses circuitos começam a ser mais frequentes (Feltran, 2007b).

Há contemporaneamente, portanto, muita tensão nas relações multifacetadas entre Estado e periferia, ou Estado e favela mais radicalmente — porque a favela é um exemplo radical do universo das periferias. Políticas de acesso a direitos, assistência e repressão associam-se de modo distinto do diagrama anterior. Os conflitos latentes nessas interações, quando não encontram canais de tradução pública na chave política do direito, da cidadania, invariavelmente se manifestam como conflito privado e, não raro, violento. O argumento é arendtiano: quando a noção de direito não dá mais conta de descrever o mundo social das periferias da cidade, a equação da conflitividade social transborda para dinâmicas violentas. Nessa perspectiva é que elaboro a reflexão, anunciada no início deste artigo, acerca das causas dos deslocamentos temáticos aos quais a pesquisa de campo me conduziu, ao longo dos últimos dez anos. A porta de entrada inicial no registro dos movimentos sociais, articulados em torno das noções de direito, cidadania e democracia, encontrava limites para descrever e explicar as formas do conflito social ensejado nas configurações sociais com que me deparava em campo. As transformações narradas pelos meus interlocutores necessitavam, também, de outros diagramas de compreensão.

Considerações finais

Neste sentido, talvez seja pertinente introduzir alguns exemplos empíricos acerca da conformação contemporânea da conflitividade social enseja-

---

[26] Sobretudo o urbanismo securitário (exemplar nas rampas "antimendigo" do centro de São Paulo) que concentra técnicas de segurança em algumas regiões, limitando assim os territórios urbanos plausíveis para que o conflito social ensejado pela presença dos pobres se manifeste.

Gabriel Feltran

da nos contatos das esferas da lei e do direito estatal com as periferias urbanas. Retomo, para isso, algumas situações em que as categorias "trabalhadores" e "bandidos" operam em situações de campo. Três situações, muito relacionadas umas com as outras, me auxiliam a demonstrar como essas categorias são situacionais e polissêmicas, transitando entre significados e construindo grupos populacionais distintos a depender das modalidades de interação em questão. A partir desses exemplos, nota-se ainda como as fronteiras entre esses marcadores é gerenciada plasticamente pelas políticas estatais, em operação que guarda analogia aos distintos regimes estatais descritos e analisados por Veena Das (2007) entre grupos "marginais" na Índia. É a plasticidade dos modos de agir nesse conflito, e o privilégio estatal na definição do regime em que esse conflito se desenvolve a cada situação, que caracteriza o tipo de gestão contemporânea da tensão latente nas relações entre a esfera legal e dos direitos e as periferias da cidade.

Os exemplos se referem a três formas distintas de repressão policial que coexistiram nas favelas do "Madalena" e do "Elba", em Sapopemba, durante os anos de minha pesquisa de campo. A primeira delas é cotidiana, rotineira, caracterizada pelas rondas realizadas por policiais que conhecem bem o território patrulhado. Sabem há tempos onde se situam os pontos de venda de droga, conhecem quem faz parte das "quadrilhas", cumprimentam as pessoas pelo nome, sabem onde moram, e que muitas vezes mantêm acordos financeiros ilegais com indivíduos e grupos inscritos no "mundo do crime". Essa relação cotidiana entre policiais e "bandidos", embora sempre marcada por acordos instáveis e desconfiança recíproca, é praticamente desprovida de violência. Trata-se de relação muito próxima daquela que Whyte (2005) descreveu nas esquinas de Boston, já nos anos 1940, entre policiais e operadores de atividades ilegais. Os policiais dão segurança ao funcionamento dos negócios ilícitos, e recebem contrapartidas financeiras por isso. As dinâmicas não são estáveis, nem todos os policiais fazem acordos da mesma forma, mas há uma lógica de reciprocidade que se estabelece contextualmente e que permite que as partes sigam legitimadas em seus negócios e posições sociais.

Há, entretanto, um segundo tipo de ação policial em favelas de São Paulo também recorrente: as "operações policiais", que coordenadas centralmente atuam em lógica distinta dessa primeira. As "Operações Saturação" tornaram-se conhecidas em São Paulo nos anos 2000: trata-se de operações em que muitos policiais ocupam um território de favela, às vezes por meses. Chegam de surpresa, integrando ações de polícia civil, militar, federal, com tropas da cavalaria, descendo de rapel de helicópteros, para fazer o que se chama, informalmente, de "quarentena" na favela. Nesses casos os policiais vêm de fora, o evento de ocupação é evidentemente marcado por muita tensão para todos os envolvidos, e os policiais de ação de base devem "tomar o controle" da favela. Para isso, o método utilizado é invadir todas as casas, abordar quase todos os moradores, para daí começar a triagem que delineará quem "é do crime" e "quem não é". Há muitas denúncias de tortura nesses primeiros momentos de atuação, porque os policiais precisam ter acesso às informações acerca do funcionamento do "crime" no local, e por vezes os métodos para consegui-las não são os mais democráticos. Essas ações têm grande efeito midiático, e invariavelmente, nelas, os policiais de base estão ainda pressionados por seus superiores, e pelo poder político, a "mostrar serviço". Uma operação como essa em Sapopemba, em 2005, gerou forte reação da parte dos moradores e das associações locais, ao contrário das que ocorrem cotidianamente, do primeiro tipo. Por uma razão muito simples: não se reclama quando a repressão policial é direcionada aos "bandidos", isso faz parte do jogo; mas recebe-se muito mal a repressão voltada indistintamente a "trabalhadores" *e* "bandidos".

Finalmente, existe um terceiro tipo de ação policial voltada às periferias, que também pude acompanhar em pesquisa de campo, durante os eventos de maio de 2006, que ficaram conhecidos publicamente como "Ataques do PCC", e ressignificados na expressão "Crimes de Maio" pelos ativistas de direitos humanos. Nesses eventos, como se sabe, houve uma ofensiva do PCC que matou mais de 40 policiais em uma noite, a maioria da Polícia Militar. A imprensa entrou em alarde, a cidade passou dias em tensão permanente e todos os serviços pararam de funcionar numa tarde. A palavra "guerra urbana" foi a melhor descrição dos jornais para o que acontecia. Como retaliação, e demonstrando sua capacidade de restabelecer a ordem, o comando da polícia de São Paulo lançou uma "ofensiva" voltada às periferias da cidade. Nessa situação de "guerra", executaram-se jovens que tinham antecedentes criminais, que andavam em grupos ou que poderiam se parecer com "bandidos". O saldo dos eventos foi de, ao menos, 493 mortos em uma semana, no Estado de São Paulo. Durante o mês seguinte, com a "ordem pública" garantida, foram executadas mais 500 pessoas. Em um mês, portanto, foram mortas quase mil pessoas na reação da polícia aos "Ataques do PCC". Adorno e Salla (2007) contabilizam esses dados a partir de pesquisa em 23 Institutos Médico-Legais, mas a grande imprensa praticamente silenciou sobre esses homicídios. Cinco das pessoas assassinadas nessa ofensiva policial viviam em São Mateus, distrito vizinho a Sapopemba. Um deles era sobrinho de um interlocutor importante de minha pesquisa de campo. O

Centro de Direitos Humanos de Sapopemba acompanhou o caso, o que me favoreceu o acesso a muitas informações desse caso.

Ao colocar em relação essas três situações repressivas, que coexistiram no tempo durante meus trabalhos de pesquisa em Sapopemba, salta aos olhos a plasticidade da clivagem entre "trabalhadores" e "bandidos". O conjunto de moradores inscritos como público-alvo daquele primeiro tipo de operação, rotineira, é restrito àqueles inscritos no "mundo do crime", ou rotulados pela etiqueta de "bandido" mesmo entre seus pares, na favela. Não se reprime nenhum "trabalhador" nessa primeira forma de ação policial. A ação é praticamente desprovida de violência, voltada a manter os negócios funcionando e o conflito social administrado — não se intenta minimizar o tráfico de drogas ou os assaltos, espera-se mantê-los em níveis aceitáveis, de modo a que não se tornem assunto público. No segundo tipo de operação assinalada, as forças da ordem consideram como "suspeitos", ou "bandidos", todos os moradores da favela. A categoria "bandido" abarca todo o território ocupado, espraia-se pelos corpos de seus moradores, e para os policiais que chegam até ali, pressionados por seus superiores hierárquicos e em risco efetivo durante as operações, as fronteiras entre as casas de "trabalhadores" e "bandidos" não são visíveis. Daí o desacordo dos "trabalhadores" que vivem na favela frente a esse tipo de operação; eles não aceitam ser confundidos com "bandidos". O caráter gerencial da iniciativa torna-se ainda mais claro quando se percebe que as favelas de Paraisópolis e Heliópolis, em São Paulo, vivenciaram essa "Operação Saturação" imediatamente após os levantes violentos, separados por poucos meses, que cada uma delas viveu em 2009, amplamente noticiados na imprensa paulista. No terceiro tipo de operação policial elencado, de confronto guerreiro e altamente letal, no qual efetivamente o "mundo do crime" e as polícias estão "batendo de frente", os significados da categoria "bandido" são ainda mais ampliados. De imediato, é preciso acalmar a opinião pública e, como a representação dominante nela situa os "suspeitos" ou "bandidos" como jovens moradores das periferias, é imprescindível apresentar o saldo dos mortos entre eles. Os cinco meninos assassinados em São Mateus, situação que pude acompanhar mais de perto, foram executados no caminho do trabalho, no sábado que se seguiu à primeira noite da ofensiva do PCC. Eles não eram "bandidos", eram típicos jovens "trabalhadores", seguiam para uma fábrica em Santo André. Jamais seriam importunados por policiais conhecidos no bairro. Mas eram meninos da periferia e, naquela situação, não importava o que faziam, mas o que "eram". O carro deles passou, e policiais os mandaram parar, eles saíram do carro. As mãos deles foram à parede e todos foram fuzilados, sumariamente. A morte deles, atribuída a policiais por todas as testemunhas, contou entre os "suspeitos" no noticiário televisivo. Foi traduzida, portanto, como recuperação da ordem democrática, que oferece segurança aos cidadãos. *As instituições da democracia seguiam protegidas.*

Analiticamente, portanto, fica patente a plasticidade da categoria "bandido" e os sentidos propriamente políticos do conflito inscrito em sua utilização contemporânea. As situações demonstram como, em cada uma das três modalidades de repressão, a definição de quem é o "bandido" a reprimir tem em sua base um impulso por gerenciar o conflito social (e político) que emana das periferias da cidade. No primeiro caso, mantém-se o conflito latente, e as partes em negociação direta ganham com isso; no segundo, a tensão extravasa mas lê-se publicamente que o Estado combate o "crime" das favelas, o argumento de justificação do "combate ao crime" legitima-se publicamente, deslegitimando-se nas periferias; no terceiro, mata-se jovens favelados e moradores de bairros periféricos para restabelecer os controles democráticos. A ilegalidade constitutiva de todas as situações é mais ou menos letal a depender da intensidade do conflito político que a presença pública das periferias podem causar. As formas plásticas de utilização social do par de categorias "trabalhador" e "bandido" expõem, quando enxergados na etnografia, distintos modos de gerenciamento de um *conflito político*, ainda que muito distinto daquele que os movimentos sociais dos anos 1970 e 80 tentaram produzir. No declínio da perspectiva universalista do direito como referência normativa para essa marcação, e da legitimidade desses atores entre suas "bases", parece ser hoje a *violência* o modo fundamental de contenção desse conflito político, sobretudo nas situações-limite em que ele se mostra. As transformações fundamentais nas dinâmicas sociais das periferias da cidade, percorridas nesse artigo, pelas formas de interpretá-las nessa etnografia, parecem conduzir, portanto, a problemas teóricos, analíticos e políticos conectados. Sugerem que podem estar situadas num mesmo diagrama analítico as esferas do "crime", do trabalho, da família, da religião, da política e do Estado. Legitimidade, ação política, gestão e violência aparecem como operadores situacionais das relações entre essas esferas, em transformação radical nas últimas décadas. Ainda que não seja nada simples equacionar analiticamente os modos de operação desse diagrama, extremamente complexo, a pesquisa de campo e as formas do conflito político contemporâneo no Brasil vêm demonstrando que não devemos deixar de tentar.

Bibliografia

ADORNO, Sérgio; SALLA, Fernando (2007). "Criminalidade organizada nas prisões e os ataques do PCC". *Estudos Avançados*, vol. 21, nº 61, São Paulo, IEA-USP, pp. 7-29.

AGAMBEN, Giorgio (2002). Homo sacer: *o poder soberano e a vida nua*. Belo Horizonte: UFMG.

ALMEIDA, Ronaldo (2009). *A Igreja Universal e seus demônios: um estudo etnográfico*. São Paulo: Terceiro Nome/Fapesp.

ARENDT, Hannah (2004). *La tradición oculta*. Barcelona: Paidós.

_____ (2003). "Reflexões sobre Little Rock". In: ARENDT, Hannah. *Responsabilidade e julgamento*. São Paulo: Companhia das Letras.

_____ (2000). *Origens do totalitarismo: antissemitismo, imperialismo, totalitarismo*. São Paulo: Companhia das Letras.

_____ (1987). *Homens em tempos sombrios*. São Paulo: Companhia das Letras.

BIONDI, Karina (2010). *Junto e misturado: uma etnografia do PCC*. São Paulo: Terceiro Nome/Fapesp.

CALDEIRA, Teresa Pires do Rio (1984). *A política dos outros: o cotidiano dos moradores da periferia e o que pensam do poder e dos poderosos*. São Paulo: Brasiliense.

COSTA, Sérgio (1997). "Contextos de construção do espaço público no Brasil". *Novos Estudos*, nº 47, São Paulo, Cebrap.

DAGNINO, Evelina (2002). "Sociedade civil, espaços públicos e a construção democrática no Brasil: limites e possibilidades". In: DAGNINO, Evelina (org.). *Sociedade civil e espaços públicos no Brasil*. São Paulo: Paz e Terra.

_____ (1994). "Os movimentos sociais e a emergência de uma nova noção de cidadania". In: DAGNINO, Evelina (org.). *Anos 90: política e sociedade no Brasil*. São Paulo: Brasiliense.

DAGNINO, Evelina; OLVERA, Alberto; PANFICHI, Aldo (orgs.) (2006). *A disputa pela construção democrática na América Latina*. São Paulo: Paz e Terra.

DAGNINO, Evelina; TATAGIBA, Luciana (2007). *Democracia, sociedade civil e participação*. Chapecó: Argos.

DAS, Veena (2007). "The Signature of the State: The Paradox of Illegibility". In: *Life and Words: Violence and the Descent into the Ordinary*. Berkeley: University of California Press.

DURHAM, Eunice Ribeiro (2005). *A dinâmica da cultura*. São Paulo: Cosac Naify.

_____ (1980). A família operária: consciência e ideologia. *Dados: Revista de Ciências Sociais*, vol. 23, nº 2, Rio de Janeiro.

_____ (1973). *A caminho da cidade*. São Paulo: Perspectiva.

FELTRAN, Gabriel de Santis (2010). "Crime e castigo na cidade: os repertórios da justiça e a questão do homicídio nas periferias de São Paulo". *Cadernos CRH*, vol. 23, nº 58, jan.-abr.

_____ (2010b). "The Management of Violence on the Periphery of São Paulo: A Normative Apparatus Repertoire in the 'PCC Era'". *Vibrant — Virtual Brazilian Anthropology* (no prelo).

_____ (2009). "O legítimo em disputa: as fronteiras do mundo do crime nas periferias de São Paulo". *Dilemas: Revista de Estudos de Conflito e Controle Social*, vol. 1, nº 1, Rio de Janeiro, UFRJ.

_____ (2008). "Fronteiras de tensão: um estudo sobre política e violência nas periferias de São Paulo". Tese de Doutorado, IFCH-Unicamp.

_____ (2007). "Vinte anos depois: a construção democrática brasileira, vista da periferia de São Paulo". *Lua Nova*, São Paulo, Cedec.

_____ (2007b). "A fronteira do direito: política e violência nas periferias de São Paulo". In: DAGNINO, E.; TATAGIBA, L. (orgs.). *Democracia, sociedade civil e participação*. Chapecó: Argos.

_____ (2005). *Desvelar a política na periferia: histórias de movimentos sociais em São Paulo*. São Paulo: Humanitas/Fapesp.

FOUCAULT, Michel (1988). *A história da sexualidade I: a vontade de saber*. Rio de Janeiro: Edições Graal.

_____ (1975). *Surveiller et punir: naissance de la prison*. Paris: Gallimard.

HIRATA, Daniel Veloso (2009). "Comunicação oral no seminário 'Crime, Violência e Cidade'". Faculdade de Filosofia, Letras e Ciências Humanas, Universidade de São Paulo, mimeo.

KOFES, Suely (1976). "Entre nós, os pobres, eles os negros". Dissertação de Mestrado, IFCH-Unicamp.

_____ (2001). *Mulher, mulheres: identidade, diferença e desigualdade na relação entre patroas e empregadas domésticas*. Editora da Unicamp, Campinas.

KOWARICK, Lúcio (1993). *A espoliação urbana*. São Paulo: Paz e Terra, 2ª ed.

MACHADO DA SILVA, Luiz Antonio (2004). "Sociabilidade violenta: por uma interpretação da criminalidade contemporânea no Brasil urbano". *Sociedade e Estado*, Brasília, vol. 19, nº 1.

_____ (1993). "Violência urbana: representação de uma ordem social". In: NASCIMENTO, E. P.; BARREIRA, Irlys (orgs.). *Brasil urbano: cenários da ordem e da desordem*. Rio de Janeiro: Notrya.

MARQUES, Adalton José (2009). "Crime, proceder, convívio-seguro: um experimento antropológico a partir das relações entre ladrões". Dissertação de Mestrado (Antropologia), Universidade de São Paulo.

_____ (2007). *"Dar um psicológico": estratégias de produção de verdade no tribunal do crime*. In: VII Reunião de Antropologia do Mercosul, Porto Alegre. CD-ROM VII Reunião de Antropologia do Mercosul, vol. 1.

MISSE, Michel (2010). "Crime, sujeito e sujeição criminal: notas para uma análise da categoria 'bandido'". *Lua Nova*, nº 77, São Paulo, Cedec (no prelo).

_____ (2006). "Sobre uma sociabilidade violenta". In: MISSE, Michel. *Crime e violência no Brasil contemporâneo: estudos de sociologia do crime e da violência urbana*. Rio de Janeiro: Lumen Juris.

PAOLI, Maria Célia (1995). "Movimentos sociais no Brasil: em busca de um estatuto político". In: HELLMANN, Michaella (org.). *Movimentos sociais e democracia no Brasil*. São Paulo: Marco Zero/Ildesfes.

RANCIÈRE, Jacques (2005). *A partilha do sensível: estética e política*. São Paulo: Editora 34.

_____ (2002). *O mestre ignorante: cinco lições sobre a emancipação intelectual*. Belo Horizonte: Autêntica.

_____ (1996a). *O desentendimento*. São Paulo: Editora 34.

_____ (1996b). "O dissenso". In: NOVAES, Adauto (org.). *A crise da razão*. São Paulo: Companhia das Letras.

_____ (1995). *Políticas da escrita*. São Paulo: Editora 34.

SADER, Eder (1988). *Quando novos personagens entraram em cena: experiências, falas e lutas dos trabalhadores da Grande São Paulo, 1970-80*. Rio de Janeiro: Paz e Terra.

TELLES, Vera da Silva (2009). "Ilegalismos urbanos e a cidade". *Novos Estudos*, nº 84, São Paulo, Cebrap, ago.

WHYTE, William Foote (2005). *Sociedade de esquina*. Rio de Janeiro: Zahar.

ZALUAR, Alba (1985). *A máquina e a revolta*. São Paulo: Brasiliense.

15

Cidade e práticas urbanas:
nas fronteiras incertas entre o ilegal, o informal e o ilícito

Vera da Silva Telles e Daniel Hirata

A CIDADE COMO BAZAR

Em artigo de 1997, Ruggiero e South lançaram mão da metáfora do bazar — "a cidade como bazar" — para descrever as intersecções entre os mercados formais e os mercados informais, ilegais ou ilícitos, tal como vêm se configurando, desde meados dos anos 1980, nas metrópoles dos países centrais do capitalismo contemporâneo. Com evidente intenção polêmica, a metáfora evoca a alteridade nos traços de "orientalismo" (Sayad) associados ao bazar, para chamar atenção para o fato de que ele se encontra, doravante, incrustado no núcleo mesmo das modernas (e ocidentais) economias urbanas. Na mira dos autores, está um cenário urbano no qual se expande uma ampla zona cinzenta, que torna incertas e indeterminadas as diferenças entre o trabalho precário, o emprego temporário, os expedientes de sobrevivência e as atividades ilegais, clandestinas ou delituosas. É justamente nas fronteiras porosas entre o legal e o ilegal, o formal e o informal, que transitam, de forma descontínua e intermitente, as figuras modernas do trabalhador urbano, lançando mão das oportunidades legais e ilegais que coexistem e se superpõem nos mercados de trabalho. Oscilando entre empregos mal pagos e atividades ilícitas, entre o desemprego e o pequeno tráfico de rua, negociam a cada situação e em cada contexto os critérios de aceitabilidade moral de suas escolhas e de seus comportamentos. É isso propriamente que caracteriza o bazar metropolitano: esse embaralhamento do legal e do ilegal, esse permanente deslocamento de suas fronteiras sob a lógica de uma forma de mobilidade urbana, as "mobilidades laterais", de trabalhadores que transitam entre o legal, o informal e o ilícito, sem que por isso cheguem a se engajar em "carreiras delinquentes".

O bazar metropolitano, dizem os autores, começou a ganhar forma em meados da década de 1980. No caso da Inglaterra e dos Estados Unidos, no momento da virada conservadora de governos que desmancharam direitos e garantias sociais, ponto de arranque da precarização do trabalho e redefinição dos mercados urbanos de trabalho. Em termos gerais, anos de reestruturação produtiva e da chamada flexibilização das relações de trabalho, que terminou por esfumaçar as diferenças entre trabalho, desemprego e expedientes de sobrevivência, na própria medida em que o assim chamado informal instala-se no coração dos modernos processos produtivos, e, no mesmo passo, se expande pelas redes de subcontratação e formas diversas de mobilização do trabalho temporário, esporádico e intermitente, sempre nos limites incertos entre o legal e o ilegal, clandestino ou mesmo ilícito e delituoso (Ruggiero, 2000). Mas esses também foram anos em que as atividades ilícitas mudaram de escala, se internacionalizaram e se reorganizaram sob formas polarizadas. De um lado, os empresários do ilícito, em particular do tráfico de drogas que, a cada local, irão se conectar com (e redefinir) a criminalidade urbana comum; de outro, os pequenos vendedores de rua, que operam à margem da verdadeira economia da droga e transitam o tempo todo entre a rua e a prisão. Esses são os "trabalhadores precários" da droga, que se multiplicam na medida em que o varejo se expande e se enreda nas dinâmicas urbanas (Bourgeois, 1995), modulação criminosa do capitalismo pós-fordista. Criminalidade "just-in-time", define Ruggiero (2000), que responde à variabilidade, oscilações e diferentes territorialidades dos mercados. É justamente nesse ponto que as atividades ilícitas — e não só o tráfico de drogas — passam a interagir com as dinâmicas urbanas e compor o bazar metropolitano nos pontos de intersecção com os igualmente expansivos mercados irregulares, terreno incerto em que operam as "mobilidades laterais" de trabalhadores que transitam nas fronteiras borradas entre o trabalho, os expedientes de sobrevivência e o ilícito. E também entre a rua e a prisão.

Por certo, as questões propostas por Ruggiero estão longe de dar conta de uma problemática hoje tratada por uma vastíssima literatura sobre o tráfico de drogas em suas várias dimensões, escalas e formas de territorialização. Na verdade, o nosso interesse aqui não é oferecer explicações e muito menos entrar nas suas controvérsias. Interessa sobretudo aqui reter o plano em que Ruggiero apresenta suas questões, colocando a cidade — o bazar metropolitano — em perspectiva e como plano de referência para situar o tráfico de drogas em suas interações com as dinâmicas urbanas modernas.

Bem sabemos que, entre nós, o bazar metropolitano não é exatamente uma novidade. Por isso mesmo, como diz Michel Misse (2006: 215-6), a análise deve se deter não tanto na sua oposição a um tipo de cidade moderna que por aqui nunca se realizou completamente, mas sobretudo nas diferentes conjunturas da história urbana, os modos como essa relação entre o informal e o ilegal se configurou no correr dos anos, "as continuidades, descontinuidades e metamorfoses de seus tipos sociais e a reprodução ampliada de seus mercados ilícitos". Em outros termos, esse trânsito entre o informal e o ilegal, quiçá o ilícito, sempre esteve presente e sempre foi importante em cidades marcadas desde longa data por um mercado informal em expansão, sempre próximo e tangente aos mercados ilícitos que também têm uma história que seria importante, em outro momento, reconstituir.

Porém, se há, hoje, a reatualização de uma história de longa duração, há também um deslocamento considerável na ordem das coisas. E é justamente nesse ponto que o bazar metropolitano descrito por Ruggiero interessa para demarcar e pontuar a contemporaneidade e as ressonâncias do que acontece aqui e lá: isso que sempre foi considerado como evidência das incompletudes de nossa modernidade, a "exceção do subdesenvolvimento", como diz Francisco de Oliveira (2003), não apenas transformou-se em regra (está aí para ficar, sem a superação prometida pelo "progresso") como se projetou na ponta de um capitalismo que mobiliza e reproduz o "trabalho sem forma",[1] ao mesmo tempo em que fez generalizar os circuitos ilegais de uma economia globalizada nas sendas abertas pela liberalização financeira, a abertura dos mercados e o encolhimento dos controles estatais (Naim, 2006), em um tal intrincamento entre o oficial e o paralelo, entre o legal e o ilegal, o lícito e o ilícito, que esses binarismos perdem sentido e tornam obsoletas as controvérsias clássicas em torno do formal e do informal (Botte, 2004; Bayart, 2004).

Por outro lado, se a situação brasileira tem que ser vista sob o ângulo dos processos transversais (e globalizados) que a atravessam, também é importante averiguar os modos de sua territorialização, em interação com contingências locais, história e tradições herdadas, assimetrias e desigualdades que lhes são próprias. E é nesse plano que a referência ao bazar contemporâneo também interessa, na medida em que propõe a escala urbana para a descrição das recomposições, redefinições e deslocamentos nas relações entre o informal, o ilegal e o ilícito, ou então, mais especificamente, as recomposições do ilícito em suas interações com as dinâmicas urbanas

---

[1] A redefinição das relações entre o formal e o informal no capitalismo contemporâneo e, mais particularmente, o lugar redefinido do informal, sob a lógica de um processo de acumulação que exige, mobiliza e aciona a sua reprodução ampliada, está hoje no centro de um debate que já conta com uma importante literatura de referência. Para as questões aqui discutidas, além do livro de Ruggiero já citado (2000), ver Sassen (1989) e Portes e Castells (1989).

atuais (cf. Kokoreff *et al.*, 2007). É nesse plano que gostaríamos de seguir a discussão.

Antes, vale pontuar duas ordens de questões. Primeiro, a necessária calibragem do ponto da crítica social: a cidade como perspectiva descritiva oferece um plano de referência que permite desativar mitos e ficções em torno do dito Crime Organizado e do Tráfico de Drogas (cf. Kokoreff *et al.*, 2007; Kokoreff, 2004), essas espécies de entidades fantasmáticas às quais são atribuídas todas e quaisquer mazelas de nossas cidades, ou, como sugere Misse (2006: 269), os vários apelidos de um Sujeito onipresente e onipotente que responde pelo nome de Violência Urbana e que unifica conflitos, crimes, delitos cotidianos, comportamentos, fatos e eventos os mais disparatados. Voltaremos a isso na parte final desse artigo. Por enquanto, vale dizer que é esse o sentido crítico inscrito no empreendimento descritivo de Ruggiero, ao relançar a noção do "crime como trabalho" e discutir as proximidades e semelhanças, contiguidades e intersecções entre os mercados legais e ilegais, localizando aí, nessas interfaces, a reposição e engendramento de clivagens sociais, dessimetrias, discriminações diversas e também formas violentas de regulação nos seus modos de segmentação interna. Entre nós, os trabalhos de Misse (2006) e Zaluar (2004) mostram o quanto pode ser fecunda a escala urbana para a descrição crítica do ilícito em suas relações e interações com os mercados informais, com os circuitos urbanos de circulação de riqueza e com as relações de poder inscritas em seus pontos de intersecção.

Segundo, como já tivemos a oportunidade de discutir em outro momento (Telles e Cabanes, 2006: 48), a construção de parâmetros críticos implica ao mesmo tempo a construção de parâmetros descritivos para colocar em perspectiva realidades urbanas em mutação. Em outros termos: reter a cidade como plano de referência supõe uma estratégia descritiva que escape aos termos correntes do debate atual, em grande medida polarizado entre a ênfase nos dispositivos transnacionais do assim chamado Crime Organizado e, de outro lado, a discussão do que se convencionou chamar de populações em situação de risco social, expostas à violência e supostamente cativas (ou sob ameaça) das ramificações locais do tráfico de drogas. Entre um e outro, entre fatos e ficções nessas duas pontas do debate atual, há toda uma trama urbana que resta a conhecer. É justamente aqui que se aloja o desafio de compreender o modo como as linhas de força que perpassam os mundos urbanos atuais, muito rapidamente indicados nas páginas anteriores, se entrelaçam e se conjugam nas tramas sociais e nos agenciamentos práticos da vida urbana atual.

Vale aqui dizer que essa é uma questão que corresponde aos nossos próprios percursos de pesquisa. Não somos pesquisadores do tráfico de drogas, tampouco da violência urbana. Nos últimos anos, desde 2001, viemos seguindo os traçados das mobilidades urbanas nas periferias da cidade de São Paulo e, através delas, de seus eventos e inflexões no tempo e espaço, buscamos compreender o modo como se processam segregações, assimetrias e desigualdades nos espaços e territórios de uma cidade em mutação (cf. Telles e Cabanes, 2006). Nesse percurso foram se delineando os perfis de uma cidade perpassada por uma expansiva trama de ilegalismos (novos e velhos) entrelaçados nas práticas urbanas, seus circuitos e redes sociais, e que pareciam colocar uma ordem de questões não mais passíveis de serem tratadas nos termos do tão debatido descompasso entre a cidade legal e a cidade real. A rigor, o que exige uma interrogação mais detida são novas mediações e outras conexões que parecem se entrelaçar e se compor nos agenciamentos práticos da vida urbana. Foi esse o nosso ponto de partida.

E é esse o ponto de partida, quer dizer, os agenciamentos práticos da vida cotidiana, para tentar, no que segue, desenrolar os fios (alguns deles) que fazem a urdidura das tramas urbanas. É por essa via, digamos transversal, que pretendemos indicar as capilaridades do tráfico de drogas no mundo social e nas tramas urbanas, tomando como "posto de observação" alguns de seus pontos de ancoramento em um bairro periférico da cidade de São Paulo. Essa é uma perspectiva descritiva que permite situar as práticas criminosas nas suas relações com o que poderíamos definir como gestão dos ilegalismos inscritos nos agenciamentos concretos da vida cotidiana. A rigor, esse é o foco da discussão que se pretende aqui desenvolver, quer dizer: não tanto o tráfico de drogas em si mesmo, mas essa crescente e ampliada zona de indiferenciação entre o legal e o ilegal, o lícito e o ilícito, e que se processa nas relações redefinidas entre o informal, o ilegal e o ilícito.

Se é verdade que o mundo urbano — o "bazar metropolitano" em suas modulações locais — é atravessado pelas forças estruturantes que redefinem as relações do trabalho e não trabalho, entre o formal e o informal, o legal e o ilegal, esses processos operam em situações de tempo e espaço. Processos situados, portanto. E agenciados por meio de mediações e conexões de natureza e extensão variadas. Por isso mesmo, só podem ser compreendidos nessas constelações situadas (cf. Telles, 2007: 207-8). E é isso propriamente que exige uma estratégia descritiva. De nossa parte, e esse é o nosso pressuposto teórico-metodológico, optamos pelo exercício de uma "etnografia experimental", tomando como referência "cenas descritivas" que permitam flagrar as novas mediações e conexões pelas quais vêm se processando esses deslocamentos das fronteiras do legal e do ilegal. Não se trata de partir de objetos ou "entidades sociais" tal como se convencionou definir de acordo com os protocolos científicos das ciências sociais, mas sim de situações e configurações sociais a serem tomadas como cenas descritivas que permitam seguir o traçado dessa constelação de processos e práticas, suas mediações e conexões pelas quais os ilegalismos (novos e velhos) vêm sendo urdidos nas tramas urbanas.

Com base em pesquisa recente (e ainda em curso), tomamos como ponto de partida — o nosso primeiro "posto de observação" — uma cena urbana armada em torno de expedientes corriqueiros de sobrevivência em um bairro periférico da cidade de São Paulo, pondo em foco suas mediações e conexões e, a partir daí, seguindo os percursos de um pequeno traficante local, os perfis urbanos que, nesses caminhos, vão se desenhando nas fronteiras porosas entre o legal e o ilegal, e o ilícito.

Histórias minúsculas

Cena corriqueira na periferia paulista. Um ponto distante da cidade de São Paulo, um bairro feito de irregularidades várias e superpostas. Ocupações e terrenos de propriedade incerta. Tudo muito improvisado e tudo muito precário, moradias erguidas aqui e ali conforme chegaram os moradores, espalhando-se no traçado de ruas esburacadas, sem pavimentação e que se transformam em verdadeiros lodaçais nos dias de chuva. Mas as redes de água e luz, finalmente, chegaram nesses confins da cidade. A expansão das redes urbanas aconteceu nas últimas décadas. Porém, no mesmo passo e no mesmo ritmo, multiplicaram-se as ligações clandestinas. Junto com o "progresso urbano", o reinado das gambiarras também se espalhou por todos os lados. Nada muito diferente do que acontece desde muito tempo, compondo o que foi convencionado discutir nos termos do descompasso entre a cidade legal e a cidade real. Nada muito diferente não fosse o modo como esse peculiar artefato urbano vem sendo produzido e agenciado nos últimos tempos. Na verdade, é a cidade ou as linhas de força de sua atualidade, que pulsam nesse artefato urbano (e outros). E são essas linhas de força que gostaríamos de "puxar, para ver como se entrelaçam e se compõem nos agenciamentos práticos da vida cotidiana: conexões e mediações da vida urbana que ficariam fora de mira se insistíssemos, como é comum nos chamados estudos da pobreza urbana, na ficção comunitária de populações encapsuladas nos seus expedientes de sobrevivência.

Estacionado ali perto, um carro de uma empresa que faz o serviço de manutenção de uma grande companhia telefônica. Afinal, a rede de telefonia também chegou nos pontos mais distantes da cidade. Proezas da privatização, é o que se diz. O técnico conversa com um dos moradores do local. É ele quem vai fazer o serviço. Quer dizer: puxar os fios da avenida principal e, de quebra, garantir luz e telefone para todos. É um empregado terceirizado de uma empresa privatizada. Não tem estabilidade no emprego e é muito mal remunerado: enfim, é um trabalhador precário. Como tantos outros, não deixa escapar a oportunidade de complementar seus parcos rendimentos, com a peculiaridade de que, agora, os próprios dispositivos de um serviço terceirizado abrem as passagens entre o formal e o informal, entre o legal e o ilegal, e o tradicional bico se faz justamente nas dobraduras entre uns e outros. Enfim, é a nossa velha conhecida viração popular, mas que ganha, agora, outras mediações já que conectada nos circuitos da face moderna- -moderníssima da vida urbana. Coisa, aliás, que também acontece do outro lado. Pois a prestação do serviço tem suas formas de regulação. Tudo tem que ser bem negociado. A começar do preço e dos custos a serem partilhados por todos. Além disso, há que se acordar sobre o traçado dos fios, as casas que serão beneficiadas, a extensão da rede clandestina, por onde passar e por onde se ramificar. Quer dizer: há todo um delicado agenciamento da vida local, e é isso o que está no foco das conversações.

O morador é um rapaz com os seus 28 anos, que mora lá com mulher, filhos e mais a mãe, irmãos e sobrinhos. Ele conduz as negociações com habilidade. Ninguém sabe ao certo o que ele faz e, se sabe, faz que não sabe. Mas isso não tem lá muita importância sob o ângulo da sempre difícil gestão cotidiana de vidas que se estruturam no fio da navalha de precariedades várias e superpostas. E o que importa é que o rapaz é um moço respeitador e gentil com todos, com uma família muito bem estruturada, uma filhinha adorável e uma esposa prestativa, sempre disposta a ajudar quem quer que esteja passando por algum aperto. Pois o rapaz ganha a vida traficando drogas. Ele é o "patrão" de uma "biqueira" bastante movimentada. Não lá onde mora. Mas em um bairro das imediações, aliás o lugar onde nasceu, cresceu, casou e constituiu família, até que por uma dessas piruetas do destino (briga de família e vizinhos, que resultou em história de sangue), as suas perspectivas de trabalhador (sim, ele era um trabalhador no mercado formal e com carreira promissora) viraram fumaça e ele viu-se enredado nas tramas da chamada economia dos bens ilícitos.

Mas ele não mistura seus negócios com a vida privada. No bairro em que mora, leva a vida de "todo mundo". Mas se é ele quem comanda essa espécie de gestão dos múltiplos ilegalismos de que é feito o mundo urbano, é porque sabe lançar mão dos ardis de uma inteligência prática que combina senso de oportunidade e a arte do contornamento das situações difíceis.[2] Nas quebradas da vida, desenvolveu uma especial habilidade em negociar a vida nas dobraduras do legal e ilegal e se equilibrar no frágil equilíbrio de que são feitos os negócios ilícitos: de partida, o pesado jogo entre a compra de proteção e a extorsão policial, na verdade um feroz jogo de poder que se faz nas fronteiras porosas entre o legal e o ilegal, e o ilícito — é disso que depende o funcionamento do negócio, dessa espécie de dobradura entre os dois lados, e que aciona séries seguidas de violência, episódios corriqueiros que, muito frequentemente, ganham formas extremadas e devastadoras (cf. Misse, 2006); de outro lado (e ao mesmo tempo), a gestão das rotinas do seu negócio, que se conectam com as circunstâncias da sociabilidade local, entre o respeito às regras da reciprocidade da vida cotidiana (afinal, foi lá que nasceu e cresceu, construiu laços de amizade e solidariedade), o cálculo refletido para garantir a cumplicidade dos moradores contra as investidas da polícia e também a estratégia para o controle de território face aos grupos rivais e sempre em disputa.

Aqui, nesse bairro, outras tantas histórias poderiam ser contadas, miríades delas, microcenas de um mundo feito da superposição e entrelaçamento de múltiplos ilegalismos. Ou melhor: um mundo social feito de um especial embaralhamento entre o formal e o informal, o legal e o ilegal, e o ilícito. Daí o interesse em se deter nos expedientes mobilizados em torno de uma muito prosaica gambiarra, esse peculiar artefato que carrega diversos estratos da história urbana, que se comunicam e se entrelaçam nos agenciamentos práticos da vida cotidiana.

Aliás, os mesmos procedimentos e os mesmos mediadores postos em ação para puxar a luz para uma pequena-pequeníssima favela que rapidamente se formou lá mesmo no bairro em que o rapaz capitaneia o seu negócio. Esse é um bairro mais antigo, com uma urbanização consolidada faz tempo. Porém, em um terreno vazio apareceram os primeiros moradores que, sem outras alternativas, lá instalaram casa e família para tocar suas vidas. A favela estava ali se formando aos olhos de todos. Tudo bem, tudo certo, nada muito diferente do que todos conhecem, e conhecem de longa data, até porque, em suas origens, nos idos dos anos 1970, esse bairro também foi uma

---

[2] Para uma discussão sobre os sentidos dessa inteligência prática em contextos nos quais as regras são incertas e mutantes, e as realidades são indeterminadas e ambíguas, cf. Detienne e Vernant, 1974.

Vera da Silva Telles e Daniel Hirata

área de ocupação ilegal de terras. Mas acontece que apareceram uns e outros, também moradores da região, que atuavam como uma espécie de grileiro popular, apossando-se de um terreno para, depois, alugar ou vender o ponto para os recém-chegados. O rapaz e seus parceiros (aliás, todos eles moradores antigos do pedaço), ponderaram que era preciso garantir que as coisas funcionassem, como se diz (eles dizem), "pelo certo". Expulsaram esses mercadores da desgraça alheia, dividiram os lotes direitinho e estabeleceram as regras para a sua distribuição entre os que, de fato, deles precisavam. Depois, trataram de garantir os "serviços urbanos", de luz e água, lançando mão, claro está, dos serviços profissionais de quem entende do assunto e é capaz de fazer bem o serviço — e lá estão as gambiarras de luz e as ligações clandestinas de água, tudo funcionando direito para o bem-estar de todos...

O fato é que o rapaz e seus parceiros passaram, aos poucos, a se ocupar dos assuntos locais. Foi assim também com a cesta básica, um outro artefato urbano em torno do qual relações sociais são tecidas, conexões são urdidas e redes sociais são mobilizadas. Em torno desse artefato outros tantos coletivos são mobilizados.[3] Antes de mais nada, claro está, as famílias pauperizadas cujas vidas parecem como que dependuradas nos programas sociais, sem outros meios de sobrevivência: problemas de saúde, de desemprego, de orfandade, de abandono; também a prisão de provedores, pais ou filhos, ou então a morte violenta dos que foram atingidos por um desses "mata-mata", como se diz, episódios recorrentes que fazem parte da história local (não só local) e que não são de hoje, vêm de longe, em que se misturam a violência policial (e as práticas de extermínio), a ação de matadores e justiceiros, disputas de territórios e acertos de conta. Desde muito tempo, as cestas básicas são distribuídas por uma tradicionalíssima liderança comunitária. Moradora das mais antigas do bairro, desde cedo se empenhou nesse empreendimento solidário. E desde cedo e por anos seguidos, não poupou esforços para solicitar a ajuda de todos quantos pudessem mobilizar recursos, quer dizer: doações voluntárias (e incertas) dos comerciantes locais, prestação (além de incerta, descontínua) de associações filantrópicas e também, e sobretudo, o clientelismo político velho de guerra e, nesse caso, as doações seguiam os rumos mutantes dos interesses políticos e o ritmo descompassado do calendário eleitoral. Mais recentemente, nos últimos cinco ou seis anos, quando o rapaz e seus parceiros entraram na parada, outras redes e outras

---

[3] Estamos aqui trabalhando com a noção de "artefato" tal como sugerida por Bruno Latour (2000), ponto de partida para a descrição de práticas, relações e mediações acionadas em seus agenciamentos.

mediações foram mobilizadas: comerciantes e perueiros, eles próprios atuando nessas zonas de incertezas entre o informal e o ilegal, sempre às voltas com as "forças da ordem" (fiscais e policiais) pelas vias da chantagem e extorsão, além dos assaltos e roubos da pequena delinquência local e, no caso dos perueiros, disputas, por vezes letais, envolvendo grupos rivais pelo controle dos rendosos circuitos do chamado transporte alternativo. Em troca da proteção, semissolicitada, semi-imposta, entraram todos no circuito da solidariedade popular, garantindo os recursos e também a fachada semilegal para as cestas básicas que continuaram a ser distribuídas e geridas como sempre foram, desde o começo.

Na verdade, uma muito modesta e tradicional cesta básica opera aqui como um desses pontos de entrelaçamento de redes que operam em escalas e conexões variadas. Famílias pauperizadas, liderança comunitária, traficantes locais, comerciantes e perueiros são moradores que partilham a história comum de um mesmo bairro, conhecem as venturas e desventuras de uns e outros. Cada qual e, sob maneiras diversas, transita entre um lado e outro, nas fronteiras incertas do legal, do informal e ilícito: famílias cujos filhos estão presos ou foram mortos em algum desses trânsitos entre o legal e o ilegal; o traficante que já foi um trabalhador no mercado formal de trabalho, um outro que intercala expedientes vários no mercado informal e o negócio da droga ou que tenta consolidar uma pequena loja nas imediações com a expectativa (ou o sonho) de, um dia, sair da vida do crime; o perueiro que já traficou drogas em outro momento e resolveu dar um novo rumo para sua vida (ou o contrário); o comerciante cujo filho é perueiro e sabe das complicações que acompanham seus trajetos na cidade; a liderança comunitária, que já foi uma aguerrida militante dos outrora ativos movimentos de moradia, que nos períodos de eleição se converte em um muito eficaz cabo eleitoral de vereadores locais, que tem um filho perueiro e uma filha viúva de um rapaz executado pela polícia por razões obscuras, que ganhou respeito e admiração não apenas pelo seu empenho solidário, mas também pela ousadia com que, ao longo dos anos e por vezes seguidas, se interpôs, fisicamente e com ameaças de denúncia pública, entre a polícia e aquele que, qualquer que fosse a razão, estava ali sendo alvo de violência, ameaça de extermínio ou prisão arbitrária. Poderíamos seguir, sem fim, esse jogo em que os personagens urbanos transitam, interpõem, deslocam, trocam, comutam entre esses vários "lugares" sociais: esse é propriamente o circuito que podemos reconstituir em torno de uma cesta básica, circuito que, a cada um de seus pontos, desenha os perfis de um mundo social no qual transitam "histórias minúsculas" (Foucault), delineando, cada qual, as modulações desse estado

Vera da Silva Telles e Daniel Hirata

de exceção permanente cifrado em cada uma delas e constelado nos agenciamentos práticos da vida cotidiana.

Mas, então, continuemos. A distribuição das cestas básicas segue suas rotinas. O "patrão" do negócio local é agora o seu fiador, e garante que tudo siga no rumo certo das coisas. E assim também acontece com os festejos que ele trata de patrocinar e organizar nas datas comemorativas: dia das mães, dia das crianças, Natal e fim de ano. No mês de junho, o campo do futebol de várzea se transforma em espaço para as festas juninas. Outros tantos agenciamentos locais: o rapaz e seus funcionários mais graúdos negociam com os times locais o uso do espaço, conversam com o pessoal do Centro Desportivo Municipal (mediação oficial e legal, que gerencia o espaço, os jogos e times locais), patrocinam a montagem e organização das barracas utilizadas pelos moradores para vender as comidas e bebidas próprias de uma festa junina. E ainda por cima garantem que tudo seja bem iluminado por gambiarras espalhadas em pontos estratégicos — de novo elas, e sempre pelas mesmas vias. A festa é um sucesso de público e crítica. Tão grande foi o sucesso da primeira iniciativa, que resolveram prolongar a festa por três meses, todos os fins de semana. Parentes, conhecidos, vizinhos, casais de namorados circulam alegremente por lá. As crianças se divertem com o pau de sebo. E as famílias celebram essa, digamos assim, variação local da economia solidária, pois as barracas se mostraram uma nada desprezível fonte de renda para quem está sempre às voltas com salários irrisórios, empregos incertos e desemprego prolongado. Como se vê, tudo muito bem sintonizado com os tempos atuais.

Com o tempo, o rapaz tornou-se um personagem importante na vida local. Não poucas vezes, ao andar pelas ruas, é chamado, com um evidente senso de ironia, de prefeito. Alguns pedem emprego, dinheiro, carro para levar um familiar doente para o hospital, favores em geral. Na prática, ele atua como um agenciador de problemas cotidianos: brigas de vizinhos, conflitos de família, adolescentes briguentos e desabusados, barulho excessivo nas altas horas da noite. Quer dizer: tudo e qualquer coisa que possa chamar a atenção da polícia ou que possa provocar a hostilidade e a má vontade de moradores, situação delicada e perigosa, pois é sempre assim que surgem as temidas denúncias anônimas que acionam a intervenção violenta da polícia. Na verdade, a biqueira funciona ali como uma espécie de caixa de ressonância de tudo o que acontece no bairro: as informações ou rumores circulam por ali, e o patrão e seus "gerentes" conversam, discutem, ponderam e decidem como intervir e arbitrar conflitos corriqueiros e situações difíceis. Ou então, para garantir, como se diz (eles dizem), o "lado certo da coisa errada" quando as situações são provocadas por gente envolvida nos negócios do crime.

O fato é que tudo isso se confunde com a gestão cotidiana do negócio local da droga, que depende em boa medida de seu ancoramento nessas redes de sociabilidade. Ao mesmo tempo, a biqueira engendra outras tantas relações no bairro, elas próprias se estruturando em equilíbrios instáveis e sempre passíveis de desandar em tensões, conflitos, desafetos, desentendimentos, deslealdades, disputas ou histórias de vingança pessoal, que podem ser fatais — e letais, para uns e outros, ou para todos. É todo um agenciamento das relações locais também mobilizado para garantir a lealdade dos "funcionários" e a cumplicidade de suas famílias, para arbitrar conflitos que muitas vezes se confundem com desentendimentos pessoais ou desacertos de outros tempos e outros lugares; ou então para definir os limites que não devem ser ultrapassados, sobretudo para os mais jovens, na verdade garotos, quase crianças, quando passam a se achar importantes e poderosos, e criam problemas com os moradores e vizinhança.

Equilíbrios instáveis, até porque se estruturam entre essa dinâmica local e os igualmente instáveis acordos com a polícia: a rotina do pagamento "regular" da proteção muito frequentemente desanda na prática aberta da chantagem e extorsão, e isso concerne diretamente e abertamente essa teia de relações que passam pelas conexões do negócio com a vida local: espancamento e chantagem sobre uns, ameaça de prisão de outros, verdadeiros sequestros, muito frequentemente, com a exigência de um alto preço pelo "resgate". No alvo, estão os "meninos da droga". Mas não só. Qualquer um que, nesse trânsito nas fronteiras embaçadas do legal e ilegal, possa oferecer algum pretexto para a pressão, chantagem e ameaça de prisão: pequenas histórias locais, "histórias minúsculas" ou "histórias infames", que passam por delitos menores ou passagens esporádicas pelo ilícito, casos mal resolvidos de outrora ou ainda desavenças pessoais, histórias que circulam e povoam a vida local, que se misturam com a "vida-de-todo-dia" e que são acionadas nesses pontos de fricção da vida local e que, de alguma forma, se condensam no varejo da droga, nas várias dimensões de suas regulações locais.

O fato é que essa gestão das relações cotidianas tangencia outras tantas práticas ilícitas, que nem sempre e não necessariamente têm comprometimentos com o negócio da droga, mas que também interagem com as redes da sociabilidade local nas fronteiras incertas entre o informal e o ilegal: as tradicionalíssimas oficinas de carro, que se multiplicam por toda a periferia, em que se misturam o trabalho informal e a transação de peças de origem

Vera da Silva Telles e Daniel Hirata

duvidosa, em conexão (ou não) com os vários pontos de desmanche de carros roubados, tudo isso alimentando um espantoso mercado popular de peças, motos e automóveis de "segunda mão"; os muito modernos mercados de CDs piratas, produtos falsificados ou então contrabandeados (dos cigarros vindos do Paraguai, passando por isqueiros vindos sabe lá de onde, até os eletrônicos que chegam dos contêineres chineses desembarcados no porto de Santos), fontes de renda para os que agenciam os pontos de venda pelas periferias a fora, mobilizando redes locais de sociabilidade e mais uma cascata confusa de intermediários por onde esses produtos circulam nos hoje expansivos mercados de consumo popular; ou então o atualíssimo e muito rendoso negócio com caça-níqueis que vem ocupando o lugar do tradicional jogo do bicho e que, como esse, também opera no jogo de luz e sombra entre intermediários obscuros, a compra de proteção policial e os rendimentos generosos para os que alojam e operam essa versão moderna do jogo de azar hoje comum em qualquer birosca de um bairro de periferia.[4]

Práticas comuns, em suas versões tradicionais ou muito modernas, que transitam nas fronteiras borradas entre expedientes de sobrevivência e práticas ilícitas (Ruggiero, 2000). Podem estar vinculadas (ou não, e não necessariamente) à pequena criminalidade local ou às redes mobilizadas por esquemas mais pesados, como é o caso do roubo de carga. Ou então, estão articuladas, aliás, como o próprio varejo da droga, nas pontas pobres dos rendosos circuitos ilegais de uma economia globalizada (cf. Naím, 2006). São práticas e redes sociais que atravessam e compõem a vida de um bairro de periferia. E criam outras tantas zonas de fricção que, também elas, precisam ser bem agenciadas para evitar complicações com a população local e, sobretudo, evitar ocorrências indesejáveis com a polícia. Aqui, o outro plano em que se dá a regulação dos negócios locais: a gestão dos vários ilegalismos e práticas criminosas que perpassam o mundo urbano, que transbordam, certamente, o perímetro local, mas que se entrelaçam nas pontas pobres do varejo da droga e fazem de uma pequena biqueira o ponto sensível de suas operações justamente nas suas conexões com as circunstâncias locais, entre as regras da sociabilidade vicinal, os sempre instáveis acordos com a polícia e também a nem sempre pacífica relação com organizações criminosas: acertos sobre procedimentos, horas, lugares e circunstâncias para as transações

---

[4] A imprensa tem noticiado o importante lugar do comércio de máquinas de caça-níqueis nas operações de lavagem de dinheiro capitaneadas por redes transnacionais, das quais, como se pode supor, os modestos donos de birosca nas periferias não suspeitam e nem poderiam imaginar.

ilícitas ou, então, acordos de conveniência para impedir disputas indesejáveis entre grupos que atuam em territórios contíguos. Também: arbitragens difíceis quando as desavenças envolvem organizações criminosas, e a situação beira soluções de morte.

O que está em jogo nisso tudo são microrregulações do negócio da droga, a sua face miúda, poderíamos dizer, que se conecta com os fatos e circunstâncias, artefatos e redes sociais que compõem a vida local. Disso depende o bom andamento dos negócios. Mas é disso que depende, sobretudo, as partidas de um arriscado jogo de vida e morte. Pois tudo funciona muito bem, ou pode funcionar até o momento em que a roda da fortuna dá mais um giro e os desacertos da vida jogam tudo pelos ares, sejam os desacertos com a polícia que está sempre lá em um jogo perverso de proteção e extorsão; seja por conta de disputas de território com os grupos rivais, seja pelos desafetos de uns e outros e que terminam por acionar soluções de morte. O rapaz sabe disso, ele e todos os outros, os moradores também.

Governo da vida e vida nua

Histórias de um pequeno traficante da periferia paulista. Histórias minúsculas, como diria Foucault (2003), essas "existências destinadas a passar sem deixar rastro", mas que interessam justamente porque, ao contrário das estereotipias que constroem as figuras fantasmáticas do Traficante e do Crime Organizado, são portadoras de um feixe variado de relações e conexões com o mundo social. Por isso mesmo são formidáveis guias para nos conduzir nessa incerta prospecção do mundo urbano atual.

São histórias que se fazem nas dobraduras do mundo social, nesses pontos de junção e conjugação da trama urbana nas fronteiras incertas entre o informal, o ilegal e o ilícito. Nelas pulsam as linhas de força que atravessam o cenário contemporâneo, e que parecem se entrelaçar e se compor nos diversos agenciamentos práticos da vida cotidiana: práticas e redes sociais mobilizadas nesse trânsito constante entre um lado e outro, acionando recursos, possibilidades e dispositivos de cada lado. É isso o que interessa colocar em foco. E foi por isso que começamos com uma muito prosaica gambiarra, para seguir, depois, os agenciamentos mobilizados em torno de uma inofensiva cesta básica e de uma popular festa junina. É isso que pode fornecer um plano de referência para situar os percursos de um pequeno traficante local e, através deles, delinear os perfis de uma cidade que ainda resta a conhecer.

Vera da Silva Telles e Daniel Hirata

Tudo muito distante das imagens hoje amplamente midiatizadas — e aceitas como fato e verdade — de um mundo capturado e dominado pelo assim chamado Crime Organizado. Imagens que banalizam a criminalização da pobreza e alimentam a obsessão securitária que combina repressão aberta e sem pudor (a gramática da guerra, combate ao "inimigo") e a gestão dos supostos riscos da pobreza[5] pelas vias de dispositivos gestionários voltados às ditas "populações em situação de risco" (expressão hoje moeda corrente, e não por acaso), a rigor, o biopoder de que fala Foucault (2004), quer dizer: gestão das populações, gestão das vidas e, nesses tempos em que a exceção se tornou a regra, a administração de suas urgências para tornar os "indivíduos governáveis" sob a égide da racionalidade triunfante do mercado.

Talvez aqui fique mais claro porque escolhemos esse sinuoso percurso pelas "histórias minúsculas" para colocar a cidade em perspectiva e sob outra perspectiva. Exigência, para nós imperativa, de deslocar o terreno a partir do qual descrever a ordem das coisas, e problematizar as questões em pauta. Deslocar o ponto da crítica. Ou melhor: ajustar o ponto da crítica que, hoje, parece ter se esvanecido na própria medida em que se esvazia a imaginação política que não consegue figurar o mundo a não ser nos termos postos no presente imediato. Se essas microcenas interessam é porque colocam em foco um mundo social que não cabe nas estereotipias que vêm acionando os dispositivos de exceção: sejam as figuras fantasmáticas do Crime Organizado, suposto poder paralelo, versão nativa do "império do mal" contra o qual só resta a estratégia da guerra (e extermínio); seja, na sua face "edificante", a ficção de populações encapsuladas nas ditas "comunidades" (aliás, termo sobre o qual valeria se deter em outro momento), subjugadas ou aterrorizadas, no mínimo ameaçadas, mas destinadas à remissão pela intervenção salvadora de programas sociais. Em nome da urgência e da emergência, o espaço da política é subtraído, tanto quanto é erodido o campo da crítica e o exercício da inteligência crítica (cf. Calhoun, 2004) sob a figuração de uma cidade toda ela pensada e figurada sob a lógica de uma gestão dos riscos, riscos sociais, pautando programas sociais e também os hoje celebrados projetos de revalorização de espaços urbanos, populares

---

[5] No momento em que estas linhas estão sendo escritas, estamos testemunhando ao vivo e em ato, os modos como esses — o leitor nos perdoe o eufemismo — dispositivos de exceção estão sendo, mais uma vez, colocados em prática nas UPPs (Unidades de Polícia Pacificadora) no Rio de Janeiro, cidade hoje escolhida, assim parece, como um laboratório para calibrar a versão nativa de uma mistura dos ditos Modelo Colômbia e Modelo Haiti.

ou centrais,[6] indicações que nos fazem pensar já estar em operação novas formas de controle que, como diz David Garland (1999, 2001), combinam a lógica punitiva (dispositivos repressivos) e a governamentalização das populações e situações sujeitas ao que passa a ser definido como risco do crime e violência.

Com isso, é todo um mundo social que fica fora de mira. Mas é aqui que se alojam as complicações, e toda a tragédia que se estampa em nossas cidades, justamente nessas tramas urbanas feitas nas dobraduras do formal e informal, do legal e ilegal. É nelas, nessas dobraduras, que é preciso se deter. Como mostra Michel Misse (2006), a chave para o entendimento da violência associada aos mercados ilícitos, em particular o tráfico de drogas, está justamente aí, nas "ligações perigosas", relações de poder articuladas no pesado jogo da compra de proteção e extorsão policial, o chamado mercado de proteção, ele também ilegal, que se alimenta das políticas (e práticas) da criminalização, parasita os primeiros e detona episódios contínuos de violência que, muito frequentemente, assumem formas extremadas e devastadoras.

Mas os dispositivos de exceção, nas suas duas faces, a repressão e a gestão da pobreza, já compõem a ordem das coisas. Seria mesmo possível dizer que as tensões do mundo se fazem na fricção entre os "indivíduos governáveis" (Foucault) e o que escapa dos dispositivos gestionários, quer dizer: entre a governabilidade gestionária e a "vida nua" (Agamben, 2002). É isso o que pulsa, em filigrana, nos agenciamentos práticos da vida cotidiana, nas "histórias minúsculas" que compõem nossas cidades. É nesses pontos de fricção que homens e mulheres negociam a vida e os sentidos da vida. No fio da navalha. O fato é que indivíduos e suas famílias transitam nessas tênues fronteiras do legal e do ilegal,[7] sabem muito bem lidar com os códigos de ambos os lados e sabem também, ou sobretudo, lidar com as regras que vão sendo construídas para "sobreviver na adversidade". Essa expressão, "sobreviver na adversidade", não tem nada a ver com as estratégias de sobrevivência de que tratam os estudos sobre pobreza.[8] É uma expressão que circula no "mundo bandido". Mas, os moradores das periferias da cidade sabem

---

[6] Nisso, ao que parece, estamos também em fina sintonia com a modernidade neoliberal em tempos de exceção, a se considerar o que Vincenzo Ruggiero, em artigo recente (2007), descreve do que anda acontecendo na cidade de Londres.

[7] No que segue, retomamos questões desenvolvidas em Telles, 2007

[8] Os usos e sentidos dessa expressão, "sobreviver na adversidade", é questão trabalhada e desenvolvida em Hirata (2010).

Vera da Silva Telles e Daniel Hirata

muito bem o que isso quer dizer: saber transitar entre fronteiras diversas, se deter quando é preciso, avançar quando é possível, fazer o bom uso da palavra certa no momento certo, se calar quando é o caso. Não se trata tão simplesmente de sobreviver e levar a vida. Trata-se sobretudo de contornar — é uma espécie de arte de contornamento[9] — as duas ameaças muito concretas que se colocam em suas vidas, a cada momento. De um lado, o risco da morte violenta: sobretudo entre os mais jovens, fazer a narração de suas vidas é também uma espécie de contabilidade dos mortos, pessoas próximas, amigos de infância, vizinhos de rua, colegas de escola. De outro, o risco de despencar na condição de "pobres-de-tudo", a depender da caridade de uns e outros, público-alvo dos programas sociais ditos de inserção e que, nas palavras de Francisco de Oliveira, não são mais do que a administração da exceção. Quer dizer: entre a morte-matada e a pobreza cativa dos dispositivos gestionários, não há o vazio sugerido pelas noções correntes de exclusão social. Há todo um mundo social tecido nesses terrenos incertos nas fronteiras porosas do legal e do ilegal, do lícito e do ilícito. É aí que se joga a partida entre a vida nua: quer dizer: a vida matável; e as formas de vida, quer dizer: possibilidades e potências da vida. Acolhendo a sugestão de Agamben, é isso o que ainda precisa ser bem entendido se quisermos pensar uma política que esteja à altura desses tempos em que a exceção se transformou em regra.

Bibliografia

AGAMBEN, G. (2002). *Homo Sacer: o poder soberano e a vida nua*. Belo Horizonte: Editora UFMG.

BAYART, J.-F. (2004). "Le crime transnational et la formation de l'État". *Politique Africaine*, nº 93, Paris, Karthala, mar., pp. 93-104.

BOTTE, R. (2004). "Vers un État illégal-légal?". *Politique Africaine*, nº 93, Paris, Karthala, mar., pp. 7-21.

BOURGOIS, P. (1995). *In Search of Respect*. Cambridge: Cambridge University Press.

CALHOUN, C. (2004). "A World of Emergencies: Fear, Intervention, and the Limits of Cosmopolitan Order". *The Canadian Review of Sociology and Anthropology*, vol. 41, nov.

---

[9] Sobre essa "arte do contornamento", ver Marion Fresia (2004). Em seu estudo sobre os inusitados percursos de jovens refugiados nas fronteiras do Senegal e da Mauritânia, a autora levanta questões que têm paralelos interessantíssimos com o que está aqui sendo proposto.

DETIENNE, M.; VERNANT, J.-P. (1974). *Les ruses de l'intelligence: la mètis des Grecs*. Paris: Flammarion.

FRESIA, M. (2004). "Frauder lorsqu'on est réfugié". *Politique Africaine*, n° 93, Paris, mar., pp. 63-81.

FOUCAULT, M. (2003). "A vida dos homens infames". *Ditos e escritos IV*. Rio de Janeiro: Forense Universitária.

_____ (2004). *Naissance de la biopolitique*. Paris: Gallimard.

GARLAND, D. (1999). "As contradições da 'sociedade punitiva': o caso britânico". *Revista de Sociologia e Política*, n° 13, Curitiba, Universidade Federal do Paraná, nov., pp. 59-80.

_____ (2001). *The Culture of Control*. Oxford: Oxford University Press.

HIRATA, D. (2006). "No meio do campo: o que está em jogo no futebol de várzea". In: TELLES, V. S.; CABANES, R. (orgs.). *Nas tramas da cidade: trajetórias urbanas e seus territórios*. São Paulo: Humanitas, pp. 243-90.

_____ (2010). "Sobreviver na adversidade: entre o mercado e a vida". Tese de Doutorado, FFLCH-USP, São Paulo.

KOKOREFF, M.; PERALDI, M.; WEINBERGUER, M. (2006). *Économies criminelles et mondes urbains*. Paris: PUF.

KOKOREFF, M. (2007). "Mythes et réalités des économies souterraines dans le monde des banlieues populaires françaises". In: KOKOREFF, M.; PERALDI, M.; WEINBERGUER, M. (orgs.). *Économies criminelles et mondes urbains*. Paris: PUF, pp. 74-86.

_____ (2004). "Trafics de drogue et criminalité organisée: une relation complexe". *Criminologie*, vol. 7, n° 1, Paris.

LATOUR, B. (2000). "Faktura, de la notion de réseaux à celle d'attachement". In: MICOUD, A.; PERONI, M. (orgs.). *Ce qui nous relie*. Paris: Éditions de l'Aube/La Tour d'Aigues, pp. 189-208.

MISSE, M. (2006). "O Rio como um bazar: a conversão da ilegalidade em mercadoria política". In: *Crime e violência no Brasil contemporâneo: estudos de sociologia do crime e da violência urbana*. Rio de Janeiro: Lumen Juris, pp. 211-28.

_____ (2006). "As ligações perigosas: mercado informal, ilegal, narcotráfico e violência no Rio". In: *Crime e violência no Brasil contemporâneo: estudos de sociologia do crime e da violência urbana*. Rio de Janeiro: Lumen Juris, pp. 179-210.

_____ (2006). "O fantasma e seu duplo". In: *Crime e violência no Brasil contemporâneo: estudos de sociologia do crime e da violência urbana*. Rio de Janeiro: Lumen Juris, pp. 269-72.

NAIN, M. (2006). *Ilícito: o ataque da pirataria, da lavagem de dinheiro e do tráfico à economia global*. Rio de Janeiro: Zahar.

OLIVEIRA, F. de (2003). "O ornitorrinco". In: *Crítica à razão dualista/O ornitorrinco*. São Paulo: Boitempo.

PORTES, A.; CASTELLS, M. (1989). "World Underneath: The Origins, Dynamics, and Effects of the Informal Economy". In: PORTES, A.; CASTELLS, M.; BENTON, L. A. (orgs.). *Informal Economy: Studies in Advanced and Less Developed Countries*. Baltimore: Johns Hopkins University Press.

RUGGIERO, V. (2007). "Securité et criminalité économique". In: KOKOREFF, M.; PERALDI, M.; WEINBERGUER, Monique (orgs.). *Economies criminelles et mondes urbains*. Paris: PUF, pp. 121-35.

_____ (2000). *Crime and Markets: Essays in Anti-Criminology*. Oxford: Oxford University Press.

RUGGIERO, V.; SOUTH N. (1997). "The Late City as a Bazaar: Drug Markets, Illegal Enterprise and the Barricades". *The British Journal of Sociology*, vol. 48, nº 1, pp. 54-70.

SASSEN, S. (1989). "New York City's Informal Economy". In: PORTES, A; CASTELLS, M.; BENTON, L. A. (orgs.). *Informal Economy: Studies in Advanced and Less Developed Countries*. Baltimore: Johns Hopkins University Press.

TELLES, V. S.; CABANES, R. (orgs.) (2006). *Nas tramas da cidade: trajetórias urbanas e seus territórios*. São Paulo: Humanitas.

TELLES, V. S. (2007). "Linha de sombra, tecendo as tramas da cidade". In: OLIVEIRA, F. de; RIZEK, C. (orgs.). *A era da indeterminação*. São Paulo: Boitempo, pp. 195-218.

ZALUAR, A. (2004). *Integração perversa: pobreza e tráfico de drogas*. Rio de Janeiro: FGV Editora.

Sobre os autores

ADRIAN GURZA LAVALLE é professor doutor do Departamento de Ciência Política da Universidade de São Paulo e diretor científico e pesquisador do Cebrap (Centro Brasileiro de Análise e Planejamento). É membro do Management Committee do Centre for the Future State da Universidade de Sussex e possui pós-doutorado pelo Institute of Development Studies. Publicou três livros e mais de trinta artigos em periódicos sobre os temas associativismo, sociedade civil, teoria democrática e espaço público.

ALVARO COMIN é doutor em Sociologia pela Universidade de São Paulo, com a tese "Mudanças na estrutura socio-ocupacional no mercado de trabalho em São Paulo". É professor do Departamento de Sociologia da USP e ex-presidente do Cebrap (2005-2008), onde coordena, desde 2004, a área de estudos sobre Desenvolvimento e Trabalho. É autor, entre outras obras, do livro *Os cavaleiros do antiapocalipse: trabalho e política na indústria automobilística*, em parceria com Francisco de Oliveira (2000).

ANANDA STÜCKER é mestre em Ciências da Comunicação na ECA-USP com a dissertação "A periferia nos seriados televisivos *Cidade dos Homens* e *Antônia*".

CAMILA SARAIVA é arquiteta, urbanista e mestre em Planejamento Urbano e Regional (IPPUR-UFRJ). É especialista em políticas públicas e gestão governamental do Governo do Estado do Rio de Janeiro.

DANIEL HIRATA é doutor em Sociologia pelo Departamento de Sociologia da USP. Realiza pesquisas em São Paulo, cujo interesse é a compreensão das relações entre cidade, dispositivos urbanos de controle social e ilegalismos populares.

EDUARDO MARQUES é professor livre-docente do Departamento de Ciência Política da USP e pesquisador do Centro de Estudos da Metrópole (CEM) do Cebrap. É autor de artigos sobre políticas públicas, pobreza urbana e segregação socioespacial, e dos livros: *Redes sociais, pobreza e segregação* (Unesp, 2010); *Políticas públicas no Brasil* (Fiocruz, 2007, com Gilberto Hochman e Marta Arretche); *São Paulo: segregação, pobreza urbana e desigualdade social* (Senac, 2005, com Haroldo Torres) e *Redes sociais, instituições e atores políticos no governo da cidade de São Paulo* (Annablume, 2003), entre outros.

ESTHER HAMBURGER é professora livre-docente da Universidade de São Paulo e PhD em Antropologia pela Universidade de Chicago. É atualmente Chefe do Departamento de Cinema, Rádio e Televisão da ECA-USP. Foi recentemente professora-visitante da Universidade de Michigan, nos Estados Unidos. É crítica e ensaísta, e autora do livro O *Brasil antenado: a sociedade da novela* (Zahar, 2005).

FERNANDO LIMONGI é professor titular da Universidade de São Paulo (USP) e pesquisador do Cebrap. É autor, com Argelina Figueiredo, dos livros *Política orçamentária no presidencialismo de coalizão* (Editora FGV/Fundação Adenauer, 2008); *Executivo e Legislativo na nova ordem constitucional* (Editora FGV/Fapesp, 1999); e, com Adam Przeworski, Michael E. Alvarez e José Antonio Cheibub, de *Democracy and Development: Political Institutions and Well-Being in the World, 1950-1990* (Cambridge University Press, 2000).

GABRIEL FELTRAN é professor do Departamento de Sociologia da Universidade Federal de São Carlos (UFSCar) e pesquisador do Centro de Estudos da Metrópole (CEM) do Cebrap. É doutor em Ciências Sociais pela Universidade Estadual de Campinas (Unicamp), com doutorado-sanduíche na École des Hautes Études en Sciences Sociales (EHESS), de Paris. Atualmente pesquisa as transformações nas dinâmicas sociais e políticas das periferias urbanas, com foco nas ações coletivas e no "mundo do crime" em São Paulo.

GRAZIELA CASTELLO é mestranda em Ciências Sociais pela Universidade Estadual de Campinas (IFCH/Unicamp), e pesquisadora do Centro de Estudos da Metrópole (CEM) do Cebrap.

LARA MESQUITA é mestre em Ciência Política pela USP e pesquisadora do Centro de Estudos da Metrópole (CEM) do Cebrap. Desenvolve trabalhos na área de eleições e comportamento eleitoral.

LAURA CARVALHO é graduada em Audiovisual pela Universidade de São Paulo e colabora no novo panorama da crítica cinematográfica escrevendo no site *Cinequanon*. Tem projetos realizados em cinema e educação, além de atuar na equipe de direção de arte tanto em longas como em curtas-metragens. Possui projeto paralelo de pesquisa sobre a cor no cinema.

LUCIANA TATAGIBA é professora do Departamento de Ciência Política da Unicamp, onde trabalha com os temas democracia, movimentos sociais e participação política.

LÚCIO KOWARICK é professor titular do Departamento de Ciência Política da USP, onde defendeu seu doutorado e livre-docência, e do qual foi chefe de departamento por três gestões. É autor de cinco livros e mais de oitenta artigos publicados em periódicos no Brasil e no exterior. Foi professor e pesquisador-visitante nas universidades de Paris, Oxford, Sussex, Londres e no Japan Center for Area Studies. Com o livro *Viver em risco* (Editora 34, 2009), venceu o Prêmio Jabuti na categoria Ciências Humanas.

MARIA CRISTINA DA SILVA LEME é professora titular da Faculdade de Arquitetura e Urbanismo da Universidade de São Paulo. Pesquisa a formação do urbanismo no Brasil e a sua relação com os atuais processos de configuração das cidades. É organizadora do livro *Urbanismo no Brasil, 1895-1965* (Studio Nobel/FAU-USP/FUPAM, 1999).

MARIA ENCARNACIÓN MOYA é doutora em Ciência Política pelo Departamento de Ciência Política da Universidade de São Paulo e pesquisadora do Centro de Estudos da Metrópole (CEM) do Cebrap.

MIGUEL ANTUNES RAMOS é graduando do Curso Superior do Audiovisual da ECA-USP e foi bolsista PIBIC.

MURILLO MARSCHNER ALVES DE BRITO é doutorando do Programa de Pós-Graduação em Sociologia da Universidade de São Paulo e pesquisador associado à equipe do projeto "Redes sociais e obtenção de trabalho" do INCT/CEM.

Nadya Araujo Guimarães é professora titular do Departamento de Sociologia da USP e pesquisadora do CNPq associada ao INCT/CEM, onde coordena a equipe do projeto "Redes sociais e obtenção de trabalho".

Paula Miraglia é doutora em Antropologia Social pela Universidade de São Paulo e diretora geral do International Centre for the Prevention of Crime — ICPC, Canadá.

Paulo Henrique da Silva é sociólogo e pesquisador associado à equipe do projeto "Redes sociais e obtenção de trabalho" do INCT/CEM.

Renata Bichir é graduada em Ciências Sociais pela Universidade de São Paulo (2002), mestre em Ciência Política pela USP (2006) e doutoranda em Ciência Política no Instituto Universitário de Pesquisas do Rio de Janeiro (IUPERJ, desde 2007). Atuou no Cebrap entre 1999 e 2001, e atua no CEM desde 2001. Desenvolve projetos nas áreas de sociologia urbana, políticas públicas, segregação residencial, pobreza e desigualdade.

Rosana Baeninger é professora do Departamento de Demografia do Instituto de Filosofia e Ciências Humanas da Universidade Estadual de Campinas e pesquisadora do Núcleo de Estudos de População da Unicamp.

Sarah Feldman é professora livre-docente da Escola de Engenharia de São Carlos, da Universidade de São Paulo, e pesquisa instituições, práticas urbanísticas e processos de urbanização no Brasil. É autora do livro *Planejamento e zoneamento: São Paulo, 1947-1972* (Edusp/Fapesp, 2005).

Teresa Pires do Rio Caldeira é professora titular do Department of City and Regional Planning da Universidade da Califórnia, Berkeley, e autora do livro *Cidade de muros: crime, segregação e cidadania em São Paulo* (Editora 34/Edusp, 2000), que recebeu o Senior Book Prize da American Ethnological Society.

Vera da Silva Telles é professora livre-docente do Departamento de Sociologia da Universidade de São Paulo e pesquisadora do Centro de Estudos dos Direitos da Cidadania (Cenedic). Publicou recentemente, com Robert Cabanes, *Nas tramas da cidade: trajetórias urbanas e seus territórios* (Humanitas, 2006).

Este livro foi composto em Sabon, pela Bracher & Malta, com CTP e impressão da Prol Editora Gráfica em papel Pólen Soft 80 g/m² da Cia. Suzano de Papel e Celulose para a Editora 34, em dezembro de 2011.